PUBLIB

まえがき

ここ数年、インドのヘヴィメタル／ハードロックバンドの動向が断片的に伝わるようになった。たとえば2018年5月のBABYMETALのアメリカ南部ツアーをサポートしたSkyharborは米印混成のバンドで、同年10月にはブルータル・デスメタルのGutslitが東京で来日公演を行った。2019～2020年にかけては、スラッシュメタルのAmorphiaが東京と大阪を2度にわたりツアーした。2022年8月にはフォークメタルのBloodywoodがFuji Rock Festival出演のため日本初上陸を果たし、同年11月にはメロディアス・ハードロックのAbout Usが日本CDデビューを飾った。

しかし、これらの断片的な情報をつなぎ合わせても、インドには他にどんなメタルバンドが存在し、どんなメタルシーンを形成しているのかという全体像が見えにくいのも事実だ。そんな疑問に答えるべく、本書はディスクガイドという形態で、インドのみならず周辺6ヶ国（スリランカ、ネパール、パキスタン、バングラデシュ、ブータン、モルディヴ）を含むインド亜大陸（南アジアとも言う）のヘヴィメタル／ハードロックシーンを浮き彫りにしようと試みた。

書名に「インディア」と掲げている以上、まずインドを扱う章から説明しよう。本書の前半部分ではインド産バンド378組を次の5つの地域別に紹介している。

インド北部・中部（58組・69作品）
前掲のSkyharbor、Bloodywoodなど、インドの首都ニューデリーを中心とする地域のバンド群。貧困者比率の多いインド中部の州はバンド数が少ないため、本書では北部と中部を1節にまとめた。

インド東部（54組・59作品）
インド第三の都市コルカタを中心とする地域のバンド群。Kapalaをはじめとする邪悪なウォー・ブラックメタルバンドの一群が、近頃は日本でも知る人ぞ知る存在となっている。

インド北東部（61組・69作品）
紅茶の名産地として知られるアッサム州を中心とする地域のバンド群。山岳の辺境地帯と見なされがちの地域だが、前掲のAbout Usをはじめ、バラエティ豊かな顔触れが揃っている。

インド西部（101組・110作品）
人口ではニューデリーを上回る、インド最大の都市ムンバイを中心とする地域のバンド群。前掲のGutslit、シンフォニック・ブラックメタルのDemonic Resurrectionというインド産エクストリームメタルの両巨頭が登場する。

インド南部（104組・109作品）
インド第四の都市ベンガルールを中心とする地域のバンド群。前掲のAmorphia、正統派メタルのベテランKryptosに加え、メンバー全員がダリト（不可触民）であるブラックメタルのWilluwandiなどが登場する。

そして本書の後半部分はインドの周辺6ヶ国と、インド亜大陸にルーツを持つ域外バンドに紙幅を割いた。内訳は次のとおりで、Encyclopaedia Metallumでは情報をまったく参照できないブータンのバンドも盛り込んだ。

スリランカ（56組・61作品）
Genocide Shrinesを代表格とするウォー・ブラックメタルバンドの一群に加え、正統派のWhirlwind、パワーメタルのベテランStigmataなどが登場する。

ネパール（43組・47作品）
メタルコアのUndersideを筆頭に、スラッシュメタルのX-Mantra、デスメタルのUgra Karmaなどが登場する。

パキスタン（56組・64作品）
およそ30年のキャリアを誇るデス／ドゥームメタルのDusk、プログレッシヴメタルのMizraab、7人編成のDjent／プログレッシヴメタルバンドTakatakなどが登場する。

バングラデシュ（86組・97作品）
古参ハードロックのWarfaxe、プログレッシヴメタルのArtcell、スラッシュメタルのPowersurge、デスメタルのOrator、Severe Dementiaなどが登場する。

ブータン（8組・11作品）
バンド数は少ないが、タイや韓国への遠征経験があるオルタナティヴ／グランジ系ハードロックのNorth Hが気を吐いている。

モルディヴ（8組・8作品）
こちらもバンド数は少ないが、あのSeason of Mistとのディールを獲得したメロディック・デスメタルのNothnegalなどが登場する。

番外編（22組・33作品）
インド亜大陸にルーツを持つバンドは世界各地に点在しているが、その中でもシンガポールのRudraはご存じの読者も多いかもしれない。

ここまで「枚」ではなく「作品」と記した理由は、YouTubeやSoundCloud、ReverbNationなどに音源やMVを公開しているだけで、アートワークが存在しないものもレビュー対象に含めたからだ（そうした場合、Encyclopaedia MetallumではアルバムやEP、シングルとして換算されないことがある）。特にYouTubeをもとにした音源レビューでは、アスペクト比が1:1ではないサムネイル画像をアートワークの代わりに載せているので、容易に識別できるだろう。また、Encyclopaedia Metallumで情報を参照できても、実際に音源を試聴できなければ紙面で取り上げる意味がない。よって、日本で音源を試聴できないバンドは割愛し、筆者が実際に音源を聴いたバンドに適宜入れ替えている。

国別・地域別にアーティストをリストアップする際には Encyclopaedia Metallum のみならず、フランスの類似サイトの Spirit of Metal、香港拠点の Unite Asia、日本の媒体（主に『BURRN!』『YOUNG GUITAR』『激ロック』の 3 誌）、それに筆者が独自に収集した情報を加味した。本書後半の「お役立ちサイト集」に、筆者が情報収集時に活用した各種サイトを列挙したので、ぜひご高覧願いたい。

単にディスクレビューで紙面を埋めるのではなく、インド亜大陸で活動する当事者たちの証言も拾い集めた。本書には、各国･地域を代表するアーティスト 14 組と、重要人物 3 人によるインタビューを収録しているが、いずれも本邦初公開と思われるエピソードが満載だ。日本のメタルバンドとして史上初めてバングラデシュとインドでライヴしたことがある Abigail の Jero<g> にも本書では登場願った。

インド亜大陸の歴史的、社会的、政治的背景を理解する一助として、巻頭には「用語集」「主要人物」「主要言語・文字」「主要宗教」などを列挙したが、インドの章から読み進めてもらっても構わない。本文中で気になる語句が出てきたら、巻頭の「用語集」「主要人物」などに立ち返ればよいのだから。なおかつ、これらの部分と本文の一部は、専門家 2 人による査読を経て掲載しているので、正確性や信頼性は保証済みである。

最後に断っておくが、本書の対象読者は日本のヘヴィメタルファンである。よって、伝統音楽家や映画のプレイバックシンガーは登場しないし、ヒップホップやダンスミュージックといった他ジャンルのアーティストは一切扱っていない。反対に、諸般の事情でやむなく掲載を見送らざるをえなかったメタルバンドもいるが、本書のようにインド亜大陸のヘヴィメタル／ハードロックに徹底してこだわったディスクガイド本は唯一無比ではないか、と自負している。

本書の見方

各アーティストの概要では「出身地」「活動年」「サブジャンル」「影響」を記載した。このうち「影響」については各アーティストのバイオグラフィーや、彼らが過去にインタビューなどで公言したものを記載した。「サブジャンル」については原則的に Encyclopaedia Metallum、Spirit of Metal などにおけるカテゴリーや、各アーティストがネット上で標榜しているものを記している。ただし筆者がもっと適切なカテゴライズがあると判断した場合は、見出しや本文中で適宜言い換えている。また、本文中では AOR（Album-Oriented Rock、もしくは Adult-Oriented Rock の略）と DSBM（Depressive Suicidal Black Metal の略）を除き、「サブジャンル」を略さずに表記している（例：ブルデスではなくブルータル・デスメタル、プログレメタルではなくプログレッシヴメタル、メロデスではなくメロディック・デスメタル）。しかし音楽業界で一般名詞化した語句はその限りではない（例：アコースティックギター→アコギ、インストゥルメンタル→インスト、ミュージックビデオ→ MV）。「影響」については各アーティストのバイオグラフィーや、彼らが過去にインタビューなどで公言したものに準じた。

これらのアーティスト情報はすべて刊行時のものであり、「影響」を明示していない場合は音楽性が相通ずると思われる内外のアーティスト名を「類似」として挙げた。アーティストの知名度を推し量る目安として、Last.fm でのリスナー登録数も示した。ただし同一名称のアーティストが域外に混在していたり、登録がなかったりした場合は「※」と記した。また、歴代の「世界過激音楽」シリーズに登場したアーティストが、形を変えて再登場した場合には、初出がどの「世界過激音楽」シリーズだったのかを、紙面の許す範囲で本文中に明示した。

原則としてアーティスト名と作品名、曲名はアルファベット表記しているが、英語以外の言語を用いている場合は、当該言語の文字とアルファベットを併記した。日本の媒体や大手レーベルにはアーティスト名をすべて大文字アルファベットで記したり、冠詞（a、and、the）、接続詞（and、but、for など）や前置詞（at、in、on など）の語頭を大文字にする傾向が見受けられるが、本書は英文記述で一般的なキャピタライゼーションルールに従っている。また、音源レビューした作品の発表年、発売元はすべてオリジナルリリース時のものであり、再発盤の情報は紙面の許す範囲で本文中に盛り込んでいる。

本文中に出てくる人名はアルファベット表記だが、世界史上の重要人物はカタカナ表記すると共に、生年ないし生没年を極力カッコ内に付記した。かつて存在した国家の興亡年も極力カッコ内に付記した。これらの場合、数値の後ろに「年」を記していないが、生没年に諸説ある場合は「～年頃」と書き添えている。一方、映画の公開年、アルバムや楽曲のリリース年、書籍の刊行年などを表す場合は、カッコ内の数値の後ろに「年」を伏した。

地名については、日本の官公庁とその外郭団体、在外公館が現在使っている表記に準じたが、例外を一部適用している（例：ウッタル・プラデシュ州ではなくウッタル・プラデーシュ州、タミル・ナドゥ州ではなくタミル・ナードゥ州）。

なお本書でインタビューを行ったアーティストだけでなく、紹介したアーティストもできる限り接触を取ったが、すでに解散していたり、まったく連絡がつかなかったアーティストも一部存在する。そうしたアーティストの写真については、極力ジャケットやフライヤー、ポスターなどプロモーショナル用と思われる画像を用いた。

アイコンの意味

出身地　活動期間　サブジャンル　類似バンド　Last.fm リスナー数

目次

79 インド北東部

101 インド西部

146 インド南部

243 パキスタン・イスラム共和国

271 バングラデシュ人民共和国

321 ブータン王国

331 モルディヴ共和国

335 番外編 インド亜大陸出自のメタルバンド

ギルギット
ラダック連邦直轄領
ジャンムー・
カシミール連邦直轄領
ヒマーチャル・
プラデーシュ州
チャンディーガル連邦直轄領
パンジャブ州
ウッタラーカンド州
ハリヤナ州
デリー首都圏
ニューデリー
ラジャスタン州
ネパール
ポカラ
カトマンズ
パタン
シッキム州
ブータン
ティンプー
アルナチャル・プラデーシュ州
アッサム州
グワハティ
メガラヤ州
シロン
ナガランド州
マニプール州
インパール
ウッタル・プラデーシュ州
ビハール州
バングラデシュ
ダッカ
トリプラ州
ミゾラム州
チッタゴン
ジャールカンド州
西ベンガル州
コルカタ
マディヤ・プラデーシュ州
チャッティースガル州
インド
オリッサ州
マハーラーシュトラ州
ムンバイ
テランガナ州
ハイデラバード
ゴア州
カルナータカ州
アンドラ・プラデーシュ州
ベンガルール
ポンディシェリ連邦直轄領
アンダマン・ニコバル諸島連邦直轄領
チェンナイ
コチ
タミル・ナードゥ州
ケララ州
キャンディ
コロンボ
スリ・ジャヤワルダナプラ・コッテ
スリランカ

用語集／Glossary

Ⓙ アーリア人
ⒺAryan

インド・ヨーロッパ語族のうちインド・イラン語派の言語を話していた人々の総称で、紀元前2000～1500年頃にアフガニスタン経由でインド亜大陸へ侵入して勢力を広げ、定住農耕生活へ移行したとされる。元々「アーリア」とは「高貴な」という意味の彼らの自称だが、後年、インド・ヨーロッパ語族（英語、ドイツ語、フランス語、スペイン語、ロシア語、ヒンディー語、ペルシャ語など）を使う人々共通の祖先として「アーリア人」を想定する説が流行し（現在は否定されている）、ナチスドイツによって人種的優越性を正当化する政治用語として濫用された。

Ⓙ 印パ分離独立
ⒺPartition of India

163年に及んだイギリス統治からの決別を求めたインドのヒンドゥー教徒とムスリムは一枚岩ではなかった。そのため、イギリスはインドから撤退する際に「インド独立法」を1947年7月に制定。この法律は、ムスリムが多数派を占めるインド亜大陸の北西部と東部をパキスタンという飛び地国家とし、残りの地域をインドとして分離独立させるというもの。こうして国境線が突如設けられると、インド側へ避難するヒンドゥー教徒と、パキスタンへ逃れるムスリムが大挙して集団移動。これらの過程において、ヒンドゥー教徒とムスリムの間にはさまざまな暴力や虐殺、そして報復が繰り返された。死者数は100万人に達したという。

Ⓙ インド人民党
ⒺBJP（Bharatiya Janata Party）

1980年に結党されたインドの右派政党。ローマ字表記の頭文字を取ったBJPの略称で知られる。最大の支持母体は、後述するヒンドゥー至上主義団体のRSS（民族義勇団）である。1996年の総選挙で第1党となり、複数の協力政党とNDA（国民民主同盟）と呼ばれる連立政権を築いた。2004年にいったん下野したが、2014年の総選挙で単独過半数を上回る議席を獲得。5年後の総選挙でも圧勝した。インド18代首相ナレンドラ・モディ（1950～）の所属政党でもある。

Ⓙ インドの伝統音楽
ⒺIndian Classical Music

インド北部と南部では伝統音楽の様式が大きく異なる。インド北部の伝統音楽はヒンドゥスターニー音楽といい、イスラム宮廷音楽の要素が入り込んでいる。なぜなら、デリーを中心とするインド北部は13～19世紀末までイスラム王朝の支配下にあったためだ。かたやインド南部の伝統音楽はカルナータカ音楽といい、歴代イスラム王朝の影響が薄く、複雑な曲展開や変拍子を特徴とする一方で、微細な音階を表現できるバイオリンを18世紀半ばから用いるようになった。ヒンドゥスターニー音楽では即興演奏が中心であるのに対し、カルナータカ音楽では既存の歌曲作品の演奏が重視される。

Ⓙ ヴェーダ
ⒺVeda

紀元前1200～500年頃に編纂されたアーリア人たちの聖典の総称。その名の由来は「知る」という意味のサンスクリット語。火や雷など自然現象を神格化した神々への賛歌を収めた『リグ・ヴェーダ』をはじめ、『サーマ・ヴェーダ』『ヤジュル・ヴェーダ』『アタルヴァ・ヴェーダ』の4種がある。インド最古の宗教文献だが、元々は口頭伝承によって語り継がれていた。ヒンドゥー教のさまざまな伝統や実践の基礎となっており、本書ではこれに立脚したメタルのサブジャンルをヴェーディックメタルと表記する。

Ⓙ ヴェーダーンタ哲学
ⒺVedanta Philosophy

Veda（ヴェーダ）とサンスクリット語で「限り､終わり」を意味するAntaを結合した語源が示すとおり、ヴェーダの最後を飾る哲学書『ウパニシャッド』に立脚した哲学体系の1つ。宇宙の根本原理であるブラフマン（梵）の探求を目的とする一元論の哲学でもある。中世インドの哲学者シャンカラ（700年頃～750年頃）は、この世はすべて幻影でブラフマンだけが存在するという、より急進的な不二一元論（アドヴァイタ･ヴェーダーンタ）を説き、最も有力な学派を形成した。

Ⓙ 英ネ戦争（グルカ戦争）
ⒺAnglo-Nepalese（Gurkha）War

1814～1816年、インド支配を進めていたイギリスと、現在よりも領土を拡張していたネパールのグルカー王朝が国境紛争をきっかけに交戦した戦争。勝者のイギリスはネパールを事実上の保護国とし、シッキム、ダージリンなど当時のネパール領の1/3をイギリス統治下のインドに編入。と同時に、ネパールの王宮にイギリスの駐在官が常駐することにはなったが、当時のネパールの植民地化は回避された。

Ⓙ 改正国籍法
ⒺCAA（Citizenship Amendment Act）

インドのナレンドラ・モディ政権下で2019年12月に可決、成立した法律。英文表記の頭文字を取ったCAAの略称で知られる。パキスタン、バングラデシュ、アフガニスタンの3ヶ国出身の不法移民がインド国籍を取得しやすくするための法律だが、その対象はヒンドゥー教徒、シク教徒、ジャイナ教徒、仏教徒、キリスト教徒、パルシー（ゾロアスター教徒）のみで、ムスリムは含まれていない。このため、宗教差別に当たるとして批判を呼んでいる。

Ⓙグルカー
ⒺGorkha

1769 ～ 2008 年まで存続したネパール最後の王朝（グルカー朝ないしシャハ朝と呼ばれる）発祥の地であり、部族名。ただし厳密にはグルカ族という名の民族は存在せず、インド北部ゆかりの文化を持ちネパール語を母語とするヒンドゥー教徒を中核に、複数のネパール山岳民族から構成されている。前掲の英ネ戦争（グルカ戦争）を境に、長年にわたりイギリスにとって傭兵の供給源となっており、そうした傭兵は勇猛果敢な「グルカー兵」として知られる。

Ⓙ経済自由化
ⒺEconomic Liberalization in India

印パ分離独立当初のインドは社会主義型の計画経済を志向しており、基幹産業を担う国営企業を保護した一方で、民間セクターの参入や外資の流入を厳しく制限した。しかし経済成長率は長らく低迷し、1980 年代には部分的な経済自由化でテコ入れを図った。さらに 1991 年に債務不履行（デフォルト）寸前に陥ると、IMF（国際通貨基金）と世界銀行の構造調整プログラムを受け入れ、インドは本格的な経済自由化に踏み切る。こうして産業別に規制が次々と緩和され、1994 年には国内通信市場の自由化、民営化が実施された。これらの政策が奏功したインドは 2000 年以降、ブラジル、ロシア、中国、南アフリカと共に新興五大国、すなわち「BRICS」を形成するようになった。

Ⓙ国民会議派
ⒺINC（Indian National Congress）

インドで最も由緒ある全国政党。英文表記の頭文字を取った INC、または Congress の略称で知られる。イギリス統治時代の1885年にインド国民会議を母体に結成。元々は親英的かつ穏健な知識人やブルジョア階級が中軸を担っていたが、後述するベンガル分割令をきっかけに反英運動を開始。第一次大戦後は、ガンディー（1869 ～ 1948）やネルー（1889 ～ 1964）らの指導で独立運動を展開し、1947 年の印パ分離独立後は 30 年にわたる一党優位体制を築いた。当初は企業の国有化をはじめとする社会主義的な政策を講じたが、実際には社会の上層から中下層に至るまで幅広い支持層を取り込んでいた。2004 年以降は党勢が著しく落ち込んでいる。

Ⓙ在外インド人
ⒺOverseas Indians

インドから海外へ移住した人々とその子孫のこと。移住先の国籍、市民権を得たインド出身者とその配偶者、子孫を指す PIO（Persons of Indian Origin、インド出自者）と、インドのパスポートを所持し、就労、事業経営、留学などの目的で不特定期間、海外に居住する NRI（Non Resident Indian、非居住インド人）の 2 グループに大別される。その人数は全世界で 1500 万～ 3000 万人、本国送金額の合計は 7 兆円と言われる。

Ⓙシッキム王国（ナムゲル朝）
ⒺKingdom of Sikkim (Namgyal Dynasty of Sikkim)

現在のインド北部のシッキム州に 1642 ～ 1975 年まで存続した王朝。初代王プンツォ・ナムゲル（1604 ～ 1670）の名にちなんでナムゲル朝ともいう。宗派争いに敗れてチベットを追われた地方豪族と僧侶による亡命王朝として樹立。レプチャ族と呼ばれるチベット系の先住民を服属させ、333 年間で 12 人の王を輩出した。しかし、18 世紀以降は隣国のネパールやブータンの侵攻に遭い、1890 年には中国の清朝とイギリスとの協定によりイギリスの保護下に置かれる。これにより領土内で茶園が操業すると、ネパール人労働者が集団移住して多数派を占めるようになる。1947 年の印パ分離独立後はインドが権益を承継。さらに 1975 年の国民投票でインドに併合され、王朝は滅んだ。最後の 12 代王パルデン・トンドゥプ・ナムゲル（1923 ～ 1982）は最初の妃と死別後、アメリカ人女性と再婚したため、アメリカへ亡命して生涯を終えた。

Ⓙシンハラ人
ⒺSinhalese

スリランカの多数派民族で、その 9 割以上は上座部仏教を奉じる。2012 年スリランカ国勢調査では人口およそ約 1525 万人で、同国の全人口（約 2034 万人）の 74% を占めた。シンハラとは「獅子の子孫」を意味する言葉。長年の伝統生活文化を受け継いだ内陸部のウダラタ（高地）シンハラ人と、西洋文化を早くから受容した沿岸部のパハタラタ（低地）シンハラ人では適用される身分法がそれぞれ異なるが、その民族的なルーツはインド北部にあると言われる。

Ⓙスリランカ内戦
ⒺSri Lankan Civil War

スリランカは 16 世紀にポルトガル、17 世紀にオランダの支配を受けた後、1815 年からイギリス統治下に置かれた。イギリスの統治手法は多数派で上座部仏教徒のシンハラ人を冷遇し、後述する少数派でヒンドゥー教徒のタミル人を官吏に重用するというもの。これにより、富めるタミル人と貧しいシンハラ人との格差が生じるようになった。ところが 1948 年のスリランカ独立後（当初は英連邦内自治領として）、人口で勝るシンハラ人の支持政党が政権を握ると、長らく虐げられてきたシンハラ人におもねり、シンハラ人を優遇する政策を打ち出した。その結果、LTTE（Liberation Tigers of Tamil Eelam、タミル・イーラム解放のトラ）をはじめとする急進的な武装組織が登場。1983年からスリランカ政府軍と本格交戦し、対岸のインドも巻き込んで26年にわたる内戦が繰り広げられた。2009年に内戦が終結するまでの間に、7～8万人もの死者を出したと言われる。

Ⓙタミル・イーラム解放のトラ
ⒺLTTE（Liberation Tigers of Tamil Eelam）
1976年に設立されたスリランカのタミル民族主義武装組織。英文表記の頭文字を取ったLTTEの略称で知られる。最高指導者はヴェルピライ・プラバカラン（1954～2009）。イーラム（Eelam）は国を指すタミル語で、組織名に銘打たれたトラ（Tigers）はインド南部のタミル地方に存在した古代王朝チョーラ朝（846年頃～1279）の紋章に由来する。1983年から政府軍と本格交戦し、同国北東部の広範にわたる地域を一時は支配下に置いたが、2009年5月にプラバカランをはじめとする指導部が死亡したため壊滅に至った。

Ⓙタミル人
ⒺTamil
主にインド南部のタミル・ナードゥ州とスリランカに住まい、タミル語を話す民族。2011年国勢調査によるとインドには6000万人以上おり、スリランカの場合は「スリランカタミル人」と「インドタミル人」に区分される。前者は古くからスリランカ北部および東部に住んでいた人々（人口およそ226万人）で、後者はイギリス統治時代に茶園労働者としてインドから集団移住した人々（人口およそ83万人）。両者を合わせると、スリランカ全人口の約15%である。

Ⓙドラヴィダ人
ⒺDravidian
狭義にはドラヴィダ語族（タミル語、テルグ語など）を話す人々の中で、インド南部に住む人々の総称。はるか古代、アーリア人が侵入する以前のインダス文明の担い手だったと見なされてきた（最新の歴史言語学の成果はこれに懐疑的）。イギリス統治時代に反英独立運動が高まるにつれ、インド南部ではアーリア人の優位性を否定し、ドラヴィダ文化の復興を主張する地域主義が萌芽した。1960年代からはインド北部の「ヒンディー文化」に対するアンチテーゼとして「ドラヴィダ運動」が盛り上がり、インド南部にはドラヴィダの名を掲げた地域政党も多い。

Ⓙ藩王国
ⒺPrincely States（Indian States）
イギリス統治時代のインド亜大陸に散在した半独立の王侯領。ムガル帝国が衰退した18世紀に勃興した地方領主領を起源に持ち、イギリスに従属しつつも保護国として自治を認められた。1927年の時点で大小合わせて562もの藩王国が乱立し、それらの合計面積はインド亜大陸の45%を占めた。1947年の印パ分離独立に伴い、ほとんどの藩王国はインドまたはパキスタンに併合されたが、カシミール地方は印パ両国が領有権を争う係争地と化した。

Ⓙバングラデシュ独立戦争
ⒺBangladesh Liberation War
1947年に印パが分離独立した際、パキスタンは東西に2000kmも離れた飛び地国家だった。東西パキスタンはどちらもムスリムの多住地域だったが、パキスタン中央政府は1948年にウルドゥー語を国語にすると言明。これにより、ベンガル語を母語とする東側の住民が反発し、ベンガル語国語化運動を繰り広げた。また、東西のパキスタンは社会経済格差も大きかったため、東側では民主化と自治を求める声も強まった。やがて1970年に入り、東側の自治要求運動の先頭に立っていたAL（ｓアワミ連盟）が総選挙で圧勝すると、パキスタン中央政府は1971年3月に武力弾圧に乗り出した。東側は当初ゲリラ戦で対抗したが、同年12月にインドの軍事介入が功を奏して戦争に勝利。こうして新生国家バングラデシュが誕生した。

Ⓙプラッシーの戦い
ⒺBattle of Plassey
1757年6月、インド東部のベンガル地方のプラッシーにて、イギリスが親仏反英のベンガル太守（ムガル帝国の地方領主）の軍勢を打ち負かした戦争。敗者のベンガル太守を支援していたフランスはインド亜大陸での影響力を徐々に失い、6年後の1763年に権益のほとんどを放棄。一方、勝者のイギリスはインド亜大陸の支配をこれより本格化。第二次世界大戦後の1947年までインド亜大陸を統治した。

Ⓙベンガル分割令
ⒺBengal Partition Act
イギリスが反英運動の勢いを削ぐべく1905年に制定した法令。ベンガル州をヒンドゥー教徒多住地域の西側（現在のインドの西ベンガル州）とムスリム多住地域の東側（現在のバングラデシュ）に分割するというものだったが、逆に反発を招き、それまで親英的かつ穏健だったINC（国民会議）も態度を硬化。（1）スワデーシ（国産品愛用）、（2）スワラージ（自治）、（3）英貨排斥（イギリス製品不買運動）、（4）民族教育（愛国的意識の教育）という四大綱領を採択した。最終的に分割令 は1911年に廃止された。

Ⓙ マウリヤ朝
ⒺMauryan Empire
紀元前317年頃～紀元前180年頃に存在したインドの古代王朝で、開祖はチャンドラグプタ。現在のインドのビハール州パトナに都を置き、第3代王アショーカの治世期に版図を広げ、インド亜大陸のほぼ全域を支配下に収めた。アショーカは紀元前260年頃に仏教の帰依者となり、その教えの普及に努めた。また、王子マヒンダをスリランカへ派遣し仏教を伝えたとされる。

Ⓙ マハーバーラタ
ⒺMahabharata
サンスクリット語で記された叙事詩で、紀元前4世紀～紀元後4世紀頃に成立。その名が示すとおり、古代インドのバーラタ族の王位継承戦争を主軸に、インド神話のさまざまなエピソードが挿入されている。全18巻で、補遺を含めると約10万詩節、20万行を超える大作。6巻目に収められた『バガヴァッド・ギーター（神の歌の意）』は独立した宗教詩として愛唱され、今なお大きな影響力を誇る。

Ⓙ マハーワンサ
ⒺMahāvaṃsa
上座部仏教の経典を記したパーリ語で編纂されたスリランカの史書。邦題は『大王統史』または『大史』。スリランカ最古の史書『ディーパワンサ』に、僧侶マハーナーマが5世紀末～6世紀初頭に増補改訂を加えたものとされる。ベンガル地方の王女とライオンとの間に生まれた王子ウィジャヤが乱暴狼藉のあまりインドを追放され、700人の家来を引き連れて現在のスリランカへ上陸。先住民を征服すると同国中部のアヌラーダプラに都を建て、2000年以上続いたシンハラ朝の開祖になったと綴っている。それゆえにスリランカの国旗には、剣を持った金色のライオンが描かれている。

Ⓙ マラヤーラム語
ⒺMalayalam
インドのケララ州の公用語。ドラヴィダ語族と総称されるインド南部の4言語の中では成立時期は遅いものの、古典語のサンスクリット語由来の単語を多く残しているという。タミル語の西域方言から10世紀前後に枝分かれした後、15世紀頃から独自のマラヤーラム文字が使われるようになった。丸みを帯びた文字を、左から右に綴る。2011年インド国勢調査によると、インド国内での話者数は約3500万人である。

Ⓙ 民族義勇団
ⒺRSS（Rashtriya Swayamsevak Sangha）
イギリス統治時代の1925年に設立されたヒンドゥー至上主義団体。設立者はインド西部の開業医だったケシャヴ・バリラーム・ヘードゲーワール（1889～1940）。ローマ字表記を略したRSSの名で知られる。現在のBJP（インド人民党）をはじめ、VHP（世界ヒンドゥー協会）、ABVP（全インド学生会議）など数々の下部組織を抱え、団員数は600万人 と言われる。マハトマ・ガンディー暗殺との関連を疑われ、一時的に非合法化されたことがある。

Ⓙ ムガル帝国
ⒺMughal Empire
1526年にインド北部に建てられたトルコ＝モンゴル系のイスラム王朝。ムガルとは「モンゴル人 」という意味で、開祖のバーブルはチンギス・ハーンの子孫と言われる。第6代君主アウラングゼーブ帝の治世に最盛期を迎え、現在のアフガニスタンからインド北部・中部に至る領土を獲得。332年間で17人の皇帝を輩出したが、イギリスによって1858年に滅ぼされた。

Ⓙ ラーマーヤナ
ⒺRamayana
これもサンスクリット語で記された、『マハーバーラタ』と双璧を成すインドの叙事詩。詩聖ヴァールミーキの作と伝えられる。成立は紀元2～3世紀で全7巻、約2万4000詩節で構成されている。王子ラーマとその妃シーターを主人公に据えた冒険譚が綴られており、現代でも映画、劇画、演劇などに翻案されて親しまれている

主要人物
Key Persons

Ⓙ ラビンドラナート・タゴール
ⒺRabindranath Tagore

1861年5月、現在のインドのコルカタ出身。父親のデヴェンドラナート（1817～1905）はインドの近代宗教改革で重要な役割を果たした人物。若い頃から詩人としての才能を認められ、インドの古典を学ぶと共に、イギリス留学を通じて西欧ロマン派文学に親しんだ。1890年から約10年間、父親に農村の土地管理を任され、ベンガル地方の農村文化に深く触れると、1901年に寄宿学校（現在のタゴール国際大学）を創設。自然の中での全人教育と農村改革運動に励む一方で、多数の詩、歌、戯曲、小説を発表し、インド独立運動の精神的支柱となった。ベンガル語の詩集『ギタンジャリ（歌のささげもの）』を自ら英訳し、1913年にアジア初のノーベル文学賞に輝いた（日本の川端康成より56年も早く受賞）。生涯で5度来日した一方で、日本の戦前の軍国主義に警鐘を発した。1941年に病死。享年80。インドの国歌の作詞、作曲家でもある。

Ⓙ マハトマ・ガンディー
ⒺMahatma Gandhi

1869年10月、現在のインドのグジャラート州出身。「マハトマ」は「偉大な魂」を意味する尊称で、本名はモーハンダース・カラムチャンド・ガンディー。18歳で渡英して弁護士資格を取得。1893年に商社の弁護士として南アフリカへ赴任した際、いわれなき人種差別を目にして、インド系移民の権利回復運動に励んだ。22年もの南アフリカ滞在を終え、1915年に帰国するとINC（国民会議）に参加して、国産品を愛用する「スワデーシ」、塩税法への不服従を示した「塩の行進」、一斉休業運動の「ハルタール」など、非暴力型の反英闘争を展開。ヒンドゥー教徒とムスリムの融和にも努めたが、印パ分離独立を回避できず、1948年1月にRSS（民族義勇団）の元団員であるナトラム・ゴドセ（1910～1949）に射殺された。享年78。1982年にリチャード・アッテンボロー（1923～2014）によって制作された伝記映画は、第55回アカデミー賞で8部門を獲得した。誕生日の10月2日はインドの祝日である。

Ⓙ ジャワハルラール・ネルー
ⒺJawaharlal Nehru

1889年11月、現在のインド北部のウッタル・プラデーシュ州の出身。1905年に渡英してケンブリッジ大学トリニティ・カレッジで自然科学を修め、インナーテンプル（法曹学院）で弁護士資格を取得。1912年の帰国後はINC（国民会議）に参加し、マハトマ・ガンディーと共闘。その一方で、1927年にソビエト連邦を訪問して社会主義に共鳴する。9度の投獄を経て、1947年の印パ分離独立後はインド初代首相（兼外相）に。内政面では政教分離と社会主義型の計画経済を進めたが、経済成長率は低迷。外交面では非同盟主義を提唱したが、パキスタンや中国と交戦したため軍事費が膨らみ、1962年の中印国境紛争では非同盟主義を撤回してアメリカに支援を要請する事態に至った。1964年の在任中に病死。享年74。ニューデリーには彼の名を冠した国立大学がある。娘のインディラ（1917～1984）、孫のラジーヴ（1944～1991）もインド首相を務めた。

Ⓙ ビームラーオ・アンベードカル
ⒺBhimrao Ambedkar

1891年4月、現在のインド西部のマハーラーシュトラ州の出身。ダリト（不可触民）にもかかわらず、ムンバイのエルフィンストン・カレッジを卒業後、奨学金を得てアメリカとイギリスへ留学。帰国後は不可触民の地位向上運動に身を投じる。その主張は、イギリスからの独立よりも社会制度改革を優先すべきというもので、マハトマ・ガンディーとの対立も辞さなかった。1947年の印パ分離独立後は、インド初代法務大臣、憲法起草委員会の委員長として活躍し、不可触民への差別行為を禁ずる条文をインド憲法に設けた。さらに不可触民制の根源はヒンドゥー教にあるとの理由で、晩年は仏教に傾倒。1956年に病没する間際に数十万人もの不可触民と共に集団改宗し、仏教復興運動（ネオ・ブッディズム）の先駆者となった。享年65。晩年にアメリカのコロンビア大学よ

り名誉博士号を授与され、2015年には日本の高野山大学に銅像が建立された。

Ⓙマザー・テレサ
ⒺMother Teresa

1910年8月、現在の北マケドニアの首都スコピエ出身。本名はアグネス・ゴンジャ・ボヤジウ。1928年にアイルランドのロレット修道会に入ると、現在のインドの西ベンガル州ダージリンに宣教のため派遣される。1946年に「最も貧しい人のために働くように」という啓示を受け、コルカタのスラム街での奉仕活動に生涯を捧げる決意をする。1950年に国籍をインドに移し、「神の愛の宣教者会」を創立。コルカタの難病人、孤児、死を待つだけの老人の世話から始まり、世界各地で貧しい人々のために尽くし、1979年にノーベル平和賞を受賞した。1980年代に3回来日しており、路上生活者や日雇い労働者が集住する東京の山谷地区、大阪のあいりん地区を慰問に訪れたことがある。1997年に死去。享年87。2018年7月、生前にコルカタで開設した修道院で乳児売買が行われたとの容疑で、修道女と職員が各1人逮捕される事件が起きた。

Ⓙナレンドラ・モディ
ⒺNarendra Modi

1950年9月、インド西部のグジャラート州の貧しい村で生まれる。1974年にRSS（民族義勇団）に加わり、1987年に地元グジャラート州の州議会議員に当選。その傍ら、BJP（インド人民党）グジャラート州支部長～書記～幹事長を歴任。2001～2014年までグジャラート州首相を連続3期、13年にわたり務め、経済手腕を高く評価された。その一方で、同州のムスリム1000人以上が死亡した2002年の暴動を黙認したとの責任を問われ、英米に入国ビザ発給を拒否されたことがある。2014年にインド第18代首相に就任すると、ヒンドゥー至上主義傾向を次第に強め、2019年2月にはカシミール地方での自爆テロへの報復としてパキスタンを空爆。同年8～12月にはインドが実効支配するジャンムー・カシミール州を強引に分割再編し、ムスリムを狙い撃ちにしたCAA（改正国籍法）を成立させるなどして、現地の反発を招いている。

Ⓙマヒンダ・ラージャパクサ
ⒺMahinda Rajapaksa

1945年11月、現在のスリランカ南部のハンバントタ出身。父親はシンハラ人優先主義政策を掲げるSLFP（スリランカ自由党）の結党メンバーの1人。1970年にわずか25歳で国会議員に初当選。これは同国では当時最年少の当選記録だった。その後は労働・職業訓練大臣～漁業・水産資源開発大臣を歴任し、2004年にスリランカ第18代首相に就任。翌年から同国の第6代大統領になると、中国やパキスタンから軍事支援を得て、スリランカ内戦を2009年に終結させた。また、巨額のチャイナマネーで港湾や空港を整備し、復興と開発で豪腕をふるったが、兄のチャマル（1942～）、弟のゴーターバヤ（1949～）とバシル（1951～）、さらには自身の長男ナマル（1986～）を要職に据えた親族での政治支配、政権に批判的なメディアや人権運動家の弾圧、汚職腐敗に対する批判も多かった。2015年の大統領選に破れて退陣したが、弟のゴーターバヤが3年後に第8代大統領に就任。自らは第24代首相に返り咲くも、2022年4月に自国経済が破綻したことで反政府デモが勃発。同年5月に辞任に追い込まれた（弟のゴーターバヤも国外脱出後に辞任）。

Ⓙジャンガ・バハドゥル・ラナ
ⒺJang Bahadur Rana

1816年6月、ネパール中部の軍人一家に生まれる。出生時の名前はビール・ナラシンハ・クンワル。軍務大臣だった1846年に「コート事件」と呼ばれるクーデターを挙行し、宮中で対立していた重臣の大半を殺害。ネパール第5代王のラジェンドラ・ビクラム・シャハを廃して国外へ追放し、王子だったスレンドラ・ビクラム・シャハを傀儡王に据えると、自らはインド北部の名門であるラナ姓を名乗り、マハラジャ（大王）の称号を得る。ラナ一族はその後、宰相の地位を104年にわたり世襲し、1951年の王政復古まで政治、軍軍を牛耳った。その一方で、1851年のイギリス、フランス視察で近代化の必要性を痛感し、ヒンドゥー教の教義、規範を中心に据えたネパール初の成文法「ムルキ・アイン」を1854年に制定。これにより、ネパールに初めて法治主義をもたらしたと評価する向きもある。1877年に病死。享年66。

Ⓙビレンドラ・ビール・ビクラム・シャハ国王
ⒺHis Majesty Late King Birendra Bir Bikram Shah Dev

1945年12月、ネパール第9代王マヘンドラ（1920～1972）の長男として誕生。イギリスのイートン・カレッジ、アメリカのハーバード大学で学んだ他、1967年に日本の東京大学の特別聴講生となり、半年間通った経験を持つ。1972年に父王の死去により、第10代王として若干27歳で即位したが、1979年に民主化要求デモが反政府運動に発展。また、1989～1990年には貿易、通商をめぐってインドとの関係がこじれ、国境経済封鎖に遭った。これでネパール経済は大打撃を受け、民主化運動がさらに激化すると、専制君主制から立憲君主制の議会民主主義への緩やかな移行を宣言。1990 年の憲法改正で王権を縮小した代わりに、開明的君主として国民に慕われたが、2001 年 6 月に王宮で発生した銃乱射事件で死亡した。享年 55。主犯とされる皇太子ディペンドラ（1971 ～ 2001）も自殺を企て、事件発生の 3 日後に死去したため、事件の全容はいまだ謎に包まれたままである。

Ⓙ ムハンマド・アリー・ジンナー
ⒺMuhammad Ali Jinnah

1876 年 12 月、現在のパキスタンのカラチ出身。1892 年に渡英し、20 歳だった 1896 年に弁護士資格を取得する。元々は INC（国民会議）でヒンドゥー教とイスラム教の融和に基づいた独立運動を志向したが、1913 年に ALM（全インド・ムスリム連盟）に加わると、ガンディーが主導する大衆を巻き込んだ反英闘争に反発。1920 年に INC を離脱し、約 10 年間をイギリスで過ごす。1934 年に再び帰国すると ALM の立て直しに着手。ガンディーと INC への対抗姿勢を鮮明にすると、1940 年にインド亜大陸のヒンドゥー教徒とムスリムは異なる民族だと訴え（二民族論）、ムスリムのための独立国家建設を主張した。1947 年の印パ分離独立後は初代パキスタン総督に就任したが、翌年に病死した。享年 71。パキスタンではクアイ・ド・アザム（建国の父の意）と慕われ、誕生日の 12 月 25 日はパキスタンの祝日となった。

Ⓙ ムハンマド・ジア＝ウル＝ハク
ⒺMuhammad Zia-ul-Haq

1924 年 8 月、現在のインドのパンジャブ州出身で、父親はイギリス統治下のインド軍将校。自らも英印軍の兵士として、第二次世界大戦のビルマ戦線で日本軍と交戦した。1947 年の印パ分離独立後にパキスタン軍に入り、1965 年の第二次印パ戦争に従軍。陸軍参謀長だった 1977 年にクーデターで実権を掌握。翌年に第 6 代大統領になると国家運営にシャリーア（イスラム法）を導入し、公務員に職場での礼拝を強要。学校での宗教教育も推し進め、イスラム教の戒律に反した者には鞭打ち、手足の切断などの厳罰を課した。外交面では、隣国アフガニスタンにソ連が侵攻した際、パキスタンを重要戦略拠点と見なしたアメリカから 6 年間で 32 億ドルもの軍事、経済援助を引き出し、アラブ諸国から集った義勇兵（ムジャヒディン）に資金と武器を供与した。在任中の 1988 年、軍のパレードに参加後、飛行機事故で死亡。享年 64。

Ⓙ シェイク・ムジブル・ラーマン
ⒺSheikh Mujibur Rahman

1920 年 3 月、現在のバングラデシュの首都ダッカ近郊の出身。ボンゴボンドゥ（ベンガルの友人の意）の異名で知られるバングラデシュの国父。全インド・ムスリム学生戦線～東パキスタン・ムスリム学生連盟などを経て、1949 年に結党された AML（アワミ・ムスリム連盟）の書記長に。同党が AL（アワミ連盟）に改称されると、ベンガル語国語化運動をはじめとするベンガル人の権利擁護闘争を展開し、1965 年に東パキスタン（後のバングラデシュ）の完全自治を目指した 6 項目綱領を発表するが、当時のパキスタン政府による弾圧に遭い、幾度も逮捕・投獄され、1971 年には死刑判決も受けた。同年暮れのバングラデシュ独立に伴って釈放され、翌年に初代首相（後に大統領）になるが、1975 年 8 月の軍事クーデターで射殺された。享年 55。イギリスに当時滞在中で難を逃れた長女シェイク・ハシナ（1947 ～）は、1996 年からバングラデシュ首相を務める。

Ⓙ フセイン・ムハマド・エルシャド
ⒺHussain Muhammad Earshad

1930 年 2 月、現在のインドの西ベンガル州出身だが、1947 年の印パ分離独立後に東パキスタン（現在のバングラデシュ）に両親と共に移住。1950 年にダッカ大学を卒業後、軍人の道を歩む。陸軍参謀長だった 1982 年に軍事クーデターで実権を奪うと、翌年には自らが大統領だと宣言した（1984 年には外相も兼務）。在任中はアラビア語の義務教育化、イスラム教の国教化など原理主義的性向を示すと共に、権威主義的な独裁体制を固守。1986 年に市民や諸外国の民主化要求を受け入れて国会選挙と大統領選を行った際には、非常事態宣言を発令して反体制運動を弾圧した。しかし、1990 年の湾岸戦争による原油価格の急騰、中東産油国の出稼ぎ労働者からの外貨送金が激減したことなどが影響し、国内経済は悪化。1990 年暮れ、退陣要求に応じて辞任した。その後、汚職などの罪により獄中生活も味わった。2019 年に病死。享年 89。

Ⓙジグミ・シンゲ・ワンチュク先王
ⒺHis Majesty Former King Jigme Singye Wangchuck

1955年11月、ブータンの首都ティンプー出身。在位中の1989年、昭和天皇の大喪の礼で来日したことがある。父親の第3代王ジグミ・ドルジ・ワンチュク（1928～1972）がケニアのナイロビで客死したため、わずか16歳で第4代国王に即位。ブータンでは複数婚（一夫多妻や一妻多夫）が認められているため、4人の妃（全員が姉妹）を娶った。1972年に、GNP（国民総生産）ならぬGNH（国民総幸福量）を提唱。国王親政から立憲君主制への移行を進めた一方で、1980年代の「一国一民族」政策によって「ローツァンパ」と呼ばれるネパール系ブータン人を迫害し、難民化を招いた。1989年の「ブータン北部の伝統・文化に基づく国家統合政策」では民族衣装（国民服）の着用、ゾンカ語の公用語化、伝統的礼儀作法の順守を義務化し、保守的な性向を示した。2006年12月、第3妃の長子であるジグミ・ケサル・ナムギャル・ワンチュクに譲位。

Ⓙジグミ・ケサル・ナムギャル・ワンチュク国王
ⒺHis Majesty King Jigme Khesar Namgyel Wangchuck

1980年2月、ブータンの首都ティンプー出身。母国で基礎教育を受けた後に渡米してマサチューセッツ州のクッシングアカデミーとウィートン大学で学ぶ。その後、さらに渡英してオックスフォード大学モードリン・カレッジで政治学修士の学位を取得しており、開明な君主として知られる。2006年12月、父親の第4代国王から王位を継承し、若干26歳で第5代国王となる。2011年5月、イギリスのリージェンツ大学に留学経験のある遠縁の女性ジェツン・ペマを妃に迎えると、同年11月に国賓として夫婦で揃って来日。慶應義塾大学から名誉博士号（経済学）を授与され、日本の衆議院本会議場での演説で好評を博す。初来日では、日本柔道の総本山である講道館から初段の認定証、柔道着、黒帯などを贈呈された他、東日本大震災で甚大な被害を受けた福島県相馬市を慰問に訪れた。2019年10月、天皇陛下の即位礼正殿の儀に参列し、夫妻で2度目の来日を果たした。

Ⓙマウムーン・アブドル・ガユーム
ⒺMaumoon Abdul Gayoom

1937年12月、モルディヴのマレ出身だが、エジプトの名門アル・アズハル大学を卒業。前任のイブラヒム・ナシル（1926～2008）政権末期に運輸相を務め、1978年7月の大統領選で当選。第二共和政下（1968～）のモルディヴでは2人目の大統領となる。在任中はモルディヴを観光立国として成長させた一方で、連続6期、30年にわたる長期独裁政権を敷く中で、1980年と1983年の2度にわたりクーデター未遂事件が発生。2004年には反政府集会を押さえ込むべく非常事態宣言を発令した。翌年に複数政党制を受け入れるとDRP（モルディヴ人民党）を結党し、2008年10月の大統領選に挑んだが敗退。2011年9月には新党のPPM（モルディヴ進歩党）を結成したが、第6代大統領で異母弟のアブドゥラ・ヤミーン・アブドル・ガユーム（1959～）との内紛が激化し、2013年と2018年の2度にわたり身柄を拘束された。

Ⓙモハメド・ワヒード・ハサン
ⒺMohamed Waheed Hassan

1953年1月、モルディヴのマレ出身だが、レバノンのベイルート・アメリカン大学を経て、アメリカのスタンフォード大学で政治科学と教育学の修士号を取得。1986年には同大学で博士号（国際開発教育）を得る。1989年の国会議員に初当選し、教育相となるが、1992年からUNICEF（国連児童基金）に転籍。トルクメニスタン、アフガニスタン、イエメンなど各国で人道支援活動に携わる。2008年6月に帰国するとGIP（国民統一党）を結成。MDP（モルディヴ民主党）と連立与党を形成し、副大統領に就任した。それから4年後の2012年、第3代大統領のモハメド・ナシード（1967～）が任期を全うできずに退陣したため、第4代モルディヴ大統領に自動昇格した。ところが翌年の大統領選に出馬後、夫人の治療などを理由に突如シンガポールへ出国。2014年から李光耀（リー・クアンユー）公共政策大学の特別招聘フェローに収まっている。

主要言語・文字 Major Languages and Alphabets

❶ウルドゥー語
❸Urdu
12 ～ 13 世紀頃、インド北部の口語（話し言葉）にペルシャ語やアラビア語の単語が取り込まれて成立した、ヒンドゥスターニーと呼ばれる言語を原型とする。同じヒンドゥスターニーをルーツとするヒンディー語とほぼ同じ言語であるが、ペルシャ文字を改変した字体を用い、右から左に横書きするのが特徴（日本語や英語、ヒンディー語とは逆方向）。インド亜大陸のムスリムにとっての共通語であると共に、現在のパキスタンでは国語として位置づけられている。 世界の言語事典と言われる Ethnologue によると、話者数は全世界で約 1 億 7100 万人。これはドイツ語（約 1 億 3200 万人）や日本語（約 1 億 2600 万人）などの話者数より多い。

❶サンスクリット語
❸Sanskrit
「完成されたもの」という意味を持つインドの古典語。ウルドゥーやヒンディー語などと同系統にあるが古形を保存する。日本では「梵語」とも言う。紀元前 5 ～ 4 世紀の文法学者パーニニによって体系化された。先述のアーリア人たちの聖典であるヴェーダはパーニニより古い言語で記されているため、特にこれをヴェーダ語と呼ぶこともある。 インドで成立した大乗仏教経典においては、このサンスクリット語が用いられたため、中国～朝鮮半島を経由して日本にまで伝播した。事実、日本語の 50 音表はサンスクリット語の文字表が起源だとの説があり、「和尚」「護摩」「僧伽」「荼毘」「塔婆」「奈落」といった日本語は総じてサンスクリット語に由来する。

❶シンハラ語
❸Sinhalese
スリランカの多数派であるシンハラ人が話す言語。丸みを帯びたシンハラ文字で、日本語やヒンディー語などと同じく左から右に横書きする。かつては固有の数字も存在したが、19 世紀から算用数字が使われるようになった。文語（書き言葉）と口語（話し言葉）で、文法や語彙がまったく異なる点が特徴である。

❶ゾンカ語
❸Dzongkha
ブータンが国連に加盟した 1971 年、第 3 代王ジグメ・ドルジ・ワンチュクによって国語の地位を与えられた言語。言語学的にはチベット語の南部方言に属し、チベット文字で左から右に綴るが、正書法は十分に確立していない。また、ブータンでは近代教育が導入された 1960 年代以降、英語が圧倒的な優位性を保っているため、ゾンカ語の母語話者数は全人口（約 75 万人）のうち 20 ～ 30%にとどまっている。

❶タミル語
❸Tamil
インドのタミル・ナードゥ州を中心に、そこからの移民が住むスリランカ、シンガポール、マレーシア、マダガスカル、フィジーなどで使用されている言語。丸みを帯びたタミル文字で、左から右に綴る。Ethnologue によると、話者数は全世界で約 8400 万人とされる。ドラヴィダ語族と総称されるインド南部の 4 言語（タミル語、テルグ語、カンナダ語、マラヤーラム語）のうちで最も古い文献（紀元前後まで遡る）を有する一方、サンスクリット語とはまったく別系統の言語で、文語（書き言葉）と口語（話し言葉）の差異が大きい。日本でもヒットした『ムトゥ踊るマハラジャ』（1995 年）はタミル語の映画である。

❶デーヴァナーガリー文字
❸Devanagari Alphabet
7 ～ 8 世紀頃にナーガリー（都市で使われる文字の意）という接辞語が加えられ、インドで普及したと言われる文字。インドの連邦公用語であるヒンディー語、サンスクリット語、それにネパール語などを記す時に使う。

❶ディベヒ語
❸Dhivehi
モルディヴの憲法で国語に規定された言語。元々は距離的に近いスリランカのシンハラ語の影響を多く受けていたが、イスラム教の普及により、18 世紀末からアラビア文字に似通った現行のターナ文字が使われるように。と同時に、左から右に綴る表記法が、アラビア語の影響を受けて右から左へ切り替えられた。

❶ネパール語
❸Nepali
ネパールの国語だが、インド北東部のシッキム州やアッサム州、それにブータンでも通じる言語。ヒンディー語と近縁関係にあり、どちらもデーヴァナーガリー文字で左から右に綴るが、ネパール語のほうがペルシャ語からの借用語が比較的少なく、古典語のサンスクリット語由来の単語を多く残している。

❶ベンガル語
❸Bengali
バングラデシュおよびインドの西ベンガル州における公用語。インド北東部のトリプラ州においても公用語とされる。Ethnologue によると、話者人口は全世界で約 2

億 6500 万人で、ロシア語（2 億 5800 万人）やポルトガル語（2 億 5200 万人）などの話者数より多い。デーヴァナーガリー文字よりも細く尖った形状のベンガル文字を使い、日本語や英語、ヒンディー語と同じく左から右へ横書きする。なおベンガル文字は、インド北東部のアッサム語を綴る時にも使用される。

Ⓙ ヒンディー語
ⒺHindi

インドの連邦公用語。主としてインド北部～中部で使われ、インド国内での母語話者数は 4 億人以上。Ethnologue のランキングによると、全世界のヒンディー語話者の合計人数は（1）英語（約 12 億 6800 万人）、(2) 中国語（約 11 億 2000 万人）に次ぐ 3 位（6 億 3700 万人）で、スペイン語（5 億 3800 万人）やフランス語（2 億 7700 万人）の話者数を上回る。ネパール語とは近縁関係にあり、パキスタンの国語であるウルドゥー語とは文字体系が異なるものの、基本的な語彙や文法がほぼ共通している。

Ⓙ マラヤーラム語
ⒺMalayalam

インドのケララ州の公用語。ドラヴィダ語族と総称されるインド南部の 4 言語の中では成立時期は遅いものの、古典語のサンスクリット語由来の単語を多く残しているという。タミル語の西域方言から 10 世紀前後に枝分かれした後、15 世紀頃から独自のマラヤーラム文字が使われるようになった。丸みを帯びた文字を、左から右に綴る。2011 年インド国勢調査によると、インド国内での話者数は約 3500 万人である。

各言語別の「こんにちは」
"Hello" in Each Language

ウルドゥー語、ディベヒ語、ベンガル語を話すムスリムは皆、アラビア語で「あなたに平等あれ」を意味する「Assalamu Alaikum」を共通して使っている。 その一方で、ウルドゥー語とベンガル語にはムスリム以外への挨拶表現もあり、それらはサンスクリット語の「Namaste」に起源を持つ。「Namaste」は時節にかかわらず、「おはよう」「こんにちは」「こんばんは」「さようなら」として使える言葉で、ヒンディー語やネパール語話者も使っている。また、タミル語とマラヤーラム語はインド南部のドラヴィダ語族に属すが、マラヤーラム語の「こんにちは」はサンスクリット語の「Namaste」とよく似ている。

ウルドゥー語

السلام علیکم

Assalamu Alaikum

※ムスリムへの挨拶表現

نمستے

Namaste

※ムスリム以外への挨拶表現

サンスクリット語

नमस्ते,

Namaste

※ヒンディー語やネパール語話者も使う挨拶表現

シンハラ語

ආයුබෝවන්

Āyubōvan

ゾンカ語

སྐུ་གཟུགས་བཟང་པོ་ལགས།

Kuzu: zangpo la

タミル語

வணக்கம்

Vaṇakkam

ディベヒ語

އައްސަލާމު ޢަލައިކުމް

Assalamu Alaikum

ベンガル語

আস্‌সালামু আলাইকুম

Assalamu Alaikum

※ムスリムへの挨拶表現

নমস্কার

Nomoskār

※ムスリム以外への挨拶表現

マラヤーラム語

നമസ്കാരം

Namaskaaram

主要宗教
Major Religions

Ⓙ イスラム教
ⒺIslam

ムハンマド（570 年頃～ 632）が 610 年頃に現在のサウジアラビアのメッカで始めた宗教。聖典はクルアーン。ユダヤ教やキリスト教と同じく一神教で、アラビア語で「神」を指す全知全能のアッラーのみに帰依するように求める一方で、多神教と偶像崇拝を否定している。インド亜大陸にイスラム教が浸透したのは、現在のアフガニスタン東部で 12 世紀に興ったゴール朝によるインド遠征以降で、ゴール朝の部将クトゥブッディーン・アイバク（1150 ～ 1210）が 1206 年にインド初のイスラム王朝を建てた（奴隷王朝ともデリー・スルタン朝ともいう）。2011 年インド国勢調査では信徒数およそ 1722 万人（全人口の約 14.2%）で、本書で取り上げる国々のうちパキスタン、バングラデシュ、モルディヴの 3 ヶ国はイスラム教を国教に奉じている。いずれも、ムハンマドが打ち立てたスンナ（慣行）や教えを受け継ぐことを重視したスンニ派が多勢を占める。（注：本書ではアラビア語に準じて、イスラム教を信仰する人々を「ムスリム」、イスラム教の聖典を「クルアーン」とそれぞれ呼称する）。

Ⓙ キリスト教
ⒺChristianity

約 2000 年前、現在のパレスチナ自治区ベツレヘムで生まれたイエスをキリスト（救世主）と見なして信じる宗教。選ばれし民だけが救われるというユダヤ教を批判し、唯一神を信じる者は誰でも救われると説いた。エジプト商人コスマス・インディコプレウステス（生没年不明）が著した『キリスト教地誌』には、6 世紀の時点でインド亜大陸に教会が建立されていたと記されている。やがて 15 世紀に入ると、ヴァスコ・ダ・ガマ（1460 年頃～ 1524）のインド航路開拓をきっかけにカトリックの布教が始まり、日本でも有名なフランシスコ・ザビエル（1506 年頃～ 1552）もインド西部のゴアを拠点に活動した。プロテスタントの宣教師による布教活動は、イギリス統治時代の 19 世紀初頭に本格化した。2011 年インド国勢調査では信徒数およそ 278 万人で、日本全国のキリスト教徒の合計（約 192 万人）を上回る。

Ⓙ シク教
ⒺSikhism

現在のパキスタン出身のグル・ナーナク（1469 ～ 1539）が始めた宗教。サンスクリット語でグルは「尊師」、シクは「弟子」を指す。カースト制度を否定して平等主義の教義を展開する一方、偶像崇拝を禁じて唯一神を崇拝するように説く。開祖のナーナク以降、9 人のグルが登場。男性信徒が髪の毛と髭を伸ばし、頭にターバンを巻く習慣は、第 10 代グルのゴービンド・シング（1666 ～ 1708）が持ち込んだ。男性信徒は「獅子」を意味する Singh（シング）、女性信徒は「王女」を意味する Kaur（コウル）をそれぞれ名乗る。2011 年インド国勢調査では信徒数 2000 万人強（インドの全人口の 2% 未満）である。

Ⓙ ジャイナ教
ⒺJainism

仏教と同じく紀元前 5 世紀頃に成立した宗教。開祖のヴァルダマーナ（生没年不明）はベンガル地方出身で、マハーヴィーラ（仏典では大雄）という尊号でも呼ばれる。カースト制度を否定して平等思想を唱える一方で、厳しい苦行と禁欲主義によって解脱に達することを説く。（1）不殺生（生き物を傷つけないこと）、（2）真実語（虚偽の言葉を口にしないこと）、（3）不盗（他人のものを盗まないこと）、（4）不淫（性行為を一切行わないこと）、（5）無所有（何も所有しないこと）という五大戒律を厳守するよう出家者に求め、世俗信徒にはそれを「可能な限り遵守する」という小戒が授けられた。2011 年インド国勢調査では信徒数 445 万人強（インドの全人口の 0.37%）である。

Ⓙ 上座部仏教
ⒺTheravada Buddhism

仏教の開祖である仏陀（釈迦）の入滅（死）から約 100 年が経った紀元前 3 世紀頃、仏教徒は戒律や教理の解釈などをめぐる内部対立の末、「根本分裂」を起こした。すなわち、（1）戒律の維持を重んじる上座部（テーラバーダ）と、（2）釈尊の教えを広く流布することを目指した大衆部（マハーサンギカ）に分裂したのである。現在スリランカで厚く信仰されているのは前者の上座部仏教で、同国には紀元前 3 世紀に伝来。ミャンマー、タイ、カンボジアなど東南アジア諸国にも波及し奉じられているため、南伝仏教ともいう。これらの国々の僧侶は、227 条もの戒律（パーティモッカ）を守らなければならない。2012 年スリランカ国勢調査によると、信徒数は約 1427 万人（全人口の 70%）である。

Ⓙ ゾロアスター教
ⒺZoroastrianism

ペルシャ帝国時代のイランで始まった宗教。開祖はザラスシュトラ・スピターマ（生没年不明）で、聖典はアヴェスタ。光明神アフラ＝マズダのみを信じる一神教で、その象徴として火を崇拝するため拝火教とも言われる。ササン朝ペルシャ（224 ～ 651）時代に国教として奉じられたが、同王朝がイスラム勢力に滅ぼされたため、信徒はインド西部に避難。その子孫たちがインドではパルシー（ペルシャ人の意）と呼ばれている。インドのゾロアスター教徒は少数派だが、同国を代表する財閥 Tata Group 創業者の Nusserwanji Tata、クラシック界の有名指揮者 Zubin Mehta など、社会で名を成した人々も多い。日本の自動車メーカー MAZDA の社名も、前掲のアフラ＝マズダに由来する。

Ⓙ チベット密教（仏教）
ⒺTibetan Esoteric Buddhism

日本に大乗仏教と初期密教が伝来した一方、チベット、ブータン、モンゴルでは後期密教が発展した。後期密教の中でも、チベット土着の民間信仰であるボン教などの影響を受けつつ、独自に展開されたものがチベット密教（仏教）である。ダライ・ラマを頂点とするゲルク派をはじめ、カギュ派、サキャ派、ニンマ派という 4 宗派に大別される。ブータンの場合、カギュ派の分派（ドゥク・カギュ派）が国教になっているが、ニンマ派の僧院も多い。1642 ～ 1975 年まで存続したシッキム王国（ナムゲル朝）もニンマ派を奉じていた。インド北部のヒマーチャル･プラデーシュ州の都市ダラムサラには、ダライ・ラマ 14 世（1935 ～）が住まう亡命政府がある。中国のチベット自治区、モンゴルなどにも多くの信徒を抱えており、その総人数は全世界 900 万人以上と推定される。

Ⓙ ヒンドゥー教
ⒺHinduism

インド北部に侵入して定住したアーリア人の宗教（便宜上バラモン教と呼ばれることが多い）が、先住民族のさまざまな民間信仰の要素を吸収しつつ、独自の発展を遂げた宗教。インド亜大陸に自然発生的に生じた宗教で、日本の神社神道と同じく特定の開祖は存在しない。聖書やクルアーンのような唯一絶対の聖典も存在せず、さまざまな宗教的観念や儀礼、それらと密接に関わる社会慣習などを持つ。 時代を重ねながら多数の指導者を輩出し、2011 年インド国勢調査によるとインドの全宗教人口の 79.8%（9 億 6626 万人）をヒンドゥー教徒が占めている。また、ヒンドゥー教は多神教で無数の神々が信仰されているが、その一部は仏典に取り込まれ、十二天などになっている 。

インドにルーツを持つ仏教の神々の例

インド	日本
アグニ（ヴェーダに登場する火の神）	火天（仏教を守護する十二天のうちの一柱）
アスラ（ヴェーダから登場する古い神格。神々の眷属から敵対者へと変遷した）	阿修羅（仏教を守護する八部衆の一柱）
インドラ（ヴェーダに登場する武闘神）	帝釈天（仏教を守護する十二天の一柱）
ヴァーユ（ヴェーダに登場する風神）	風天（仏教を守護する十二天の一柱）
ヴァルナ（ヴェーダに登場する宇宙の支配神、司法神）	水天（仏教を守護する十二天の一柱）
ガネーシャ（象の頭を持った富と繁栄、学問の神）	歓喜天（仏教を守護する十二天の一柱）
ガルーダ（ヒンドゥー教の秩序の神ヴィシュヌの乗り物で、金色の神鳥）	迦楼羅天（仏教を守護する八部衆の一柱）
クベーラ（インド神話の富と財宝の神、別名ヴァイシュラヴァナ）	多聞天（または音写から毘沙門天）
サラスヴァティー（ヴェーダでは川の女神、後に学問芸術の女神）	弁才天（弁財天、七福神の一柱）
スカンダ（ヒンドゥー教の軍神、別名クマーラ）	韋駄天（増長天の八将のうちの一神）または鳩摩羅天
スーリア（ヴェーダに登場する太陽神）	日天（仏教を守護する十二天のうちの一柱）
シヴァ（ヒンドゥー教の破壊神）	大自在天、大黒天、千手観音（密教では伊舎那天）
パールヴァティー（ヒンドゥー教の女神で、シヴァの妃）	烏摩妃（大自在天の妃）
ブラフマー（ヒンドゥー教の創造の神）	梵天（仏教を守護する十二天の一柱）
ヤマ（ヴェーダに登場する死者の王）	閻魔天（閻魔大王のこと）
ラクシュミー（ヒンドゥー教で美と富と豊穣と幸運を司る女神）	吉祥天（仏教を守護する十二天の一柱）
ラークシャサ（ヒンドゥー教における悪鬼）	羅刹天（仏教を守護する十二天の一柱）

日本とインド亜大陸の国々のデータ比較

	日本	インド	スリランカ	ネパール	パキスタン	バングラデシュ
国土面積（単位：10km^2）	37,797	328,726	6,561	14,718	79,610	14,757
人口（単位：1000 人）	125,682	1,393,409	22,156	29,675	225,200	166,303
人口密度（単位：1000 人／km^2）	344.81	468.66	358.14	207.01	292.13	1,277.59
携帯電話契約者数（加入者数）（単位：1000 人）	200,479	1,154,047	30,764	38,213	188,711	181,021
名目 GDP（単位：100 万ドル）	4,932,556	3,176,296	88,979	35,848	348,227	416,265
1 人当たり名目 GDP（単位：ドル）	39,301	2,280	4,016	1,209	1,564	2,498
インターネット普及率（割合：%）	90.22	43.00	35.00	37.70	25.00	24.80
大学進学率（割合：%）	64.62	31.30	21.61	16.78	12.22	25.10
人間開発指数（HDI）（単位：pts）	0.93	0.63	0.78	0.60	0.54	0.66
世界遺産登録数（単位：物件）	25	40	8	4	6	3
ノーベル賞受賞者数（単位：人）	25	6	0	0	2	1
生産年齢（15 歳～ 64 歳）人口（単位：1000 人）	74,156	939,787	14,387	19,592	137,306	113,682
生産年齢（15 歳～ 64 歳）人口比率（割合：%）	59.00	67.45	64.93	66.02	60.97	68.36
65 歳以上人口（単位：1000 人）	36,068	94,413	2,578	1,754	9,907	8,865
65 歳以上人口比率（高齢化率）（割合：%）	28.70	6.78	11.63	5.91	4.40	5.33
平均寿命（単位：歳）	84.62	69.89	77.14	71.07	67.43	72.87
合計特殊出生率（単位：人）	1.42	2.18	2.17	1.85	3.39	1.99
失業率（割合：%）	2.80	8.00	5.88	4.72	4.30	5.41
殺人発生件数（単位：件）	319	40,479	742	558	8,153	3,830
政治民主化度（単位：pts）	1.08	0.11	-0.07	-0.09	-0.84	-0.77
兵員数（単位：人）	261,000	3,045,000	317,000	111,600	943,000	227,000
幸福度指数（単位：pts）	5.929	3.819	4.325	5.269	4.934	5.025
腐敗認識指数（単位：pts）	73.00	40.00	37.00	33.00	28.00	26.00
日本在留者数（単位：人）		36,058	28,986	97,109	19,120	17,538
在留邦人数（単位：人）		8,145	678	826	993	1,054
進出日系企業拠点数（単位：拠点）		4,790	107	51	96	254

Data Comparison between Japan and Indian Subcontinent Countries

ブータン	モルディヴ	備考
3,839	30	国土面積には内水面（河川・湖沼）を含む。
780	544	世界銀行統計ベース（法的地位や国籍にかかわらず当該国に居住している人口）。2021 年度。
20.45	1,812.07	世界銀行ベース。各国の国土面積 1km² 当たりの人口。人口は常駐人口ベースで国籍・在留資格にかかわらず居住者すべてを指すが、一時的な難民などを除く。国土面積は河川・湖沼などの内水面を除く陸地面積。2021 年度。
778	706	3 ヶ月間使用されたプリペイド SIM カード方式の携帯電話を含む。アナログ、3G、4G 回線を含む。2021 年度。
2,442	5,204	IMF（国際通貨基金）統計に基づく名目ベースの GDP（国内総生産）総額。ドルへの換算は各年の平均為替レートベース。2021 年度。
3,245	13,539	IMF（国際通貨基金）統計に基づく名目ベースの人口 1 人当たり GDP（国内総生産）。ドルへの換算は各年の平均為替レートベース。2021 年度。
85.64	62.93	100 人当たりのインターネット利用者数（普及率）。インターネット利用者＝過去 3 ヶ月間にインターネットを利用した者を指す。2021 年度。
23.27	34.12	UNESCO（国際連合教育科学文化機関）統計ベース。2021 年度。ここでいう大学は、UNESCO が定義する ISCED（国際標準教育分類）のレベル 5 ～ 8 の高等教育機関で、大学相当のすべての高等教育機関が含まれる（日本での四年制大学・大学院、短期大学などに相当）。年齢にかかわらず大学への総入学者数を単純に大学入学適齢人口で割った比率でグロス値ベース。
0.67	0.75	UNDP（国連開発計画）が、教育水準、健康・寿命、所得水準の観点から各国の生活の質を 0 ～ 1 ポイントで評価した指標。2021 年度。1 に近いほど良好。
0	0	文化遺産と自然遺産を合算。日本の文化遺産である国立西洋美術館本館と、インドの文化遺産であるチャンディガールのキャピトル・コンプレックスは、フランス、ドイツ、アルゼンチン、ベルギー、スイスの 15 物件と共に、複合遺産の「ル・コルビュジエの建築作品――近代建築運動への顕著な貢献」（2016 年登録、史上初の大陸をまたいだ世界遺産）を構成する。
0	0	日本＝アメリカ国籍を取得した南部陽一郎（物理学賞、2008 年）と中村修二（物理学賞、2014 年）、イギリス国籍を取得したカズオ・イシグロ（文学賞、2017 年）の 3 人を除く。北マケドニア出身でインド国籍を取得したマザー・テレサの受賞（平和賞、1979 年）を含むが、在外インド人のハー・ゴビンド・コラナ（生理学・医学賞、1968 年）、スブラマニアン・チャンドラセカール（物理学賞、1983 年）、ヴェンカトラマン・ラマクリシュナン（化学賞、2009 年）は除く。バングラデシュ＝団体として受賞したグラミン銀行（平和賞、2006 年）を除く。
539	415	世界銀行統計ベース。2021 年度。
69.11	76.33	世界銀行統計ベース。2021 年度。
49	21	世界銀行統計ベース。2021 年度。
6.33	3.80	世界銀行統計ベース。2021 年度。
72.08	79.21	世界銀行統計ベース（男女計、2020 年度）。
1.93	1.82	世界銀行統計ベース。2020 年度。女性 1 人が一生で出産する子供の平均数。
3.65	6.33	ILO（国際労働機関）のモデル推計による各国の失業率（一部の国は各国の報告値）。2020 年度。失業率は完全失業者数÷労働力人口。
8	3	UNODC（国連薬物犯罪事務所）ベース。2019 年度。各国により、殺人の法的定義が異なるので単純比較には注意が必要。
0.23	-0.24	世界銀行統計ベース。2021 年度。市民の参政権・政府選択権の可否、報道の自由、表現の自由、結社・組合の自由の観点から -2.5pts から +2.5pts で民主化度を評価。
		IISS（国際戦略研究所）統計ベース。2019 年度。日本は自衛隊の定数を適用。ブータンには国王軍と国王親衛隊、モルディヴには国家保安隊を改組した国防軍が存在するが未集計。
5.082	5.198	SDSN（国連の持続可能開発ソリューションネットワーク）による幸福度の評価。2021 年度。10 に近いほど平和度が高い。
68.00	40.00	TI（国際透明性機構）ベース。2021 年度。政府・政治家・公務員などの腐敗度を 1 ～ 100 でスコア化、評価。スコアが高いほうが汚職が少ない。
470	61	日本の法務省ベース。2021 年 11 月。
134	123	日本の外務省ベース。2022 年 10 月。
1	15	日本の外務省ベース。2021 年 10 月。

インドのストリーミング配信事情

日本に AWA、LINE MUSIC、レコチョクなどがあるように、インドにも独自開発のストリーミング配信サービスが存在し、欧米発のプラットフォームとシェアを競い合っている。その筆頭格が 2007 年に創業した BODVOD Network を前身とする JioSaavn と、2010 年にサービスを開始した Gaana だ。

元々 BODVOD Network は、インドの映画や TV 番組などをアメリカとカナダの TV 局や動画配信事業者に販売する会社だったが、2009 年から Saavn というサービス名称でストリーミング配信サービスに参入。それから 9 年後の 2018 年、インドの財閥 Reliance Industries が提供していた競合サービスの JioMusic と Saavn が合併し、現在は JioSaavn の名称で事業を続けている。かたや後者の Gaana の社名の由来はヒンディー語で歌を意味する単語にちなむ。本稿執筆時点での同社の運営母体は、衛星放送チャンネルや新聞社、FM ラジオ局などを抱えるインド最大級のメディア複合体 Times Group だ。

承知のとおり、インドでは多言語社会が形成されており、連邦公用語のヒンディー語、準公用語の英語のみならず、多くの言語が過去も現在も共存する。それゆえに JioSaavn と Gaana はどちらも、ヒンディー語、英語をはじめとする 16 言語の中から、聴きたい曲の言語を最初に選択してから楽曲を検索するように設計されている。とはいっても、各種画面はすべて英語で記されており、アルファベット入力さえできれば操作には困らない。App Store ないし Google Play で、日本に住まう我々もインストール可能である。

JioSaavn と Gaana のビジネスモデルは Spotify と相通ずる点があり、無料プランだと広告が合間に流れるが、有料プランに移行すると広告なしで楽曲を聴いたり、無制限にダウンロードできたりする。本稿執筆時点で、JioSaavn と Gaana の有料プランは日本円に換算すると月額およそ 500 円だ。楽曲ライブラリの数はどちらも数千万曲に及び、欧米の大物アーティストの楽曲もその中に含まれることから、Apple Music や Spotify などの有料プランよりも割安である。しかし JioSaavn と Gaana の難点は、なぜかどちらもインドとその周辺国のメタルバンドの楽曲が充実していないことである。換言すると、欧米発の動画、音楽配信サービスのほうが本書に登場するメタルバンドを探しやすいのだ。

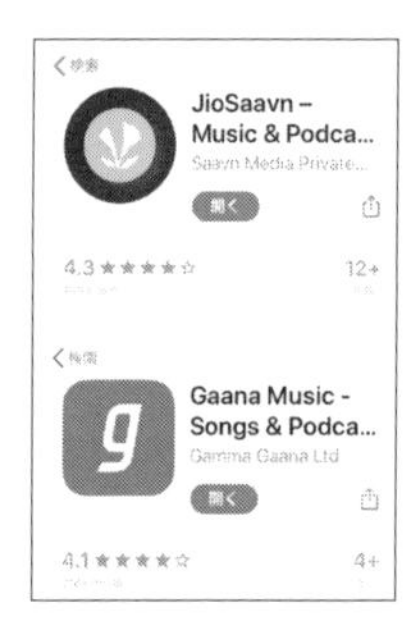

JioSaavn と Gaana をインストールするために特別な言語スキルは必要ない。App Store ないし Google Play で検索すればすぐに見つかる（写真は App Store の検索画面）。

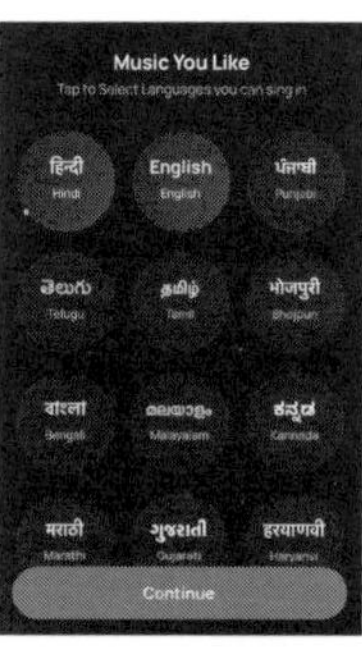

これは Gaana の言語選択画面。デフォルトで登録されている 16 言語の中から、聴きたい曲の言語を選択する。JioSaavn にも同様の機能が搭載されている。

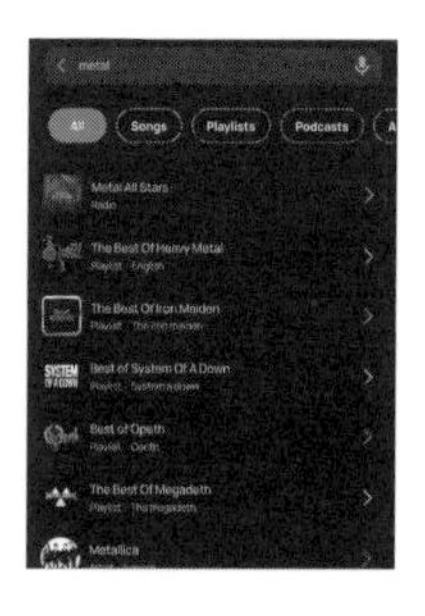

JioSaavn と Gaana は両方ともメタルというジャンルの選択肢がないので、検索窓に Metal と入力してみた。写真は Gaana のもの。Iron Maiden、Megadeth、Metallica など欧米の大御所の代表曲をまとめたプレイリストは利用可能である。

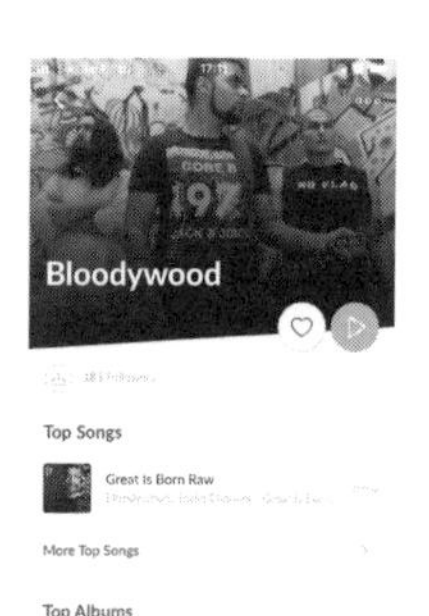

Bloodywood の楽曲を JioSaavn で聴けるかどうか検索したところ、たった 1 曲しか見当たらなかった。Gaana のほうはゼロだった。したがって、インドとその周辺国のメタルバンドの曲を聴くには、インドよりも欧米発のストリーミング配信サービスを使うほうが望ましい。

インド　India

紀元前2500年頃にインダス文明が芽生えた後、インドでは幾多の国々が興亡を繰り返したが、現代のインドとパキスタンがイギリスから分離独立を果たしたのは1947年のことである。独立に際して、憲法上で定められた正式な国名はBhārat（バーラト）という。その名の由来は、古代インドの伝説上の王の領土を指すサンスクリット語にちなみ、インド人は現在も自国をこのように呼ぶ。他方、国名を英文で記したIndiaの由来はインダス川を意味するIndusにちなみ、漢字で「印度」と最初に記した人物は『西遊記』でお馴染みの唐代の僧侶、玄奘三蔵（602～664）である。

独立後、1950～1970年代までのインドの経済成長率は年平均3.5%前後にすぎず、その低迷ぶりは「ヒンドゥー成長率」と揶揄されるほどだったが、1980年代には年平均5%台、1990年代以降は年平均6%台へと上昇した。新型コロナウイルスの感染拡大によるロックダウンで経済が停滞したため、2020年度はマイナス7.3%に落ち込んだものの、2021年度の経済成長率は8.7%で、見事V字回復している。IMF（国際通貨基金）の統計によると、インドの2022年の名目GDPは世界5位（3兆3800億ドル）で、すでにG7の一角を成すイギリス（3兆3760億ドル）、フランス（2兆9367億ドル）、カナダ（2兆2212億ドル）などを凌駕している。

また、インドは中国（約14億3932万人）に次ぐ世界2位の人口大国だが、国連の『世界人口推計2022』によると、インドの人口は2023年に中国を上回り、2063年には16億9698万人に達すると見積もられている。隣国のパキスタン、バングラデシュでは軍人がクーデターを起こして政権を握ったことがあるが、インドでは本稿執筆時点で選挙によって平和裏に政権交代が行われている。それゆえに、インドは世界最大の民主主義国と評されることもある。とはいえ開発途上国で見られるような貧富の差や教育格差、インフラと衛生環境の未整備、不十分な医療といった諸問題も山積みで、2021年のHDI（人間開発指数）は190ヶ国中131位にとどまっている。

民族　インド・アーリア人（72%）、ドラヴィダ人（25%）、モンゴロイドおよびその他（3%）。
※CIA（アメリカ中央情報局）の年次報告書『The World Factbook』に基づく。
※インド当局は民族別構成を発表していないが、およそ550の指定部族（アーディバシー、ヒンディー語で先住民族を指す）を認定している。2011年インド国勢調査によると、指定部族に該当する人々は約1億人（人口比およそ8.6%）である。

言語　ヒンディー語（連邦公用語）、英語（準公用語）
※この他に憲法で公認されている州公用語が21言語（アッサム語、ベンガル語、ボド語、ドーグリー語、グジャラート語、カンナダ語、カシミール語、コンカニ語、マイティリー語、マラヤーラム語、マニプリ語、マラーティー語、ネパール語、オリヤー語、パンジャブ語、サンスクリット語、サンタル語、シンド語、タミル語、テルグ語、ウルドゥー語）。それだけでなく、2011年インド国勢調査によると、話者数1万人を超える諸言語が121種類確認されている。

宗教　ヒンドゥー教（79.8%）、イスラム教（14.2%）、キリスト教（2.3%）、シク教（1.7%）、仏教（0.7%）、ジャイナ教（0.4%）、その他の諸宗教（0.7%）、無宗教または無回答（0.2%）
※2011年インド国勢調査に基づく。

インド北部・中部　North and Central India

インドは本稿執筆時点で28の州と9つの連邦直轄領で成り立っており、そのうち首都ニューデリーを含むデリー連邦直轄領は面積1484km²で、人口およそ1634万人。デリーに隣接するウッタル・プラデーシュ州、ハリヤナ州、ラジャスタン州などの一部地域を含めると、面積4万6208km²、人口およそ2175万人というデリー首都圏（NCR）が威容を現すが、NCRは慢性的な交通渋滞、大気汚染といった都市問題を抱えており、スイスの民間調査会社IQAir AirVisualの調べによると、2017～2021年にかけて大気汚染が最も深刻だった20都市のうち14都市がNCRとその周辺に位置していた。また、インドの中央銀行に当たるRBI（インド準備銀行）の調べによると、デリーの1人当たりGDPは約4887ドルで、インドの全土平均（約1690ドル）の約2.8倍だが、2011年インド国勢調査によると、デリーの住民の10.63%（約178万人）はスラム街暮らしを余儀なくされているという。

本章に登場する58バンドの過半数（41組）は、ニューデリーまたはデリー連邦直轄領の出身者を擁する。日本のBABYMETALのアメリカ南部ツアーをサポートしたプログレッシヴメタルのSkyharbor、YouTubeでのブレイク後に2022年8月のFuji Rock Festivalに出演したフォークメタルのBloodywoodなどは、割とよく知られた存在かもしれない。プログレッシヴ・メタルコアのUndying Inc.も首都ニューデリーで始動した。シク教徒が宗教人口の過半数を占めるパンジャブ州はMute the Saint～Sitar MetalのRishabh Seenの出身地で、チベット仏教徒が住まうインド最北部のラダック連邦直轄領、北部のジャンムー・カシミール連邦直轄領、ヒマラヤ山麓に位置するヒマーチャル・プラデーシュ州とウッタラーカンド州でも若干数のバンドが活動している。しかし、中部のチャッティースガル州拠点のメタルバンドは残念ながら確認できなかった。

調査対象エリア（人口およそ4億6242万人）

デリー連邦直轄領、チャンティーガル連邦直轄領、ウッタラーカンド州、ウッタル・プラデーシュ州、ジャンムー・カシミール連邦直轄領、チャッティースガル州、ハリヤナ州、パンジャブ州、ヒマーチャル・プラデーシュ州、マディヤ・プラデーシュ州、ラジャスタン州、ラダック連邦直轄領。

※人口は2011年インド国勢調査に基づく。

※2019年10月まで、ジャンムー・カシミールとラダックの2つの連邦直轄領は、ジャンムー・カシミール州という1つの州を構成していた。

言語　ヒンディー語（連邦公用語）、英語（準公用語）、ウルドゥー語（ジャンムー・カシミール連邦直轄領における公用語の1つ）、パンジャブ語（パンジャブ州の州公用語）、その他の現地語（ドーグリー語、チャッティースガル語、ラジャスタン語、ラダック語など）。

宗教　ヒンドゥー教徒が多数派だが、ジャンムー・カシミール連邦直轄領はムスリム多住地域で、ラダック連邦直轄領はチベット仏教徒の多住地域。また、2011年インド国勢調査によるとパンジャブ州ではシク教徒（57.69%）の比率が高い。

まるでボリウッド映画音楽をメタル化したようなYouTube発のラップ・フォークメタル

Bloodywood

ニューデリー　2016～　Indian Folk Metal　（類似）Tengger Cavalry、Nine Treasures、Myrath、Orphaned Land　15039

Bloodywoodはその名が示すとおり、血塗られた（Bloody）メタルサウンドでボリウッド（Bollywood）映画音楽をアレンジしたような音楽性で知られるフォークメタルバンドだ。正式メンバーはJayant Bhadula<vo>、Raoul Kerr<rap>、Karan Katiyar<g, flute>の3人で、ライヴではリズム隊とパーカッショニストを加えた編成でプレイしている。

初期の活動拠点はYouTube

インド西部のゴア州出身で、デリー在住のKaranは企業内弁護士（注：法律事務所ではなく一般企業の法務部に属する弁護士）として働きながら、2013年からインド映画の劇中歌をメタル風にアレンジしてYouTubeに随時アップロードしていた。やがてKaranは、デリーの芸能事務所の裏方だったJayant Bhadula<vo>と出会い、「ポップミュージックを破壊する」という旗印のもと、ユニット結成を思い立つ。

こうしてBloodywoodが2016年に始動すると、Karanは仕事を投げ打ってNirvanaの「Smells Like Teen Spirit」（1991年）、Linkin Parkの「Heavy」（2017年）のカヴァーのみならず、Micheal Jacksonの「Bad」（1987年）、Taylor Swiftの「Look What You Made Me Do」（2017年）、さらには日本のピコ太郎のヒットソング「Pen-Pineapple-Apple-Pen」（2016年）などをメタル風にアレンジしたカヴァー曲をYouTubeで公開。2017年暮れにはそうした楽曲群をコンパイルしたカヴァーアルバム『Anti - Pop Vol.1』をBandcampで配信した。

ただしこの時点でのBloodywoodはメタルバンドというよりも、既存アーティストの代表曲を面白おかしくカヴァーするYouTuberグループといった体裁だった。

日本のTwitterでトレンド入り

パンジャブ語のコミックソング「Tunak Tunak Tun」（1998年）のメタルヴァージョンを経て、Bloodywoodはソロのラッパーとしても活動するRaoulを迎え入れ、2018年よりツインヴォーカル体制となる。その第1弾作品は、インドとデンマーク混成のデュオBombay Rockersが2003年に発表した「Ari Ari」のメタルヴァージョンだった。

これ以後はカヴァー曲ではなく、メンタルヘルス問題をテーマにした「Jee Veerey」、いじめ問題を扱った「Endurant」など、シリアスなオリジナル曲のMVを公開するようになる。Bloodywoodはこれらのオリジナル曲のMVで世界にセンセーションを巻き起こすと、Roshan Roy<b>、Sarthak Pahwa<per>、Vishesh Singh<ds>の3人を従えた6人編成で、2019年7～8月にドイツ、フランス、イギリス、ロシアの4ヶ国を歴訪するツアーを敢行。アルバムデビュー前にもかかわらず、BloodywoodはこのツアーでWacken Open Airの大舞台に上がった。

これにより、Bloodywoodは2021年暮れ、イギリスの『Metal Hammer』が策定した「12 New Metal Bands to Watch in 2022」に選出され、同じくイギリスのGlobal Metal Apocalypseの投票企画で「Breakthrough Asian Band」部門の3位にランクインした。

これらの実績を引っ提げ、Bloodywoodはついに1stアルバム『Rakshak』を2022年2月に発表。そして同年8月に開催されたFuji Rock Festivalで日本初上陸を果たすと、全力投球のパフォーマンスで日本のオーディエンスを魅了。出番はトップバッターだったにもかかわらず、ライヴ配信の視聴者数は2万人を超え、日本のTwitterでは「インドのメタルバンド」「Bloodywood」というワードがトレンド入りする珍事が発生した。同年9月からはチェコ、イギリス、ベルギー、ドイツ、フランス、アメリカでもライヴしている。さらに2023年3月からはポーランド、ドイツ、オランダ、デンマーク、チェコ、オーストリア、イタリア、スイス、フランスなど計11ヵ国にまたがるツアーに出発した。

Bloodywood

Machi Bhasad(Expect a Riot)

自主制作 2019

ニューデリー

「Jee Veerey」(2018年)、「Endurant」(2019年)に続き、オリジナル曲としては3番目がMVが制作された楽曲。Raoul Kerrの英語によるラップパートと、Jayant Bhadulaのヒンディー語によるグロウルがぶつかり合いながら、多様性の尊重を訴えるナンバーである。ボリウッド映画音楽のようなノリのよさも兼ね備えており、民族打楽器と威勢のいい掛け声が終始鳴り響く。ラジャスタン州の城塞都市ジャイサルメールで大がかりなロケを行ったMVは、本稿執筆時点で再生回数が616万回に達した。

Bloodywood

Yaad

自主制作 2020

ニューデリー

オリジナル曲としては4番目にMVが制作された楽曲。タイトルは「Remember」や「Memory」を意味するヒンディー語にちなむ。ウッタル・プラデーシュ州の動物愛護団体とタイアップした啓発ソングでもある。物悲しい横笛の調べで幕を開けるパワーバラードであり、Karan Katiyar<g>によるエモーショナルなソロも聴ける。その半面、前掲の「Machi Bhasad (Expect a Riot)」(2019年)のような陽気なフォークメタル色は控えめだ。ヒマラヤ山脈の麓で撮影したMVも一見に値する。

Bloodywood

Rakshak

Bloodywood Media Private Limited 2022

ニューデリー

前掲の2曲を含め、YouTubeでMVを公開した楽曲群をひととおり網羅した1stアルバム。アートワークの異なる限定盤やLP盤もある。M1「Gaddaar」は「Machi Bhasad (Expect a Riot)」(2019年)の同一線上にある陽気なナンバーだが、インドで蔓延する性犯罪の撲滅を訴えたM5「Dana Dan」、マスコミの情報操作を批判するM9「BSDK.exe」など、シリアスなテーマの楽曲も収録。全体的にリフの刻み方が案外とDjent寄りで、欧米のフォークメタルバンドとは一線を画している。

Bloodywood
インタビュー

2022 年 8 月　の Fuji Rock Festival で、Bloodywood は出番が最初だったにもかかわらず、鮮烈な印象を残してくれた。そこで本書でも、インタビューを実施したバンド 14 組のうち、Bloodywood のインタビューを最初に掲載することにした。筆者は当初、リーダーでメインコンポーザーの Karan Katiyar<g, flute> へインタビューを打診していたが、バンドの運営全般も担っている Karan は多忙につき、ラップ担当の Raoul Kerr が代わりに応対してくれた。Phil Anselmo のような強面のルックスとは裏腹に、Raoul は Fuji Rock Festival 出演をきっかけにすっかり日本贔屓になっていた。

回答者：Raoul Kerr（ラップ、2 ページ前写真右端）

――2022 年 8 月の Fuji Rock Festival では、朝 11 時からの出演だったにもかかわらず大勢の観客が詰めかけましたね。私はその模様をライヴ配信で拝見しましたが、日本で初めてライヴした印象はいかがでしたか？

Raoul Kerr（以下 R）：日本へ行ったことで、海外ツアーできることのありがたさを再認識させられた。飛行機を降りてから Fuji Rock のステージに立つまでのワクワク感と冒険心は、今でも忘れられない。Fuji Rock の開催前にラインナップが発表された時、俺達はメタルバンドがごく少数だったことに気づいた。つまり、俺達はメタルというジャンル自体を背負う立場にあったわけだ。そのことは光栄だったが、日本のオーディエンスがどんなリアクションを示してくれるかは、ステージに上がってみないことには分からなかった。とはいっても、ライヴ当日はうまくいきそうな兆しがあったよ。俺達がサウンドチェックをしていた段階で、マニア層のオーディエンスはすでに本番が始まるのを待ち構えていたからね。真夏の朝 11 時のスタートだったから、1 曲目の「Gaddaar」をプレイした頃は、1000 人くらいのオーディエンスが観ていた。でも、セットリストが進むにつれて、遠くのほうで俺達の演奏を聴いていた人達が大勢駆けつけてきて、オーディエンスがどんどん膨れ上がっていった。最終的には、オーディエンスと一体になってヘヴィメタルのパーティーで朝から盛り上がっていたような状況だったよ。さらに付け加えると、ステージを降りたら、Fuji Rock には巨大なオンラインイベントの側面があって、会場だけでなくネット上でも似たような現象が起きていることも気づいた。Fuji Rock の公式 YouTube チャンネルでも、大勢の視聴者がライヴ配信を観てくれたからね。一過性の出来事とはいえ、日本の Twitter でトレンドワード 1 位に入ったことは、嬉しいサプライズだったよ。俺達はフェスティバルの会場で熱気を感じることが大好きだから、出番を終えたら他の出演者のライヴを観たかった。でも、会場を歩き回っていると、俺達に触れ合って写真を一緒に撮りたいという顔馴染みのファン、そして新規にファンになってくれた人達が押し寄せてきて、カオティックな状況になった。それはともかく、Fuji Rock で初来日公演ができた

軽い熱中症にかかって
倒れてしまった人も大勢いた

鮮烈な印象を残した、2022 年 8 月の Fuji Rock Festival でのパフォーマンス。

のは最高だった。あれからずっと、日本でまたライヴできることを願い続けている。日本に対しては、もう愛しか感じるものがないよ。

――Fuji Rock Festival 出演後の Bloodywood は、チェコの Brutal Assault、イギリスの Bloodstock Open Air、ベルギーの Alcatraz Open Air、ドイツの Summer Breeze Open Air などに出演しましたね。日本とヨーロッパ諸国のオーディエンスの気質の違いを教えてもらえますか？

R：日本の感染防止対策ガイドラインに従い、Fuji Rock のオーディエンスは静かにライヴを観るように求められたそうだが、我慢できない一部のオーディエンスは俺達と一緒に盛り上がっていたよ。それから Fuji Rock では俺達のライヴ終了後、軽い熱中症にかかって倒れてしまった人も大勢いたと聞かされた。もうすでに彼らが回復していることを願っている。日本のオーディエンスの盛り上がり方も、ヨーロッパと同じくらいだったから、気質の違いは感じない。ただ、ドイツの Summer Breeze ではオーディエンスを煽って、叫び声を出させる必要性を感じている。何しろ、会場のキャパが 3 万人だからね 。Summer Breeze でのライヴ中は、ほぼすべてのオーディエンスが凄まじいエネルギーを解き放ってくれたよ。

――さらにその後、Bloodywood は初のアメリカツアー 14 公演をこなしましたね。あなた方の Twitter で、日本の国民食と言われるラーメンを食べている写真を見かけましたが、アメリカンフードよりも日本食のほうが好きなんですか？

R：確かにアメリカンフードよりも日本食のほうが気に入っている。でも、あの写真はアメリカではなく、Fuji Rock 出演後に東京で 3 日間オフを楽しんだ時に撮ったものなんだ。メンバー全員でラーメンを食べに出かけたんだよ。とても楽しいひと時だった。東京滞在中に口に合わないと感じたものは全然なかった。

どれもおいしかった！

——Fuji Rock Festival 出演をきっかけに、Bloodywood の知名度は日本で格段にアップしました。しかし、Bloodywood のキャリアを詳しく知らない日本のメタルファンも大勢いるのも事実です。まず、Bloodywood の正式メンバーは Jayant Bhadula<vo>、Karan Katiyar<g, flute>、そしてあなたの 3 人だけで、Roshan Roy<b>、Sarthak Pahwa<per>、Vishesh Singh<ds> の 3 人はサポートメンバーだと考えて相違ないですか？

R：ああ、そのとおりだ。

——Bloodywood はニューデリー拠点のバンドですが、リーダーの Karan はインド西部のゴア州出身だそうですね。彼はゴア州に住んでいた頃もバンド活動をしていて、ギターとフルートをプレイしていたのですか？　彼が楽器を始めたきっかけも教えてもらえますか？

R：Karan は生まれてから 10 年間をゴア州で暮らしたけど、それ以後はデリーにずっと住んでいる。つまり、彼はデリーに引っ越してからギターを手に取り、インターネットと YouTube を参考にして独学でテクニックを磨いたんだ。フルートを吹くようになったのも、「Ari Ari」のカヴァーヴァージョン(2018年)を作り始めた頃だった。フルートの音色が「Ari Ari」のサウンドにうまくマッチしたので、彼はきちんとフルートを習うことにした。彼はそれ以来、ギターとフルートの両方をプレイしているよ。

——元々 Bloodywood は、Karan と Jayant の 2 人が欧米の人気アーティストのカヴァー曲をネット上に公開するプロジェクトとしてスタートしました。過去にカヴァーした楽曲の中には、Nirvana の「Smells Like Teen Spirit」（1991 年）、Linkin Park の「Heavy」（2017 年）、Meshuggah の「Bleed」（2008 年）などがありますが、各メンバーが影響を受けたアーティスト、お気に入りのバンドも教えてもらえますか？

R：各メンバーの音楽の好みは違うけど、皆が共通して好きなバンドとして挙げるのは Linkin Park だね。おそらく俺達にとっての最大の影響源は Linkin Park なんだろう。Karan が好きなバンドは Alter Bridge で、Jayant は Slipknot が好きだね。俺自身は Rage Against the Machine が大好きだ。

——2018 年の「Ari Ari」のカヴァー・ヴァージョンから、あなたは Bloodywood のメンバーに加わりました。加入の経緯を教えてもらえますか？

R：俺は 2018 年にソロ名義で『No Flag』というアルバムを出したことがあってね。このアルバムのリードトラック「For Her」の MV は、Karan が演出してくれたんだ。これをきっかけに俺達は手を組むようになり、その結果として出来上がった「Ari Ari」の MV はヴァイラル動画になった。Bloodywood は、一緒にいて心地いい気分になれるメンバーが集まっているバンドでね。それに Karan と Jayant、俺の 3 人は、個人的な部分でもプロフェッショナルな部分でも共鳴することが多かった。こういうわけで俺は Bloodywood の正式メンバーになったんだ。

——あなたの加入後、Bloodywood は英語のラップとヒンディー語またはパンジャブ語の歌詞、メタルとインドの伝統音楽をミックスしたスタイルに発展します。誰がどのような経緯でこのスタイルを思いついたのですか？

R：インドの伝統音楽とメタルを融合させるというアイデアは、Karan が最初に思いついた。俺達はそのサウンドを気に入り、オーディエンスも受け入れてくれた。ただ歌詞に関して言うと、複数言語を混在させることは、あくまで自然の成り行きなんだ。この基盤が確立されてから、曲作りのプロセスはあらゆる面でスムーズになった。1 枚目のアルバム『Rakshak』（2022 年）を聴けば、俺達のサウンドが進化した軌跡が分かるけど、曲作りに入る前にはメンバー全

員でいろいろと議論を交わし、考え合う必要があった。

——Bloodywoodの初のオリジナル曲「Jee Veerey」（2018年）はメンタルヘルス問題をテーマにしたものです。なぜこういうシリアスなテーマを初のオリジナル曲に採用したのですか？

R：メンバー全員が世の中に好ましいインパクトを与える曲、つまり世の中でもっと議論すべきことについて伝える曲を作りたかったんだ。誰もがすでにそうした問題を知っているだろうけど、俺達はリスナーやMVの視聴者に何らかの行動を起こしたいと思わせる方法で問題提起しているんだよ。特に鬱病やメンタルヘルス問題は、俺達が直接もしくは間接的に味わったこともあるから、「Jee Veerey」で取り上げることにした。この曲が受け入れられた時、俺達は音楽の持つ真の力を信じるようになったね。

——続く「Endurant」（2019年）のMVは、学校や職場でのいじめ問題を何人もの俳優を使って表現しているため、一種の啓発ビデオのようでした。インド亜大陸では、このように俳優を使うMV制作が流行しているのですか？　なぜならインド亜大陸では、Bloodywoodと同じく啓発ビデオのようなMVを公開するバンドが他にも複数見受けられたからです。

R：特にインド亜大陸ならではの流行とは思わない。なぜなら俳優を起用してストーリーを語るMVは世界中で作られているからだ。「Endurant」の場合、いじめ問題についての議論を深める最善の方法は、俳優を使って加害者と被害者の両方の視点を示すことだと思ったんだ。

——ウッタル・プラデーシュ州のヒマラヤの麓で撮影した「Yaad」のMVや、ラジャスタン州の丘陵城塞群で撮影した「Machi Bhasad（Expect a Riot）」のMVなどは、インドならではの絶景が楽しめる半面、制作費が高額になりませんか？　普段どうやってMVの制作費を調達しているのですか？

R：バンドの財政を支えているのはPatreonというプラットフォームでね（注：アメリカ発のサイト。アーティストが、自身のファンやパトロンから定期的または作品ごとにカンパを募ることができる）。これが俺達の主な収益源で、必要経費をこれで賄っている。でも、音楽ビジネスはおしなべて金がかかるから、限られた予算の中でベストを尽くさなければならない。つまり、多くの作業をDIYでこなすわけだ。「Yaad」と「Machi Bhasad（Expect a Riot）」の場合、自前の車でMVのロケ地まで移動し、自分達で撮影と編集を行った。撮影用にきちんと整備されたオープンセットや小道具を使っているわけじゃないから、MV制作はロケ地の環境にも大きく左右される。俺達のMVに出演してくれた俳優達も知り合いばかりで、手ごろなギャラで協力してくれる。大勢のファンがグッズやアルバム、チケットを買ってくれるおかげで、俺達の収益モデルは多角化した。とはいっても、俺達はセルフマネージメントのバンドだから、いまだに与えられた条件の中で最善を尽くしているよ。

——Bloodywoodは2019年7～8月にドイツ、フランス、イギリス、ロシアの4ヶ国をツアーし、Wacken Open Airの大舞台に上がりました。アルバムデビュー前にもかかわらず、Wacken Open Airに出演したのは世界全体を見てもレアなケースでは？と思われますが、Wacken Open Air出演が決まった経緯を教えてもらえますか？

R：Wackenから出演オファーをもらった時は光栄に感じた一方で、驚いたよ。詳しい経緯は分からないが、ネット上における俺達の存在感と、ブッキングエージェントが世界各地のフェスティバル主催者に俺達のことを勧めてくれたおかげで、Wackenへの出演が決まったんじゃないだろうか。当時の俺達にはオリジナル曲が3曲しかなかった。それでも、Wackenに出演できたのは確かにレアで特異なケースだね。でも、俺達は世界最大級のステージに上がる価値のあるバンド

だと信じていたし、自分達だけじゃなく、あらゆる人々にそのことを実証する心構えができていたよ。

「Dana Dan」(2022年)のMV撮影時のスチール。Raoul Kerr(右から2人目)以外のメンバーがメイクを施している。

──Bloodywoodの1stアルバム『Rakshak』は自主レーベルでのリリースだったにもかかわらず、Billboardのアルバムセールス35位に入り、日本のヘヴィメタル/ハードロック専門誌『BURRN!』の輸入盤チャートでも最高24位に入ったそうですね。これほど好意的なリアクションは予想していましたか?

R:セールスが好調であってほしかったし、そういう確信を持っていたけど、実際にそうなってみると素晴らしい気分だったよ。幸先のいいアルバムデビューだった。セルフマネージメントのバンドとして、どこまで成し遂げられるかを実証できたからね。

──『Rakshak』のLP盤は、ドイツのNuclear Blastから分裂したAtomic Fire Recordsからリリースされました。ということは、Atomic Fire Recordsから次回作をリリースするプランがあるのですか?

R:Atomic FireのMarkus StaigerとThorsten Freeseは、いろいろなプロジェクトで素晴らしい仕事をしてくれた。でも、次回作に関しては、あらゆる選択肢を検討しているところなんだ。

──これまでBloodywoodが発表した楽曲群は、異なる宗教観の宥和を訴えた「Gaddaar」、性犯罪の撲滅を訴えた「Dana Dan」など、インド特有の社会問題と向き合ったものが目立ちます。ということは、インド特有の身分制度であるカースト制度も、曲のテーマになりえるのでしょうか? これに限らず、曲のテーマとして今後取り上げたいものを教えてもらえますか?

R:音楽を通じてメッセージを伝える時は、世界中の人々に聴いてもらいたいと思っているから、俺達はグローバルなテーマを取り上げている。たとえば、性犯罪や政治による宗教の利用は、インドだけではなく世界中で見受けられる問題だ。俺達の曲の歌詞を読めば、世界の市民としてメッセージを伝えていることが分かるよ。俺達のSNSやYouTubeに寄せられるコメントは、世界中の人々が耳を傾けてくれている証でもある。俺達の目標は、特定の国に限らず、地球そのものをよりよい場所にすることなんだ。今後の曲のテーマは、サプライズのままにしておこう。

──『Rakshak』は日本でも輸入盤として流通していて、iTunes、Apple Music、Spotifyなどで日本でも試聴可能です。最後に日本のリスナーにぜひメッセージをお願いします。

R:シンゾウヲササゲヨ!(注:『進撃の巨人』第2期OPテーマのタイトルから拝借した言葉)俺達は、日本の皆を愛している。日本にまた戻ってくるのが待ちきれないよ!

BABYMETAL アメリカ南部ツアーをサポートした米印混成モダンメタルの旗手

Skyharbor

ニューデリー／マハーラーシュトラ州ムンバイ／アメリカ・オハイオ州クリーブランド　2011～　Progressive Metal　（影響）Periphery、TesseracT、Devin Townsend、Ben Sharp（Cloudkicker）、Oceansize　44611

インド発のモダンメタルの旗手であるSkyharborは当初、Keshav Dhar<g>の宅録プロジェクトにすぎなかった。ところがKeshavの非凡な才能は欧米の有名アーティスト達を惹きつけ、今では世界にその名を轟かせている。

ヴォーカル不在の初ライヴ

ニューデリー出身のKeshavは6歳からピアノを習っていたが、南部のカルナータカ州にあるマニパル大学に進んでからギターに転向。そして生物医学工学を専攻する傍ら、TesseracTやPeripheryに傾倒するが、Djentやモダンメタル志向のバンドマンと出会えずにいた。そこでKeshavは2008年から、かねて温めていたマテリアルをHydrodjentなるプロジェクト名義でネット上に公開。ユーザーの反応を参考にしながらスキルを高めていった。

すると2010年10月、TesseracTのシンガーとして知られるDaniel Tompkinsからコラボレーションの打診が舞い込む。翌年には、Intervalsに当時在籍していた在外インド人のAnup Sastry<ds>が、Keshavのマテリアルのドラムカヴァー映像を公開。KeshavとAnupは生のライヴを披露する可能性を模索した。

こうしてSkyharborは始動するが、Danielはスケジュールの都合でインド西部のプネーでの初ライヴ（2011年11月）に参加できなかった。このためライヴアクトとしてのSkyharborはKeshavとAnup、それにニューデリーの音楽スクールで講師をしていたNikhil Rufus Raj<b>というインストのトリオ編成で初陣を飾った。

インドから世界に飛び出す

2012年4月、Skyharborの1stアルバム『Blinding White Noise: Illusion and Chaos』がベールを脱いだ。驚くことに、同アルバムではDanielが全10曲中7曲で歌声を披露したばかりか、元MegadethのMarty

Friedman<g>が客演していた。というのも、前年にリリースされた彼のJ-POPカヴァー集『Tokyo Jukebox 2』（2011年）にKeshavは全面協力していたのだ。

インドから突如現れたモダンメタルの逸材に、メタル界が色めき立つ。Lamb of Godに当時在籍していたChris Adler<ds>もその1人で、2012年5月のLamb of Godの2度目のインド公演でSkyharborを前座に起用した。バンドはこの頃から、ムンバイのGoddess Gaggedにも在籍するDevesh Dayal<g>を迎えた5人編成となり、2012～2013年にはドイツのEuroblast Festivalに2年連続で出演。2013年7月にはイギリスのUK Tech Metal Festivalにも参加した。その後、Nikhilの脱退に伴い、やはりGoddess Gaggedにも在籍するKrishna Jhaveriが後任ベーシストとして加入する。Marty Friedmanのソロ12枚目『Inferno』（2014年）でKeshavとAnupが客演した一方、バンドは2014年6月に欧州ツアー10公演を敢行。このツアーではイギリスのDownload Festival、ベルギーのGraspop Metal Meetingにも出演した。

オーストラリアのForrester Savellをプロデューサーに迎えた2ndアルバム『Guiding Lights』は2014年11月にリリースされたが、翌年6月にDanielとAnupが相次いで脱退し、アメリカ人シンガーのEric Emeryとムンバイ出身のAditya Ashok<ds>が加入。Skyharbor初の全米ツアー28公演は、皮肉にもDanielが復帰したTesseracTの前座としてだった。2017年4月にはDeftonesの欧州9ヶ国ツアーに帯同し、2018年5月には日本のBABYMETALのアメリカ南部ツアー7公演をサポート。同年9月には3rdアルバム『Sunshine Dust』を発表するが、Adityaの脱退に伴い、前任のAnupがサポートドラマーとして呼び戻された。なおAnupは、Marty Friedmanのソロ12～13thアルバム（2017年の『Wall of Sound』と2021年の『Tokyo Jukebox 3』）でもドラムをプレイしている。

Skyharbor
Blinding White Noise: Illusion & Chaos
Basick Records　2012
ニューデリー／マハーラーシュトラ州ムンバイ／アメリカ・オハイオ州クリーブランド

イギリスのBasick Recordsで配給された1stアルバム。2枚組仕様で、Daniel Tompkins<vo>が主にクリーンで歌う1枚目の楽曲群は「Illusion」、ムンバイのメタルコアバンドBhayanak MautのシンガーだったSunnieth Revankarがグロウルで歌う2枚目の楽曲群は「Chaos」に大別される。浮遊感を発散するスペーシーな1枚目と、ヘヴィネスを強調した2枚目が好対照を成している。M3「Catharsis」でMarty Friedman<g>が客演した。

Skyharbor
Guiding Lights
Basick Records　2014
ニューデリー／マハーラーシュトラ州ムンバイ／アメリカ・オハイオ州クリーブランド

Daniel Tompkins<vo>が続投し、Devesh Dayal<g>とKrishna Jhaveri<b>を迎えた5人編成で放った2ndアルバム。デビュー作（2012年）で見られた浮遊感がいっそう強調されてアトモスフェリックな要素が増し、長尺志向も顕著になった。M1「Allure」はPeripheryのMark Holcomb<g>がゲスト参加した曲だ。イタリアの女性シンガーValentina Reptileが客演したM9「Kaikoma」は、よく耳を凝らすと日本語のナレーションが聞こえてくる。

Skyharbor
Sunshine Dust
Entertainment One　2018
ニューデリー／マハーラーシュトラ州ムンバイ／アメリカ・オハイオ州クリーブランド

Eric Emery<vo>とAditya Ashok<ds>を迎え入れて放った3rdアルバムで、ロンドン株式市場に上場しているEntertainment Oneへの移籍第1弾。本来は2017年リリース予定だったが、完璧主義者のKeshav Dhar<g>が全曲の録り直しを断行したため、当初より1年遅れで発表された。その結果、デビュー作（2012年）の「Illusion」と「Chaos」の中庸を取ったサウンドとなり、ポストロック調の雰囲気を発散する曲もあれば、エモ風の佇まいを感じさせるナンバーもある。

Skyharbor インタビュー

近年のインドとその周辺国で、Djent／プログレッシヴメタル志向のアーティストが急増している要因は、何と言ってもSkyharborという成功事例の存在が大きい。Skyharborはインド産らしからぬ洗練されたモダンな音像を武器に、世界をまたにかけて活動している。2014年のDownload Festivalにインド発のバンドとして初参加したり、2017年のDeftonesの欧州ツアーをサポートしたりといった活動状況をご存じの方も多いだろう。現メンバー4人のうち、アメリカ出身のEric Emery<vo>が忙しい合間を縫ってインタビューに応じてくれた。なお、バンド創設者のKeshav Dhar<g>のインタビューは、脇田涼平氏の『Djentガイドブック』（2021年）をご覧願いたい。

回答者：Eric Emery（ヴォーカル、2ページ前写真中央）

――初めまして。まずSkyharborの現メンバーは、Eric Emery<vo>、Keshav Dhar<g>、Devesh Dayal<g>、Krishna Jhaveri<b>の4人で相違ないでしょうか？

Eric Emery(以下E)：ああ、そのとおりだ。次回作では、元メンバーのAnup Sastryがサポートドラマーとして参加してくれる予定だよ。

――あなたはオハイオ州クリーヴランド出身だそうですね。現在もアメリカ在住で、Skyharborのツアーやレコーディングのたびにインドへ渡っているのですか？　Keshav Dharをはじめとするインド人メンバーと、一体どうやって練習や曲作りをしているのですか？

E：俺は、生まれ故郷のオハイオ州クリーヴランドで長年暮らしていた。でも、今はロサンゼルスに引っ越し、さまざまなアーティストのプロデュースやミックスに携わっている。通常は、インドでのフェスティバルシーズンに合わせて、年に何度かインドを訪れている。しかしインド人メンバーと一緒にツアーに出る時まで、すべての作業をリモートで行いがちだ。皆で書きためた曲のアイデアを、Dropboxや自前の機材で共有するんだ。幸いにも、俺はかなりクールなスタジオを所有していて、すべてのアイデアを録音できる環境にあるので、良質なヴォーカルパートのデモを聴かせることができる。リハーサルに関して言えば、ツアーに出る1週間前にメンバー全員が合流し、本番さながらにセットリストに沿ってプレイする。でも、おかしなことに、リハーサルでは実際にプレイすることよりも、機材のセッティングに時間を取られることが多いんだ。

――あなたのトレードマークは全身びっしりと入ったタトゥーですが、いつ、どうしてタトゥーを入れようと思ったのですか？　幼い頃からタトゥーに憧れていたのですか？

E：タトゥーが大好きなのは、SF映画やファンタジー映画に影響を受けたからだろう。誰もが常にクールでユニークである一方で、俺は生身の人間の肌が少しばかり味気ないと思っていたんだ。最初にタトゥーを入れたのは17歳だった時でね。俺は常々、エイリアンのような外見になりたいという願望を秘

年に何度かインドを訪れている

©Devin Barnes

めていた。今のところ、タトゥーはそういう変身願望に最大限近づいた証ともいえる。目標は、文字どおりに**全身くまなくタトゥー**を入れることだよ。

──あなたはかつて、Concordiaというバンドのシンガーとして活動していたそうですね。それ以前の音楽業界でのキャリアについて、簡単に年代を追って教えてもらえますか？

E：シンガーとして、俺は遅咲きの部類に入るだろう。何しろ、18歳の時まで、人前で歌おうと考えたことさえなかったからね。実のところ、俺は長年ギターをプレイしていたから、**今でも自分自身はまずギタリスト**であり、ヴォーカリストはその次だと考えている。でも、ある日、自分にもそれなりの歌唱力が備わっているんだと気づき、何曲かのカヴァー音源をYouTubeにアップしてみたんだ。当時の俺のお気に入りバンドは、グランジ／オルタナティヴ系のRaといって、彼らの6thアルバム『Black Sun』(2008年）の収録曲をカヴァーしてみたんだ。そうしたら、本家本元のRaのSahaj Ticotin<vo>が俺のカヴァー音源を聴いて、「オリジナル曲をプレイする気はないか？」というメッセージをくれたんだよ。こうして俺はロサンゼルスに渡り、Sahajのプロデュースのもと、Concordiaのアルバムを制作した。Concordiaには長年の地元の友人達がメンバーとして参加してくれて、一緒にアメリカ国内をツアーした。きちんとしたラジオ局で楽曲がエアプレイされたこともある。でも、特定のバンドの専従で活動することに飽きを感じたので、レコーディングエンジニアとプロデューサーとしてのキャリアを築くことにしたんだ（注：Eric Emeryは、2015年のPeripheryの2枚組アルバム『Juggernaut: Alpha』『Juggernaut: Omega』でエンジニアの1人としてクレジットされている）。

── Concordiaの唯一のアルバム『Clarity of Perception』(2012年）を聴いたところ、少しEvanescence、Skillet、Flyleafなどを想起させる面がありました。あなた自身はどんなバンド、シンガーの影響を受けましたか？

E：ご名答！　まさに当時の俺は、君が挙げたようなタイプのバンドをたくさん聴いていた。ヴォーカリストとして影響を受けた人々は、Brandon Boyd (Incubus)、Maynard James Keenan (Tool/A Perfect Circle)、Chino Moreno (Deftones)、初期のJared Leto (Thirty Seconds to Mars)、それからChris Cornell (Soundgarden/

Audioslave）などだね。

――ご存じのように、Skyharbor はインド人ギタリストの Keshav Dhar が創設したバンドですが、初代シンガーはイギリス人の Daniel Tompkins（現 TesseracT）で、カナダ出身の在外インド人ドラマーである Anup Sastry（元 Intervals ～ Monuments）も在籍したことがあり、国際色豊かなバンドです。あなた自身は、いつ、どうして Skyharbor に加入したのですか？

E：俺は Skyharbor の「Evolution」という楽曲（注：2014 年の 2nd アルバム『Guiding Lights』に収録）を気に入っていて、iPod にダウンロードしていた。おかしなことに、俺自身も新しいバンド名をあれこれ考えていた際に、Skyharbor というバンド名がクールだと思ったんだよ。インド人メンバーは、俺が YouTube にアップしていたヴォーカルカヴァーを聴いて、興味を持ったんだろう。ちょうどシンガーの Daniel Tompkins が Skyharbor を脱退して TesseracT に復帰することになった頃、Keshav Dhar は Facebook メッセンジャーで連絡を寄こしてきた。次の日、俺が 2 曲分のヴォーカル音源を送ったところ、俺は 1 週間も経たずに Skyharbor に加入することになった。でも、ヴォーカルのメロディーとアンビエンスに力点を置いたバンドに加わることができて、とても嬉しかったよ。

――日本に住まう我々が外から見ていると、アメリカ人のあなたが、インドで結成された Skyharbor に加入したことは非常にユニークな出来事に見えます。バンド創設者の Keshav Dhar をはじめとするインド人メンバーとの国民性、文化の違いを感じた瞬間を教えてもらえますか？

E：最初に思い浮かぶのは、メンバー全員で初めて一緒に会食した時の出来事でね。俺の目の前にあった皿めがけて、インド人メンバーがいっぺんに手を伸ばし、そのまま素手で料理を食べたんだ。あれは驚いた！ アメリカではまずありえない。アメリカ人は誰かと一緒のフォークを使ったり、同じ皿の料理を分け合ったりしない。インドとアメリカの国民性、文化の違いはおびただしいほどだよ。

――ご存じのとおり、インドはアメリカとは異なり、総人口の 79.8%がヒンドゥー教徒です。2011 年インド国勢調査によると約 9 億 6620 万人がヒンドゥー教徒という計算で、これはアメリカの全人口（約 3 億 2716 万人、アメリカ国勢調査局調べ）のおよそ 3 倍に相当します。Keshav Dhar をはじめとするインド人メンバーと、宗教の違いに伴うコミュニケーションの問題は起きませんでしたか？

E：統計については全然知らなかったが、幸いにも Skyharbor のメンバー全員は、驚くほど似通った価値観、宗教観の持ち主同士だと思うよ。

―― Skyharbor 加入が決まった時点で、あなたはインドのヘヴィメタル／ハードロックシーンに対して、事前知識はどれくらいありましたか？ Skyharbor 加入の前後に、他のインド人バンドや、インドの周辺国（ネパール、バングラデシュ、パキスタン、スリランカ、ブータン、モルディヴ）のバンドのアルバムを聴いたことはありますか？

E：あいにく、インドとその周辺国のヘヴィメタルに対する事前知識は皆無に等しかっ

インドとアメリカの国民性、文化の違いは おびただしいほどだよ

BABYMETALのサポートアクトとして、ジョージア州アトランタの会場に現れたSkyharbor。ギタリストのKeshav Dhar（写真右端）がアメリカのメイト達にフォックスサインで応えている（注:BABYMETALのファンは互いのことを「メイト」と呼び、メロイックサインの代わりに、中指と薬指と親指をくっつけてキツネを表すフォックスサインを用いる）。

た。正直なところ、俺はメタル自体それほど詳しくなくて、プライベートでよく聴いている音楽もオルタナティヴロックとポップスなんだ。でも、Skyharborに加入して以来、大勢の優れたインド人ミュージシャンと知り合うことができた。彼らのことは気に入っているよ。

――あなたが加入したSkyharborは、2015年11～12月にTesseracTのサポートとしてアメリカとカナダで約30公演をこなしました。あなたにとって北米大陸はホームグラウンドですが、Keshav Dharをはじめとするインド人メンバーにとっては、これが初の北米ツアーでした。彼らはアメリカの文化、習慣に戸惑いませんでしたか？

E：振り返ってみると、確かにインド人メンバーにアメリカの習慣、マナーを説明しなければならない場面がたくさんあった。彼らはその一方で、本場のアメリカンフードがとてもおいしいと言って感動していた。ツアー中に雪を見たのも、彼らは初めてだったんじゃないだろうか。インド人メンバーの反応を見るのはクールだったよ。アメリカ人の俺にとっては、どれもありきたりだがね。

――あなたは2016年に、イスラエル出身の女性YouTuberでドラマーのMeytal Cohenが立ち上げたプログレッシヴメタルバンドMeytalのデビューアルバム『Alchemy』（2016年）でもヴォーカルを務めたそうですね。同アルバムに参加した経緯を教えてもらえますか？

E：Meytalのデビュー当時、俺はバンドメンバーとして名を連ね、共同作曲者として、そしてリードシンガーとしてアルバムに参加した。Skyharborのケースと同じように、Meytal Cohenはインターネットで俺のことを知り、フロントマンになってほしいと連絡を寄こしてきた。彼女はすでにアメリカに移住していたので、俺はツアーにも一緒に出たことがある。でも、最終的には音楽性と方向性の違いにより、袂を分かつことになった。

―― Skyharborは2018年の3rdアルバム『Sunshine Dust』リリースに先駆け、日本のBABYMETALのアメリカ南部ツアー7公演をサポートしました。当時の面白いエピソードも教えてもらえますか？

E：一番面白かった出来事は、SU-METAL<vo>と卓球をして遊んだ時のことでね。俺がピンポン玉を打ち返したら、うっかり彼女の顔面にピンポン玉をぶつけてしまったんだ。BABYMETALのセキュリティーが血相を変え、俺に飛びかかろうとしたが、SU-METALはクスクス

と笑い出してね。その後は皆で仲良く笑いながら遊びに興じていたよ。

── Skyharbor のような多国籍バンドは、全員が同一の場所に集まって曲作りやジャムセッションをしたり、レコーディングするのが難しいのでは？と思われます。『Sunshine Dust』は各パートを遠隔レコーディングしたのですか？　制作プロセスを教えてもらえますか？

E：『Sunshine Dust』の時は、各収録曲のデータを Dropbox で共有していた。レコーディングに向けた基本的な感触をそれで掴んだ後、メンバー全員でオーストラリアに向かい、現地在住の Savell Forrester（注：Animals as Leaders の 2014 年の 3rd アルバム『The Joy of Motion』、Twelve Foot Ninja の 2016 年の 2nd アルバム『Outlier』などのエンジニアとして知られる）と一緒に作業したんだ。

── Skyharbor は 2019 年 1 月と 3 月にオーストラリアとメキシコでもライヴしましたが、まだ日本公演を一度も行ったことがありません。ミュージシャンとして、もしくはプライベートで日本訪問したことがありますか？　もし好きな日本人アーティスト、知っている日本人アーティストがいたら教えてもらえると、なお幸いです。

E：俺にとってのナンバーワンが BABYMETAL であることは間違いない。個人的には、東京を訪ねてみたいと常々思っている。今までは予算の都合で来日ツアーを組めずじまいだったが、バンドとしても日本へいつか行ってみたいね。

── Skyharbor のアルバムは日本でも輸入盤として流通していて、iTunes、Apple Music、Spotify などでも試聴可能です。それに、BABYMETAL のアメリカ南部ツアー 7 公演をサポートしたバンドとして、日本でも Skyharbor を知っているリスナーが徐々に増えています。そこで最後に、日本のリスナーにぜひメッセージをお願いします。

E：俺は、日本のあらゆる文化やアートが大好きでね。いつか Skyharbor の来日公演が実現して、日本の人々と一緒に触れ合う機会ができることを願っているよ。どうもありがとう。

BABYMETAL のサポートアクトとしてアメリカ南部をツアーした時のオフショット。ステージを降りた Eric Emery（写真右端）は眼鏡姿だ。

硬質なグルーヴ感覚と複雑なフレーズを絶妙に同居させたプログレッシヴ・メタルコア

Undying Inc.

ニューデリー／マハーラシュトラ州ムンバイ／メガラヤ州シロン　2004～　Thrash/Death Metal/Metalcore　（影響）Meshuggah、Megadeth、Carcass、Sepultura　685

Bloodywood が 2022 年 8 月の Fuji Rock Festival 出演に先駆け、『ヘドバン』執筆陣の 1 人である山崎智之氏のインタビューに応じた際、ニューデリーの人気バンドとして推薦した 4 人組がいる。その名は Undying Inc.。日本での知名度はまだ低いものの、結成は 2004 年に遡るプログレッシヴ・メタルコアバンドだ。

四大要素を兼ね備えることを目指す

Biswarup Gupta<g> と Reuben Bhattacharya<b> を中心に 2004 年に始動した Undying Inc. は、初音源のデモ音源『Existence Failure』（2005 年）を経て、1st アルバム『Preface to Erase』（2007 年）もリリースする。初期の音楽性は、グルーヴメタル期の Sepultura や Pantera からの影響を感じさせつつ、Biswarup の奔放でトリッキーなギターソロを押し出したものだった。ただしバンド自身は結成当初から特定ジャンルにカテゴライズされることよりも、スピード、テクニック、グルーヴ感、アグレッションを兼ね備えたメタルバンドになることを目指していた。

その後、Shashank Bhatnagar<vo> を迎えたバンドは、EP『Evilution of a Manimal』（2008 年）と 2nd アルバム『Aggressive World Dynasty』（2010 年）をリリース。この頃からプロダクションが向上し、スピード、テクニック、グルーヴ感、アグレッションを兼ね備えるという理想像に近づいた。

バンドはこれを足掛かりに、『Rolling Stone India』が 2011 年に選定した Rolling Stone Metal Awards にノミネートされ、同年 10 月に初の海外公演としてノルウェーに渡り、同国のハードコアバンド Torch のツアーに帯同。2012 年 4 月にも再びノルウェーに赴いて Inferno Metal Festival に出演した。バンドはその一方で、アメリカの酒造メーカー Jack Daniel と『Rock Street Journal』が共催する Jack Daniel's Rock Awards で 3 部門にノミネートされるも、惜しくも受賞を逃した。

メンバー交代が続くが音楽性は不変

その後のUndying Inc.はラインナップを固定できず、流動的なメンバー構成になる。

まずドラマーのYuvraj Senguptaの脱退を受けて、2012年秋に当時19歳だったNishant Hagjerが後任者に選ばれるも、2013年初頭にShashankが音楽性の相違を理由に2013年に脱退を表明。バンドはこれを受けて、新ヴォーカリストのオーディションを半年間にわたって実施するが、適任者にめぐり合えず、結局はShashankを呼び戻すことになる。

そしてバンドは、SkyharborのKeshav Dhar<g>をプロデューサーに起用して5作目のEP『Ironclad』（2014年）をリリースするが、今度はバンドの創設メンバーでもあったReubenが2016年秋に脱退する。そこでバンドは、イギリス人ベーシストのCarl Dawkinsを後任者に迎えるという奇策を講じ、シングル「Alpha Abusolute」（2017年）を発表するが、Carlを擁したラインナップは長続きせず、2018年初頭にはEzra Heliosが新ベーシストとして加わる。

しかし2019年5月に入ると、ShashankとNishantの2人が同時に脱退（彼ら2人はSoul Inclinationなるグランジ／オルタナティヴ系バンドとしてもEPを発表した間柄でもある。Nishantは2015年からネパールのUndersideでもドラムを掛け持ちしており、2022年からはヴィジュアル系バンドのArogyaでもプレイしている）。

ShashankとNishantの後任として、元Bhayanak MautのSunneith Revankar<vo>と元AberrantのJerry Nelson Ranee<b>が収まると、バンドは2019～2022年にかけて「Glock」「Decimate」「Open Source Degenerate」というシングルを相次いでリリース。メンバー交代が相次いでも、音楽性は大幅に変わらないことを示した。

Undying Inc.
Preface to Erase
Undead　2007
ニューデリー／マハーラシュトラ州ムンバイ／メガラヤ州シロン

通算2作目にして初のフルアルバム。日本の配信ストアやBandcampでは曲順がオリジナルリリースと異なる。表題曲のM1とM3「Existence Failure」は幾分デスメタル寄りだが、全体的にはスロー～ミドルテンポの楽曲群が多い。グルーヴメタル期のSepultura、Panteraなどの影響も窺える一方で、Biswarup Guptaが派手なギターソロを繰り出すが、現在よりも曲構造はシンプルで、プロダクションは貧弱。デスメタルバンドのようなアートワークも現在とは似ても似つかない。

Undying Inc.
Evilution of a Manimal
自主制作　2008
ニューデリー／マハーラシュトラ州ムンバイ／メガラヤ州シロン

Shashank Bhatnagar<vo>の加入第1弾作品で、単独作としては通算3作目のEP。前年の1stアルバム『Preface to Erase』とは見違えるほどプロダクションが向上。変拍子の入った重低音リフを刻みつつ、硬質でうねるようなグルーヴで攻め立てるという基本軸も定まり、Biswarup Guptaのギターソロも有効に機能している。前掲の1stアルバム収録曲を録り直したM3「Existence Failed」を聴くと、バンドの飛躍的な成長ぶりが分かる。定番のバンドロゴも本作から登場した。

Undying Inc.
Aggressive World Dynasty
自主制作　2010
ニューデリー／マハーラシュトラ州ムンバイ／メガラヤ州シロン

人類滅亡後の地球を機械が支配する近未来を描いたという触れ込みの2ndアルバム。不穏なインストのM1「In Vacuo」が明けると、前EP『The Evilution of a Manimal』（2008年）で培った変拍子入りの複雑なリフで目まぐるしく展開しつつも、グルーヴ感抜群の楽曲群が並ぶ。M9「Alloy」とM11「Contagion」ではリフの合間にオブリガートのフレーズを加える趣向が見られる。前掲のEPと1stアルバム『Preface to Erase』（2007年）の再録ヴァージョンも3曲ある。

Undying Inc.
Ironclad
自主制作 2014
ニューデリー／マハーラシュトラ州ムンバイ／メガラヤ州シロン

前年にバンドを離れた Shashank Bhatnagar<vo> を呼び戻して制作した EP。M1「Snakes of Inertia」は起伏に富んだリフワークを軸にしたナンバー。M2「Pit Mechanics」は Meshuggah のように無機質なリフと Shashank のグロウルが交錯し、表題曲の M3 は落差の大きなビートダウンで後半から沈んでいく。日本の配信ストアや Bandcamp だと本作もオリジナルリリースと曲順が異なり、Pantera の 9th アルバム（1996 年）収録曲をカヴァーした M4 も省かれている。

Undying Inc.
Alpha Absolute
自主制作 2017
ニューデリー／マハーラシュトラ州ムンバイ／メガラヤ州シロン

Shashank Bhatnagar<vo> と Nishant Hagjer<ds> が続投した一方、イギリス人ベーシストの Carl Dawkins が参加した唯一の作品で、通算 6 作目のシングル。硬質なリフと強靭なグルーヴ、そして Shashank のグロウルが渾然一体となって襲いかかるが、Biswarup Gupta<g> がトリッキーなフレーズをリフの合間に絡めているのが特徴。このため、攻撃的でありながらも幾分アヴァンギャルドな作風であり、SikTh や Protest the Hero などの影響も感じさせる。

Undying Inc.
Glock
自主制作 2019
ニューデリー／マハーラシュトラ州ムンバイ／メガラヤ州シロン

Biswarup Gupta<g> 以外のメンバーを総入れ替えした現編成での第 1 弾シングル。とはいえ音楽性はさほど変わらず、変拍子入りの複雑なリフで目まぐるしく展開するスリリングな 1 曲だ。序盤は Meshuggah のように無機質で冷徹なリフを刻む一方で、Biswarup は本作でもトリッキーなフレーズをリフの合間に絡め、流麗なギターソロを繰り出す。元 Bhayanak Maut の Sunneith Revankar<vo> も前任者と遜色ないグロウルで咆哮し、フックはバンドの持ち味である重厚なグルーヴが渦を巻く。

Undying Inc.
Decimate
自主制作 2020
ニューデリー／マハーラシュトラ州ムンバイ／メガラヤ州シロン

現編成での第 2 弾シングルで、単独作では通算 7 作目。Sunneith Revankar<vo> のグロウルと激しいドラミングを号砲代わりに、Biswarup Gupta<g> が重低音リフの合間にトリッキーなフレーズを差し込む作風は従前どおり。ただし、彼のフレージングがよりアヴァンギャルドになった半面、ギターソロは最小限にとどめられている。変拍子入りの複雑なリフや疾走パート、あるいはリズム隊が前面に出るパートを設けることで緩急を加えているが、5 分 33 秒という尺が冗長に感じるかもしれない。

Undying Inc.
Open Source Degenerate
自主制作 2022
ニューデリー／マハーラシュトラ州ムンバイ／メガラヤ州シロン

単独作では通算 8 作目のシングル。バンドにしては珍しくギターソロなしで進行する曲である。その代わりに、Biswarup Gupta<g> がローポジジョンとハイポジションを頻繁に移動しながらプレイするため、起伏に富んだアヴァンギャルドなプレイを堪能できるが、バンドが従来持ち味にしていた強靭なグルーヴ感覚が削がれた印象を受ける。2019 ～ 2020 年のシングル「Glock」「Decimate」とラインナップは同一で、元 SikTh の Justin Hill<vo> が前掲の 2 作に引き続いてエンジニアを務めた。

Undying Inc.
インタビュー

インドの首都ニューデリーで結成された Undying Inc. は、20 年近いキャリアを誇る 4 人組プログレッシヴ・メタルコアバンド。複雑な曲展開とテクニカルなプレイ、それにグルーヴ感覚を兼ね備えた音楽性は「Meshuggah × Lamb of God × Protest the Hero」と形容できるもので、日本のリスナーにもっと知られてもよいのでは、と思わせるほどハイレベルだ。唯一のオリジナルメンバーである Biswarup Gupta<g> が、忙しい合間を縫ってインタビューに応じてくれた。

回答者：Biswarup Gupta（ギター、3 ページ前右から 2 人目）

──初めまして。まず Undying Inc. の現メンバーは、Sunneith Revankar<vo>、Biswarup Gupta<g>、Ezra Helios <b>、Jerry Nelson Ranee<ds> の 4 人で相違ないでしょうか？ バンド結成のきっかけと、Undying Inc. というバンド名の由来を教えてもらえますか？

Biswarup Gupta（以下 B）まずは、このインタビューの機会を設けてくれたことに感謝したい。現時点でのラインナップは君の言うとおりで、俺は唯一のオリジナルメンバーで、幼馴染みの友人達と 2003 ～ 2004 年頃からこのバンドを始めたんだが、それに先立って何かクールなバンド名がないかと思い、考えをめぐらせていた。当時の俺達は、『Clive Barker's Undying』という PC ゲーム（注：イギリスのホラー小説家 Clive Barker がシナリオ制作、設定などに関与したサバイバル・アクションゲーム）にハマっていて、よく遊んでいた。それで、ヘヴィメタルは決して死なない（Undying）という意味も込めて、このゲームから「Undying」という言葉を拝借したんだ。ところが後になってから、アメリカのノースカロライナ州に同名のハードコアバンド（注：2006 年に解散した模様）が存在することが分かった。それで重複を避けるため、「Inc.」を付け足したんだよ。

──インドと日本のメタルシーンは異なる流れをたどったのでは？と推察します。たとえば、日本では 1981 年 11 月、国内初のメタルバンドと見なされる Loudness がアルバムデビューして、1984 年 9 月には日本初のヘヴィメタル／ハードロック専門誌『BURRN!』が創刊しました。一方、インドは 1980 年代半ば～後半にムンバイの Indus Creed、ベンガルールの Millennium、インパールの Post Mark など第一世代のヘヴィメタル／ハードロックが登場しましたが、実際にヘヴィメタル文化が浸透したのは、1991 年の経済自由化政策と 1994 年の通信自由化に伴い、衛星放送やケーブル TV、インターネットが普及した後では？と思われます。言い換えると、インドの人々にとってヘヴィメタルは割と新しい音楽ジャンルでは？と思われますが、この見立ては適切でしょうか？

B：まったくもって君の言うとおりで、ヘヴィメタルはインドでは割と新しい音楽ジャンルだ。実際のところ、インドでメタルを愛聴している人々はごく少数で、幅広い層に浸透している音楽ジャンルじゃないから、世間での俺達の認知度は低い。でも、普段からメタルを聴いているインドのリスナーは俺達のことをちゃんと認知している。俺自身、ティーンエイジャーだった 1990 年代からメタルが大好きで、インドだけじゃなく世界各地のメタルバンドをたくさん聴いていたよ。

──これまでにどんなアーティストから影響を受けたか、教えてもらえますか？

B：俺自身は Pantera、Iron Maiden、Obituary、Cannibal Corpse、Meshuggah、Megadeth、Carcass、

複雑な楽曲をプレイできるようになった

2022年9月に行われた、現編成での初ライヴ。ベーシストのEzra Helios（写真右から2人目）はライヴでは常に銀色のマスクを着用している。

Sepulturaといったバンド群が好きだけど、ロックやメタルだけでなく、西洋のクラシック音楽、それに少々ポップな音楽やインストゥルメンタル曲もたくさん聴いているよ。これらすべてが、Undying Inc.のみならず、俺の個人YouTubeチャンネルやSoundCloudで公開している宅録のインストゥルメンタル曲に影響を及ぼしているんだ。当然ながら他のメンバーにも音楽の好みというものがあるから、バンドで曲作りをする時にはそれらの影響も入り込んでくるけど。

――通算3作目のEP『The Evilution of a Manimal』（2008年）で音楽の方向性が定まったきっかけや、同EPリリース時の反響を教えてもらえますか？

B：俺が思うに、キャリアを重ねるにつれて演奏テクニックが上達し、メンバーも入れ替わったので、現在の音楽性に近づいたんじゃないだろうか。個々のメンバー、それにバンド全体が練習を積み重ねて進歩した結果、少しばかり複雑な楽曲をプレイできるようになったんだと思うよ。リスナーから好意的な反応を得て、新作をリリースするたびにサポートしてもらえたことも非常にありがたく思っている。『The Evilution of a Manimal』は皆に愛されたEPで、ヘヴィな音楽を作り続ける上で後押しをしてくれた作品だったかもしれない。

――2ndアルバム『Aggressive World Dynasty』（2010年）に収めた楽曲「Membraneous」は、イギリスの『Metal Hammer』のサンプラーCD『Riffs from Around the World... Planet Metal』にも収録されたそうですね。どうやって『Metal Hammer』との接点ができたのですか？

B：インドには『Rock Street Journal』という専門誌があってね（注：本稿執筆時は出版活動をしておらず、Webサイトと SNSのみ稼働）。自国のロックバンドやメタルバンドを取り上げたり、野外フェスのThe Great Indian Rock、もっと小規模なPub Rock Festというイベントなどをオーガナイズしたりしていた。それである日、『Metal Hammer』の関係者がインドのメタルシーンの視察に訪れ、

『Rock Street Journal』の創刊人だったAmit Saigal（故人）と接触を持ったところ、インド人バンドのショウケースライヴが何本か開かれることになった。俺達はその場で15分ほどの持ち時間をもらい、『Metal Hammer』の関係者の前でプレイしたところ、運よく先方に気に入ってもらえてね。この結果、『Riffs from Around the World... Planet Metal』への起用が決まったんだ。

──この『Metal Hammer』のサンプラーCDには、日本のCoffins、チュニジアのMyrath、エジプトのScarabなども曲を提供しました。あなた方は日本人やアラブ人のメタルバンドについてどんな印象を持っていますか？

B：Coffins、Myrath、それにScarabの曲を聴いて、ヘヴィメタルは世界の至るところでプレイされている音楽なんだと再認識させられたよ。実際のところ、アジアには優れたバンドが大勢いる。日本のCoffinsは不気味さを醸し出すデスメタルという感じだったね。学生時代にLoudnessは聴いたことがあったけど、日本にもCoffinsのようなエクストリームなバンドがいるのを知って、最初に聴いた時は驚いたよ。

──2010～2014年にかけて、Undying Inc.だけでなく、Demonic Resurrection、Scribe、Bhayanak Maut、Zygnema、Inner Sanctum、それにKryptosの計7バンドがノルウェーのInferno Metal Festivalに相次いで出演しました。この時期、Inferno Metal Festivalのオーガナイザーとインドのメタルバンドは何か特別なパートナーシップがあったのですか？

B：それは、さっき話した『Rock Street Journal』の創刊人だったAmit Saigalとノルウェー大使館の協業で実現した芸術家交換プログラムの一種なんだ。つまりノルウェー人バンドやアーティスト数組がインドでプレイする代わりに、インド側もノルウェーに複数のバンドを送り込んだんだよ。俺達もその一環で2011年にノルウェーのハードコアバンドTorchのツアーに帯同し、トロンハイムとレーロスで2公演こなした。2012年にはノルウェーの首都オスロの有名フェス、Inferno Metal Festivalに出演することができたよ。

──Undying Inc.は2014年1月、アッサム州グワハティ拠点のLucid Recessなどと共に、Red Bull Tour Bus Indiaという企画に参加し、インド北東部を巡回したそうですね。過去のニュース記事を見ると、文字どおりRed Bullの広告でラッピングされたツアーバスの屋根の特設ステージで演奏していたので驚きました。インド国内ではあのような形態のツアーが頻繁に行われているのですか？

B：より正確に言うと、Red Bull Tour Bus Indiaの企画では、西ベンガル州からアッサム州まで11日かけて巡回した。その期間中、さまざまなバンドが州をまたいで俺達と共演してくれたんだ。バスの屋根の特設ステージでプレイするのは驚くような体験だった。ギターやベースのアンプ、ドラムセット、モニターアンプなどを各バンドの編成に合わせてバスの屋根にセッティングするのはしんどくて、きわめてレアな出来事だったよ。それにRed Bull Tour Bus Indiaの企画自体も、2014年に数回実施されただけだ。とはいえインドではLevi's、Converse、Yamahaをはじめ、酒造メーカー、スポーツ用品メーカー、アパレルブランドなどがコンサートイベントを後援したり、スポンサードしたりすることがあるよ。

──『世界過激音楽』シリーズの編集人であるハマザキカク氏は、Undying Inc.の「Alpha Absolute」（2017年）のMVを観て、ハイレベルな演奏力と完成度の高さに驚嘆していました。

B：まずは、温かい言葉をかけてくれたミスター・ハマザキに、心からの感謝を込めた「ありがとう」を伝えてほしい。Carl Dawkinsに関して言うと、彼は過去に

Cypher16というシンフォニック／プログレッシヴメタルバンドの一員としてインドで何回かライヴしたことがあってね。それ以来、互いに面識があったんだ。俺自身としては、常々メンバーを固定したいと思っているんだが、やはりイギリスとインドは距離が遠いので、Carl Dawkinsを迎えたラインナップはうまく機能しなかった。

――「Alpha Absolute」のMVには、ブラジリアン柔術の選手が金網の中で試合する場面が頻繁に出てきます。また、あなたの個人Facebookには、ワイフと共にブラジリアン柔術の稽古をしている写真がアップされていました。TriviumのMatthew Kiichi Heafy<vo, g>、DragonForceのHerman Li<g>など、欧米にはブラジリアン柔術を肉体管理に採り入れているメタルミュージシャンもいますが、インドでもブラジリアン柔術、MMA（総合格闘技）は流行っているのですか？

B：日本の相撲のようなクシュティという伝統格闘技がインドにはあるけど、ブラジリアン柔術とMMAはインド人にとってまだ目新しい格闘スポーツだ。それらを学べるジムや道場もインドにはごく少数しかないんだが、その中でも特に優れたニューデリーのCrosstrain Fight Clubという格闘技ジムで、「Alpha Absolute」のMVを撮ったんだ。最近、ブラジリアン柔術とMMAはインドでも注目されていて、愛好者が少しずつ増えているよ。

――長年ベーシストを務めていたReuben Bhattacharyaはジャケットデザイナーとしてのキャリアを追求し、オーストラリアのTwelve Foot Ninja、ウクライナのJinjerなどのアルバムジャケットを手掛けています。あらゆる国のメタルバンドにとってメンバー交代は共通の悩みですが、インド特有の難しさはありますか？

B：インドのバンドは、たいていスクールバンドとして活動を始めるが、メンバーが就職したり家庭を築いたり、あるいは他に優先すべきことができると、程なくして解散してしまう。なぜなら、インドではヘヴィメタルで生計を立てることが不可能だからだ。メンバーが何か他のことをやりたがるのは無理もないし、これはミュージシャンとしてその都度うまく対処しなければならない課題だと思うよ。

――2019年のシングル「Glock」は、Sunneith Revankar<vo>、Ezra Helios <b>、Jerry Nelson Ranee<ds>という新メンバー3人が加わった現編成で初めてリリースした作品と見なして相違ないでしょうか？　彼らが加入した経緯と、ミュージシャンとしてのキャリア、制作中のエピソードなどを教えてもらえますか？　また、「Glock」というタイトルの由来は、もしかしてインドの警官が携行しているオーストリア製のピストルでしょうか？

B：まずJerryは昔からの知り合いで、ギター、ベース、ドラムをこなせるマルチプレイヤーでもあるんだ。それで「今フリーの状態なら、ドラマーとして入ってくれないか？」と尋ねたら、快く引き受けてくれた。Sunneithはムンバイ拠点のBhayanak Mautの元シンガーで、Facebookでやり取りを交わした末、Undying Inc.の新ヴォーカリストになってくれた。Ezraはソロアーティストとしても活動していて、ギターを弾けるし、作曲もできる。彼はJerryとSunneithより1年早く加入したんだが、ベーシストとしての打診は初めてのことだったので、オーディション用にベースを1本用意してもらった。それで試しにプレイしてもらったら、驚くほど巧みに弾いてみせたよ。俺はニューデリー、Sunneithと Ezraは西部のムンバイ、Jerryは北東部のシロンという具合に、今のUndying Inc.のメンバーは各自バラバラに散らばっているので、「Glock」はオンラインでファイルを交換しながら作った。これはまったくの新しい体験だったよ。君の言うとおり、「Glock」という曲名はオーストリア製のピストルにインスパイアされたものだ。た

インドではヘヴィメタルで生計を立てることが不可能

現編成での初ライヴはニューデリーではなくムンバイで行われた。ムンバイ在住の Sunneith Revankar<vo> と Ezra Helios<b> と合流するため、Biswarup Gupta<g> はニューデリーから片道 1423km、Jerry Nelson Ranee<ds> はシロンから片道 2737km を移動したわけだ。

だ、もっと正直に言うと、メタルソングにふさわしいクールな曲名を考えていたら、「Glock」という曲名をひらめいたんだ。

――先に挙げた「Alpha Absolute」と「Glock」は、どちらもイギリスの SikTh の元シンガーである Justin Hill がミックスとマスタリングを手掛けました。欧州のエンジニア／プロデューサーと協業したきっかけを教えてもらえますか？

B：前ドラマーの Nishant Hagjer（注：「Alpha Absolute」リリース当時は、ネパールの Underside のドラムも兼務）が Justin Hill のことを知っていたので、「Alpha Absolute」の仕上げに先立って Justin に連絡を入れたんだ。「Glock」に関して言えば、俺が Facebook メッセンジャーで打診したら、ミックスとマスタリングを快く続投してくれた。俺達の求めているサウンドを Justin は心得ていたから、どちらも素晴らしい仕上がりの曲になった。彼のおかげで、ヘヴィで生々しく、しかもクリアなサウンドがもたらされたからね。その後に発表したシングル（注：2020 年の「Decimate」と 2022 年の「Open Source Degenerate」）も、Justin が引き続き手を貸してくれたよ。

―― 2019 年から Undying Inc. の既発アルバム、シングルのほとんどが、日本の iTunes、Apple Music、Spotify などで試聴できるようになりました。そこで是非、最後に日本のリスナーにメッセージをお願いします。

B：日本にいる人々が俺達の曲を聴いてくれるなんて、バンドとして非常に嬉しい限りだ。今の俺達は新作のプロダクションを進めている最中でね。それが遠からずリリースされれば、日本のリスナーも聴けるようになるだろう。いつか日本のオーディエンスの前で、俺達の曲を生のライヴで披露できればと願っているよ。

高名なタブラ奏者の祖父を持つシタール奏者が率いるインスト・プログレッシヴメタル

Sitar Metal

パンジャブ州ジャランダル／西ベンガル州コルカタ／カルナータカ州ベンガルール　2018～　Sitar Fronted Indian Classical-Rock/Metal　（影響）Animals as Leaders、Meshuggah、Metallica、The Dillinger Escape Plan、Steven Wilson　1026

Sun of Classical and Metal Music の異名を誇る若きシタール奏者、Rishabh Seen を擁するインスト・プログレッシヴメタルバンド。Rishabh はインド北部のパンジャブ州出身で、高名なタブラ奏者の祖父とシタール奏者の父を持つ。

Rishabh は 2014 年に名門国立大学のデリー大学に進学すると、Animals as Leaders に触発され、Animals as Leaders の 1st アルバム（2009 年）収録曲「Tempting Time」をシタールでカヴァーした映像を YouTube で公開する。65 万回以上再生されたこの映像は、Animals as Leaders を率いる Tosin Abasi<g> の目にとまり、Tosin は感銘を受けた旨を Facebook メッセンジャーで Rishabh 宛に送った。

これを励みにした Rishabh は、Animals as Leaders や Meshuggah の楽曲群をシタールでカヴァー。その傍ら、アメリカ人ギタリストの Josh Seguin らを迎え入れ、2016 年 12 月に Mute the Saint 名義で EP をリリース。Rishabh はそれから 3 年後、インド人ミュージシャンで周囲を固めた Sitar Metal として再スタートを切ったが、2021 年 8 月に活動休止を宣言。Rishabh はその理由として、新型コロナ禍でライヴ活動が制限されたことや、マネージャーとの金銭トラブルなどを挙げていた。

Sitar Metal

Sitar Metal

Sitar Metal Records　2020

パンジャブ州ジャランダル／西ベンガル州コルカタ／カルナータカ州ベンガルール

Sitar Metal として 2019 年に発表した 6 曲入り EP のうち 5 曲を残し、5 曲を新たに追加収録。と同時に、アートワークも刷新した編集盤。Rishabh がシタールでタッピングを繰り出す M2「When Time Stands Still」は、YouTube で MV の再生回数が 50 万回を超えた。Rishabh のシタールプレイを前面に押し出しつつ、Djent の要素を交えた音楽性は Mute the Saint 時代と同様。ただし、Djent 特有のアトモスフェリックな浮遊感を採り入れた半面、ヘヴィネスが薄らいだ気がする。

Aarlon
Dafan
自主制作　2022　Metal/Metalcore Alternative
ニューデリー

2016年結成の5人組バンドによる1stアルバム。デビュー当初から一貫してヒンディー語詞の楽曲群を送り出しており、本作のタイトルは「Burial／埋葬」に相当するヒンディー語の単語だと思われる。M1「Vidroh」はDjent色を帯びたアグレッシヴなナンバーだが、M2「Panchhi」以後はPorcupine Treeのように繊細でメランコリックなナンバーが目立つ。終盤のM7「Inquilaab」と表題曲のM8でDjentとメランコリック路線の折衷を試みているが、逆にどっちつかずの印象を受ける。

Arcane Deception
Arcane Deception
自主制作　2011　Melodic Death Metal
ニューデリー

2008年結成の5人組（本作発表時は4人組）メロディック・デスメタルバンドによる唯一のEP。Children of Bodomを影響源に挙げており、確かにそうした志向が窺えるナンバーも収められているが、アレンジがよきも悪しきもユニーク。特にバンド名を冠した表題曲のM2は7分に及ぶ長尺曲で、ジャジーなピアノの連打からクリーンヴォイスのパート、さらにキーボードソロまで詰め込んでいるが、かえって散漫な印象を受ける。2015年3月以後、バンドの公式Facebookは更新停止の状態である。

Acrid Semblance
From the Oblivion
Demonstealer Records　2006　Melodic Death Metal
ニューデリー

インド初のメロディック・デスメタルバンドとの触れ込みでデビューした5人組の1stアルバムで、日本で輸入販売されたこともある。タイトルチューンのM1をはじめとする楽曲群は、もろにChildren of Bodomの影響下にある疾走チューンだが、インストのM3「Midwarp II」とM7「Mindwarp I」では流麗なギターやキーボードのソロが聴ける。バンドは本作以後、4曲入りEP『Mindgames』（2008年）発表後に活動休止期間を挟み、シングル「Denial」（2013年）をリリースしたが、2015年に解散した。

Artillerie
Eradefiled
自主制作　2010　Progressive Metal
ニューデリー

2004年に結成された5人組プログレッシヴ・スラッシュメタルバンドの1stアルバム。デビューEP『New Offensive』（2008年）の表題曲はもろにLamb of Godを彷彿とさせ、賛否両論を呼んだそうだ。その反省を踏まえたのか、本作ではMeshuggahやChimairaを想起させる音像に様変わり。アコギによる短いインストのM1「The Impelled」が明けた後、激しい音塊が押し寄せる。2016年4月以後はFacebookの更新が停止したため、バンドの近況を窺い知れない。

AcrimonY
False Vacuum
自主制作　2011　Progressive Metal
マディヤ・プラデーシュ州ボパール

2008年結成の5人組バンドによるデビューEP。アルバム名は、日米の宇宙物理学者が1981年に提唱した「宇宙のインフレーション理論」に基づく。Dream Theaterに代表されるプログレッシヴメタルとメタルコアを折衷したような特異なサウンドを志向しており、時折オリエンタルなフレーズが顔を覗かせる。M2「Recede to Death」は9分近い長尺曲だ。クリーンとグロウルの二刀流で歌うDhairya Anandは、本稿執筆時点でプネー拠点のDark Helmのシンガーも兼務している。

Before Christ
Awaken
自主制作　2020　Thrash Metal
デリー連邦直轄領

2017年に結成された5人組スラッシュメタルバンドの2ndシングル。いささか冗長なイントロが明けると勢いよく疾走していく。緩急の入れ方も含め、昔気質のスラッシュというよりはモダンな音作りを志向しているが、際立った個性に乏しい。前シングル「Undecided」（2020年）リリースに先駆け、2020年1月にAs I Lay Dyingのデリー公演をサポートしたことがあるが、本作を聴く限りでは、それに見合った魅力と力量を備えたバンドとは思えない。

Blackheart
Anti Corruption
自主制作 2012 Thrash Metal
チャンディーガル連邦直轄領

インド北部のチャンディーガル連邦直轄領の5人組バンドによる唯一のEP。本作リリース当時、メンバーの中には未成年者もいたという。August Burns Red、As I Lay Dyingなどを影響源に挙げているとおり、メタルコアの性向が色濃い音像だが、Aman Sharma<vo>の唱法が高音の金切り声主体なので違和感を覚える。「腐敗防止」を意味するアルバム名から、ポリティカルな主張を込めた1枚だと思われるが、本作収録の3曲はどれも曲構造が似通っており、特筆すべき個性にも欠ける。

Blood Obliteration
Depressive Eyes and an Ode on Melancholy
自主制作 2021 Black Metal/Ambient
ニューデリー

Ryan Omegaなる人物による、独りブラックメタルの2ndアルバム。セルフタイトルの1stアルバム（2020年）と同年リリースのシングル「Blade 刃」は絶叫と共にブラストが飛び交う作風だった。しかし、本作はDSBMにもっと立脚しており、不気味な囁き声やシンセを交えつつ、単調かつ似たようなフレーズを反復するスローテンポ曲ばかりになった。前掲の1stアルバムから一貫して、各収録曲のタイトルを日本語で表記しているが、Ryan Omegaは日本贔屓なのだろうか。

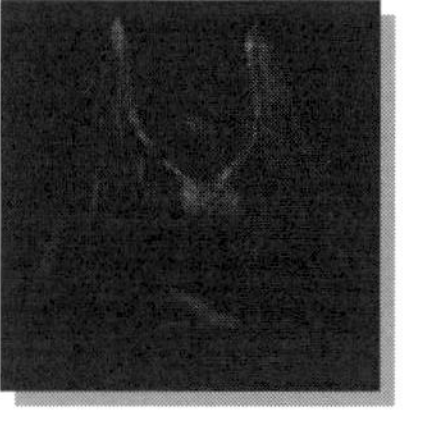

Bridge of Shadows
Behind This Veil
自主制作 2018 Melodic Death Metal/Metalcore
ラダック連邦直轄領レー

標高3500mに及ぶインド最北の秘境であるラダック連邦直轄領の中心地レーで活動する4人組バンドのデビュー作。チベット密教（仏教）徒の多住エリアゆえ、各メンバーはチベット系の顔立ちをしている。初端のM1「A Feast for Your Eyes」は、北欧メロディック・デスメタルの先人達からの影響が窺える曲。しかし物悲しいアコギ主体のバラードのM3「Come with Me」や、正統派メタル風のM6「Eternal Agony」、アメリカのデスメタル寄りのM7「Decadence」などもあり、よきも悪しきもごった煮だ。

Bonefvcker
خالص نفرت / Khaalis Nafrat
自主制作 2015 Death Metal/Grindcore
ニューデリー

実働2年という短命に終わったデスグラインドバンドによる唯一のデモ音源。本作発表時の正式メンバーは3人で、FragarakのKartikeya Sinhaがサポートベースで参加した。なぜかペルシャ語に由来するアルバム名を掲げているが、各収録曲の歌詞はオール英語である。ゴアグラインド要素を帯びているものの、ヴォーカルに深いエコーが加わり、スラッジメタルのように楽器パートの音がひび割れている。前のめりに疾走するだけではなく、沈み込むようなスローパートを設けている点も特徴だ。

Cerebromeningitis
Sickening Lust of Adipocerative Mutilation
自主制作 2021 Brutal Death Metal
ニューデリー／アッサム州カルビ・アングロン自治県

Blood ObliterationのRyan Omega<vo, g, b>と、アッサム州カルビ・アングロン自治県出身のLongrio Ronghang<drum programming>による2人組バンドの2nd EP。厳密には2020年発表のデモ音源に3曲を追加収録し、アートワークを刷新してアルバム名を変更したものである。音楽性はDSBMではなく、重苦しい音塊でズンズンとすり潰しにかかるブルータル・デスメタルであり、要所で鳴り響く金物の打音が不快さを強調する。追加収録された3曲もこの方向性を踏襲している。

Cervicectomy
Gorezilla
Coyote Records 2022 Brutal Death Metal
ニューデリー／アッサム州ダノイ

これもBlood ObliterationのRyan Omega<vo, ds>が、元Judas AncestryのKuldeep Gwra Bodosa<g, b>と組んだ2人組ブルータル・デスメタルバンドの1stアルバム。アートワークが示すとおり、Gore（ゴア）と日本の怪獣映画に登場するGodzilla（ゴジラ）を組み合わせたアルバム名を掲げている。前述のCerebromeningitisと同じく、圧迫感と重苦しさに力点を置いているが、尋常ではない速さのブラストを要所で繰り出す。ただし、謳い文句とは裏腹に「Slam」で急降下する局面はない。

Deathknell
Can't Stop, Can't Kill
自主制作 2020 Melodic Death/Heavy Metal
ヒマーチャル・プラデーシュ州シムラ

2009年に始動した4人組バンドの2ndアルバム。前作『Still to Decide』(2012年)ではChildren of Bodomの3rdアルバム『Follow the Reaper』(2000年)収録曲をカヴァーしており、バンドもメロディック・デスメタルを標榜しているが、本作で広がる音像はLamb of Godをはじめとするアメリカ発のグルーヴメタル/メタルコアの性向が色濃い。換言すると、北欧産バンドのような叙情性と悲哀をあまり感じられないが、Manish Kashyap<vo, g>が派手な速弾きを繰り出す。

Fragarak
A Spectral Oblivion
Transcending Obscurity Records 2017 Progressive Death Metal
ニューデリー

2011年結成の4人組プログレッシヴ・デスメタルバンドによる2ndアルバム。バンド名の由来は「報復するもの」「返答するもの」の意味を持つケルト神話の聖剣にちなむ。前作『Crypts of Dissimulation』(2013年)よりも長尺志向が顕著になり、総尺84分という超大作である。2部構成で18分超の組曲に加え、9~13分超えのナンバーを複数収録。前作同様にOpethのような音楽性で、メロディック・デスメタル寄りの激烈なパートと耽美なパート、さらに壮麗なクワイアを交えて複雑な長尺曲を紡ぐ。

Elemental
Devil's Incest
自主制作 2018 Death Metal
マディヤ・プラデーシュ州ボパール

大都市に比べてバンド数の少ないマディヤ・プラデーシュ州拠点のため、2016年のW:O:A Metal Battleではムンバイ予選にエントリーして勝ち上がり、ドイツ行きの切符をつかんだ4人組デスメタルバンドのシングル。低音グロウルと切り立ったリフ、それにブラストが激しく交錯する出だしはブルータル・デスメタル風だが、バンドが影響源に挙げている欧米の先人達の中にはWhitechapel、Decapitatedなども含まれている。このため、落差は小幅ながらも中盤でビートダウンするのが特徴だ。

Guillotine
The Cynic
自主制作 2010 Progressive Death Metal
ニューデリー

2007年に結成の5人組プログレッシヴ・デスメタルバンドによる1stアルバム。ニューデリー拠点のバンドだが、ツインギターの一角を成すTakar Nabamは、中国との国境紛争地域であるアルナチャル・プラデーシュ州の出身だ。OpethやDream Theaterの影響が顕著だが、M2「Upon My Return」は後半から急にメロディック・デスメタル風に様変わりする。さらに曲によってはレゲエ風のリズムを交えたり、ハモンドオルガンを導入したり、ブルージーなギタープレイを披露したりと芸風は多彩だ。

Fatal Fortune
Ho(E)peless
自主制作 2020 Groove metal
ニューデリー

2017年に始動した、ツインギターの5人組グルーヴメタルバンドによる2ndシングル。結成当初はデスコア志向だったそうで、結成初年にネット上に公開した楽曲「False King」は、確かにそうした志向が垣間見えたものの、正直なところチープな音像だった。グルーヴメタル路線を打ち出した1stシングル「Broken Bones」(2000年)も凡庸な出来だったが、本作は長足の進歩を遂げており、ギター2本で複雑なフレーズを奏でつつも強靭なグルーヴ感を発散。同郷の大先輩であるUndying Inc.を想起させる。

Iafway
Engravings
自主制作 2010 Metalcore
デリー連邦直轄領/ハリヤナ州グルグラム

結成当時は13~18歳の若者ばかりだったため、NWOBHMならぬNWOIHSM(New Wave of Indian High School Metal)と称された5人組メタルコアバンドによる唯一のEP。バンド名は「I Am Fake Who Are You」の頭文字を取ったものだ。基本的にはアメリカ発のエッジの効いたメタルコアだが、Salyeng Chakma<vo>はクリーンパートでは甘い声を披露。エレクトロを導入したM3「Unsaturated」はUnderoathを想起させる曲だ。SkyharborのKeshav Dhar<g>がレコーディング・エンジニアに名を連ねた。

Khamenurd
Killing Tendency
自主制作　2012　Thrash Metal
ニューデリー

Arkarathus なる人物による独りスラッシュメタルが、2012 年に発表したデモ音源。1980 年代のスラッシュメタル Big4 と、Suicidal Tendencies を筆頭格とするクロスオーバー・スラッシュの双方に傾倒している節が窺えるサウンド。しかしプロダクションは著しくチープかつ劣悪。ドラムのみならずギターも打ち込みではないかと思われる。Arkarathus の YouTube チャンネルには「より優れたヴァージョンを将来公開予定」と記されているが、本稿執筆時点では陽の目を見ていない。

Langdarma
སེམས་ཉིད། (Semsnyd)
自主制作　2020　Death/Doom Metal/Noise
ラダック連邦直轄領レー／ニューデリー

9 世紀半ばに古代チベットを亡国に導いたとされる、実在の王の名を掲げた 2 ピースバンドの 1st EP。中心人物の Lang Darma<vo, g, b> はチベット密教（仏教）徒が多く住まうラダック連邦直轄領レーの出身で、このプロジェクトでは Norlha という芸名を使っている。基本的な音楽性はデス／ドゥームメタルだが、プリミティヴ・ブラックメタル並みの劣悪音質。各収録曲は Lang Darma のルーツであるチベットの文化、哲学に根差しているそうだが、日本に住まう我々にはその意図が伝わりにくい。

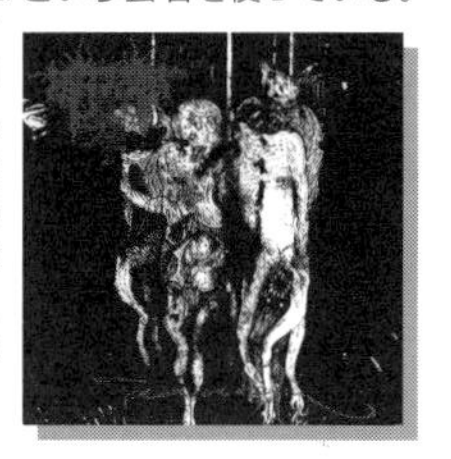

KillKount
Konflict & Terror
自主制作　2019　Death Metal
マディヤ・プラデーシュ州ボパール／マハーラーシュトラ州ムンバイ／マハーラーシュトラ州プネー

Divyanshu "The Smoke" Gupta<g> と Oshan Saxena<ds> を中心に始動した 5 人組バンドによる 1st アルバム。アメリカのデスメタルの先人達を影響源に挙げているが、もっとモダンでテクニカルな音像。Obscura や Necrophagist からの影響を感じさせるパートや、落差は小幅ながらもスラミング風のパートを配した曲もある。Mradul Singhal<b> はムンバイ拠点の Dead Exaltation の中心人物でもあったが、本作がリリースされた 2020 年 3 月に 25 歳の若さで交通事故死した。

Lesath
Tristesse
自主制作　2022　Atmospheric Black Metal
ニューデリー

S.R. なる人物による独りアトモスフェリック・ブラックメタルの 3rd アルバム。元々は Burzum を想起させる音楽性であり、物悲しいトレモロリフを執拗に反復する M1「Solitary」で幕を開ける。続く M2「November」は悲痛な金切り声とブラストで疾走したかと思いきや、中盤でテンポダウンして物憂げな雰囲気を醸し出す。繊細で浮遊感を帯びた M3「Phosphene」と表題曲の M4 はブラックゲイズの性向が色濃いナンバーだ。S.R. は、独りポスト・ブラックメタルの Raat 名義でも活動している。

Kraken.
Lush
自主制作　2017　Progressive Metal/Math Rock
デリー連邦直轄領

2012 年結成の 6 人組（本稿執筆時点は 5 人組）バンドによる 1st EP。よほど日本贔屓のバンドらしく、五重塔や箸、羽子板などがアートワークに描かれている。Animals as Leaders のようにフュージョンやエレクトロの要素を加えたプレイを随所で披露。日印両国で Djent というよりはマスロックとして捉えているレビュー記事が相当数見られる。ヴォーカルパートを省き、アートワークを変更したインストヴァージョンも後年発表されたが、次作『Club Namaste』（2022 年）はメタル色が皆無に等しい。

Moksh
Tatva
自主制作　2018　Folk Metal/Rock
ヒマーチャル・プラデーシュ州シムラ

2007 年結成の 4 人組フォークメタルバンドの 1st アルバム。シンガーの Ishrat Rajan は女性だ。バンド名はサンスクリット語で「解脱」を意味する。M1「Shiv Tandav Stotram」は、ヒンドゥー教の破壊神シヴァに捧げるマントラ（真言）を歌詞に交えた曲で、その他の楽曲群も宗教色が濃厚。したがってヴェーディックメタルの範疇にも入るが、全体的にスローテンポで単調な曲が多いため、派手さや大仰な盛り上がりに欠けるのも事実だ。

Monkspade

Battlefield

自主制作　2015　Groove Metal/Metalcore

ニューデリー

2013年に結成された5人組メタルコアバンドによる唯一のEP。シンセをフィーチュアしたインストのM1「Terse Tidings」で期待を高めると、The Black Dahlia Murder、Lamb of Godなどの影響が窺えるタイトルチューンのM2へ続くが、全体的にプロダクションは著しくチープ。ノイジーなギターが耳障りで、ポコポコしたスネアの打音は間が抜けている。近年、ここまで音の悪い作品は稀ではなかろうか。バンドのFacebookは閲覧不可だったので、本作をもって解散した可能性がある。

Night Wings III

7 More Minutes

自主制作　2017　Groove Metal

ラジャスタン州ジャイプール

ジャイプールで2007年から活動する4人組バンドによる通算2作目のシングル。3階建ての建物から誤って転落して入院したMayank Singh Rawat<ds>の実体験を反映した曲だという。セルフタイトルのデビュー作（2014年）の頃から、アメリカ発のグルーヴメタル志向が窺えるバンドで、本作も音楽性は変わらず。ただしプロダクションがデビュー作より向上した一方で、クリーンパートを織り交ぜ、リズムにも起伏を加えた結果、尺が6分近くになって逆に間延びした印象を受ける。

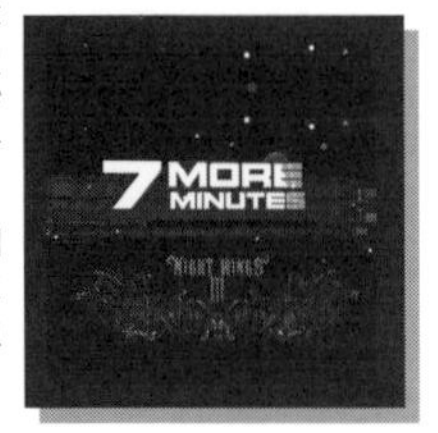

Mute the Saint

Mute the Saint

自主制作　2016　Indian Classical-Progressive Metal

パンジャブ州ジャランダル／ヒマーチャル・プラデーシュ州ダラムサラ／カルナータカ州ベンガルール／アメリカ・カリフォルニア州カマリロ

Rishabh Seen<sitar>がSitar Metalに先駆けて立ち上げたプロジェクトのEP。メンバー4人のうち、Josh Seguinはカリフォルニア州在住の多弦ギタリストだ。Joshが刻むDjent特有の跳ねるようなリフに合わせて、Rishabhが派手にシタールを弾きまくる。Animals as Leadersにオリエンタルな色合いを添加したサウンドといえるが、聴きようによってはSteve Vaiがエレクトリックシタールを用いた『Fire Garden』（1996年）をDjent化した印象も受ける。

Nirvikalpa

Winter of Doom

自主制作　2003　Thrash Metal

ニューデリー

Rishiなる人物によるワンマンプロジェクトのデモ音源。Encyclopaedia Metallumでは「Thrash Metal」に分類されているが、M1「War Cry」とM2「Sum of All Energies」は正統派メタル寄りのインストナンバー。といっても、チープなドラム音源に合わせてリフを刻んでいるだけにすぎない。M3「Brandenborough Concerto III Movement III」は曲名が示すとおり、バッハの「ブランデンブルク協奏曲」第3番をエレピでカヴァーしたものだが、壮麗さは皆無である。

Narsil

Carcinogenic

自主制作　2006　Death Metal

ニューデリー

2004年に結成された5人組デスメタルバンドによるデビューEP。バンド名の由来は、イギリスの作家J.R.R.トールキン（1892～1973）の小説シリーズ『指輪物語』に登場する架空の剣だ。しかし肝心の音楽性はエピカルな世界観とは無縁で、Cannibal Corpseの強い影響下にあるサウンド。アメリカとインドのバンド5組参加のスプリット盤『Defaced & Split』（2006年）に、本作の全楽曲を提供したのを最後に解散した模様。ただしバンドのFacebookは2012年2月まで不定期に更新されていた。

Oxymoron

Oxymoron

自主制作　2012　Groove Metal

ウッタル・プラデーシュ州ラクナウ

ドイツに同名のパンクバンドが1990年代から存在するが、こちらはデリーと隣接するウッタル・プラデーシュ州から現れた5人組グルーヴメタルバンドによる唯一のEP。メンバー5人中3人がLamb of Godからの影響を公言しているが、その片鱗が窺えるのはM2「Indebted」くらい。Piyush Sharma<vo>は時折グロウルで咆哮するものの、案外と正攻法のハードロックソングが収められており、M1「The Second Best」やM3「Mirror」は聴きようによってはAlter Bridgeを想起させる節がある。

Paganic Souls
Pre-suicidal Journey
自主制作　2007　Black Metal
ニューデリー

Lord Maut こと Ashish Rawat<vo, g, b> を中心とする 3 人組ブラックメタルバンドによる 1st デモ音源。バンド名に「Paganic」と掲げているが、実際には Burzum、Darkthrone といった北欧のブラックメタルバンドに傾倒している節がある。しかし禍々しさや攻撃性、冷ややかさは、北欧の先人達には遠く及ばない。チープで単調なサウンドの中、Lord Maut の絶叫だけが虚しく木霊する。本作以降のデモ音源は、Lord Maut が全パートを独力でこなすワンマンバンド形態で発表されている。

Phlegmicide
Made in India
自主制作　2022　Death Metal/Grindcore
ニューデリー

Ryan Omega<vo, g, b> と、rBAPHO に参加した Mohammad Kabeer<ds> の 2 人が組んだグラインドコアバンドのデモ音源。単独作としては 5 作目だ。前 EP『संगीतमाला: The Album』（2021 年）では打ち込みの電子音を部分的に用いていた。本作の M1「Shuruat」も電子音によるインスト曲だが、M2「Aamna Saamna」以後は、1st アルバム『Morgue Mussallam』（2021 年）と同じくゴボゴボとした下水道ヴォイスとけたたましい轟音が交錯する。

Prestorika
The Most Confidential Knowledge
自主制作　2009　Progressive/Heavy/Thrash Metal
ニューデリー

結成は 2001 年に遡る 5 人組スラッシュメタルバンドの 1st アルバム。『Black Album』（1991 年）以降の Metallica の影響下にあるが、単調かつ一本調子に聞こえるかもしれない。終盤の M9「The Destroyer」と M10 の表題曲では、ヒンドゥー教で解脱を指す「モクシャ」、ヒンドゥー教の神々への深い帰依心を指す「バクティ」という言葉が飛び出す。バンドは本作リリース時にカナダへ遠征したことがあるが、その後は尻すぼみ気味で、Tridib Choudhury<g> が 2021 年 4 月に病死した。

Raat
Celestial Woods
自主制作　2022　Post-Rock/Shoegaze/Post-Black Metal
デリー連邦直轄領

近藤知孝氏の『ポストブラックメタル・ガイドブック』（2022 年）でも取り上げられた独りブラックゲイズによる 3rd アルバム。中心人物は S.R. という匿名を使っており、Lesath 名義でもアルバム 3 枚などをリリース済みだ。1st アルバム『Déraciné』（2019 年）はメロウで耽美なサウンドに悲痛な絶叫とブラストが徐々に侵食するような作風で、2nd アルバム『Raison d'être』（2020 年）は美と醜の対比を際立たせていた。本作は静謐なパートと禍々しいパートを頻繁に往来する作風で、ブラストで疾走する局面が増えた。

Rampazze
Inspiration
自主制作　2012　Melodic Metal
デリー連邦直轄領

デリー出身の 4 人組バンドが、1st EP『Cheap Liquor...Wicked Hangover』（2009 年）に次いでリリースしたシングル。YouTube で公開された MV は、2012 年の第 5 回ケララ国際ドキュメンタリー＆短編映画祭で「Best Music Video」に選ばれたが、いまだに音源化されていない。前掲のデビュー EP のタイトルチューンは、Guns N' Roses のような荒々しい雰囲気を発散していたが、本作は『Circle』（2009 年）以降の Bon Jovi のように落ち着いた佇まいの曲だ。

rBAPHO
Astral Death
自主制作　2019　Black/Death Metal
ラダック連邦直轄領レー／ニューデリー

ラダック連邦直轄領出身の Lang Darma<vo, g> と、ニューデリー出身の Mohammad Kabeer<ds> による 2 ピースバンドの 1st EP。マレーシアの Necrolatry Records により、カセット形態でも再発された。Morbid Angel、Blood Incantation など欧米のデスメタルバンドを影響源に挙げているバンドだが、プリミティヴ・ブラックメタルのような粗い音質。それゆえに各収録曲に設けた疾走パートは、Agathocles に代表されるミンスコアバンドを彷彿とさせる。

Scarlet Dress

Daydream

自主制作　2021　Progressive Metalcore

（初期）ジャンムー・カシミール連邦直轄領／（現在）アメリカ・カリフォルニア州サンフランシスコ

ジャンムー・カシミール連邦直轄領出身で、アメリカへ移住した Sushant Vohra が全楽器パートを担うプロジェクトのシングル。1at アルバム『Endless』(2019 年) ではニューメキシコ州出身の Michael Rodriguez というアメリカ人シンガーが客演したが、本作は全編インストである。影響源として August Burns Red、Texas in July などを挙げていたが、実際は Djent の性向が色濃い。スペーシーなシンセをバックに、硬質かつテクニカルなプレイを聴かせるが、3 分未満の小曲だ。

Taamsik

Dyer

自主制作　2011　Thrash/Black Metal

ニューデリー

「報復的、執念深い」を意味するヒンディー語をバンド名に冠した 4 人組スラッシュメタルバンド（本作発表時は 5 人編成）による初のデモ音源。イギリス統治時代の 1919 年 4 月、インド北部のパンジャブ州で開かれた反英集会の最中にイギリス軍が発砲し、死者 1500 人以上を出したという「アムリットサル事件」を題材にしている。しかしチープなアートワークが示すとおりの劣悪なプロダクションで、演奏も粗く説得力に欠ける。2013 年のデモ「Uprisal March」は演奏、音質それぞれに進歩の跡が見られた。

Soul Inclination

Soul Inclination EP

自主制作　2016　Alternative/Grunge

ニューデリー

当時 Undying Inc. に在籍していた Shashank Bhatnagar<vo> と Nishant Hagjer<ds> を擁する 4 人組バンドの 1st EP。ただし音楽性は Undying Inc. とはまるで異なるグランジ／オルタナティヴ路線で、曲によっては重苦しいリフを刻むが、各収録曲は全体的にシンプルである。グロウルを封印した Shashank の唱法は、Alice in Chains の故 Layne Staley を手本にした節がある。締めくくりの M4「Born of a Sun」はメランコリックなインスト曲だ。

The Chronic Legion

The Chronic Legion

自主制作　2020　Experimental/Progressive Metal

ニューデリー

2013 年に始動した 5 人組プログレッシヴメタルバンドによるセルフタイトルの EP。Sahil Khurana<vo> がグロウルで咆哮するパートは正攻法のメタルコア風だが、クリーンヴォイスのパートではアンビエントな浮遊感を醸し出す。そうかと思えば、Protest the Hero のように派手なギタープレイも聴けるが、曲調がコロコロと変化するため、焦点が定まりにくい印象を受ける。Skyharbor の Keshav Dhar<g> がミックスとマスタリングを担当し、彼自身も M5「Hollow Memories」で客演した。

Spithope

Care Is Fiction, Fiction Is Reality

自主制作　2020　Progressive Thrash Metal

（初期）ニューデリー／（現在）マハーラーシュトラ州ムンバイ

2015 年にニューデリーで結成後、ムンバイに拠点を移した 6 人組バンドのデビュー EP。初端の M1「Don't Teach Me」は割合スラッシーな曲だが、M2「Not My Religion」と M3「Talab」はオリエンタルなフレーズを交えた 7 分前後の長尺曲で、初期 Orphaned Land を想起させる。その一方で、シンセを随所で活用した M4「963」は Fear Factory からの影響も感じさせる曲だ。しかし全体的に音質が悪く、Chitransh Yadav<vo> はクリーンヴォイスの歌唱が不安定。

The Circus

With Love

Honest Indian Recordings　2016　Alternative/Electro Rock

デリー連邦直轄領

2007 年からニューデリーで活動している 4 人組グランジ／オルタナティヴ系バンドによる 3rd アルバム。1990 年代に登場した欧米の先人達に忠実なサウンド。特に M1「Not yet Dinosaurs」とタイトルチューンの M2 は尺が短いものの、Tool や A Perfect Circle などの影響が窺える部分がある。M6「I'm Bored」は割合キャッチーで、バンスリ（インドの横笛）と思しき音色が隠し味で効いている。ただしアルバム全体を俯瞰すると、疾走感や激しさを求めるリスナーは物足りなさを覚えるかもしれない。

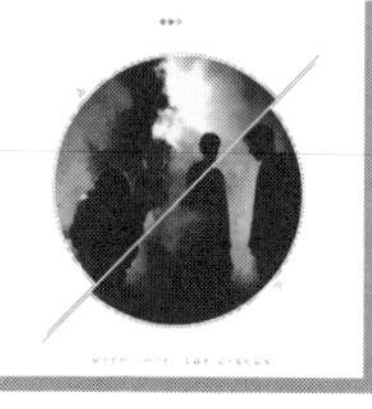

The Cosmic Truth
Will I Wake Up?
自主制作 2021 Experimental/Ambient Metal
ニューデリー

Bloodywood の Jayant Bhadula<vo> を擁する 5 人組 Djent 系バンドによる、通算 3 作目のシングル。前シングル「Not in My Name」(2020 年)はインド国内の宗教対立を憂慮するシリアスな内容だったが、本作のテーマは鬱病の克服である。それゆえに序盤では TesseracT、Cynic などを思わせる内省的な雰囲気を発散するが、Jayant Bhadula がグロウルを解禁する中盤からメカニカルな重低音リフで跳ね回る。土着臭の強い Bloodywood とはまるで異なる、洗練された音楽性だ。

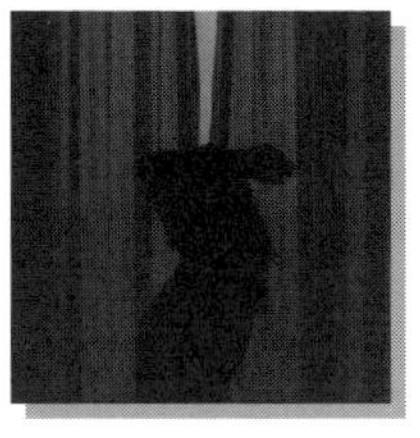

The Forbidden Ritual
Tearfrost
自主制作 2017 Progressive Melodic/Death Metal
ウッタラーカンド州デヘラードゥーン

チベット人居住区があるデヘラードゥーンで活動するテクニカル・デスメタルバンドが、2004 年の結成から苦節 13 年の末に発表した 1st EP。ただし、現メンバー 3 人の集合写真を見る限りでは、チベット系の人物はいないと思われる。複雑かつテクニカルなフレーズを多用しながら攻め立ててくるタイプで、Obscura、Necrophagist などの強い影響下にあることが窺えるが、Opeth のように荘厳かつ静謐なパートを交える点が特徴と言える。本作も、Skyharbor の Keshav Dhar<g> がエンジニアを務めた。

Toxoid
Aurora Satanae
Transcending Obscurity Distribution 2014 Black Metal
ニューデリー

2012 年に結成された 3 人組ブラックメタルバンドによるデビュー作。Dark Funeral、Immortal、Mayhem などの作法を踏襲しており、土着臭は皆無。予備知識がなかったら北欧産バンドの作品と間違えるかもしれない。黒山羊の悪魔バフォメットの名を冠した M1「Baphomet Enraged」が示すとおり、歌詞で扱っているモチーフもキリスト教社会の悪魔達だ。少々プリミティヴな音像は Darkthrone に相通ずるところがあるが、Prabal Sahoo<ds> のプレイが非力だ。

Vile Impalement
Rivers of Nihil
自主制作 2021 Death Metal
ニューデリー

ツインギター編成の 5 人組デスメタルバンドによる 1st EP。2011 年の結成から 10 年越しでリリースした初音源でもある。Cannibal Corpse、Suffocation、Necrophagist などを影響源に挙げており、昔気質のデスメタルの作法を踏襲しつつも、複雑なフレーズを交える。短髪の Sagar Anand<vo> の唱法は低音のグロウルだが、高音のスクリームを随所で被せる趣向が見られ、ブルータル・デスメタルのようにズンズンと沈み込んだかと思いきや、ブラストで駆け抜ける曲もある。

Warwan
Chakra
自主制作 2019 Djent/Metalcore
ニューデリー

Kushagra Nautiyal<g.vo> を中心に結成された 5 人組(本稿執筆時は 4 人組)Djent 系バンドによる初のフルアルバム。ヒンドゥスターニー音楽の修練を積んだ Aditya Paul<vo> の素養を生かし、あえて全編ヒンディー語でプレイしており、同系ジャンルを志向する他のインド産バンドとの差別化を図っている。ただ、音楽性は欧米のモダンな Djent 系サウンドの流儀に忠実で、ヒンディー語による歌唱でも違和感はあまりない。タイトルチューンの M3 は Born of Osiris を想起させるところがある。

Weird Anxiety
Act I Scene
Six Inch Nails Records 2011 Progressive Black/Dark Metal
ヒマーチャル・プラデーシュ州シムラ

2003 年結成のプログレッシヴ・デスメタルバンドによる初の EP。元々はトリオ編成だったが、音楽性の変化と数度のメンバー交代の末、本作は 6 人組でリリースされた。収録曲数は 3 曲だが、6 ~ 8 分台の長尺曲ばかりだ。このバンドも Opeth を想起させる音楽性で、デスメタルにゴシックやプログレッシヴな要素を織り交ぜている。起伏に富んだ複雑な長尺ナンバーを堅実なプレイで中だるみさせずに聴かせる。バンドの公式ブログには初のフルアルバムを制作中だと記してあったが、本稿執筆時点では陽の目を見ていない。

Winter Gate

DisIllumination

Transcending Obscurity Distribution　2012（2014）

ラジャスタン州ジャイプール　Progressive Death Metal

2008 年に Alath 名義で結成後、2010 年から現バンド名に改称した 4 人組プログレッシヴ・デスメタルバンドのデビュー EP。曲数は 3 曲だが、物悲しいピアノによるインストの M1「Beyond the Light」以外の 2 曲は、11 ～ 12 分超えの長尺だ。Yes、Rush、Camel といった懐かしのプログレッシヴロックや、Katatonia のようなデス／ドゥームメタルなど広範なジャンルの先人達から影響を受けているが、全体的な印象としてはデスメタルの佇まいを残していた頃の Opeth を想起させる作風だ。

Yatin Srivastava Project

Quarantine Vol.1

自主制作　2021　Progressive Metal

ニューデリー

Yatin Srivastava なるマルチプレイヤーが率いるプログレッシヴメタルのプロジェクトによる通算 8 作目の EP。なぜか日本語タイトルの M1「生きがい」と M2「Breathe」は 2020 年にデジタル配信済み。つまり純然たる新曲は M3「Disengage」だけだ。インストの M1 も含め、Djent 由来の重低音リフを響かせるが、スロー～ミドルテンポの楽曲群ばかりで、複雑な曲構造ではない。Yatin が自ら歌った M2 と M3 は、Porcupine Tree からの影響が窺えるダークな色彩のナンバーだ。

Yimir

The Black Serum | An Immersive Experience

自主制作　2020　Black Metal

ニューデリー

Akshat Golas なる人物が全パートを独力でこなし、Toxoid の Angad Singh Bindra<g> がツインギターの一角を成す 2 人組ブラックメタルバンドの 1st EP。インドのニューデリー拠点にもかかわらず、なぜか北欧神話に登場する巨人ユミルの名をバンド名に掲げている。しかし Akshat Golas はハスキーな低音で吠えるタイプであり、先行配信された M3「The Black Serum」をはじめ、不気味な印象のミドルチューンばかりが収められている。ゆえに、典型的なブラックメタルとは趣が異なる。

Zero Gravity

Holocaust Awaits

Transcending Obscurity India　Groove/Death/Thrash Metal

マディヤ・プラデーシュ州インドール　2014

インドでは希少な男女混成 5 人組デスメタルバンドによる 1st アルバム。元 Demonic Resurrection の Ashwin Shriyan<b> がプロデューサーを務めた。ご多分に漏れず、Arch Enemy を影響源の筆頭に挙げているが、幾分モダンヘヴィネス寄り。換言すると、Arch Enemy のように慟哭ギターを前面に押し出すのではなく、グルーヴ感を重視したミドルテンポの曲も織り交ぜている。紅一点シンガーの Kratika Bagora は 2018 年 8 月にバンドを去り、本稿執筆時点はニューヨーク在住である。

गौतम बुद्ध

पुनर्जन्म भाग १

自主制作　2021　Black Metal

ウッタル・プラデーシュ州クシナガラ

仏陀入滅の地とされるクシナガラ出身の独りブラックメタルによる 1st アルバム。バンド名は仏陀の名をヒンディー語で綴ったもので、創設者の素性は皆目不明。アルバム名と曲名もすべてヒンディー語表記で、タイトルを英訳すると「Reincarnation Part 1」である。全体的に劣悪な音質で、深いエコーの入った絶叫が終始響き渡る。寒々しいトレモロリフの代わりにアルペジオを用いたり、ブラストでの疾走の合間にメロウなパートを挟んだりと、独自の工夫を凝らしている。しかし、コンセプトとは裏腹にオリエンタル要素は希薄だ。

1833 AD

My Dark Symphony

自主制作　2012　Black Metal

ニューデリー

2004 年結成の 4 人組ブラックメタルバンドによる 1st アルバム。近世のヒンドゥー教では三神一体論（Trimūrti）という教義が説かれている。すなわち、創造神ブラフマー、秩序の維持神ヴィシュヌ、そして破壊神シヴァという 3 柱の神が最高神であり、実際にはこれら 3 神が同一神（宇宙の最高原理）であるという説だ。ゆえに内容は 3 部構成で、全 12 曲ある収録曲は 4 曲ずつ、前記のヒンドゥー教の神々に対応している。とはいえ、土着臭を強調した音楽性ではないので、欧州や北欧のブラックメタルが好きなリスナーなら違和感なく聴ける。

インド東部　East India

RBI（インド準備銀行）の調べによると、インド東部に位置するオリッサ州、ジャールカンド州、西ベンガル州、ビハール州の4州の1人当たりGDPは、いずれもインド全土平均（約1690ドル）を下回る。その一方で、西ベンガル州最大の都市コルカタを核とする都市圏人口は、ムンバイ、デリー連邦直轄領に次いで3位（約1403万人）であり、本章に登場するインド産バンド54組のうち、実に44組がコルカタ拠点、またはコルカタ出身メンバーを擁する。

コルカタのシーンの特徴は、ウォー・ブラックメタルのAparthiva Raktadhara、Kapala、Tetragrammacideなどが活動しており、日本でも知る人ぞ知る存在になっている点だ。もちろん、ミクスチャーのUnderground Authority、Djent／プログレッシヴメタルのWhat Escapes Meなど、さまざまなサブジャンルに属すバンドも存在する。

かつてのコルカタは単なる寒村だったが、1757年のプラッシーの戦い以降はイギリスにとっての戦略拠点となり、1772～1912年までイギリス総督府が置かれた。一方、1905年にイギリスが宣布したベンガル分割令は6年後に撤回されたものの、コルカタは反英運動の牙城となり、第二次世界大戦中にイギリスからの独立を目指すべく日本に接近したスバス・チャンドラ・ボース（1897～1945）、ラース・ビハーリー・ボース（1886～1945）のような急進的な独立運動家も輩出した。

興味深いことにインド東部は共産主義の影響力が強い。印パ分離独立から間もなかった1948年2月に、コルカタではCPI（インド共産党）主催で「アジア共産主義青年会議」が行われたことがあり、CPIの分派に当たるCPIM（インド共産党マルクス主義派）を中心とするLF（左翼戦線）は、1977～2011年まで西ベンガル州議会で多数派を占めた。また、1967年5月には中国の文化大革命に刺激された極左武装勢力が西ベンガル州ナクサリバリ（Naxalbari）にて反地主闘争を展開。この地にちなんでナクサライト（Naxalite）と総称される極左武装勢力は離合集散を繰り返しつつ、貧農やダリト（不可触民）を巻き込みながらオリッサ州、ジャールカンド州、ビハール州、さらには中部のチャッティースガル州にも勢力を広げ、その影響が及ぶエリアは赤い回廊（Red Corridor）と呼ばれる。なお、インド洋に浮かぶ連邦直轄領のアンダマン・ニコバル諸島とビハール州拠点のメタルバンドは残念ながら見当たらなかった。

調査対象エリア（人口およそ2億7060万人）

アンダマン・ニコバル諸島、オリッサ州、ジャールカンド州、西ベンガル州、ビハール州。
※人口は2011年インド国勢調査に基づく。

言語　ヒンディー語（連邦公用語）、英語（準公用語）、ベンガル語（西ベンガル州の州公用語）、オリヤー語（オリッサ州の州公用語）　その他の現地語（ウルドゥー語、マイティリー語など）。

宗教　ヒンドゥー教徒が多数派だが、2011年インド国勢調査によると西ベンガル州はムスリムの比率（27.01％）がインド全土平均（14.23％）を上回る。ジャールカンド州のムスリムの比率（14.53％）はインド全土平均と同水準だが、クリスチャンの比率（4.3％）はインド全土平均（2.3％）より高い。

頭蓋骨を表すサンスクリット語をバンド名に掲げたウォー・ブラックメタル

Kapala

(C) Rahul Guha

西ベンガル州コルカタ　不明　Death/Black Metal　(影響) Conqueror、Blasphemy、Goatpenis、Black Witchery、Zygoatsis　1551

コルカタで活動する3人組ウォー・ブラックメタルバンドKapalaは、これまでに3枚のEPなどを発表済み。本稿執筆時点でフルアルバムをまだリリースしていないが、その破壊的かつノイジーなサウンドは「Warfare Noise」とも形容され、その筋の音楽を好む世界中のリスナーに支持されている。

ドイツ最凶ブラックメタルレーベルと契約

コルカタで1855年に建立されたダクシネーシュワル・カーリー寺院では、祭礼のたびに山羊を斬首して生贄に捧げ、食肉に解体する。というのも、同寺院では血と殺戮を好むヒンドゥー教の女神カーリーを祀っているからだ。この女神はきわめて凶悪な容貌をしており、人間の生首や武具、それに血で満たした髑髏の杯を手にした姿で描かれることが多い。Kapalaのバンド名は、まさにこの髑髏の杯に由来する。

現メンバーはV.I<vo, b>、A.T<g>、S<ds>の3人で、全員が実名を伏せている。したがって結成以前の来歴を窺い知る術もないが、元々はA.TとSの2ピースバンドとして始動し、現在とは音楽性も異なっていたという。その後、ベース兼ヴォーカルのV. Iが合流してラインナップが固定されると、Kapalaは初のデモ音源「Homosapiennihilation」を2017年7月にBandcampで公開する。Homo sapiens（ホモ・サピエンス）とAnnihilation（全滅）を組み合わせた物騒な曲名だが、これにいち早く反応したのが、ドイツ最凶と言われるブラックメタル専門レーベルDunkelheit Produktionenだった。同レーベルは過去に、スリランカのFuneral in HeavenとPlecto Aliquem Capiteのスプリット盤『Astral Mantras of Dyslexia』（2011年）やインドのデスメタルバンドDhweshaの1stアルバム『Sthoopa』（2014年）などを手掛けた実績があり、インド亜大陸のデスメタル／ブラックメタル勢の動向をある程度は把握していたのだろう。

こうしてバンドは、Dunkelheit

Produktionen とのディールを首尾よく獲得すると、デビュー EP『Infest Cesspool』を 2017 年 11 月にリリース。翌月には地元コルカタでライヴアクトとしての初陣を飾った。また、前掲の EP のアートワークを手掛けた Tetragrammacide の M.Opium<vo> は、Kapala の 2nd EP『Termination Apex』(2019 年) 以後はエンジニアとして Kapala のサウンドメイクに欠かせない人物となる。

忌み嫌われることを厭わず

ところで、Kapala はブラックメタルにありがちな反宗教主義、悪魔崇拝などを標榜するバンドではない。であるならば、Kapala の楽曲群は何を表現しているのだろう。

もしかすると、それは人間の攻撃性や破壊性、残酷さなど、目を背けたくなるような性質かもしれない。それをけたたましい轟音によって包み隠さずに表す Kapala は、人々から忌み嫌われることを厭わない。これまでの作品群のアートワークを見ると、バンドのアティテュードがよく分かる。Black Metal Daily というブログメディアの取材に対し、Kapala はインスピレーション源として『地獄の黙示録』(1979 年)、『フルメタル・ジャケット』(1987 年) といった往年の戦争映画に加え、T.S. エリオット (1888 ~ 1965) の詩「空ろな人間たち」(1925 年)、ジョージ・オーウェル (1903 ~ 1950) の小説『1984』(1949 年) などを挙げていた。

前掲の 2nd EP『Termination Apex』リリース直前に、Kapala はスリランカへ遠征し、同国を代表するウォー・ブラックメタルバンド Genocide Shrines の胸を借りた。2020 年 7 月にはドイツの独りデス/ブラック・メタル Chaos Cascade と共作したスプリットシングル「Contamination Alliance」を発表。この他には、ライヴ音源集『Anti-Scum Noise Session MMXVIII』と 3rd EP『Doomsday Requiem』(共に 2021 年) を発表している。

Kapala
Infest Cesspool
Dunkelheit Produktionen 2017
西ベンガル州コルカタ

不穏なインストの M1「Intro (To War)」が明けると、凶暴なヴォーカルと耳障りなギター、激しいドラミングで襲いかかる楽曲が続く。確信犯的な劣悪音質だが、悲痛で寒々としたブラックメタルとは質感が異なり、グラインドコアバンドのような突進力もある。M2「Homosapiennihilation」は本作発表前に公開したデモ音源と同一テイクだろう。その一方でドラムの音色とリズム感が独特で、インドの宗教儀式で用いる打楽器を連打しているように聞こえる。締めくくりのインストの M6「Outro (Atrocity Cacophony)」では民族打楽器を使っている。

Kapala
Termination Apex
Dunkelheit Produktionen 2019
西ベンガル州コルカタ

前 EP『Infest Cesspool』(2017 年) から 2 年ぶりとなる 2nd EP。戦場を連想させるインストの M1「The Beating Heart of War (Intro)」が明けると、獣じみたヴォーカルとノイジーなギターが前作同様に響き渡る。ただし、本作は全体的にドラムの音色が人工的で、曲によってはドラムマシンのように無機質なブラストが乱れ飛ぶパートがある。前 EP にも言えることだが、締めくくりのインストの M6「Unto Ash (Outro)」では、核実験で誕生した設定の怪獣ゴジラの咆哮が聞こえる。

Kapala
Doomsday Requiem
Dunkelheit Produktionen 2021
西ベンガル州コルカタ

ライヴ音源集『Anti-Scum Noise Session MMXVIII』と同年リリースの 3rd EP。M2「Exodus of Victory」はノイズミュージック風のイントロで始まり、タイトルチューンの M3 は表題が示すとおり幾分ドゥーミーで重苦しくパートがある。また、M4「Requiem」は 9 分強の長尺ナンバーで、イントロにオーケストレーションを用いているが、獣じみた凶暴さと確信犯的な劣悪音質は変わらず。新型コロナウイルスと放射能マークを重ね合わせたしたアートワークもインパクト抜群だ。

Kapala インタビュー

コルカタを中心とするインド東部のシーンの特徴は、メタルが本来持つ暴力性をむき出しにしたウォー・ブラックメタルバンドが若干数ながら活動している点だ。本書ではその中から Kapala のインタビューを紹介する。彼らは秘密主義を貫いており、各メンバーはいずれも匿名を使っている。なおかつ通常のインタビューと異なり、「メンバー３人のうち誰が」回答したのかも明示していないため、Dunkelheit Produktionen の担当者に問いただしたところ、「回答はすべてバンドの総意である」とのことだった。読者諸氏にはあらかじめご了承願いたい。

回答者：Kapala

――初めまして。まず Kapala の現メンバーは、V. I<vo, b>、A.T<g>、S<ds> の３人で相違ないでしょうか？　バンド結成のきっかけと、各メンバーが影響を受けたアーティスト、お気に入りのバンドも教えてください。

Kapala（以下 K）：俺達は、強烈でエクストリームな音楽をやりたくて Kapala を結成した。影響を受けたアーティストや気に入っているアーティストは Coqnueror、Revenge、Zygoatsis、Goatpenis、Archgoat、Axis of Advance、Black Witchery、それに Impeity などだ。

(C) Soham Bannerjee

――たいへん失礼ですが、曲作りやアルバム制作をしていない時、あなた方は普段どんな仕事をしているのですか？

K：各自それぞれが仕事を持っているが、それは俺達の音楽にとって全然重要なことではないね。

――インドと日本のメタルシーンは異なる流れをたどったのでは？と推察します。言い換えると、新興国であるインドの人々にとってヘヴィメタルは割と新しい音楽ジャンルで、あなた方が志向するウォー・ブラックメタルはさらに新しい音楽ジャンルでは？と思われますが、この見立ては適切でしょうか？

K：インドのメタルシーンの規模は、端的に言って大きくない。インド国内の数箇所でいくつかの有名バンドが活動しているが、たいていは退屈なスラッシュメタルバンドばかりで、全体的に見るとシーンの規模はまだまだ小さい。それに人々の音楽的嗜好の幅も狭く、メタルやスラッシュ、あるいはもっとコマーシャルな路線の「何とかコア」バンドに限定されてしまっている。確かにグローバリゼーションによって、インド人も新しいジャンルの音楽を聴くことができるようになった。それでもなお、Sodom や Kreator のような昔気質のスラッシュメタルを好む大半の「メタルヘッズ」にとって、ウォー・ブラックメタルというサブジャンルは異質に映るようだ。実際のところ、ほとんどのインド人リスナーはウォー・ブラックメタルを嫌悪していて、いつも辛辣な批判にさらされている。でも、俺達は万人受けする音楽をやっているわけではないから、特に批判は気にしていないがね。

――Dunkelheit Produktionen との契約の決め手になったものは何ですか？　インドとドイツのビジネス慣行の違いなどを教えてもらえますか？

インドのメタルは何もかもが陳腐

シンガー兼ベーシストのV. I がステージで掲げているのは、山羊ではなく水牛の頭蓋骨。インド産バンドらしい1枚だ。

K：今までに Dunkelheit Produktionen 以外のレーベルと契約を交わしたことがないし、インド国内のレーベルと関わったことも一度もないので、ビジネス慣行の違いを一概に述べるのは不可能だ。とはいえ、俺達が「Homosapiennihilation」のプロモ資料を送って以来、Dunkelheit Produktionen は俺達の作品群を気に入ってくれた。それ以来、ずっと彼らのもとでリリースしているよ。

──　Kapala の 1st EP『Infest Cesspool』（2017 年）は、『ウォー・ベスチャル・ブラックメタル・ガイドブック』（2016 年）著者のアウトブレイク・ショウ氏が発刊したファンジン『Outbreak of Evil Issue #01』で、2017 年度ベストアルバムの 11 位に選出されましたが、あなた方はそのことをご存じですか？　このファンジンでは、同じコルカタのウォー・ブラックメタルバンド Tetragrammacide にインタビューも行ったそうですが。

K：そのファンジンで『Infest Cesspool』が取り上げられたのは知らなかった。同じコルカタの Tetragrammacide のインタビューが掲載されたことは知っていたがね。

──私はこのインタビューを申し込む前に、過去 30 年あまりにリリースされたインド亜大陸のメタルバンドの音源を大量に聴きましたが、Kapala や Tetragrammacide、それに Aparthiva Raktadhara のようなウォー・ブラックメタルバンドが活動している地域は、インド全土を見渡しても多分コルカタだけでは？と思われます。コルカタの土地柄について、そしてなぜコルカタという都市があなた方のようなウォー・ブラックメタルバンドの登場を促したのか、教えてもらえますか？

K：コルカタを中心とするベンガル地方ならびにインドの社会的、政治的混乱を含め、さまざまな要因が考えられるが、俺達はインドの音楽界の現状そのものをひどく軽蔑している。それゆえに耳障りで正気の沙汰とは思えず、聴くに耐えないような体験を生み出しているのだと思う。もちろん、インド社会とそのシステム、宗教などに対する軽蔑心もある

んだが、俺達が侮蔑すべき対象はむしろインドの音楽界の現状だったり、一般的な音楽そのものだったりする。インドのメタルは何もかもが陳腐で、バンドマンたちは過去に数千回も聴いてきたリフを刻んでいる。つまり、インドでのメタルの扱われ方に対する軽蔑心や、インドのメタルシーンの政治的駆け引き、「メタルヘッズ」達の懐古趣味のメンタリティー、それにロックスター気取りのローカルバンドの連中のせいで、俺達は誰も今まで聴いたことのない音楽を作ろうと思ったんだ。さまざまな闘争、困難、幻滅を味わった末にこうした軽蔑心に周波数を合わせ、フロンティア精神あふれる音楽を追求して作り出そうと決心したのは、コルカタで暮らしている俺達だけだ。他のエリアのブラックメタルは聴く価値もないね。

―― Kapalaは2nd EP『Termination Apex』（2019年）リリースに先駆け、スリランカへ遠征して、同国のウォー・ブラックメタルバンドGenocide Shrinesと共演しましたね。Genocide Shrinesもアウトブレイク・ショウ氏の著書『ウォー・ベスチャル・ブラックメタル・ガイドブック』にインタビューが掲載され、日本でもその名が知られつつありますが、彼らとの共演で得るものはありましたか？

K：俺達は常々Genocide Shrinesのライヴを生で観たいと思っていたから、彼らの地元コロンボで直接出会えたのは素晴らしい体験だった。君が指摘したコロンボのギグ（注：2019年6月8日開催）は、俺達にとって初の海外公演だったから全力投球でプレイしたよ。

―― Kapalaの1st EP『Infest Cesspool』にはゴキブリ、2nd EP『Termination Apex』には原爆のキノコ雲、それに3rd EP『Doomsday Requiem』（2021年）には新型コロナウイルスと放射能マークという、シンプルながらも強烈なアートワークが描かれています。それぞれの意味するところを教えてもらえますか？

K：ゴキブリは害虫の象徴的存在であり、隷属という現代人の本質をシンボリックに表わしている。原爆のキノコ雲は破壊と死、つまり人間に唯一平等に与えられたものを示しているんだ。

―― Kapalaの特徴であるノイジーなギターとブラスト、それに禍々しいヴォーカルを録音する際に使用している楽器、レコーディング機材、技術面での工夫について教えてもらえますか？

K：俺達は今までずっと、ヴォーカル以外のパートを小さなスタジオでレコーディングして、現在の粗いサウンドを作り出している。マイクが数本だけあって、ごく一般的なMarshallとLaneyのアンプしか置いていないスタジオだ。BC Richのギターをはじめ、機材もごくありふれたものだ。それ以外に特筆すべきことはないね。

――普段インドのリスナーは、ヘヴィメタル／ハードロックをCDで楽しんでいますか？それとも、ストリーミング配信やデジタルダウンロードで楽しんでいますか？

K：インドでフィジカルCDを買う人々はきわめて少数派だ。俺達のCDをインドで買ってくれるのも、ごくわずかの献身的なファンだけだ。

――ところでコルカタという地名は、血と殺戮を好むヒンドゥー教の女神カーリーに由来します。でも、Kapalaの楽曲群はヒンドゥー教の神々や神話をテーマにしたものではないですよね。あなた方にとって、ヒンドゥー教の神々や神話に根差した楽曲はむしろ作りづらいのでしょうか？

K：俺達のバンド名が髑髏の杯にちなむことは事実だが、Kapalaという言葉には「Death／死」と「Ruin／荒廃」という意味もある。また、ブラックメタルではエセ宗教的なテーマが散々使い回され、ある種のトレンドと化しているが、俺達はそこから距離を置く傾向にある。さらに付け加えると、ヒンドゥー教が多数派を占める社会で生まれ育ったがゆえに、普段から見慣れたものを劇

侮蔑すべき対象は むしろインドの音楽界

2018年8月のコルカタでのライヴ写真。Kapalaのメンバーが素顔をさらけ出している一方、覆面姿のゲストシンガー（写真左端）がステージに上がっている。彼らはこの時、Goatpenisの曲をカヴァー演奏したそうだ。（C） Alakananda Chowdhury

的に描写することも難しい。それよりも俺達は何もない空虚さと、あらゆる物事の壊れやすさに興味をそそられるね。

──コルカタはマザー・テレサ（1910～1997）の修道院と奉仕施設があることでも知られています。実は私は、1978年にマザー・テレサのドキュメンタリー映画を日本人として初めて監督した千葉茂樹氏（日本映画大学特任教授）とその家族に会ったことがあり、千葉氏の著作も読んだことがありますが、インドでは今でもマザー・テレサの帰依者は多いのですか？

K：ごく少数のクリスチャンがマザー・テレサのことをどう思っていようが、俺達はまったく興味ないよ。

──コルカタは、1913年にアジア人としてノーベル文学賞を史上初めて獲得し、インド国歌を作詞、作曲したラビンドラナート・タゴール（1861～1941）の出身地でもあります。タゴールは生前5回にわたり日本を訪れ、日本の美術史家の岡倉天心（1863～1913、本名は岡倉覚三）、横山大観（1868～1958）、下村観山（1873～1930）などとの交流を育みましたが、あなた方は日本と日本人に対してどのような印象を持っていますか？　もし好きな日本人アーティストがいたら教えてもらえると、なお幸いです。

K：日本人の芸術的表現には感心させられるし、風景画や映画、それにJapanoise（注：日本産ノイズミュージックのこと）は称賛に値する。個人的に日本人との接点は皆無なので、日本人に対する印象については答えられないがね。ただし、SabbatとSighはお気に入りの日本人バンドだ。

──Kapalaのアルバムは日本でも輸入盤として流通していて、iTunes、Apple Music、Spotifyなどで日本でも試聴可能です。最後に日本のリスナーにぜひメッセージをお願いします。

K：戦闘マシンの前に横たわり、死を甘受せよ！

インドでミクスチャー要素をいち早く採り入れ、ヒンディー語でまくし立てるラップコア

Underground Authority

西ベンガル州コルカタ　2010～　Rap/Funk Metal　（影響）Guns N Roses、Rage Against the Machine、Living Colour、Public Enemy　345

インドでミクスチャーの要素をいち早く採り入れたと謳われる4人組バンド。眼鏡姿のEpr Iyerことsanthanam Srinivasan Iyer<vo>は元々、Bannedなるミクスチャーバンドを率いて地元のバンドコンテストで賞を総なめにした人物だ。

Santhanamは Bannedの解散後、Weaponshopなるバンドの楽器隊と意気投合し、前身バンドのSkydiveを2010年に結成。その反応に好感触を得た彼らは、現在のバンド名で活動をスタートし、日本のYamahaがアジア諸国のバンドを対象に開催しているコンテスト、Asian Beat 2010のインド予選で3位に食い込み、現地のオーディション番組「India's Got Talent」シーズン2でファイナリスト9組に残った。2013年12月には、ダージリンで行われたHornbill International Rock Contestで3冠を獲得した。

これらの実績を引っさげ、バンドは2014年8月に1stアルバム『You Authority』をリリース。2016年10月には、ボリウッド映画の女性プレイバックシンガー（注：劇中歌をあらかじめ収録する歌手）であるNikhita Gandhiをゲストに迎え、2nd EP『Propaगेंडा（Gainda)』を発表した。この他、「Boatman」（2018年）などのシングルを複数作発表している。

Underground Authority
Jungle
自主制作　2021
西ベンガル州コルカタ

通算7作目のシングル。これ以前の作品群は、インドの政治家の不正を批判したり、海路で移動する難民を題材にしたりと、シリアスな作が目立ったが、本作はそうした色合いが希薄。音楽的にはヒンディー語のラップでまくし立てるミクスチャー。DJのスクラッチを交えた一方で、アメリカのLiving Colourのようにファンク色も帯びているが、曲調はスローな部類に入る。次作の3曲入りシングル「3 Minutes of Eccentricity」（2022年）はR&B路線で、メタリックな刺々しさに欠けていた。

ヒンドゥスターニー音楽の擦弦楽器 サーランギーを導入したDjent

What Escapes Me

西ベンガル州コルカタ　2009～　Progressive Metal　（影響）Killswitch Engage, As I Lay Dying, Dream Theater, Textures　242

2009年から活動している5人組プログレッシヴ・メタルコアバンド。メンバー5人のうち、Sambit Chatterjee<ds>は有名タブラ奏者Subhen Chatterjeeを父に持つ。Subhenはシタール奏者のMonilal Nag、サーランギー奏者のPandit Ramesh Mishraとの共作アルバム『Artistry』（2002年）で第45回グラミー賞のワールドミュージック部門にノミネートされた人物。それゆえに、いわゆるDjent系サウンドにインドの伝統楽器の音色を交えたサウンドを特徴とする。

2009年の結成後、2011～2013年に4枚のオムニバス盤に楽曲を提供し、2013年5月にはイギリスのメタルコアバンドSacred Mother TongueやソロでもC活動するAndy James<g>のコルカタ公演をサポートした。

これらの活動を経て、Animals as Leaders、SikThなどとの仕事で知られるオーストラリアのForrester Savellをマスタリング·エンジニアに迎え、1stアルバム『'Egress Point』を2016年6月にリリース。同年12月には、Skyharvorのコルカタ公演のOAに起用された。2019年リリースの2作目のシングル「In Insanity」は、Linkin ParkのChester Bennington<vo>の死を悼んだ曲だ。

What Escapes Me
Egress Point
Ok Listen Media　2016　Death/Black Metal
西ベンガル州コルカタ

インストのM1「Coalesce」とM3「My Reality」ではインド北部の伝統音楽（ヒンドゥスターニー音楽）で重要な擦弦楽器サーランギーを導入。また、M9「Section 66 Part 5」の中盤では、同じくインド北部の伝統弦楽器サロードを用いている。サーランギー奏者のAlla Rakha Kalavantと、サロード奏者のPratik Shrivastavaも音楽一家の出身だ。とはいえ、彼らが客演した3曲以外のナンバーは、欧米のモダンなDjent系サウンドのフォーマットに忠実といえる。

AlienZ
Daro Ge Kya
Bangla Rock　2021　Progressive Rock
西ベンガル州コルカタ

2004 年に結成の 5 人組プログレッシグロックバンドによるシングル。公式 SNS ではベンガル語で情報発信しているが、本作は初のヒンディー語歌詞による 6 分超のバラードである。バンドは Dream Theater を影響源に挙げており、2nd アルバム『Jorimana』（2015 年）にはその片鱗が窺えるナンバーが収められていた。しかし本作は、民族楽器のサーランギーを序盤で用いている点を除けば、牧歌的なバラードにとどまっている印象。尺の長さも相まって、メタルファンにとっては退屈に感じると思われる。

Antakala
Devourer
自主制作　2022　Black Metal
西ベンガル州コルカタ

コープスペイント姿の 4 人組ブラックメタルバンドによる 1st シングル。バンド名の由来は「死の時間」を指すサンスクリット語にちなみ、デモ音源「The Moon of Necronomicon」（2021 年）にはヒンドゥー教の神々の化身の名をタイトルに掲げた曲が 2 曲あったが、土着色は希薄だった。本作もその延長線上にあり、前掲のデモ音源でカヴァーしていた Mayhem からの影響が窺える半面、ブラストは Mayhem ほど速くない。チープなアートワークも相まって、前掲のデモ音源よりも音質がさらに劣悪になった気もする。

Aparthiva Raktadhara
Adyapeeth Maranasamhita (আদ্যাপীঠ মরণসংহিতা)
Iron Bonehead Productions　2022　Black/Death Metal
西ベンガル州コルカタ

3 人組ウォー・ブラックメタルバンドによる 1st アルバム。デビュー EP『Agyat Ishvar』（2018 年）と同じく、怨嗟を撒き散らすようなヴォーカルとブラストが本作でも激しく交錯するが、Takshaka<g, b> がエッジを効かせるプレイスタイルに路線変更したため、デスメタル寄りの音像に様変わりした。本作に先駆け、Angelcorpse の 2nd アルバム（1996 年）収録曲のカヴァー音源を公開したことも決して無関係ではないはずだ。プロダクションもデビュー EP より良好である。

Armament
First Strike
Transcending Obscurity Distribution　2015　Thrash Metal
西ベンガル州コルカタ

2011 年に始動した 4 人組スラッシュメタルバンドのデビュー EP。シンガーの Indranil Dasgupta は同郷のバンド In Human にも在籍しているが、プログレッシヴな要素がある In Human とはまるで異なる音楽性で、終始ハイテンションに突っ走るスラッシュメタルを志向。Overkill の Bobby"Blitz"Ellsworth を意識したような Indranil の唱法も相まって、隣国バングラデシュのスラッシュメタル勢に似たところもある。M5「Unstoppable Force」は Agent Steel のカヴァーだ。

Atmahatya
Andhaar er Doshti Bochhor
自主制作　2022　Death/Groove Metal
西ベンガル州コルカタ

2006 年の結成後、活動休止期間を経て 2017 年に再始動した 4 人組バンドの 1st アルバム。英語詞とベンガル語詞を楽曲によって使い分けている。かつてインドを統治したイギリスを「死の商人」と批判する M3「Death Dealers」、コルカタが輩出した反英活動家 Khudiram Bose（1889 ～ 1908）を描いた M9「Last Hours of Khudiram」など、シリアスな歴史と対峙した楽曲が目立つ。音楽的にはデスメタルとグルーヴメタルのいいとこ取りを試みているが、逆にどっちつかずという印象。

Banish
Skkullfukkking Kkkrucifixxxion
Nuclear Abominations Records
西ベンガル州コルカタ　2020　Black/Death Metal/Noise

3 人組ブラックメタルバンドの 1st デモ『MMXVI』（2016 年）と、同デモ収録曲のライヴテイクを追加収録した企画盤。前者の 1st デモ収録の 5 曲はトリオ編成でプレイしたもの。同じく 3 人組の Kapala のような劣悪音質で、深いエコーの加わった咆哮と耳障りなシンバルがたえず響き渡る。かたや後者のライヴテイクはツインギターの 4 人組でプレイしたもの。現地での一発録りだと思われるが、変に加工されていないぶん、ヴォーカルや個々の楽器パートの音色が聞き取りやすい。数量限定のカセット形態で流通された。

Blood
Mukti
自主制作　2019　Heavy Metal/Rock
西ベンガル州コルカタ

元 Chronic Xorn の Kanad Roy<b> を擁する 4 人組バンドの 1st アルバム。アルバム名の「Mukti」はベンガル語で「解放」を意味する単語だ。メタルコアの Chronic Xorn とは音楽性が異なり、ポストグランジ／オルタナティヴ路線だが、アコギ主体の牧歌的なナンバーやバラード曲もあるので、ヘヴィネスを徹底しているわけではない。インド産バンドらしく、M1「Mogoj」のイントロはヒンドゥー教の宗教儀式の前後に唱えられる聖なる音「Om ／オーム」の詠唱だ。日本の配信ストアでは曲順がオリジナルと異なる。

Brahmastrika
Abhabaniyastral Samsarimplication
Dunkelheit Produktionen　2021　Black/Death Metal/Noise
西ベンガル州コルカタ

ヒンドゥー教の創造神ブラフマー（仏典では梵天）をもじったバンド名を掲げる、2 人組ウォー・ブラックメタルバンドの 1st EP。メンバーの氏名や素性は皆目不明で。バンドの公式サイトや SNS も存在しない。2019 年の 1st デモの頃から確信犯的な劣悪音質を信条としており、深いエコーの入った咆哮とノイジーなギター、やみくもに乱打される金物で、聴き手の不快指数を上昇させるところは、同郷の Kapala とよく似ている。この作品も、ドイツの Dunkelheit Produktionen で配給された。

Brutal Society
Cellar Bloodline
自主制作　2021　Brutal Death Metal
西ベンガル州コルカタ／マハーラーシュトラ州プネー

後述する DeathLore の Akash Singha<g> が、Killkount の Vishal Dalwani<vo> と立ち上げたデスメタルのプロジェクトによる 2nd シングル。インドではなくオーストリアで発生した近親相姦の事件に触発された楽曲でもある。前者の DeathLore よりも、後者の Killkount に近似したモダンでテクニカルなデスメタルを志向。バンド名に「Brutal」と掲げているとおり、後半にスラミング風のパートを設けているが、本職のスラミング系ブルータル・デスメタルバンドに比べると落差は緩やかである。

Burn the Water
Eschatological
自主制作　2012　Experimental Metal
西ベンガル州シリグリ

インドの中心部と北東部を結ぶ交通の要衝シリグリで、Debojyoti Sanyal なる人物が全パートを独力でこなしたプロジェクトの 1st EP。Devin Townsend Project、Sybreed、The Browning などを影響源に挙げており、インダストリアル色の強いサウンドを打ち出している。ダークで耽美な雰囲気も併せ持つ半面、アルバム前半はグロウルで咆哮する局面が少ない。本作から 7 ヶ月後、Brian Storm なるシンガーと共作したシングル「T.R.B.T.」が最終作となった。

Burnout Syndrome
Deviation
自主制作　2016　Progressive Metal
西ベンガル州コルカタ

2010 年に結成された、キーボード奏者を擁する 5 人組バンドによる 1st シングル。バンド名が酷似した大阪のトリオ編成バンドとは無関係だ。同郷かつ同時期にキャリアを始めた Yonsample のように、スペーシーなシンセを背景に、Djent 特有の歯切れのよい重低音リフを刻むので、Born of Osiris の影響が窺えるが、本家ほどハイテンションではない。Subhadeep Jana<vo> の唱法は基本的にはグロウルだが、中盤で幾分ビートダウンした後、終盤でクリーンヴォイスを解禁する。

Chhinnamasta
Vajra-Sarpa
Tour De Garde　2016　Raw Black Metal/Ambient
西ベンガル州コルカタ

2012 年に始動した 2 人組ブラックメタルバンドによる初の EP。カナダの Tour de Garde にてカセット形態で流通された。ヒンドゥー教の女神ドゥルガーの十化身の 1 つで、自らの首を刀で刎ねた姿で描かれるチンナマスター（断頭女）の名をバンド名に掲げている。2014 年のデモ音源は劣悪音質のプリミティヴ・ブラックメタルをプレイしていたが、本作はプロダクションが多少向上。その中軸を成す M2「In Search of a Primal Light」は、Burzum からの影響を感じさせる 13 分近い大作だ。

Chronic Xorn
For These Sins Who Must Die
自主制作　2017　Metalcore
西ベンガル州コルカタ

2007年結成の5人組メタルコアバンドが、新加入のSoumyadeep Das<b>を迎えて放った2ndアルバム。オーケストレーションによるインストのM1「Intro - Doctrine of Hate」が明けると、表題曲のM2をはじめとするハードエッジな楽曲群で襲いかかる。全6曲で総尺23分強というコンパクトな内容だが、キャリアの初期からクリーンヴォイスのパートを一切入れない音楽性は不変。それゆえにThe Black Dahlia Murder、Heaven Shall Burnなどに近い音像と言える。

Confuzone
The Solution X-Plosion
自主制作　2020　Death/Thrash Metal
西ベンガル州ダージリン

ダージリンで2014年に始動した4人組デス／スラッシュメタルバンドによる、通算2作目のEP。Decapitated、Lamb of Godなどのようにノリのよいグルーヴ感を採り入れた音楽性で、アートワークとは裏腹に土着臭は薄い。前シングル「Murdering Our Mother」(2016年）の頃から、Vishant "Vvicious" Khawas<vo>は低音のグロウルと高音のスクリームの二刀流だ。オーストラリアのタスマニア島を拠点とするPsycropticのJoe Haley<g>がミキシングを手掛けた。

Cow Humps
FuckRoach
自主制作　2022　Brutal Death Metal/Deathcore
西ベンガル州コルカタ

Thirst of Faustのプロデューサー兼マネージャーであるKazi HasanatIslamが主導し、Thirst of FaustのRobby Dutta<vo>がゲスト参加したプロジェクトの2nd EP。3曲を2ヴァージョン（ヴォーカルありとヴォーカル抜き）収録して計6曲に膨らませている。前EP『Minutes of Miniscule Torture』(2022年）と同様に、ポルノグラインド要素を帯びたブルータル・デスメタルを打ち出しているが、相変わらず楽器パートの音圧が乏しく迫力不足だ。

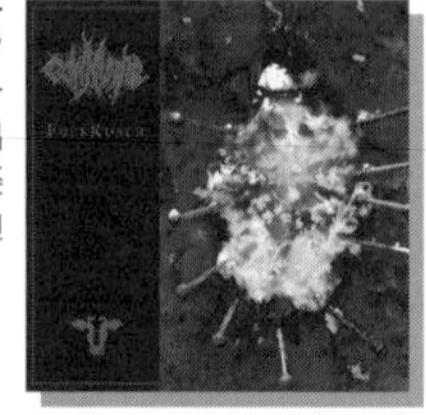

Cross Affinity
Sonder
自主制作　2020　Ambient Djent and Progressive Metal
オリッサ州ブバネーシュワル

2018年に始動したツインギター、キーボード奏者を含む6人組バンドによる2ndシングル。本書で唯一登場するオリッサ州出身のバンドでもある。「Ambient Djent and Progressive Metal」なる謳い文句とは裏腹に、Arko Chatterjee<vo>が咆哮するパートは正攻法のメタルコア路線だが、エレクトロ要素が加わる。言われてみればDjent風の跳ねるリフを刻んだり、浮遊感を醸し出す局面もあるが、クリーンヴォイスも兼ねるSayan Sutradhar<g, vo>の歌唱が不安定だ。

DeathLore
Reptilian
自主制作　2022　Symphonic Black Metal
西ベンガル州コルカタ

2013年結成のデス／ブラックメタルバンドによる3rdシングル。鳥を模したペストマスク姿のBarshan Dutta<key>を含む5人組で、1stシングル「Forbidden Democracy」(2021年）の頃からSepticfleshのように耽美なストリングスを用いている。本作は壮麗なクワイアで幕を開けたかと思いきや、スキンヘッドのProthamesh Ghosh<vo>の咆哮とブラストで攻め立てた後、重厚かつスローなパートへと移行。さらに流麗なギターソロを繰り出すなど、起伏の豊かなナンバーだ。

Dreadhammer
Trail of Severed Heads
自主制作　2020　Thrash Metal
西ベンガル州コルカタ

Rishav Bhattacharya<vo, g>を中心に2016年に始動した4人組スラッシュメタルバンドによる通算3作目のシングル。エピックメタルのようなアートワークとは裏腹に、昔気質のスラッシュメタルをプレイしている点はセルフタイトルのデビューEP（2016年）の頃と変わらず。バンドのYouTubeチャンネルを見るとMegadeth、Slayer、Overkill、Sepulturaなどのカヴァーもプレイしていたが、これら4組の先人達の中から厳選するなら、Megadethの影響が色濃い印象を受ける。

Dushkriti
Dushkriti
自主制作　2017　Raw Black Metal
西ベンガル州コルカタ

Danav Pabitra なる人物による独りブラックメタルの 1st EP。Danav という名は、インド神話の鬼神アスラ（仏教における阿修羅のこと）の一派であるダーナヴァ（Dānava）に基づくのだろう。Pabitra は英語の「Holy」に当たるベンガル語。ゆえにバンドは SNS で「Anti-Abrahamic」、つまり世界三大宗教であるユダヤ教・キリスト教・イスラム教への反発心を示している。換言するとヒンドゥー教至上主義者かもしれないが、音楽性自体は奇をてらわない劣悪音質のプリミティヴ・ブラックメタルだ。

Evil Conscience
Self Primary Unrest
自主制作　2020　Technical Death Metal
西ベンガル州コルカタ

2010 年に結成された 5 人組デスメタルバンドによる通算 2 作目のシングル。キャリア初のフルアルバムのリードトラックと位置づけられている。デビュー EP『Death is Only the Beginning』（2015 年）リリース後にツインギターの片翼が交代したが、音楽性は一切変わらない。つまり、Necrophagist の影響下にあるテクニカル路線だが、序盤ではデスコア風の切り立ったリフを刻み、ブラストで疾走したかと思えば、ネオクラシカル風のフレーズや変拍子を交え、7 分近い尺を飽きさせずに聴かせる。

Falcun
Kingdom Come
Eat Metal Records　2018　Heavy Metal
西ベンガル州コルカタ

コルカタでは希少な 5 人組の正統派メタルバンドのデビュー作。ギリシャのレーベル Eat Metal Records で配給後、日本の『BURRN!』でレビューされた。シンガーの Abhishek の唱法も含め、Iron Maiden からの影響があからさまに窺える。よく言えばオマージュだが、悪く言えばパロディの域を出ない音像だ。8 分超の長尺ナンバーを 2 曲収めた点も、やはり Iron Maiden からの影響が色濃い。M4「Only Be One」はベンガルールの最古参バンド Millennium のカヴァーである。

Fleshcrave
Band of the Hawk
自主制作　2022　Death Metal
西ベンガル州コルカタ

Falcun の Anirban Dasroy がギターを兼務する 4 人組バンドの 2nd シングル。ただし音楽性は Falcun とは異なり、Morbid Angel、Deicide、Monstrosity といったデスメタルの先人達への憧憬を映し出そうとしている。しかしこれらの先人達と比べると凶暴さ、殺気などの面で見劣りする。アートワークもチープだ。序盤では Sodom や Slayer のように軽快にスタスタと疾走するが、前シングル「Black Swordsman」（2021 年）のほうがデスメタル然とした印象を受ける。

Gnosis of Catacomb
Rehearsal Demo MMXIV
自主制作　2014　Black Metal
西ベンガル州コルカタ

Grim of Catastrophia 名義で 2012 年に始動し、メンバー交代の末に現在のバンド名に改称した 3 人組バンドによる 3 曲入りデモ。前身バンド時代は Bathory、Hellhammer、Mayhem などの影響を受け、改名に伴い Sarcófago、Archgoat などに傾倒したそうだが、本作で広がる音像は、プリミティヴ・ブラックメタルそのもの。ノイジーで劣悪音質の中、絶叫調のヴォーカルで終始ヒステリックにわめき散らす。疾走パートを設けているものの、どの曲も単調な構造で、一発録りと思われる節もある。

Grungy Morphins
The Gorkha Metal Warriors
自主制作　2011　Melodic Death/Thrash Metal
西ベンガル州ダージリン

ダージリンで 2000 年に結成された 5 人組バンドによる 6 曲入り EP。デモを含んだ既発曲 4 曲に新曲 2 曲を加えた内容だ。バンド名とアルバム名が示すように、グルカーの誇りを掲げたネパール語話者で構成されている。欧州～北欧流のエクストリームメタルをインドでいち早く実践したバンドと称しているが、プロダクションはひどくチープ。風変わりな曲名の M4「I.T.N.O.T.G.」はバンドの公式 YouTube によると「In the Name of God」の略記で、宗教の名を借りたテロ行為を糾弾する曲だ。

Heathen Beast

The Revolution Will Not Be Televised but It Will Be Heard

自主制作 2020 Black Metal

（初期）マハーラーシュトラ州ムンバイ／（現在）西ベンガル州コルカタ

「Atheistic（無神論の意）Black Metal」を標榜し、2010年に始動した3人組ブラックメタルバンドの1st アルバム。インド社会への反発心をそのまま表出した楽曲群を並べているが、メンバー3人の素性は皆目不明だ。欧州のアヴァンギャルドなブラックメタルとグラインドコアを折衷した音楽性で、インドの伝統楽器を用いた曲もあるが、Carvaka<vo, g>のハイピッチな咆哮は好き嫌いが割れるかも。アルバム名は、アメリカのラップの先駆者Gil Scott-Heronの代表曲に触発されたものだろうか。

In Human

Evocation

自主制作 2018 Technical Death Metal

西ベンガル州コルカタ

2010年の自主リリース盤『Voices』でデビューした5人組バンドによる、8年ぶりの2nd アルバム。同郷のスラッシュメタルバンドArmamentに在籍するIndranil Dasgupta<vo>が本作でもシンガーを務めている。Megadeth、Deathなどを影響源に挙げており、本作で広がるサウンドは幾分プログレッシヴなスラッシュメタルという印象。ギタリスト2人が流麗なプレイを披露するが、激しさを求めるリスナーには物足りないかも。M5「Flattening of Emotions」はDeathのカヴァーだ。

If Hope Dies

Lost

自主制作 2021 Progressive Metalcore

西ベンガル州ダージリン

2010年に結成された4人組プログレッシヴ・メタルコアバンドによる、通算5作目のシングル。2016年発表のEP『Sukna』はMeshuggah、After the Burialなどの影響下にあるアグレッシヴな作風だった。しかしキャリアを重ねるにつれて、クリーンヴォイスのパートを設けたり、クリーントーンのギターで浮遊感を醸し出したりするようになった。身近な人物との死別を題材にしたという本作にもそうした変化が反映されているが、結果的に日本や韓国の叙情派ポストハードコアバンドと近接した印象を受ける。

Infernal Diatribe

Videha Mukti

Transcending Obscurity India 2016 Black Metal

西ベンガル州コルカタ

トリオ編成のAghori（汚物や人肉を喰らうヒンドゥー教の異端派のこと）名義で2011年に結成され、メンバー交代の末にバンド名を変更したブラックメタルバンドの1st EP。バンドの公式YouTubeでライヴ映像を見ると4人組だった。アルバム名の由来は、離身解脱（存命中ではなく、死後に得られる解脱）を指すサンスクリット語だ。本作で広がるサウンドは、バンドが影響源に挙げている北欧産ブラックメタルの作法を踏襲したものだが、曲によってはインド産バンドならではのオリエンタルなフレーズが見え隠れする。

Imperial Cult

Rise of Yalamber

自主制作 2014 Black/Death Metal

（初期）西ベンガル州ダージリン／（現在）コルカタ

西ベンガル州ダージリンで結成後、コルカタに居を移した5人組デス／ブラックバンドによるデビューEP。ダージリンにはネパール語話者が集住しているせいか、タイトルチューンのM1にはネパール最古の王朝とされるキラータ朝を紀元前7世紀に建てた王の名を冠している。Behemoth、Vader、Naglfarといった欧州の先人達を影響源に挙げており、ブラストで暴れ回ったかと思えば、ミドル〜スローテンポのパートを交えたりと創意工夫の形跡が見えるが、プロダクションは少々チープだ。

Jyotiṣavedāṅga

Thermogravimetry Warp Continuum

Larval Productions 2018 Black/Death Metal/Noise

西ベンガル州コルカタ／ロシア・北カフカース連邦管区スタヴロポリ／ロシア・ロストフ州アゾフ

Banishのドラマーである AR がシンガーを務めるプロジェクトの1st アルバム。彼の脇を固めるSadist<g>とHorth<key>はロシア出身、サポートドラマーのKimことDmitriy Gerasimovはウクライナ出身だが、ジョーティッシュと呼ばれるインド占星術にちなむバンド名を掲げている。基本的には深いエコーのかかった絶叫を軸にしたアトモスフェリックなブラックメタルで、序盤は幾分ドゥーミーな佇まいだが、後半にはブルータル・デスメタルバンドのように甲高いスネアの打音が響き渡る曲もある。

Magiska Krafter

Dark Light and the Sprites Song

Salute Records　2012　Ambient/Drone/Doom/Avant-garde

西ベンガル州シリグリ

こちらもBurn the WaterのDebojyoti Sanyalが立ち上げたプロジェクトの1stアルバムで、その母体はSkool of Deadなる独りブラックメタル。名称変更に伴い、スウェーデンのSalute Recordsを率いるSatanic TonyことTony William Sundstranが自らメンバーに名を連ねた。延々と鳴り響く重たい単音に合わせて、アンビエントな電子音や陰鬱な唸り声、民族打楽器などが交錯し、トリップ感覚を醸し出す。ドローン（持続音）が不可欠とされているインドの伝統音楽から着想を得たのだろうか。

Mustang

Terror Striker

自主制作　2018　Heavy Metal

西ベンガル州コルカタ

2015年に結成された5人組メタルバンドの1stシングル。M1「Wrath of the Striker」は狼の遠吠えやシャウトを収めたSEのようなもので、表題曲のM2だけが聴きどころである。初期Iron Maiden、Traitors Gateの楽曲をライヴでカヴァーしている点から分かるとおり、1970年代末～1980年代前半のNOWOBHMへの強い憧憬を反映した音楽性だが、Piercerなるシンガーの歌唱が不安定で、高音が調子外れになる。チープなアートワークは確信犯的なものだろう

Mesmeric Revelation

Demo 2020

Black Cum Productions　2020　Black Metal

西ベンガル州コルカタ

タイトルが示すとおり、コルカタ出身のブラックメタルバンドによるデモ音源。アメリカのBlack Cum Productionsにて数量限定のカセット形態で流通された一方、メンバーの氏名や素性のみならず、何人編成なのかも不明である。公式サイトやSNSも見当たらないので、秘密体制を貫いているのだろう。音楽性は背徳感に満ちた劣悪音質のブラックメタルで、ヴォーカルには終始深いエコーが入り、ギターのリフはノイズまみれだ。しかし、同郷の先輩格であるKapalaのようにグラインドの性向は少ない。

Necrodeity

Death Over Kalikshetra

Death Oracle　2022　Death Metal

西ベンガル州コルカタ

Grave Relic名義で2011年に結成後、現バンド名に改称した4人組バンドのライヴ盤。2022年リリース作品だが、収録されたテイクは全部2014～2015年のものだ。Encyclopaedia Metallumでは「Death Metal」に分類されているが、Sarcófagoの1stアルバム（1987年）収録曲のカヴァー音源を過去に公開している点から、ウォー・ブラックメタルの性向が色濃い。ミキサー卓を通さずに拾った生演奏を無修正で収録したせいか、音質はきわめて劣悪で、特にドラムが耳障りである。

Mortar

Peacekeeper

Incanned Productions　2020　Thrash Metal

西ベンガル州コルカタ

2011年に始動した4人組スラッシュメタルバンドがYouTubeで公開した、本稿執筆時点の新曲。初EP『Ground Zero』（2013年）ではギターとベースを兼務したSamrat Daasがヴォーカル兼ギターにコンバート。Soham Ghosh<g>は残留した一方で、新たなリズム隊を迎えている。Razor、Exodusなどの影響下にある昔気質のスラッシュメタルを変わらずにプレイしているが、前掲のEPよりも音質が向上。ヴォーカル兼任となったSamrat Daasの歌唱は、前任者よりも安定感がある。

Nirriti

অসূর্যস্পর্শা (Asuryasparsha)

Iron BoneHead Productions　2020　Death/Black Metal

西ベンガル州コルカタ／カナダ・オンタリオ州トロント

Bhasma<vo>とVocals<g>の2人が、カナダのウォー・ブラックメタルバンドNuclearhammerのAxaazaroth<ds, vo>と立ち上げたトリオ編成バンドの1st EP。フィンランドのIron Bonehead Productionsで配給された。収録曲は2曲のみだが、どちらも7～13分台の長尺だ。Kapalaと同じく禍々しくノイジーな轟音と情け容赦ないブラストが交錯するが、全身に灰を塗ったヒンドゥー教の行者をアートワークにあしらった点でも分かるように、土着臭はこちらのほうが強い。

Obliterating Vortex
Unconquered War
自主制作 2022 Technical Death Metal
西ベンガル州ダージリン

2012年結成の4人組テクニカル・デスメタルバンドがMVを公開した楽曲で、通算4作目。サムネイル画像が首吊り用の縄で、歌い始めが「Peripheral Mental Threat」という一節であることから、メンタルヘルス問題を扱った曲だと思われる。デビューEP『Machineurotic』(2015年)の頃と同じく、ObscuraやNecrophagistのように複雑に入り組んだ楽曲だが、意識的かどうかはさておき、体感速度はそれほどでもない。その一方で、終盤でストリングスを用いて荘厳さを演出している。

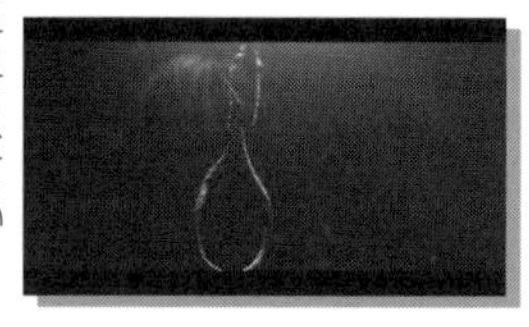

Purgation
Exterminated Malfeasance
Slaughterhouse Records 2013 Death Metal
西ベンガル州コルカタ

2010年に始動したデスメタルバンドのデビューEP。同時期に結成されたEvil Conscienceの初EPと同じく、ユタ州のSlaughterhouse Recordsで配給された。しかしモダンな音像のEvil Conscienceとは異なり、こちらはアメリカのオールドスクールなデスメタルの作法に割と忠実。Subhajit Dasgupta<vo>はリズミカルな下水道ヴォイスを繰り出す。バンドは元々5人編成だったが、本作発表直後に隣国バングラデシュへ遠征した際のライヴ映像では4人組になっていた。

Postmortem Fetal Extrusion
Dooms Day - End of Humanity
自主制作 2018 Brutal Death Metal
西ベンガル州ダージリン

2012年に結成されたブルータル・デスメタルバンドによる1st EP。結成初期は4人組だったが、本稿執筆時はツインギターの5人編成である。M1「Angel of Sex」はポルノグラインド風かと思いきや、ズンズンと深く沈み込むパートを設けた曲。バンド名そのものを曲名に掲げたM5や、M6「Reign of Terror」でもすり潰しの聴いた極太のリフを聴ける。日本の配信ストアではM3「Doomsday (End of Humanity)」が1曲目に移動しており、アートワークも変更されている。

Road2Renaissance
No More
自主制作 2020 Alternative / Post-Grunge
西ベンガル州コルカタ

2010年に結成後、2016年のEP『Fuse』でデビューを飾った3人組ポストグランジ/オルタナティヴバンドによる通算3作目のシングル。前シングル「Marijuana Song」(2019年)でマリファナの乱用防止を訴えたのに続き、本作は題名が示すとおり反戦と非暴力をテーマにしている。序盤はバンドが敬愛するNirvanaを想起させる局面があるが、フックは割と正攻法だ。しかし、間奏以後は眼鏡姿のAbhishek Chakraborty<vo, g>の独白と化しており、そのままフェードアウトするので少々戸惑う。

Project Trident
The Return of RA
自主制作 2020 Progressive Metal
西ベンガル州コルカタ

ロンドン・カレッジ・オブ・ミュージックに留学経験のあるSukhendu Chakraborty<g>が立ち上げたインスト・プログレッシヴメタルのプロジェクトによる1stアルバム。Evil ConscienceのPritam Middey<g>らが客演している。ヒンドゥー教の破壊神シヴァが転生した少年の冒険譚を描いたコンセプト作という謳い文句だが、意外にも落ち着いたAORテイストのサウンドを披露。プレイは安定していて、流麗なギターソロも聴ける曲もあるが、疾走感やアグレッションが弱い印象がある。

Ronin
Bokken
自主制作 2022 Progressive Metal
西ベンガル州コルカタ

スキンヘッドで髭面のSaptarshi Basu<g>を擁する4人組バンドによる通算3作目のシングル。日本の侍、武士をリスペクトしているらしく、ズバリ「浪人/Ronin」というバンド名を掲げているが、1st EP『Order vs Chaos』(2019年)の頃からDjentサウンドを採り入れたモダンなプログレッシヴ・メタルコアを志向している。本作の表題は「木剣」のローマ字読みだと思われ、日本の横笛と思しき音色が中盤で飛び出す。とはいえ、全体的にはヘヴィなスローテンポ曲で、曲展開はさほど難解ではない。

Scarface

The Improved Order of Red Men

自主制作 2014 Metalcore

西ベンガル州コルカタ

2010 年に結成されたメタルコアバンドによる 5th シングル。元々はツインギターの 5 人編成だったが、バンドの公式 Facebook で 2016 年に公開されたライヴ写真ではキーボード奏者を含む 6 人組になっていた。音源リリースを重ねるにつれ、モダンな Djent 風サウンドを採り入れた時期もあるバンドだが、本作は Fear Factory や Static X などアメリカのインダストリアル系バンドのような佇まいを醸し出している。グルーヴを重視したミドルテンポの曲だが、流麗なギターソロも聴ける。

Tetragrammacide

Third World Esoterrorism

Iron Bonehead Productions 2019 Black/Death Metal, Noise

西ベンガル州コルカタ

2012 年から活動するウォー・ブラックメタルバンドの初期音源 5 曲と、未発表曲 4 曲をコンパイルした企画盤。ヒンドゥー教の女神ラクシュミー（仏典では吉祥天）にガスマスクを被せたアートワークが背徳感満載である。2017 年の 1st アルバム『Primal Incinerators of Moral Matrix』発表時は、ロシアの出身の S（d）S（t）<g> なる人物を含む 3 人組だったが、本作発表時のラインナップは不明。とはいえ、ノイズまみれの中で咆哮とブラストが響き渡るという基本軸は揺るがない。

Strangulate

Catacombs of Decay

Transcending Obscurity Distribution 2016 Death Metal

西ベンガル州コルカタ

日本産ブルータル・デスメタルの若手に酷似した名称だが、こちらは Subhasish Mitra<vo> と元 Purgation の Denzil Davidson<g> の 2 人で始動したデスメタルバンドの 1st アルバム。Facebook で公開されているライヴ写真や映像では、オーソドックスな 4 人編成だったが、リズム隊をサポートで賄っているのだろうか。「Old School Death Metal」と形容されているバンドだが、Desultory や Seance など北欧のデスメタルの先人達に相通ずる面もある。

The Neighborhood Thrashers

Braindrain

自主制作 2020 Thrash Metal

西ベンガル州コルカタ

コルカタで活動するスラッシュメタルバンドの 3rd シングル。本稿執筆時点の正式メンバーは元 Mortar の Aniruddha Bera<vo, g, b> と、Bobanonymous なるドラマーの 2 人のみだ。前シングル「Violator」（2019 年）の頃から、Anthrax や Nuclear Assault などのように縦ノリ感覚のある疾走スラッシュをプレイしており、本作もその延長線上にある。7 分近い尺の長さに反して、中だるみすることなく聴かせるが、チープ極まりないアートワークは今後改善すべきだろう。

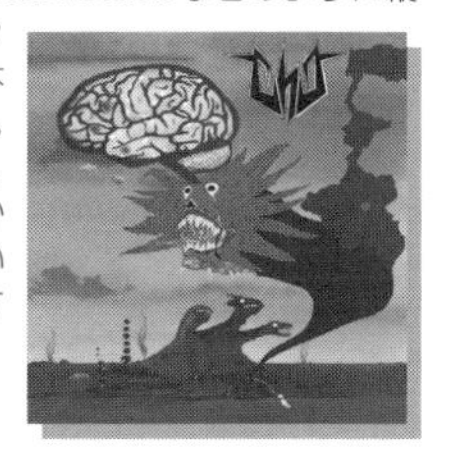

Sycorax

Weapon of Choice

自主制作 2019 Death Metal

西ベンガル州ダージリン

2011 年結成の 4 人組デスメタルバンドが YouTube で公開した楽曲。元々は『Psychedelic Evolution』という EP に収録予定だったが、先行配信された。Psycroptic、Necrophagist などを影響源に挙げているが、それほど難解な曲調ではない。「Death Struggle Craft」（2018 年）という楽曲にはデスコアのように休符を挟むパートがあったが、本作は中盤の単音リフからブラストで一気に加速する。歌詞の締めくくりで、血と殺戮を好むヒンドゥー教の女神カーリーを称えている。

Thirst of Faust

Aftermath

自主制作 2022 Technical Death Metal

西ベンガル州コルカタ

2020 年に始動した 4 人組デスメタルバンドの 3rd シングル。バンド名が示すとおり、前シングル「Mephisto」（2021 年）ではドイツの文豪ゲーテ（1749 ～ 1832）の『ファウスト』に登場する悪魔を題材にしていた。本作も『ファウスト』で描かれた嬰児殺しに触発されたものだがアートワークがチープだ。前シングルと同じくスローテンポだが複雑に入り組んだ曲で、Gorguts からの影響が窺える一方、幾分デスコア寄りでもある。眼鏡姿の Robby Dutta<vo> は低音グロウルと高音の金切り声を頻繁に往来する。

Tomb of Lucifer

Blood Birth of Lucifer

自主制作　2016　Black/Death Metal

西ベンガル州コルカタ

2015年に5人組で始動したブラックメタルバンド（本稿執筆時は4人組）の1st EP。日本のiTunesやSpotifyでは本国と曲順が異なる。Behemoth、Belphegorを影響源に挙げており、両者の背徳的なイメージに触発されてバンドを始めたと思われるが、拙い演奏レベルでチープな音像。ブラストで猛り狂う局面も少ない。インド民謡風のイントロで始まるM4「Nikumvila」は、インドの叙事詩『ラーマーヤナ』の敵役インドラジット（魔王ラーヴァナの息子でもある）が祭祀を行う場所を曲名に掲げている。

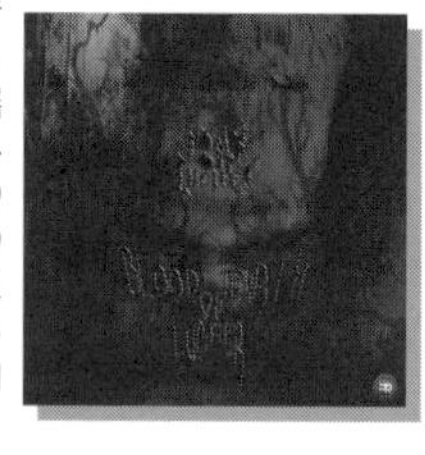

Vikrit

The King in Exile

自主制作　2018　Progressive Metal

ジャールカンド州ラーンチ

2010年に結成された5人組プログレッシヴメタルバンドのデビューEP。メンバー5人のうち、Surya Thapa<key>はネパールの山岳民族であるマガル族だ。Dream Theater、Opethなどを影響源に挙げているとおりの音楽性で、相応の演奏力はあるが、Rohit Michael Tigga<vo>の歌唱が引っ込み気味に感じる。随所にストリングスを交えているのが特徴だが、M3「Time Machine」ではシタールと思しき音色やオリエンタルな旋律も加えている。

Yonsample

Extropy

Ok Listen Media　2015　Technical Groove Metal

西ベンガル州コルカタ／マハーラーシュトラ州ムンバイ

2008年から活動している5人組プログレッシヴ・メタルコアバンドの通算3作目であり、初のフルアルバム。Born of Osirisそっくりの煌びやかなでスペーシーなシンセを背景に、Djent特有の重低音リフで縦横無尽に跳ね回る音楽性はキャリアの初期から変わらない。M2「This Is Returning」やM3「Espial」は、Peripheryのように甘いクリーンヴォイスで浮遊感を発散するパートを設けた曲だが、全体的にArka Das<vo>がグロウルで咆哮する場面が増えた印象を受ける。

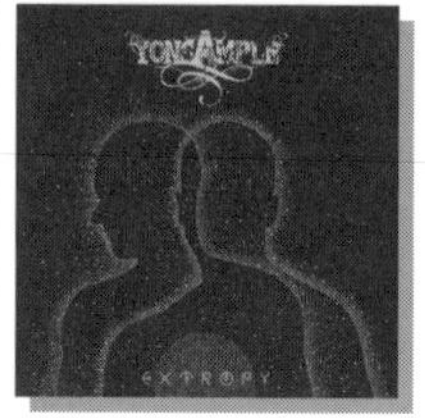

Boseとインドの意外なつながり

スピーカーやヘッドフォンでお馴染みの音響機器メーカー、Boseの創業者の父親がインド人だったことを、果たしてどれだけの方がご存じだろうか。

1898年12月生まれのNoni Gopal Boseという男は、公立のコルカタ大学で物理学を専攻していた。彼はその傍らで反英運動に参加しており、イギリスからの独立を訴えるビラを配布した容疑で1920年に検挙される。身の危険を感じたNoriは起訴される前にコルカタからチェンナイへ逃走し、さらに海路でアメリカのニューヨークへと渡る。当時のNoniの所持金はわずかだったそうだが、在外インド人の急進的独立運動家グループであるガダール党のメンバーらの支援を受け、ペンシルベニア州フィラデルフィアで腰を落ち着けると、インテリアや家具を取り扱う店をオープンする。そして、ヒンドゥー教とヴェーダーンタ哲学に関心を持っていたアメリカの女性教師Charlotte Mechlinとめぐり会い、1929年11月に男児をもうけた。その名はAmar Gopal Bose。彼こそがBoseの創業者として後年名を馳せる人物である。

Noriの店はあまり繁盛せず、Bose家の家計は苦しかった。一方、Amarは機械いじりが大好きで、子供の頃から自力でラジオの組み立てや修理をやっていた。そこでAmarは少しでも家計を助けようと、Bose家の地下室でラジオの修理サービスを請け負うようになる。これが大当たりし、Amarはわずか13歳にしてフィラデルフィアで評判のラジオ修理業者となる。

やがてAmarは名門のMIT（マサチューセッツ工科大学）へ進み、1956年に電子工学の博士号を取得する。ちょうどその頃、Amarはハイエンドのステレオスピーカーを購入したものの、ライヴでの生音とは程遠い音質に失望を覚える。これがきっかけでAmarは音響学の研究に没頭。1964年にMITの大学発ベンチャーとして、自らの姓を社名に冠したBoseを創業し、自社開発のスピーカーの販売を始める。創業から4年経った1968年には、超ロングセラー製品となるBose 901を投入。前面に1つ、背面に8つのスピーカーユニットを配置したBose 901の構造は、マンハッタンのカーネギーホールの特等席で直接音と反射音の比率を調べたところ、直接音が1、ホールからの反射音が8だったことに由来している。Boseのカースピーカーはポルシェ、ルノー、MAZDA、日産といった自動車大手に採用されているし、今では当たり前になっているノイズキャンセリングも、そもそもはBoseが1989年に飛行機のパイロットが着用するヘッドフォン用に開発した技術だ。

こうしてAmarはMITで45年あまりにわたって教鞭を執りながら（注：最終的には名誉教授となる）、Boseを一代で年商35億ドル（約4664億円）規模の企業に成長させた。なおAmarは2013年に83歳で死去する前、自社株のおよそ半数をMITに贈与している。

面白ミュージックビデオその１

辞書で「面白い」という形容詞を引くと、「興味をそそられて、心が引かれるさま」「つい笑いたくなるさま」「心が晴れ晴れするさま」「一風変わっている」など、さまざまな定義が載っている。ここでは本書に登場するメタルバンドのMVの中から、筆者が「面白い」と感じた29本を厳選して紹介する。

俳優やダンサーを起用した手の込んだものから、ストーリー仕立てのもの、あるいはアニメ仕立てのもの、ポリティカルな主張が込められたものに至るまで、バリエーションは豊かだ。本書を片手にYouTubeで検索してほしい。

Indian Street Metal ("Ari Ari" ft. Raoul Kerr) - Bloodywood 2018年5月の公開以後、YouTubeで638万回あまりの再生回数を叩き出したBloodywoodの傑作MV。正式メンバーのJayant Bhadula<vo>、Raoul Kerr<rap>、Karan Katiyar<g,flute>が馬、ラクダ、徒歩で異国情緒あふれるインドの街を練り歩いた後、野外の結婚式場と思しき場所で合流し、歌と演奏を続ける。要所に挿入されたダンサーの群舞はボリウッド映画のようだ。

Undying Inc. - Decimate - Instrumental Jam これは面白というよりもハプニング映像。Undying Inc.の楽器隊３人による「Decimate」（2020年）のパート別演奏を３分割画面で表示させたものだが、右上に映っているリーダーのBiswarup Gupta<g>の愛猫がこっそり侵入し、スタンドに立てかけているギターにまとわりついたり、彼の作業机に飛び乗ったりするのだ。なぜBiswarupは撮り直しをしなかったのだろうか。

Kraken. -『Bouncy Bouncy Ooh Such a Good Time』 Kraken.の１ｓｔ EP『Lush』（2017年）収録曲のMV。三鷹の森ジブリ博物館、回転寿司チェーンのかっぱ寿司の店内、さらには渋谷センター街の風景で構成したものだ。よほど日本が気に入っているのか、バンドは浅草の訪日外国人向け観光案内所で忍者と侍に扮した日本人を起用し、同EP収録曲の「Mango Duet Summers: The Bonus Level」のMVを撮影している。

インドは知られざる Djent ／プログレッシヴメタル先進国

筆者はインドの章で Djent という語句を少なくとも 50 回以上、プログレッシヴメタルという語句を 30 回以上も使っている。かたや前書『デスメタルコリア』を読み返すと、同書の紙幅は全 384 ページを誇るにもかかわらず、Djent という語句は 9 回、プログレッシヴメタルという語句は 7 回しか出てこない。この点だけを取ってみても、インドは韓国よりもはるかに Djent とプログレッシヴメタルが盛んであることが窺える。その理由は何だろうか。察するにそれは、インド人が数学や計算に長けていることと関わりがあるかもしれない。

十進法を考案した数学大国

よく知られているように、数学のゼロという概念は 4 ～ 5 世紀のインドで見出された（3 ～ 4 世紀だとする研究もある）。我々が日常で使っている十進法の算用数字も、そもそもはインドで考案された後、8 世紀頃にアラビア語圏に伝わり、10 ～ 11 世紀頃にはヨーロッパ諸国へと広まり、現在では世界中に浸透している（それゆえに算用数字は、アラビア数字とも呼称される）。それに、日本に住まう我々は小学 2 年生で掛け算の九九を習うが、インドでは幼稚園児の頃に掛け算の 2 の段や 5 の段、簡単な足し算や引き算を教わり、小学校低学年で九九を 20 段まで暗記するように指導されるという。そんなインド人の数学的素地は、複雑なポリリズムやシンコペーション、変拍子を駆使する Djent というサブジャンルに向いているのだろうか。実際に、Skyharbor を率いる Keshav Dhar<g> はマニパル大学で生物医学工学を先行した理系エリートだし、Limit Zero を立ち上げた Shreyas Skandan<g> は本稿執筆時点ではペンシルベニア大学工学部でロボット工学を研究する博士課程学生だ。

インドでメタル情報を発信している『Rolling Stone India』では、欧米の Djent ／プログレッシヴメタル勢を表紙に起用することがある。Meshuggah は 2013 年 11 月号の表紙を飾った。日本の専門誌では考えられない人選だ。本書の中盤には『Rolling Stone India』シニアライターである Anurag Tagat 氏のインタビューも載っているので、あわせてご一読願いたい。

インドの年齢中央値は 27.9 歳

さらに国連の『世界人口推計 2022』によると、少子高齢化の進んだ日本の年齢中央値は 48.4 歳だが、インドの年齢中央値は 27.9 歳で、20 歳以上も若い。つまり、筆者と同世代の 48.4 歳（1974 年生まれ）のリスナーなら、1980 年代の正統派メタル／ハードロックブームを小～中学生の頃に体験したはずだ。かたや、27.9 歳（1995 年生まれ）のリスナーが小～中学生になるのは 2000 年以降のことである。その頃には、Porcupine Tree の 6th アルバム『Lightbulb Sun』（2000 年）、Opeth の 5th アルバム『Blackwater Park』（2001 年）、Tool の『Lateralus』（2001 年）といったプログレッシヴメタルの重要盤のみならず、Djent の始祖と目される Meshuggah の 4th アルバム『Nothing』（2002 年）、Textures の 1st アルバム『Polars』（2003 年）、SikTh の 1st アルバム『The Trees Are Dead & Dried Out Wait for Something Wild』（2003 年）もリリースされた。こうしたリアルタイムで触れた音楽の原体験の違いも、インドで Djent ／プログレッシヴメタル勢が幅を利かせている一因として考えられる。

インド北東部 North East India

インド北東部に位置する7州（アッサム州、アルナチャル・プラデーシュ州、トリプラ州、ナガランド州、マニプール州、ミゾラム州、メガラヤ州）と、かつてチベット系のシッキム王国（ナムゲル朝）があったシッキム州では、アーリア人でもドラヴィダ人でもなく、さまざまなモンゴロイドの少数民族が暮らしている。彼らの文化風習、生活様式などはインドの他地域とはだいぶ異なり、イギリス統治時代に浸透したプロテスタントに集団改宗した者もいる。中国チベット自治区、ブータン、ネパール、バングラデシュ、ミャンマーと国境を接する複雑な立地ゆえに国防上ないし治安上の理由により、外国人によるインド北東部への入域は長らく制限されていた。本稿執筆時も、外国人がアルナチャル・プラデーシュ州とシッキム州を訪ねるには入域許可証が必要で、ナガランド州、マニプール州、ミゾラム州の場合は到着から24時間以内に現地の警察署で外国人登録をしなければならない。

豊かな自然環境を生かしたエコツーリズムと、全耕作地の完全有機農業化に成功したシッキム州の1人当たりGDP（約4781ドル）はデリー連邦直轄領（約4887ドル）に匹敵するが、残りの7姉妹州の1人当たりGDPは総じて低い。また、インド北東部は山岳地帯が多いためインドの他地域より人口が少なく、本章で扱う8州の全人口を合計しても（約4573万人）、西部のグジャラート州（約6043万人）や南部のカルナータカ州（約6109万人）に及ばないが、デリーやムンバイ、ベンガルール、コルコタなどの大都市と遜色のないメタルシーンを形成しているかもしれない。日本産ヴィジュアル系バンドからの影響を公言するArogya、王道アメリカン・ハードロック路線のGirish and the Chronicles、本格ブルータル・デスメタルのSyphilectomyに至るまで、本章に登場する全61組の顔触れは実にバラエティ豊かである。

調査対象エリア（人口およそ4573万人）

アッサム州、アルナチャル・プラデーシュ州、シッキム州、トリプラ州、ナガランド州、マニプール州、ミゾラム州、メガラヤ州。
※人口は2011年インド国勢調査に基づく。

言語　ヒンディー語（連邦公用語）、英語（準公用語）、アッサム語（アッサム州の州公用語）、コク・ボロック語（トリプラ州の州公用語）、ベンガル語（トリプラ州の州公用語、アッサム州にも話者が多い）、ネパール語（シッキム州の州公用語）、マニプリ語（マニプール州の州公用語）、ミゾ語（ミゾラム州の州公用語）、その他の現地語（カシ語、ガロ語、タニー語、ボド語など）。

宗教　ヒンドゥー教徒が過半数を占めるのは、2011年インド国勢調査によるとアッサム州、シッキム州、トリプラ州の3州のみ。ただしアッサム州はムスリムの比率（34.22%）がインド全土平均（14.23%）を大幅に上回り、シッキム州では仏教徒の比率（27.39%）がインドの全土平均（0.7%）より著しく高い。また、アルナチャル・プラデーシュ州、ナガランド州、マニプール州、ミゾラム州、メガラヤ州の5州はクリスチャンが多数派を形成する。その比率は30.26%（アルナチャル・プラデーシュ州）～87.93%（ミゾラム州）に達し、インドの全土平均（2.3%）とかけ離れている。

Arogya ヴィジュアル系のような出で立ちで元々はネパール語詞の曲をプレイしていた５人組

（初期）シッキム州ガントク／（現在）アッサム州グワハティ　2013～　Arena Rock/Metal/Electronic
（影響）X JAPAN、DIR EN GREY、the GazettE、Crystal Lake　2251

日本特有の音楽カルチャーであるヴィジュアル系は、日本産アニメや漫画、ゲームと同じく世界各地に浸透し、アジア諸国や欧州にもヴィジュアル系を志向するバンドが存在する。インド北東部のシッキム州の州都ガントクで2013年に始動したArogyaも、日本産ヴィジュアル系バンドからの影響を公言するバンドだ。

初期アルバム２枚は全編ネパール語

Arogyaは2013年に、Rainjong Lepcha（ヴォーカル、写真中央）、Rui Xing（ドラムス、写真右から2人目）らを中心に結成される。バンド名の由来は「無病の／健康な」という意味のサンスクリット語だ。彼らはインド産バンドにもかかわらず、全編ネパール語によるセルフタイトルの1stアルバム（2015年）と2ndアルバム『Arogya Ⅱ』（2018年）にリリースする。連邦公用語のヒンディー語でも準公用語の英語でもなく、なぜArogyaは全編ネパール語の楽曲をこれら2枚のアルバムに収めたのだろうか。その理由は、シッキム州がインドの22番目の州として発足した特異な経緯と関わりがある。

インドがイギリス統治下にあった19世紀、西ベンガル州ダージリン産の紅茶が世界中で珍重されると、ダージリンから約125km北上したシッキムでも茶園が操業し、ネパール人の茶園労働者が集団移住した。1975年のシッキム州発足以降も、この地ではネパール系住民が多数派を占める。それゆえにArogyaは当初、ネパール語話者のオーディエンスを意識して活動しており、当然ながらネパールでも頻繁にライヴしている。結成からしばらくの間、Arogyaはごく普通の出で立ちをしていた。バンドの公式YouTubeで初期のライヴ映像を見たところ、メンバー全員が普段着で素顔をさらけ出していた。2016年10月にMr.BigのEric Martin<vo>のガントクでのソロ公演をサポートした時も同様で、ヴィジュアルに気を配っている様子は見られなかった。

日本のGyzeと一時期はレーベルメイトに

バンドの弁によると、Arogyaは2017年に活動拠点をアッサム州グワハティに移し、Gitartha Goswami（ギター、前ページ写真左から2人目）、Suraj Biswas（ギター兼キーボード、前ページ写真右端）、Bipal Bagdas（ベース、前ページ写真左端）の3人を新たに迎え入れる。そして前掲の2ndアルバムを2018年にリリースしたわけだが、同アルバム収録曲「Astitwa」のMVでは、往年のヴィジュアル系の定石とされた黒服に身を包み、Rainjongはメイクを施していた。

それから1年経った2019年7月、Arogyaは前ページのマスク姿に大変身を遂げ、初のオール英語詞による3rdアルバム『Genesis』（2021年）のリードトラック「Dark World」のMVを公開する。と同時に、シンガーのRainjong LepchaはRain、ギタリスト兼キーボーディストのSuraj BiswasはDeadnoxxという芸名を用い、Gitartha GoswamiとBipal Bagdasはそれぞれファーストネームのみを名乗るようになった。察するにこれは発音、読みやすさ、覚えやすさなどを考慮した措置だろう。

Arogyaは2020年1月に、As I lay Dyingのグワハティ公演でサポートアクトに抜擢された後、前掲の3rdアルバムを2021年5月に満を持してリリース。これは、ドイツのゴシックメタルバンドLord of the LostのChris Harms<vo>を共同プロデューサに迎えた作品でもあり、ドイツのOut of Line Musicにて配給された。同レーベルは、日本のGyzeの4thアルバム『Asian Chaos』（2019年）の海外盤の配給元でもあるので、GyzeとArogyaはレーベルメイトになったわけだ。（注：Gyzeはその後オーストリアのNapalm Recordsへ移籍すると共に、Ryujinという新たなバンド名を名乗っている）

バンドはその後、Pawan DamaiとMr.Gというギタリスト2人と、Undying Inc.やUndersideで活動したNishant Hagjer<ds>を新たに迎え入れて活動している。

Arogya
Arogya
Live and Loud Records　2015
（初期）シッキム州ガントク／（現在）アッサム州グワハティ

セルフタイトルの1stアルバム。物憂げなバラードのM1「Samay」で始まり、『Joshua Tree』（1987年）の頃のU2のようなM2「Timilai」へと続くが、M2は中盤で突如としてネパール語のラップが飛び出す。Rainjong Lepcha<vo>は女性受けしそうな甘い声の持ち主だが、M4「Kasto Naata」ではグロウルで咆哮し、M6「Saya」のイントロではフォーキッシュな詠唱も披露する。しかしアルバム全体を俯瞰するとメタル色は皆無に等しく、一部の楽曲で用いたシンセの音色もチープだ。

Arogya
Arogya II
Live and Loud Records　2018
（初期）シッキム州ガントク／（現在）アッサム州グワハティ

前作に続き、全編ネパール語詞の楽曲を収めた2ndアルバム。ただし収録曲数は5曲で、実質はEPだ。日本の配信ストアでは曲順がオリジナルリリースと異なる。前作よりもプロダクションが向上し、シンセの使用頻度が増えており、幾分インダストリアル寄りのM1「Bujhna Sakina」で始まる。M2「Juni Juni」はRainjong Lepcha<vo>の甘い声を活かしたバラードだが、彼はM3「Astitwa」とM5「Pralaya」でグロウルも繰り出す。とはいえ、全体的にヘヴィな音作りをしておらず、根っからのメタルファンには物足りないかもしれない。

Arogya
Genesis
Out of Line Music　2021
（初期）シッキム州ガントク／（現在）アッサム州グワハティ

オール英語詞の楽曲群を収めた3rdアルバム。Lord of the LostのChris Harms<vo>が共同プロデューサーを務めたせいか、前2作よりも格段に洗練度が増した。Rain<vo>の英語詞による歌唱も至ってナチュラルで、事前知識がなければ欧米のゴシック／インダストリアル系バンドのアルバムだと勘違いするかもしれない。ダンサブルな楽曲群が散見する一方で、Rainは要所でグロウルを披露。M6「Misery's Liar」、M8「Lies」はフィンランドのHIMを想起させる耽美なナンバーだ。

Arogya
Desire
Out of Line Music 2022
（初期）シッキム州ガントク／（現在）アッサム州グワハティ

目下制作中の4th アルバムのリードトラックと謳われているシングル。新ギタリスト2人と新ドラマーが加わった一方で、Lord of the Lost の Chris Harms<vo> が共同プロデューサーを続投。彼が関与した3rd アルバム『Genesis』（2021年）の楽曲群と同じく、シンセを多用した耽美でメロディアスな表題曲の M1 と M2「Supernatural」が収められている。後者の M2 のほうが疾走感のある曲だが、メンバー全員が南米のインディオのような扮装をした MV は好悪が分かれるかもしれない。

Arogya インタビュー

筆者の前著『デスメタルコリア』（2018年）では Eve、Nemesis など韓国のヴィジュアル系バンドを数組扱ったが、インドにも日本産ヴィジュアル系バンドからの影響を公言するバンドが存在するとは誰が想像しただろうか。そのバンドの名は Arogya。ヒマラヤ山脈に囲まれたインド北東部のシッキム州ガントク出身の5人組だ。その存在に興味をそそられた筆者がインタビューを申し出たところ、メンバー全員のみならず、マネージャーの Janice Teh 女史も回答を寄せてくれた。ただし、このインタビューの実施時期は、Gitartha Goswami<g> と Bipal Bagdas<b> の2人が脱退する前だったことを留意願いたい。

回答者：Rain<vo>、Gitartha<g>、Deadnoxx<g, key>、Bipal<b>、Rui X<ds>、Janice Teh<manager>

――初めまして。まずバンド結成のきっかけと、各メンバーが影響を受けたアーティスト、お気に入りのバンドを教えてもらえますか？

Rain：音楽を愛するコミュニティーの感情を揺さぶって記憶に残るような曲を、僕らのルーツであるネパール語で書くのは意義深いことだし、それによって後世で長く語られる存在になるんじゃないかと思ったんだ。

Deadnoxx：影響を受けたアーティストやお気に入りのアーティストは各メンバーそれぞれ異なるけど、総合するなら Iron Maiden、Rammstein、Marilyn Manson、In Flames、Lord of the Lost、Ghost、Within Temptation だね。メタル以外では Depeche Mode と U2 も好きだよ。

―― Arogya というバンド名は「無病の／健康な」という意味のサンスクリット語で、日本の女性向けヨガスタジオ／ヨガサロンがよく屋号に使っています。あなた方がこのバンド名を選んだきっかけを教えてもらえますか？

Rain：Arogya という言葉には、「Giving Good Health ／よい健康をもたらす」という意味や、「Healer ／癒し人」という意味もある。つまり僕らの音楽によってリスナーが癒やされ、彼らの霊性が高まることを願って、Arogya というバンド名を選んだんだ。人々の意識を喚起して物事の考え方を改めさせるために、自殺や児童人身売買、環境破壊といった社会問題を扱った曲も書いてきたよ。

――私はこのインタビューを申し込む前に、過去30年あまりにリリースされたインド亜大陸のメタルバンドの音源を大量に聴き込みましたが、日本のヴィジュアル系バンドのようなルックスをしたバンドは、インド全土を見渡してもおそらく Arogya だけでは？と思われます。あなた方は日本と日本人に対してどのような印象を持っていますか？ もし好きな日本人アーティストがいたら教えてもらえると、なお幸いです。

Rain：それは嬉しい言葉だね！ 確かに僕らがインドに初めてヴィジュアル系の要素を

インドに初めてヴィジュアル系の要素を持ち込んだ

持ち込んだ。僕らは**現代日本のロック文化と伝統に強くインスパイアされた**からね。

Gitartha：日本人は勤勉かつ効率的で、礼儀正しいコミュニティーを形成している。日本には色鮮やかな文化と立派な社会的価値観が根づいていると思うよ。好きな日本人バンドは大勢いるけど、あえて厳選するなら X JAPAN、DIR EN GREY、the GazettE、それに Crystal Lake だね。

――シンガーの Rain は Rectified Spirit というバンドで、パワーメタルやメタルコアの曲を英語詞で歌ったことがあるそうですね。しかし、Arogya ではセルフタイトルの 1st アルバム（2015 年）から長らく、ネパール語詞の曲で活動していました。なぜ英語でもヒンディー語でもなく、ネパール語詞の曲をプレイしていたのですか？

Rain：実際には僕だけじゃなく、Gitartha も Rectified Spirit でプレイしたけどね。それはともかく、僕らの出身地であるシッキム州ではネパール語も公用語の1つとして認められていて、ネパール語話者も多い。したがってネパール語歌詞の曲をプレイしてインパクトを与え、ネパール語を話すリスナーとつながるためのプロジェクトとして Aryogya はスタートしたんだ。

Gitartha：ただ、今回リリースした 3 枚目のアルバム『Genesis』では、オール英語詞の曲を収録するという方向にシフトした。その手始めに発表した初の英語歌詞のシングル「Dark World」は「Rolling Stone India」で 2019 年のベストシングル 10 選に入ったよ。

―― Arogya の出身地であるシッキム州ガントクには、チベット密教（仏教）を尊ぶシッキム王国が 1642 ～ 1975 年まで存在していました。また、シッキム州の東側はブータン、西側はネパール、北側は中国チベット自治区ですが、過去にこれらの近隣国、地域でライヴしたことはありますか？

Bipal：ネパールでは何度もライヴしていて、The Edge Band（注：1998 年から活動しているネパールの非メタル系バン

Mr.Big の Eric Martin は、
僕らの音楽を気に入ったと言ってくれた

2022 年のシングル「Desire」リリースに合わせて公開された写真。ヴィジュアル系というよりは、フィンランドの怪物バンド Lordi のような出で立ちだ。なお、この写真では 5 人組だが、前掲の「Desire」発表時のラインナップは 6 人編成である。

ド)、Bipul Chettri（注：ネパール語歌詞の曲をプレイするインド人シンガーソングライター)、それに Underside といった有名アーティストと共演したよ。でも、ブータンと中国チベット自治区にはまだ行ったことがない。個人的には、そのうちブータンでプレイする機会があればと思っているけど。

──反対に首都のニューデリー、ムンバイ、コルカタ、ベンガルールなどでライヴしたことはありますか？　もしあれば、これらの大都市とインド北東部の土地柄の違いがあったら教えてもらえますか？

Rain：僕らはシッキム州で結成されたバンドなので、インド北東部と東部での活動に注力している。特に西ベンガル州ダージリン、アッサム州グワハティ、アルナチャル・プラデーシュ州、それにメガラヤ州シロンといったエリアだね。逆に言うと、インド本土（注：西ベンガル州以西）ではまだライヴしたことがないんだ。

── Arogya のセルフタイトルの 1st アルバム（2015 年）に収録された曲の歌詞は、Neelam Gurung という女性の作詞家が提供したそうですね。彼女はインド北東部では有名な作詞家で、今でもあなた方と一緒に仕事しているのですか？

Rain：Neelam はシッキム州ではよく知られた作詞家でね。Arogya というバンド名

を勧めてくれたのも実は彼女なんだ。より正確に言うと、Robin Raiという人物と彼女の2人が、Arogyaのセルフタイトルの1stアルバムに収めた楽曲群を作詞してくれた。2ndアルバム『Arogya Ⅱ』(2018年)ではKiran Gurungという男性の作詞家と一緒に仕事した。彼との仕事はとても楽しかったね。

Gitartha:3枚目のアルバムのリードトラック「Dark World」には、Darshan Dev Dahalという人物が翻訳したネパール語ヴァージョンもあるんだ。そっちのヴァージョンは「Andhyaro Sansaar」という曲名になっている。彼らのように才能あふれる人々と一緒に曲作りができて、ありがたく思っているよ。さっき話したように、3枚目のアルバム『Genesis』はオール英語詞の作品で、マネージャーのJanice Tehが英語による作詞を手伝ってくれたJaniceも実に多彩な人物だよ(笑)。

——2016年10〜11月、Mr.BigのEric Martin<vo>がインドの8都市でソロ公演を行い、そのうちシッキム州ガントク公演ではArogyaがサポートアクトを務めたそうですね。当時の面白いエピソードを教えてもらえますか?

Bipal:Eric Martinのサポートアクトを務めたのは素晴らしい体験だった。僕らは少年時代にMr.Bigの曲をよく聴いていたので、まるで子供の頃のヒーローに出会った気分だった。Café Live & Loudというシッキム州の会場で共演した時は、とても興奮したよ。

Rain:Ericほど謙虚でクールなセレブリティーには初めて出会ったよ。彼はしょっちゅうジョークを飛ばして皆を笑わせていた。実に楽しい時間を一緒に過ごすことができたね。それに、彼はArogyaの情報をあらかじめ仕入れていて、僕らの音楽を気に入ったと言ってくれたんだ。あれには驚かされたよ!

——先ほど話題に上がったとおり、3rdアルバム『Genesis』はキャリア初となるオール英語詞のアルバムでした。バンドのルーツに根差したネパール語ではなく英語詞の曲を作ったのは、海外のファン獲得を意識したからですか?

Rain:そうだよ。より幅広いリスナーにリーチして存在感をアピールするために、英語詞の曲をプレイすることにしたんだ。2018年の2枚目のアルバムに収録した「Mero Maya Ma」のMVをYouTubeで公開したところ、いろいろな国のリスナーが僕らの曲を気に入ってくれたけど、彼らにはネパール語の歌詞の意味が分からなかった。そのため歌詞を英訳してほしいとか、オール英語詞の新曲を出してほしいといったリクエストがネット上にたくさん寄せられたんだ。

Janice Teh:3枚目のアルバムのリードトラック「Dark World」をリリースした際、インド国内とネパールのみならず、フランスやドイツ、スウェーデン、イタリア、アメリカ、日本からも好意的な反応が返ってきました。バンドはその時、自分たちの音楽が進化を遂げ、方向性が定まったと気づいたのです。自分たちに最もフィットしたサウンドをついに手に入れたというわけです。

——ドイツのLord of the LostのChris Harms<vo>をエンジニア兼プロデューサーに迎えたきっかけや、一緒に作業した時の印象を聞かせてもらえますか?

Gitartha：僕らはLord of the Lostの大ファンなんだ。YouTubeで聴いた彼らの曲に感銘を受けたので、Eメールでコンタクトを取ったんだ。ドイツにいるChrisと一緒に仕事することはチャレンジだった一方で、心躍る出来事でもあった。作業プロセスにも大満足している。

── 2019年9月付の「The Northwest Today」（注：インド北東部にフォーカスしたニュースサイト）の記事によると、最近アッサム州では、インド政府当局の各種移民政策（たとえば改正国籍法）をめぐって大規模な抗議活動が起きて、日本でも時折ニュース報道されましたが、治安は大丈夫なのでしょうか？

Deadnoxx：インドでは新型コロナウイルス対策としてロックダウン（移動制限）が行われたけど、アッサム州では街中を普通に歩けたよ。確かに改正国籍法に対する抗議活動があったけど、アッサム州でのたいていの集会は平和的なものだった。

──シッキム州ガントクに比べると、アッサム州グワハティのほうが大都市で、ライヴパフォーマンスの機会、欧米のビッグネームと共演できる機会が多いのですか？

Rain：シッキム州ガントクは標高約1600mの丘の上にある街で、（景色は必見だけど）人口わずか10万人程度だ。それに比べてアッサム州グワハティの人口は100万人近くで、欧米バンドの公演が盛んに行われているから音楽シーンが着実に育っている。As I Lay Dyingだけでなく、スイスのEluveitie、イスラエルのOrphaned Land、アメリカのVeil of Maya、フランスのBenightedなどもグワハティでライヴしたことがあるよ。

──ところでArogyaの現メンバーのうち3人（ヴォーカルのRain、ベースのBipal、ドラムのRui X）は、アッサム州グワハティ在住のヒスパニック系アメリカ人Lain Heringmanが立ち上げたRain in Saharaというプロジェクトに合流したそうですね。2020年2月に公開された「YTOFIAJ（You Think Our Future Is a Joke）」のMVを見ると、Rain in Saharaの音楽性はRage Against the MachineやLinkin Parkなどを連想させます。これは一体どういうプロジェクトなのですか？　参加したきっかけと、今後どうやってArogyaの活動と両立させていくのか、教えてもらえますか？

Rain：より正確に言うと、Rain in Saharaに参加したのはヴォーカルの僕とドラムのRui Xの2人で、ベースのBipalは加わっていないんだ。Lain Heringmanとは、Arogyaとしてインド北東部の各地をツアーした際に知り合った。LainはArogyaの音楽と情熱的なステージを気に入ってくれたので、僕らのよい友達になった。なおかつLainはグワハティ在住なので、Rain in Saharaというプロジェクトに僕とRui Xを招き入れたんだ。彼とコラボレーションすることができて嬉しかったよ（彼はクラシック音楽にも精通しているんだ！）一緒に仕事をして楽しかったよ。

Rui X：正直なところ、複数のバンド／プロジェクトを両立させることは大変だ。でも厳密なルーティンを維持し、それにまつわる物事を管理することなど、さまざまな課題から得られる教訓も多い。カギとなるものは規律と献身、それに各自の役割をわきまえて責任をしっかり取ることだね。

── Arogyaの2ndアルバム『Ayogya II』と3rdアルバム『Genesis』、それにRain in Saharaの「YTOFIAJ（You Think Our Future Is a Joke）」などは、iTunes、Apple Music、Spotifyなどで日本でも試聴可能です。最後に日本のリスナーにぜひメッセージをお願いします。

Rain：インタビューの機会をくれてありがたく、光栄に思っている。日本のリスナーの人々と、僕らの音楽を愛して激励してくれる熱心なファン全員に感謝している。引き続きサポートしてほしい。いつか皆に直接会えることを願っているよ。

まるでインドネシア出身かのような スラミング系ブルータル・デスメタル

Syphilectomy

ナガランド州コヒマ　2012〜　Slam/Brutal Death Metal　（影響）Cerebral Effusion、Disgorge（アメリカ）、Cerebral Incubation、Cephalotripsy、Vulvectomy　1276

Syphilectomyは、ミャンマーと国境を接するナガランド州で活動するブルータル・デスメタルバンド。いわゆるスラミング系のバンドとしてはインド屈指の存在であり、世界レベルに達していると見なされる3人組だ。

梅毒と切除を表す接尾語を結合したバンド名

Syphilectomyは2012年に始動したバンドだが、前身バンドのDeathabattoirとしては2007年に産声を上げている。ToshiことAotoshi Imchen<vo, b>とMasochistことAsetuo Seyie<g>はDeathabattoir時代から行動を共にしているオリジナルメンバーで、彼らは2009年までDeathabattoir名義で活動した後、「腐敗した腸」を意味するPutrid Bowelsにバンド名を変更。さらに2012年から、Akhrielie Gangmei<ds>を加えたトリオ編成となり、「Syphilis／梅毒」と「切除」を表す接尾語「ectomy」を結合したSyphilectomyというバンド名を名乗るようになった。Syphilectomyのバンドロゴを考案したのは、彼らが影響源に挙げているスペインのCatastrophic EvolutionのSeyerotことJavy Reyes<vo>である。

ブルータル・デスメタル大国との親和性とドキュメンタリー映画出演

Syphilectomyは2014年6月にデビューEP『Circumcised Abominable Deformity』を発表する。同EPのリリース元は、ブルータル・デスメタルの震源地と言われるイタリアのDeath Metal Industryだった。Syphilectomyは同EPを引っ提げて、地元のナガランド州や近隣州のアルナチャル・プラデーシュ州、アッサム州、マニプール州のみならず、拠点とするナガランド州から2800〜3300kmも離れたインド南部の大都市ハイデラバードとベンガルールまで足を伸ばしてライヴする。

しかし2015年にドラマーのAkhrielieが脱退。その後はドラマー不在の状態が3年も続いたが、2018年に入ると後任者のFod

こと Kalouhm Adarsh が加入。同年 5 月に、彼を擁するトリオ編成で初のフルアルバム『Epidemic Consummation』をリリースする。同アルバムもイタリアの Death Metal Industry が配給した 1 枚で、屍が累々とするアートワークは『デスメタルインドネシア』（2016 年）に登場した Rudi Gorgingsuicide が描いた。やはり、世界第 2 位のブルータル・デスメタル大国と言われるインドネシアと、Syphilectomy は親和性が高かったのかもしれない。実際にバンドは 2021 年 10 月、デビュー EP と初のフルアルバムを 1 枚に集約した企画盤『Pandemic Abomination』をインドネシア拠点の Rottrevore Records からリリースした。

Syphilectomy はこれに先駆け、『Extreme Nation』（2019 年）というドキュメンタリー映画に出演している。同映画はインド亜大陸のエクストリームメタル事情を活写したもので、インド南部のチェンナイ出身の映像作家 Roy Dipankar が監督とプロデュースを務めた。インドからは Syphilectomy の他に Primitiv と Plague Throat の 2 組、スリランカからは Genocide Shrines と Konflict の 2 組、パキスタンから Multinational Corporations、バングラデシュから Nafarmaan が同映画に出演。さらにシンガポールの Impiety とチェコの Cult of Fire も登場し、インド亜大陸のエクストリームメタルを第三国目線で語っている。

『Extreme Nation』はコロンビア、韓国、ペルー、ノルウェー、スイス、ポルトガルの映画祭に出品された他、Mayhem の実録映画『ロード・オブ・カオス』や『ヘヴィ・トリップ／俺たち崖っぷち北欧メタル！』（共に 2018 年）などと共に、2019 年の Wacken Open Air の会場でも上映された。なお、『Extreme Nation』は在外インド人の Anjali Sud が運営する動画配信サイト、Vimeo で有料配信されている。

Syphilectomy
Circumcised Abominable Deformity
Death Metal Industry　2014
ナガランド州コヒマ

初音源の EP。Toshi こと Aotoshi Imchen<vo, b> のリズミカルな下水道ヴォイスを軸に、Masochist こと Asetuo Seyie<g> がすり潰しの効いた激重リフを刻み、Akhrielie Gangmei<ds> が甲高いスネアの打音を響かせる楽曲群が並ぶ。全体的に緩急の差はそれほど極端ではないが、たまには尋常ではない速さのブラストが聞こえる。悪魔が人間を食らう禍々しいアートワークはアメリカのデスメタルバンド Devourment の元シンガー、Mike Majewski が描いた。

Syphilectomy
Epidemic Consummation
Death Metal Industry　2018
ナガランド州コヒマ

通算 2 作目であり、初のフルアルバム。インドネシアのブルータル・デスメタルバンド Cadavoracity の Ryo こと Januaryo Hardy<g> がミックスとマスタリングを手掛けている。新ドラマーの Fod こと Kalouhm Adarsh を擁する現編成での第 1 弾作品だが、リズミカルな下水道ヴォイスに激重のリフでじわじわとすり潰しにかかる一方で、爆速のブラストがたまに飛び出すという基本軸は変わらず。ただし、前 EP よりもくぐもった音質になったせいか、圧迫感が強調されておどろおどろしい雰囲気が増している。

Syphilectomy
Pandemic Abomination
Death Metal Industry　2021
ナガランド州コヒマ

前掲の 2 枚をコンパイルしたお得な企画盤。インドネシアのブルータル・デスメタル王者と呼ばれる Jasad の Ridwan Imanuel Purba<g> が全曲リマスターしている。アートワークを描いた Ardha Lepa もインドネシア出身のアーティストだ。1 曲目から 9 曲目が初のフルアルバムに、10 曲目以後が初音源の EP にそれぞれ元々収録されていた。先に述べたように両作品は異なるドラマーがプレイしたものだが、本作を聴いてみると、Syphilectomy がデビュー当初からすでに完成されたバンドだったことが分かる

Whitesnake、Mr. Big などと
レーベルメイトになった正統派の４人組

Girish and the Chronicles

（初期）シッキム州ガントク／（現在）カルナータカ州ベンガルール　2009 ～　Hard Rock　（影響）Led Zeppelin、AC/DC、Deep Purple、Guns'N Roses、Aerosmith　1262

Girish<vo> と Yogesh<b> の Pradhan 兄弟を擁する 4 人組の正統派ハードロックバンド。シッキム州の州都ガントクで 2009 年に始動し、『Great Eastern Rock Compilation Vol. II』なるオムニバス盤に書き下ろし曲「Angel」を提供。2010 年にはモンテネグロで開催された Suncane Skale Festival に出場して銀賞を獲得し、時のシッキム州首相の激励を受けた。帰国後のバンドはインド各地で精力的にギグを行うが、2011 年 10 月にシッキム州を震源とするマグニチュード 6.9 の地震が発生。バンドは地元の復興を祈念した曲「A New Beginning」を制作した一方、2012 年に香港で長期間のギグを行う。

2013 年に再び帰国したバンドは、Hoobastank のシロン公演をサポート。翌年 4 月に 1st アルバム『Back on Earth』をユニバーサルミュージックのインド法人でリリースすると、バンドはインドのみならず、アラブ首長国連邦のドバイで 1 公演、ヴェトナムのハノイで 3 公演、タイのチェンマイで 1 公演を敢行。2018 年 4 月に 2 度目のドバイ公演を行った後、2nd アルバム『Rock the Highway』（2020 年）を発表。さらにその後は、Whitesnake、Mr. Big などを抱える Frontiers Music との契約を獲得し、3rd アルバム『Hail to the Heroes』（2022 年）を発表した。

Girish and the Chronicles

Back on Earth

Frontiers Music　2023

（初期）シッキム州ガントク／（現在）カルナータカ州ベンガルール

2014 年の 1st アルバムの全楽器パートとヴォーカルの一部を録り直し、アートワークを変更したヴァージョン。2022 年の 3rd アルバムに続き、イタリアの Frontiers Music で配給された。1970 ～ 1980 年代の古きよきハードロックへの憧憬を一貫して反映。中でもバラードの M5「Angel」は Guns N' Roses、M11「The Golden Crown」は Dokken を想起させる。Girish Pradhan<vo, g> の力強い歌唱も相まって、予備知識なしで聴いたら欧米のバンドだと勘違いするかもしれない。

日本軍によるインパール作戦決行から 44 年後に登場したインド産メタルの第一世代

Post Mark

マニプール州インパール　1988 ～ 1989（Death's Guitar として）、1989 ～ 1999、2011 ～　Heavy Metal/Hard Rock　（影響）Metallica、Megadeth、Slayer、Loudness　8

インドとミャンマーの国境に位置し、第二次世界大戦で日本兵 3 万人以上が戦死したマニプール州インパールで始動した古参バンド。前身の Death's Guitar として 1988 年に活動を始めた頃は Metallica、Megadeth などに傾倒していたそうだが、1989 年に Post Mark 名義に改称し、全曲書き下ろしの 1st アルバム「Stamp on You」を制作した。だが同時期に活動していたムンバイの Indus Creed（当時は Rock Machine として）と異なり、インド北東部の辺境地出身という地の利の悪さが災いし、アルバムの流通を引き受けるレーベルが現れなかったという。また、創設者の Abungcha Kshetrlmayum<vo> が 1999 年に交通事故死したため、バンドは一度解散する。

それから約 11 年後の 2011 年 10 月、SNS やメーリングリストなどで熱心なファンがカンパを募り、解散後バラバラになっていた Post Mark のメンバーを公開ジャムセッションで引き合わせ、Metallica 初のベンガルール公演を Post Mark のメンバーとファンで一緒に鑑賞するという企画を実行した。その後、Rojit Achom を後任シンガーに迎えたバンドは、トリプルギターの 6 人編成で復活ライヴを行った。ただし直近のライヴ映像を観ると、Meknor Yeng なる人物をシンガーに据えていた。

Post Mark
Stamp on You
不明　1989
マニプール州インパール

メンバーもデッドストック品を発掘できないという 1st アルバム。「Soar High」「Metal Age」「It's So Funny」の 3 曲は、YouTube で MV を視聴できる。初期 Iron Maiden をはじめとする NWOBHM 勢の影響が窺えるが、疾走感や荒々しさは皆無で、「Soar High」のギターソロは牧歌的。「Metal Age」には 3 拍子で進行するワルツのようなパートがある。「It's So Funny」は地元の古典舞踊の要素を交えようとしたナンバーで、MV では女性の舞踊家が唐突に登場する。

Aberrant
Endgame
自主制作　2015　Progressive/Groove Metal
メガラヤ州シロン

2014年にセルフタイトルのEPでデビューを飾った、5人組プログレッシヴ・メタルコアバンドのシングル。Dark CarnageのTanfiz Hussain<ds>が新たに加わっている。前掲のEPはAfter the Burialのようなアグレッシヴな音像だった。かたや本作は地球を生命の母になぞらえ環境破壊を憂えるという内容ゆえに、幾分叙情的なアプローチを採っており、バンドの元々の影響源であるPeriphery、TesseracTなどを想起させる面がある。バンドは2018年3月に解散した。

About Us
About Us
Frontiers Music　2022　Melodious Hard Rock
ナガランド州ウォマ

2019年結成の6人組メロディアス・ハードロックバンドによる、セルフタイトルの1stアルバム。マーキー／アヴァロンから日本盤も発売された。Perfect PlanやDegreedといった北欧産バンドのように爽快感あふれるM1「Right Now」で幕を開けるが、アルバム全体を俯瞰するとドイツのFair Warningからの影響が窺える。Sochan Kikon<vo>の唱法もFair WarningのTommy Heartを意識している節があるが、曲によっては高音を無理して張り上げている傾向が見受けられる。

Agnostic
Morbid Embracement
自主制作　2012　Death Metal
アッサム州グワハティ

2009年に結成されたデスメタルバンドによる1stアルバム。Cannibal Corpse、Death、Deicideなどを影響源に挙げており、アメリカ発のオールドスクールなデスメタルを奇をてらわずに披露。M2「Submerge in Gore」は割と疾走感があり、M4「Acrisia」ではトライバルなビート感を醸し出している。本作リリース当時は4人編成だったが、初代シンガーのDeep Dasは脱退。本稿執筆時はSudem Swargiary<vo>とDavid Das<g>を迎えた5人組に再編された。

Aguares
Kingdom of Falsehood
Wolfmond Production　2015　Black Metal
ナガランド州コヒマ

2012年に始動した3人組ブラックメタルバンドのデビューEP。M1「Storm of Satanic Cult」をはじめとする各収録曲はサタニックな内容で、Bathory、Marduk、Mayhemなど北欧産ブラックメタルの作法にきわめて忠実。M4「Revealing the Dreams」はアンビエント調の短いインスト曲だ。各メンバーはコープスペイントを落とすと、日本に住まう我々によく似たモンゴロイド風のルックスなので親近感を覚える。バンドのFacebookは2018年10月以後、更新が滞っている。

Alien Gods
Lunar Blackened Death
Phoenix Rising Records　2011　Black/Death Metal
アルナチャル・プラデーシュ州イーターナガル

中国との国境紛争地域である、アルナチャル・プラデーシュ州イーターナガルで活動するデス／ブラックメタルバンドのデビューEP。5人編成でリリースされたが、本稿執筆時点では4人組だ。Nile、Behemothなどを影響源に挙げているが、曲によっては正統派メタル風のリフを刻んだり、落差の大きなスラミングで急降下する。GodshredderとOlik Boko<vo>は高音スクリームと低音グロウルの二刀流。彼が高音で絶叫するとブラックメタルの性向が強まるが、むしろ確たる軸が定まっていない感がある。

Alien Sky Cult
Glass Cannon
自主制作　2020　Metalcore/Post Hardcore
アッサム州グワハティ

2011年に始動した、ツインギター編成の5人組バンドによる通算4作目のシングル。初代シンガーのAkkshit Kumar在籍時のEP『You Are Not Alone』(オリジナルリリースは2013年)は幾分Djent寄りの音作りをしていた。しかし、現任のEdwin Singha<vo>加入後の第1弾シングル「Last Stand」(2019年)からは、いわゆる叙情派ポストハードコアといえる音楽性に様変わりし、本作もその延長線上にある。Djent勢が幅を利かせるインドでは希少な存在かもしれない。

Ambush
Mama's Rebel Boy
Not Very Obvious Not Records　2019　Rap/Funk Metal
アッサム州カルビ・アングロン自治県

2015年結成の4人組ミクスチャー系バンドによる3rdシングル。曲名で分かるとおり、母と死別して父子家庭で育ち、ポリティカルな曲を歌うようになったRisim Rongp<vo>の胸中を綴った曲だ。甲高い声質のラップしかり、『Battle of Los Angeles』（1999年）のようなアートワークしかり、Rage Against the Machineをあからさまに意識している。ただし既発曲と同じくスローテンポな曲調で、Rage Against the Machineほどハイテンションでもない。

Arseniic
Maraud
自主制作　2020　Progressive Metal/Djent
アッサム州グワハティ

2013年に結成のプログレッシヴメタルバンドによるシングル。バンドの公式Facebookを見るとツインギターの5人組だった時期もあったが、本稿執筆時点で正式メンバーに名を連ねているのは4人だ。2015～2016年にネット上で公開した楽曲「Tide」と「Skyline」はDjentサウンドを基盤に、部分的にクリーントーンを使ったり、クリーンヴォイスの客演シンガーを迎えたりしていた。しかし、本作では打って変わって攻撃性をむき出しにしており、プログレッシヴ・メタルコアと称しても遜色ない作風である。

Antt
Esoteric Misanthropy
自主制作　2021　Black Metal
アッサム州グワハティ

AgnosticのVikram RoyことXoitaan<g, b>が、Telal Xulなるシンガーと立ち上げた2人組バンドの1st EP。基本的な音楽性はMardukを思わせる爆速ブラックメタルだが、インド産バンドならではの土着色も垣間見える。M1「Mystic Winds of Brahmaputra」はヒンドゥー教の創造神ブラフマーに由来するブラフマプトラ川の名を冠したインスト曲。M4「The Donyi Polo Dogma」は、太陽と月を崇めるドニ・ポロという土俗信仰を題材にした曲だ。

Ascetick
Hypnagogia
自主制作　2017　Black Metal
アッサム州ナームラップ

AvsHKHzrAなる人物が立ち上げた、独りブラックメタルの2nd EP。バンドの拠点は、インドとミャンマーの国境にそびえるパトカイ山脈の麓に位置する小都市ナームラップだ。セルフタイトルの前EP（2016年）と同じく、Burzumの影響を受けたアンビエントなブラックメタルを志向。ただし、M2「Meditations」やM3「Eternal Return」は浮遊感を強調したアレンジを施している。M4「Demiurge」ではチリチリとしたノイジーなリフに対し、EDM風の電子音が唐突に絡んでくる。

Arduous Resistance
Hallowed Oblivion
自主制作　2015　Melodic Death Metal
アッサム州グワハティ

Judas Ancestryを脱退したSumon Saikia<g>、Hillol Choudhury<key>、Chintu Kalita<ds>を中心に始動した5人組メロディック・デスメタルバンドのデビュー曲。元AgnosticのDeep Dasをシンガーに迎えている。Nightwish、Dimmu Borgirなどを影響源に挙げており、ストリングスを前面に押し出している。起伏が豊かでプログレッシヴである半面、スピード感に欠け、独自性も乏しい。キプロス出身のStelios Ioakim<vo, key>がクリーンパートで客演。

AutoGnosis
Metaphysical
自主制作　2020　Progressive Metal/Djent
アッサム州グワハティ

Rhitosparsha BaishyaとTomas Bhupenというギタリスト2人を中軸とするインスト・プログレッシヴメタルバンドの1stアルバム。過去のライヴ写真を見るとトリオ編成だったが、直近のアー写では5人組になっていた。Intervals、PolyphiaなどのようにDjentサウンドを押し出しているが、浮遊感を帯びたアンビエントな性向も色濃い。先行シングルのM3「Quasar」はDjent特有の重低音リフで激しく畳みかけたかと思いきや、ジャズ風に様変わりし、さらにスペーシーな音空間を紡ぎ出す。

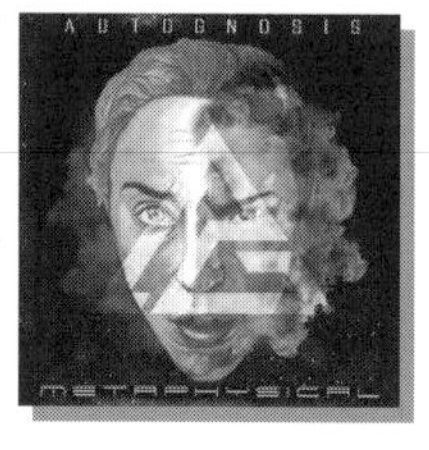

Beheaded Carnage
Terror
自主制作 2015 Thrash Metal
アッサム州コクラジハル

アッサム州西部の都市コクラジハルで 2015 年に始動した、3 人組スラッシュメタルバンドによるデビュー EP。Slayer、Megadeth といったスラッシュメタルの大御所からの影響が窺えるが、プロダクションは劣悪。全体的にモヤッとした音質で、Rocky Basumatary<vo, g> の歌唱がくぐもって聞こえる。各収録曲は単調なものばかりで、盛り上がりに乏しい。その一方で、M1「Torment of Eradication」しかり、タイトルチューンの M5 しかり、終盤のギターソロでフェードアウトする手法が目立つ。

Brutal Agitation
Reincarnation in Hell
自主制作 2009 Melodic Death Metal
アッサム州グワハティ

実働わずか 2 年という短命に終わった、6 人組メロディック・デスメタルバンドによる唯一の EP。Children of Bodom、Kalmah といった北欧の先人達を影響源に挙げているバンドだが、スロー～ミドルテンポの楽曲が多勢を占める。その点では、Amon Amarth のような印象も受けるが、勇壮さや力強さに乏しく、むしろ単調かつダレ気味。疾走ナンバーを演奏する技量に欠けていたため、スロー～ミドルテンポの曲ばかりを収録せざるをえなかったのでは、と邪推したくなる。

Catatonic
Deity in Furs
自主制作 2022 Grindcore
メガラヤ州シロン

元 Plague Throat の Nangsan Lyngwa<vo, g> を擁する 4 人組バンドによる 1st シングル。デスグラインドを標榜し、Napalm Death、Converge などを影響源に挙げている。確かに 2021 年発表のデモ音源には絶叫と共に疾走する楽曲群が収められていたが、本作はデス／ブラックメタルの性向が色濃く、かつて Nangsan Lyngwa が在籍していた Plague Throat に相通ずるものがある。Godless の Kaushal L.S.<vo> が提供したというアートワークはチープだ。

Chamber
Shades of the Faded Moon
自主制作 2013 Alternative Metal
アッサム州グワハティ

グワハティで 2010 年に 4 人編成で始動後、6 人組に再編されたプログレッシヴメタルバンドの 2nd シングル。2008 年 10 月にアッサム州の各地で発生した連続爆弾テロの死傷者 342 人に捧げた曲でもある。現メンバー 6 人のうち、Writam Changkakoti<key> は目が不自由にもかかわらず、地元の音楽スクールで講師を務めるほどの才人だ。物悲しいピアノで始まったと思いきや、バンドが敬愛する Dream Theater そっくりの曲に変貌を遂げ、Writam をはじめとする楽器隊が派手なプレイを繰り出す。

Comora
Zofate
自主制作 2006 Thrash Metal
ミゾラム州アイザウル

2003 年結成の 5 人組スラッシュメタルバンドによる初の書き下ろし曲。この地に住まうミゾ族が使う現地語（ミゾ語）の曲を、インドで初めてプレイしたバンドでもある。Sepultura、System of a Down などを影響源に挙げているが、正統派メタルの枠内にとどまった曲調で、流麗なギターソロも聴ける。創設者の Sena<ds> が 2010 年に急死したが、バンドは後任の Rda Hnamte を迎えて活動を続行。彼を擁したバンドがミゾ族の民族衣装をまとい、強烈な土着臭を発する本作の MV は一見に値する。

Crystal and the Witches
Dynasty
自主制作 2018 Groove Metal
シッキム州ガントク

2006 年に結成、2010 年までコルカタを主戦場にしていたが、2013 年末から Diwash Rai<vo, g> と Tenzing Loden<ds> の故郷であるガントクに拠点を移した 4 人組スラッシュメタルバンドの 1st アルバム。「Old School Thrash」を掲げているが、MV が制作された M8「The Ocean」では Black Tyde のようなモダンな佇まいを発散。M5「Faith Is a Weapon」はバンドが影響源に挙げている Children of Bodom から甘美な鍵盤を省いたような曲調だ。

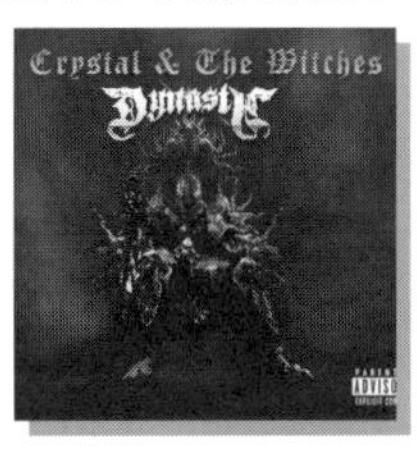

Damage Era
Karma
自主制作　2012　Metalcore
シッキム州ガントク

2011 年にシッキム州ガントクで結成された 4 人組バンドの 1st EP。バンドの公式 SNS および YouTube を見ると、隣国のネパールとブータンで過去にライヴしたことがあるようだ。モダンスラッシュと謳っているが、実際のところは Lamb of God、Killswitch Engage、August Burns Red などの影響が窺えるメタルコアであり、アートワークとは裏腹に土着臭はまったく感じさせない。ただし、Zigmey なるシンガーが甲高い声でシャウトするタイプなので、前掲の先人達とは質感がやや異なる。

Drop Doubt
Conscious Diversion of Faith
自主制作　2011　Progressive Rock
ミゾラム州アイザウル

2006 年結成の 5 人組クリスチャン・プログレッシヴメタルバンドによる 1st アルバム。初期 Dream Theater を想起させる M2「Invictus」はクリスチャンバンドらしく、歌詞の中に「Jesus Christ」が出てくる。牧歌的な M6「Hringnun」とメロディアス・ハードロック風の M9「I Tan Ka hlan」の歌詞はおそらくミゾ語だろう。メロウなバラードの M3「Beneath the Thorn」や M4「Take Away」は韓国の同系バンドの Jeremy を彷彿とさせるナンバーだ。

Dark Carnage
Abominate. Annihilate
自主制作　2011　Melodic Death Metal/Deathcore
アッサム州グワハティ

グワハティで 2010 年に始動した、6 人組（本稿執筆時点では 5 人組）エクストリームメタルバンドの 5 曲入りデビュー EP。Encyclopaedia Metallum には「Melodic Death Metal/Deathcore」とカテゴライズされており、そういう要素もなきしもあらずだが、実際は Djent の性向が色濃い。全編にわたりシンセによる装飾が加わっているため、Born of Osiris からの影響を感じさせる。しかし、この手の音楽をプレイするための力量やアグレッションが不足している印象を受ける。

Dymbur
Back Home
自主制作　2022　Progressive Metalcore
メガラヤ州シロン

2012 年結成の 6 人組バンドによる通算 4 作目のシングル。デビューアルバム『The Legend of Thraat』（2019 年）では Meshuggah のように無機質なリフを終始刻んでいたが、性犯罪の撲滅を訴えた 2nd シングル「Rape Culture」（2021 年）からフォーキッシュな要素を加え始めた。本作はメガラヤ州に伝わる民族楽器とアカペラによるイントロが明けると、Djent 由来の歯切れのよいリフを刻む 8 弦ギターとドゥイタラという民族弦楽器が交錯し、ヴォーカルもメンバー 6 人のうち 3 人で回し合う。

Decipher
Vituperation
自主制作　2021　Black Metal
トリプラ州アガルタラ／カルナータカ州ベンガルール

トリプラ州在住の Deminium Morat Tormentahl と、カルナータカ州在住の Darkat Demogorgan Infernium という 2 人組のブラックメタルバンドによる 1st EP。ライヴ写真を見ると、サポートのドラマーや鍵盤奏者をその都度起用しているようだ。タイトルチューンの M1 は序盤がスローテンポなので DSBM 風だが、疾走パートが一応設けられている。M3「Self Immolation」はいかにもプリミティヴな音像の長尺チューンだが、日本ではデモヴァージョンのみ試聴可能である。

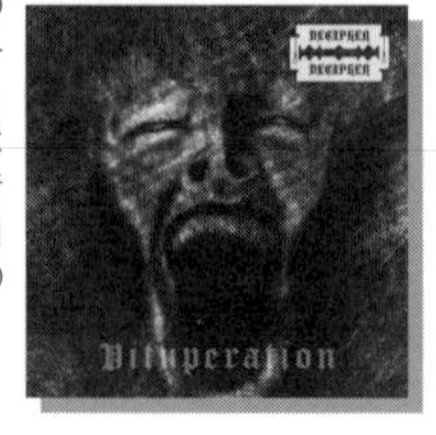

Eclipse
Clandestine Resurrection
自主制作　2015　Melodic Heavy/Power Metal, Hard Rock
アッサム州グワハティ

グワハティで 2004 年に結成後、活動休止期間を経て、2012 年に復活した 5 人組パワーメタルバンドの 1st アルバム。厳かなシンセによるインストの M1「Prelude to the Resurrection」で幕を開けると、欧州～北欧産バンドのように愁いを帯びたウェットな曲調のナンバーが並ぶ。バンドが公言するとおり、全体的に Stratovarius からの影響が顕著で、シンガーの Kundal Goswami の癖のない唱法も Stratovarius の Timo Kotipelto を彷彿とさせる。

Feathers of Jatinga
Frozen Lies
自主制作　2010　Atmospheric Doom Metal
アッサム州ドゥリアジャン／マハーラーシュトラ州ムンバイ

Third Sovereign の Vedant Kaushik Barua<vo> と、Amogh Symphony を率いるマルチプレイヤーの Vishal J.Singh によるプロジェクトの 1st EP。Swallow the Sun のような耽美なメロディック・ドゥームメタルだが、M2「The Master Who Bleeds」ではインド産バンドらしい旋律が見え隠れする。Vedant はクリーンヴォイスの歌唱でも魅力を発揮。M3「Whisper of Silence」には Lucid Recess がゲスト参加した。

Foetal Dystrophy
Dehumanized
自主制作　2019　Brutal Death Metal
トリプラ州アガルタラ

2013 年に結成されたブルータル・デスメタルバンドによる 5 曲入り EP。本稿執筆時はベーシスト不在の 3 人組だ。Deli Kalai<vo> の唱法は下水道ヴォイスだが、タイトルチューンの M1 は案外とオールドスクールなデスメタルで、スラミングでズンズンと沈み込むわけでもない。続く M2「Feeding One Another」や M3「Impalement Torture」も割合スローテンポの楽曲群だ。ナガランド州の Syphilectomy と比べると、技量、迫力どちらも見劣りする。

Filharmonix
Stories
自主制作　2018　Heavy Metal
アッサム州ジョルハート

2009 年に結成されたバンドの 2nd アルバム。5 人編成のデビュー作『Hot n High』（2011 年）は全編英語詞で、正統派メタルの範疇に収まっていた作品だった。ところがメンバー交代劇の末に 4 人組で放った本作はオール現地語詞で、落ち着いた AOR ／メロディアス・ハードロック路線に大変貌を遂げた。M5「Deutar Moromor」は近年の Bon Jovi を想起させる曲。音楽性が激変した半面、プロダクションは向上。Purab A. Baruah<vo> の伸びやかな歌唱を味わえる。

Genocide Disorder
Hunger for Demolition
自主制作　2020　Grindcore
マニプール州インパール

マニプール州インパール出身のバンドが、『Disorder Becomes the Law』と題したデビュー EP に先駆けて公開した楽曲。2014 年の結成以来、数度のメンバー交代があり、本稿執筆時点の正式メンバーは Chetan<vo>、Jevy Huidrom<g>、Basu Bachu<b> の 3 人のみだ。バンドはグラインドコアを標榜しており、影響源として Napalm Death を挙げているが、Chetan の唱法はグロウル一辺倒。グラインドコア特有の尺の短さを除けば、デスメタルに近似した印象を受ける。

Flint Knife Murder
Angulimala
自主制作　2022　Death Metal
メガラヤ州シロン

Saptarshi Das<vo, b> と Siddharth Barua<g, vo> という 2 人組デスメタルバンドのシングル。2021 年の 2nd EP『Aadi Rakshas』を境に、インドの民話や歴史上の事件に触発された楽曲群をプレイしている。タイトルが示すとおり、本作は人間の指を切り取って首飾りにしていたとされる古代インドの殺人鬼（仏典では鴦掘摩羅）を題材にした曲。間奏部分でペルシャ伝来の打弦楽器のサントゥールと思しき音色が聞こえるが、土着臭はさほど強くなく、オールドスクールなデスメタルの範疇に入る。

Guns from Countryside
Rocka' Rolla'
Sound Chain Studio　2020　Stoner Rock
シッキム州リンチェンポン

シッキム州西部のリンチェンポンで 2016 年に始動した 3 人組バンドの 2nd シングル。現メンバーのうち、Sandeep Yogi<vo, g> と Bishwadeep Yogi<ds> は実の兄弟だ。バンドの YouTube には Thin Lizzy の代表曲「Jailbreak」「The Boys Are Back in Town」（共に 1976 年）のカヴァーが公開されている。本作でも往年のクラシックロックへの憧憬を色濃く反映。バンドは「Stoner Rock」を掲げているが、実際には Status Quo のようなハードなブギーロックを披露している。

Hecate
Trident
自主制作 2018 Melodic Black Metal
メガラヤ州マウライ

2017年にメガラヤ州マウライで始動したブラックメタルバンドの1st EP。現メンバーはCradeios Antania<vo, g>とXepheros<ds>の2人だが、過去のライヴ写真を見るとサポートベーシストを入れていた。コープスペイントに絶叫調のヴォーカルとは裏腹に、M2「Trivia Hekate」やM6「I Will Eradicate Your Kind」は正統派メタル風のリフを刻むミドルチューンである。換言すると、トレモロリフを刻んだり、ブラストで疾走したりわけではないので、拍子抜けさせられる。

Jammers Graveyard
Earth's Day
自主制作 2016 Deathcore
アッサム州グワハティ

2016年にW:O:A Metal Battleのインド予選でファイナリストに食い込んだ4人組デスコアバンドのシングル。タイトルが示すとおり、地球環境について考えるアースデイに合わせてネット上で公開された。物憂げなイントロが明けると、エッジの効いた重低音リフを刻みつつ、バンド創設者のAnuj Dorji<vo>が低音グロウルと高音のスクリームを使い分けながら咆哮する。デスコア然としたビートダウンに加え、後半ではシンセを導入することで、6分超の長尺を間延びさせずに聴かせる。

Hammerhead
Insane Generation
UM Pro 2010 Death Metal
アッサム州グワハティ

2007年に結成された4人組エクストリームメタルバンドが遺した唯一の4曲入りEP。日本のiTunesでは、アートワークや曲順がオリジナルリリースとは異なっている。Slayer、Death、Sepulturaなどを影響源に挙げており、疾走パートを要所に配しているものの、全体的にミドルテンポの楽曲が多い。プロダクションは著しく劣悪で、血と殺戮を好むヒンドゥー教の女神カーリーの名を冠したM3「Children of Kali」では、ひどくチープな音色のシンセを導入しており、余計に安っぽく感じる。

Judas Ancestry
11 Years in Exile
自主制作 2021 Symphonic Black/Death Metal
アッサム州グワハティ

2010年に結成された4人組バンドの11年間の軌跡をコンパイルした企画盤。ただし収録曲数は3曲のみ。活動休止期間があったことを割り引いても寂しい内容だ。最初の2曲は耽美なシンセや女声コーラスを用いたシンフォニック・ブラックメタル路線。The Black PriestことSandeep Sarmah<vo>以外の布陣が全員入れ替わったM3「The Profane Act of Violence」はオールドスクールなデスメタルへと大変貌しているが、曲調は平板で、プロダクションも劣悪である。

Insane Prophecy
Apogee of an Inquisition
自主制作 2012 Blackened Death Metal
アッサム州グワハティ

一卵性双生児であるXulfi Nawaz<vo, b>とIfty Sarwar<b, ds, key, vo>、それにBikash Subba<g>という3人組デス／ブラックメタルバンドのデビューEP。山羊頭の悪魔を描いたアートワークで分かるとおり、Behemoth、Belphegorなどに傾倒したリタニックな楽曲群をプレイしている。ただし、哀愁漂うインストのM4「Obsequies」では意外な振り幅の広さを発揮。2015年12月以降、バンドのFacebookは更新を停止しており、活動休止または解散した可能性がある。

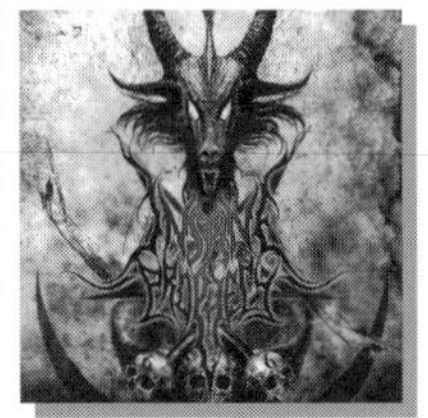

Knight
High on Voodoo
Slaytanic Records 2017 Heavy Metal
アッサム州シルチャル

アッサム州南部の街シルチャルで、2013年に始動した正統派バンドのデビューEP。ただし、正式メンバーはShibam Talukdar<vo, g>と、Soumyadeep Nath Barbhuiyan<b>の2人のみだ。土着臭の漂うアートワークとは裏腹に、Iron MaidenやAcceptからの影響が顕著。Shibamの無骨な濁声は、元AcceptのUdo Dirkschneiderを想起させる。ミドルテンポの楽曲群が主体で、野暮ったいプロダクションだが、懐かしの正統派メタルへの憧憬を素直に反映している。

Lucid Recess
Cell
自主制作　2019　Alternative Metal
アッサム州グワハティ

Amitabh<vo, b> と Siddharth<g> の Barooa 兄弟を中軸とした 3 人組バンドのシングル。目下制作中という 4th アルバムのリードトラックと謳われている。キャリアの初期からアメリカのグランジ／オルタナティヴ系バンドに傾倒しており、2015 年の 3rd アルバム『Alive and Aware』 は Alice in Chains からの影響が窺えた。本作もその延長線上にあり、Amitabh の比較的マイルドな歌唱に対し、ヘヴィで陰鬱な雰囲気のリフを刻むが、疾走感を求めるリスナーはじれったく感じるかもしれない。

Lucifer X
Project Xtermination
自主制作　2017　Thrash Metal
マニプール州インパール

インドとミャンマーの国境に位置するマニプール州インパールで 2012 年に始動した 5 人組スラッシュメタルバンドの唯一の EP。アルバム前半は Nuclear Assault のようにハードコアパンクに接近した楽曲群が収められているが、M3「New World Order」から適度に緩急を加えつつ、昔気質のスラッシュメタルへの憧憬を映し出していく。多少の粗さを厭わず、前のめりに疾駆する姿に好感を覚えるが、バンドの公式 Facebook は閲覧不可だったので、すでに解散したと思われる。

Lunatic Fringe
Church of Blood
自主制作　2015　Black Metal
アッサム州グワハティ

Alien Gods のメンバー 3 人が別途立ち上げたデス／ブラックメタルバンドのデビュー曲。Ratish Bui<vo, g> の故郷であるアルナチャル・プラデーシュ州で、独自の文化習俗を守るモンゴロイドの少数民族と異文化との衝突を題材にしたという。ただしオリエンタルな要素は皆無で、バンドが傾倒している Death のような起伏の大きなデスメタルを志向。高速のトレモロが飛び出す終盤は Immortal を想起させる面がある。次作の EP『Awakening』(2018 年) は日本では試聴する術が見当たらなかった。

Macropsia
Derangement
Morbid Generation Records　2014　Brutal Death Metal
アッサム州グワハティ

2013 年に始動したブルータル・デスメタルバンドの書き下ろし曲。ドイツの Morbid Generation Records による 5 バンド参加のスプリット盤『Kings of Slam』(2015 年) に収録された。元々は 5 人組だったが、本稿執筆時では 4 人編成だ。Chinmoy Lahkar<vo> が器用に使い分ける低音グロウルとピッグスクイールに、エッジの効いた鋭利なリフが交錯。たまにドラムが尋常ではない速さに到達するが、打ち込みなのだろうか。2017 年 8 月以後、バンドの Facebook は更新が滞っている。

Nephele
Inconstancy
自主制作　2020　Progressive Metalcore
アッサム州グワハティ

アッサム州グワハティで 2018 年に結成後、2019 年の W:O:A Metal Battle インド亜大陸予選のファイナリストに残った 5 人組バンドの初音源。本稿執筆時点では、YouTube のリリックビデオのみ公開されている。「Ambient/Experimental Metal」という謳い文句とは裏腹に、Born of Osiris、Veil of Maya などの影響下にあるプログレッシヴ・メタルコア／デスコアを展開。Djent サウンドを基盤にそつのないプレイを聴かせる半面、際立った個性に乏しい。

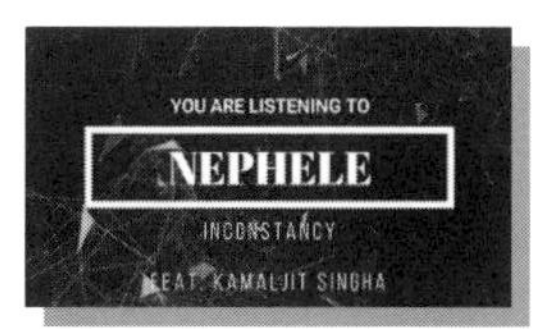

Nogrod
Abstruce Dismal
自主制作　2016　Black Metal
アッサム州グワハティ

2015 年に始動した 3 人組デス／ブラックメタルバンドによる唯一の EP。Rohan Kumar Das なるマネージャー兼プロデューサーもギターで客演した。バンド名の由来は、J.R.R. トールキンの小説シリーズ『指輪物語』で描かれたドワーフの街だろうか。インストの M1「Call to all Unholy Beings」で土着臭を発散するが、その他の楽曲群は Behemoth、Immortal などの影響が窺える。しかし、M2「Powered by the Black Sun」のブラストがやや迫力不足。

Norok

Corona of Fear

自主制作　2020　Depressive Black Metal

アッサム州グワハティ

Prasanta Sarma なる人物が立ち上げた独りブラックメタルの 4 曲入りの 1st EP。バンド名はアッサム語で「Hell」に相当する単語だ。公式 YouTube には、Dimmu Borgir、Belphegor などの楽曲のカヴァー演奏をアップしていた。しかし、実際のところは DSBM の性向が色濃く、ノイジーかつ単調なリフを刻みながら金切り声を上げる楽曲群が目立つ。それでも曲によっては、アルペジオによるメロウなパートからテンポアップするパートがあり、多少なりとも緩急を意識している様子が見られる。

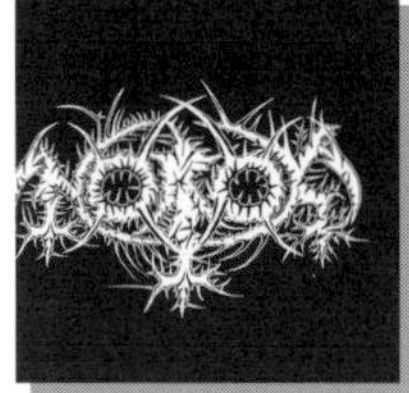

Plague Throat

Evolutionary Impasse

自主制作　2019　Death Metal

メガラヤ州シロン

2006 年結成のデスメタルバンドによる通算 4 作目の EP であり、最終作。結成初期は 3 人組だったが、2017 年の 1st アルバム『The Human Paradox』から正ベーシスト不在となり、Nangsan Lyngwa<vo, g> がベースも兼務した。前掲の 1st アルバムと同様に、起伏の激しいテクニカルなデスメタルを披露するが、M3「Instruments of Antipathy」はやけにあっさりフェードアウトしてしまう。スイスの Triptykon の V. Santura<g> がマスタリングを担当した。

Rectified Spirit

The Waste Land　Progressive Power Metal/Metalcore/Rock

Transcending Obscurity Distribution　2015

アッサム州グワハティ／シッキム州ガントク

2005 年に結成後、活動休止期間を経て、2011 年から新体制で復活した 5 人組バンドの 2nd アルバム。セルフタイトルの前作（2012 年）に続き、Arogya に在籍する Rain がシンガーを兼務している。しかし音楽性は Arogya とまるで異なり、メタルコアとパワーメタルを振り子のように行き来する。タイトルチューンの M8 は、イギリスの T.S. エリオットの長編詩『荒地』に触発された 13 分強の大作だ。Rain はクリーンとグロウルを器用に使い分けるが、アルバム全体の統一感に欠け、チグハグした印象を受ける。

Sacred Secrecy

Leech

自主制作　2018　Death/Thrash Metal

アルナチャル・プラデーシュ州イーターナガル

Alien Gods にも在籍する、Tana Doni<g> と Tenzin Musobi<b> を擁する 4 人組デスメタルバンドのデモ音源。マハトマ・ガンディーの肖像をあしらった新 500 ルピー札を墨で汚したアートワークが目を引く。もしやこれは、2016 年に通貨改革を断行したナレンドラ・モディ政権への皮肉または反発心の表れだろうか。肝心の音楽性はアメリカのデスメタルの先人達に割と忠実だが、Alien Gods と同じく高音スクリームを交えたヴォーカルが特徴で、M3「Shitanagar」ではスラミングで急降下する。

Secrets of Silence

Unpredictable Beast

自主制作　2021　Black/Thrash Metal

トリプラ州アガルタラ

2018 年に結成された 3 人組スラッシュメタルバンドによる通算 2 作目のシングル。Dissection、Slayer、Sarcófago などを影響源に挙げているが、デビュー EP『Satan's Arrival』（2019 年）は Sujay Debnath<vo, b> の吐き捨て型ヴォーカルに合わせ、Sodom のようにスタスタと軽快に疾走するナンバーが目立った。しかし本作の場合、初端から単音リフをかき鳴らしたり、部分的にブラストを交えたりと、ブラックメタルバンドのような佇まいを発散している。

Shades of Retribution

Mohixaxur

自主制作　2015　Death/Thrash Metal

アッサム州ドゥリアジャン

2006 年に Shades 名義で始動後、現バンド名で 1st アルバム『Xongram』（2010 年）をリリースした 5 人組バンドによるシングル。Abhijit Dutta と Prashant Chettri というギターチーム以外のメンバーが交代している。全編アッサム語でプレイしている点は 1st アルバム発表当初から一貫しているが、音楽性は大きく異なる。前掲の 1st アルバムにはスラッシーな疾走チューンもあったが、本作は Cannibal Corpse、Morbid Angel などアメリカのデスメタルの先人達を想起させる。

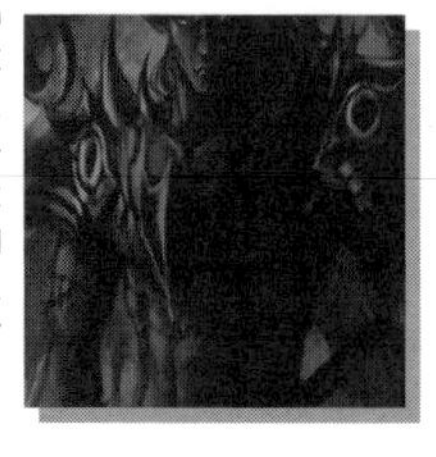

Silver Tears

Miseries

自主制作 2020 Progressive Metal

（初期）アッサム州グワハティ／（現在）マハーシュトラ州ムンバイ

グワハティ出身の6人組プログレッシヴメタルバンドがムンバイへ活動拠点を移し、新メンバー2人を迎えて放ったシングル。Girish and the Chronicles の Girish Pradhan<vo> が全面参加した前作『Ensnared』（2011年）は初期 Dream Theater のような音楽性だったが、本作では Djent 路線に様変わり。Periphery、Animals as Leaders などの影響が強くなった。新メンバー2人のうち、Bibhash Buragohain<vo> はクリアな声の持ち主だ。

Third Sovereign

Perversion Swallowing Sanity

Transcending Obscurity Distribution 2016 Death Metal

ミゾラム州アイザウル

2003年結成の4人組デスメタルバンドが、前作『Destined to Suffer』（2007年）から9年ぶりに発表した2nd アルバム。フィジカル CD と iTunes、Spotify などでは曲名表記が異なる。M1「Sakei Ai Hla/Grave of Humanity」は Cannibal Corpse からの影響が顕著だが、M2「Sarcophaga」以後は Morbid Angel や Death などに近接した音像に移行する。それに伴って Vedant Kaushik Barua<vo> は唄法も変えている。

Slamdozer

Preserved Exhumed Bodies

自主制作 2017 Brutal Death Metal

ミゾラム州アイザウル

アイザウルで2015年（2013年の説もある）に結成後、Mzu Rock Fest 2016 なる地元のコンテストで上位に入った4人組バンドのデビュー EP。バンド名に「Slam」と銘打っているが、スラミング風のプレイを聴けるのは、M3「Ultra Genocide」の終盤くらい。換言すると、Aborted、Benighted、それに Napalm Death などを影響源に挙げているようにグラインドコアの性向が色濃いサウンドだ。バンドの公式 Facebook は2017年10月以降は更新が止まっている。

Trancemigrate

Last Fading Memory of a Dying Consciousness

Tomo Audio 2021 Progressive Metal/Djent

（初期）アッサム州カルビ・アングロン自治県

「転生する」という意味の英語をバンド名に掲げた5人組プログレッシヴメタルバンドによる、通算4作目のシングル。クリーンとグロウルを使い分ける The'ang Teron<vo> はエストニアのタルトゥ大学で民俗学を学んだ経歴を持つ。2007年の結成後、ニューデリーに活動拠点を移した時期があり、その当時に書いた曲を発展させたものらしい。影響源として Veil of Maya を挙げているとおりの音楽性で、スペーシーなシンセを背景にソリッドな重低音リフで跳ね回るが、やけにあっさりフェードアウトしてしまう。

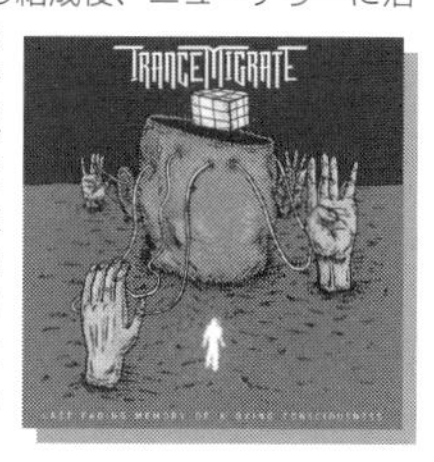

Swraijak

SwraijaK-Theme

自主制作 2009 Metal / Black Metal / Death Melodic Metal

トリプラ州アガルタラ

2008年に結成された5人組バンドによる1st EP。バンド名は、トリプラ州の州公用語であるコク・ボロック語で「Cursed」を意味する。ブラックメタルを標榜している割には、表題曲はメロディック・デスメタルの性向が強い半面、プロダクションはひどくチープ。わざと声を潰したような Pritam Debbarma<vo> の歌唱も明瞭さに欠ける。SoundCloud と Reverbnation では、幾分ブラックメタル寄りの「Blessing of the Fallen Angel」という楽曲を試聴できた。

Tyrrhenian

Intellect Damage

自主制作 2015 Progressive Metal/Djent

アッサム州グワハティ

2012年に始動した5人組バンドによるシングル。Arseniic の Konjham Sam がヴォーカルを掛け持ちしていて、ツインギターにキーボード奏者を含む6人編成で活動したこともある。プログレッシヴメタルを標榜しているが、実際には Born of Osiris、Veil of Maya などのようなプログレッシヴ・メタルコア／デスコアをプレイしている。スペーシーなシンセをバックに、Djent 特有の攻撃的なリフとグロウルが交錯する曲展開で聴きごたえがあるが、やけにあっさりカットアウトしてしまう点が惜しまれる。

Whoregod

Whoregod

自主制作 2021 Black/Death Metal

アッサム州グワハティ／シブサガル

Agnostic の Vikram Roy が全楽器パートを担い、Telal Xul なるシンガーと組んだ 2 人組バンドの 1st デモ。ただし Vikram は X、Telal は Kamayagna という変名をそれぞれ用いている。この 2 人はファスト・ブラックメタル路線の Antt 名義でも EP『Esoteric Misanthropy』（2021 年）を発表済みだが、それから約 2 ヶ月後にリリースした本作の場合は Behemoth のように暴虐なデス／ブラックメタルを披露。M2「Whore of Salafi」のイントロでは土着的な詠唱が聴ける。

Worms of Vomit

Cannibilistic Decayed

自主制作 2014 Brutal/Technical Death Metal

アッサム州ウダルグリ

ブータンと国境を接するアッサム州西部では、モンゴロイド系少数民族であるボド族が自治権を要求する「ボドランド運動」を繰り広げた末、2005 年に自治権を獲得した。本作は、そんなボド族のメンバー 5 人で構成されたブルータル・デスメタルバンドの 2nd EP で最終作。いわゆるスラミング系に属すバンドで、ズンズンと遅いテンポで這いずり回り、Nickolas Kvarforth Basumatary<vo> がガテラルとピッグスクイールを器用に使い分けて咆哮する。たまに疾走パートを交えているが、緩急の差は極端ではない。

Xontrax

Unblemished Annihilation

自主制作 2016 Symphonic Black/Death Metal

アッサム州グワハティ

シンフォニック・ブラックメタルを志向する割には、ごく普通の格好をした 5 人組バンドによる 2nd シングル。結成当初は 6 人組で、7 人編成という大所帯で活動したこともある。バンド名の由来はテロリズムを指すアッサム語「Khontrakh」だが、綴りを変えている。Dimmu Borgir を影響源に挙げているとおりの音楽性。やや単調だった前作「Black Clouds of Catastrophe」（2013 年）よりは緩急が利いており、創意工夫を凝らした跡が窺える。しかし、演奏とプロダクションは相変わらず頼りない。

ロックとメタルにも浸透したシタールの音色

インド北部発祥の多弦楽器シタールの全長は 120cm ほどで、ボディに当たる部分はトゥンバといい、カボチャないしひょうたんで作られている。約 90cm あるネックには 16 ～ 22 個の金属製のフレットが、ガットあるいは絹糸で縛りつけられている。その上には、17 ～ 22 本のスチール弦が上下二段に張られている（流派によって弦の数は異なる）。演奏する時は主に上段の弦を、右手人差し指にはめた金属製の爪ではじく。つまり下段の弦は共鳴弦なのだ。この構造により、弦がゆっくりと振動し、長く持続するようなシタール特有の音色が奏でられるのである。

世界的な名声を博したインドの伝統音楽家 Ravi Shankar が、1960 年代に The Beatles の George Harrison<g> にシタールの奏法を指南したり、アメリカのフェスティバルに趣いて Jimi Hendrix や The Who などと共演したことで、シタールはロック界にも浸透した。しかし欧米のミュージシャンにとって、現物のシタールはもちろんのこと、交換用の弦や細かいパーツ類を入手するのは困難だっただろう。ましてやインドの民族楽器はおしなべて繊細な構造をしていて、インドでなければ確かなメンテナンスは不可能に近いという。

そこで、アメリカのギターメーカー Danelectro が 1967 年にエレクトリックシタールを開発した。これはギターと同じようにアンプにつなげてプレイする機材で、ネックは通常の 6 弦ギターと同じ構造だが、ボディに 13 本の共鳴弦が別途張られている。フレーズの合間に共鳴弦をスウィープすると、インド風の雰囲気を醸し出せるわけだ。円弧のブリッジは支点以外の部分が弦と接するような仕組みになっているため、シタール特有のフレットバズ（ビビリ音）を人為的に模倣することができる。ブリッジの傾き加減を微調整すれば、フレットバズの度合いをコントロール可能だ。

これをきっかけに、現代のミュージシャンはシタールの音色を容易に再現できるようになった。たとえば Van Halen のセルフタイトルの 1st アルバム（1978 年）と 8th アルバム『Van Halen III』（1998 年）、Steve Vai の 2nd ソロアルバム『Passion and Warfare』（1990 年）、Guns N' Roses の『Use Your Illusion II』（1991 年）、Metallica のセルフタイトルの 5th アルバム（1991 年）などには、エレクトリックシタールを用いた曲が収録されている。Miyavi、hide、DIR EN GREY といった日本のヴィジュアル系アーティストのみならず、Sigh や韓国の Sinawe にもエレクトリックシタールを使った曲がある。ちなみに Led Zeppelin の「White Summer/Black Mountain Side」（1969 年）や「Kashmir」（1975 年）などで聴けるシタール風の音色は、前掲の Danelectro 製のギターを Jimmy Page が DADGAD チューニング（注：6 弦から D、A、D、G、A、D の順に設定するチューニング法）にして鳴らしたものだ。

インド西部　West India

インド西部のマハーラーシュトラ州の州都ムンバイは、いわゆるボリウッド映画の中心地として広く知られているが、ムンバイはRBI（インド準備銀行）の本店がある金融の中心地で、Tata Groupを筆頭とするインドの財閥のお膝元でもある。しかし、映画『スラムドッグ＄ミリオネア』（2008年）や『ガリーボーイ』（2019年）で描かれたように、アジア最大のスラム街とされるムンバイのダラヴィ地区には、約1.71km² 四方の地域に100万人以上の貧困層が暮らしているとされる。2011年インド国勢調査によると、マハーラーシュトラ州全体の人口は約1億1237万人で、そのうち10.54％（約1184万人）がスラム街人口だ。

ムンバイに都市が形成されたきっかけは、16～17世紀のポルトガルとイギリスによる入植である。ポルトガルは1498年の時点で、ヴァスコ・ダ・ガマ（1460年頃～1524）がアフリカ南端の喜望峰経由でインド航路を開拓しており、16世紀に入ると現在のダマン・ディーウ連邦直轄領、ゴア州などに拠点を次々と築き、アラビア海沿いに勢力を伸ばした。さらにグジャラートのイスラム系地方王朝から7つの島を獲得。それらの島々に「よき港」（Bom Bahiaあるいは Boa Baim）と名づけたのが、ムンバイの旧名ボンベイの由来だとされるが、1661年に入ると「怠惰王」ことイギリスのチャールズ2世（1630～1685）とポルトガル王妹カタリーナ（1638～1705）の婚姻に伴い、7つの島は持参金の一部としてイギリスに贈与された。すると7つの島はイギリスによって埋め立てられ地続きとなり、19世紀末には綿紡績業と貿易の中心地として発展した。これが現在のムンバイの始まりで、1947年の印パ分離独立以降は低落するコルカタと入れ替わるようにインド経済に占める位置を上昇させた。

本章に登場するインド西部のバンド101組のうち7割以上（74組）がムンバイ拠点で、最もキャリアの長いIndus Creedは1985年の時点で活動を始めている（当時はRock Machineとして）。ただし、現在のムンバイ出身バンドの代表格といえるのは、シンフォニック・ブラックメタルのDemonic Resurrection、ブルータル・デスメタルのGutslitなど、2000年以降に出現したバンド群だろう。ムンバイより内陸のプネー、カリヤン、グジャラート州、旧ポルトガル領であるゴア州にも若干数のメタルバンドが見受けられる。しかし、ダードラーおよびナガル・ハヴェーリー連邦直轄領、ダマン・ディーウ連邦直轄領拠点のメタルバンドは残念ながら見当たらなかった。

調査対象エリア（人口およそ1億7485万人）

グジャラート州、ゴア州、マハーラーシュトラ州、ダードラーおよびナガル・ハヴェーリー連邦直轄領、ダマン・ディーウ連邦直轄領。

※人口は2011年インド国勢調査に基づく。

言語　ヒンディー語（連邦公用語）、英語（準公用語）、グジャラート語（グジャラート州の州公用語）、コンカニ語（ゴア州の州公用語）、マラーティー語（マハーラーシュトラ州の州公用語）。

宗教　ヒンドゥー教徒が多数派。ただし、2011年インド国勢調査によるとゴア州のみキリスト教徒の割合（25.1％）がインドの全土平均（2.3％）を大幅に上回る。

インドシーンの頂点に君臨する料理番組
シンフォニック・ブラックメタル

Demonic Resurrection

マハーラーシュトラ州ムンバイ　2000～　（初期）Symphonic Metal、（現在）Progressive Death/Black Metal　（影響）Behemoth、Dimmu Borgir、Emperor、Ihsahn、Old Man's Child　9305

カナダの人類学者 Sam Dunn が手掛けたドキュメンタリー映画『グローバル・メタル』（2007 年）には、伊藤政則氏（『BURRN!』編集顧問）、Yoshiki（X JAPAN）、川嶋未来（Sigh）に加え、インドのメタル界を担う逸材たちも複数登場した。20 世紀最後の年にムンバイで結成された Demonic Resurrection は、そのうちの 1 組で、同映画の公開から 15 年以上が経った今では、インドのシーンを代表する存在に上り詰めている。

結成初期は男女混成バンド

Demonic Resurrection が産声を上げたのは 2000 年春で、バンドの頭脳である Demonstealer こと Sahil Makhija<vo, g> は当時わずか 17 歳だった。彼は 1990 年代末の時点でシンフォニック・ブラックメタルに立脚した曲を書きためていたが、その頃のムンバイのシーンはカヴァーバンドやトリビュートバンドばかりで、メンバー集めに難儀したという。

それでも彼は自らのヴィジョンを具現化すべく、バンドを結成したその年にデビュー作『Demonstealer』（2000 年）を自主リリース。しかしラインナップは流動的で、Sahil は翌年にこのデビュー作を Aditya Mehta<b>、Nikita Shah<Key, vo> らと共に録り直す。女性メンバーの Nikita を擁したこの再録ヴァージョンはブラジルの Vampiria Records にてカセットテープ形態で流通されたが、Sahil は 2002 年に入ると自分以外の全パートを刷新。さらに当時在学していた Jai Hind College を中退すると、Sahil はレコーディングスタジオで勤務しながら、次回作のソングライティングに没頭する。

こうして約 3 年の制作期間を経て、Demonic Resurrection の 2nd アルバム『A Darkness Descends』（2005 年）が Sahil の自主レーベルでリリースされた。Demonstealer Records と名付けられた彼のレーベルは、インドの後続バンドにとっても貴重な活動基盤になったばかりか、

Behemoth の 9th アルバム『Evangelion』（2009 年）と Dimmu Borgir の 9th アルバム『Abrahadabra』（2011 年）のインドにおける流通を手掛けるに至った。

欧州と北欧のフェスの常連に

バンドはその後もメンバー交代を重ねつつ、パキスタンの Dusk を含む 4 組共作のスプリット盤『Rise of the Eastern Blood』（2006年）などを経て、インド国内では 2009 年 1 月には Opeth のチェンナイ公演のサポートアクトを務め、同年暮れには Deccan Rock に出演した。

2010 年に入るとイギリスの名門 Candlelight Records から 3rd アルバム『The Return to Darkness』を発表し、同郷の Scribe を従えてインド産バンドとして史上初めてノルウェーの大規模フェス Inferno Metal Festival に出演。さらにイギリスの専門誌『Metal Hammer』のアワードで「Global Metal」部門に輝き、チェコの大規模フェス Brutal Assault に初参加するなど、目覚ましい活躍を示す。

2012 ～ 2013 年にはイギリスの Bloodstock Open Air とアラブ首長国連邦の Dubai Rock Fest に初参加し、2014 年 7 月には 4th アルバム『The Demon King』を引っ提げ、Sonisphere 参加を含むイギリスツアーを行い、翌月にはドイツの Wacken Open Air のステージに上がる。2015 年 7 ～ 8 月のスロヴェニア、チェコでの公演を経て、2017 年 3 月の 5th アルバム『Dashavatar』（2017 年）ではヴェーディックメタル路線を打ち出した。

バンドは 2018 年に 2 度目のイギリスツアーを敢行し、Bloodstock Open Air に再び参加。その際の模様を収めたライヴ盤『Live at Bloodstock』を 2019 年 6 月にリリースしたが、本稿執筆時点の正式メンバーは Sahil と Virendra Kaith<ds> の 2 人だけになっている。

Demonic Resurrection

Demonstealer

2000

自主制作

マハーラーシュトラ州ムンバイ

バンド結成から約半年後にリリース後、複数回リイシューされた 1st アルバム。基本的な音楽性は現在と変わらず、Cradle of Filth、Dimmu Borgir などの影響下にあるシンフォニック・ブラックメタルであり、土着臭は皆無である。とはいえ、全体的にチープなプロダクションであり、バンドが理想とする音像と実情が乖離している印象を受ける。再録ヴァージョンには女性メンバーの Nikita Shah<Key, vo> が参加し、彼女にヴォーカルを託したメロウなバラード M4「My Misery」も聴ける。

Demonic Resurrection

A Darkness Descends

Demonstealer Records

2005 Symphonic Metal

マハーラーシュトラ州ムンバイ

Sahil Makhija<vo, g> 以外のメンバーを総入れ替えした 2nd アルバム。Husain Bandukwala<b>、元 Metakix の JP こと Prashant Paradkar<ds>、Mephisto こと Jetesh Menon<key> という卓越した楽器隊を迎えたことで、バンドのテクニックが格段に向上。壮麗なストリングスと暴虐なブラストをフィーチュアした楽曲群は劇的かつ起伏豊かで、デビュー作『Demonstealer』（2000 年）とは見違えるほど。バンドの基本軸を定めた 1 枚と言える。

Demonic Resurrection

Beyond the Darkness

Demonstealer Records

2007

マハーラーシュトラ州ムンバイ

パキスタンの Dusk など 4 組参加のスプリット盤『Rise of the Eastern Blood』（2006 年）に提供した 4 曲をピックアップし、インスト曲の M5「The Fallen Stars」を追加収録した EP。Sahil Makhija がヴォーカル、ギター、ドラムの 3 役を兼任している。基本的な音楽性は 2nd アルバム『A Darkness Descends』（2005 年）と変わらないが、M3「And the Dream Will Cease to Exist」はバラードの要素を帯びたナンバーである。

Demonic Resurrection
The Return to Darkness
Candlelight Records　2010
マハーラーシュトラ州ムンバイ

本稿執筆時点もバンドに残留している Virendra Kaith<ds> の加入第 1 弾作品で、イギリスの名門 Candlelight Records で配給された 3rd アルバム。Daniel Kenneth Rego<g> を含む 5 人編成で放った作品でもある。Mephisto こと Jetesh Menon<key> のシンセで彩られた壮麗なシンフォニック・ブラックメタルを変わらず披露しているが、デビュー当初からの長尺志向がさらに顕著になり、バンド初となる 11 分超えの M7「Lord of Pestilence」が収録された。

Demonic Resurrection
The Demon King
Candlelight Records　2014
マハーラーシュトラ州ムンバイ

Nishith Hegde<g>、Ashwin Shriyan<b> の 2 人を新たに迎えた 4th アルバム。表題曲の M5 をはじめ、Mephisto こと Jetesh Menon<key> のピアノの速弾きを要所で聴けるが、彼は本作を最後にバンドを脱退している。Sahil Makhija<vo, g> がインタビューで語ってくれたとおり、インドの叙事詩『ラーマーヤナ』にインスパイアされたアートワークが描かれているが、奇をてらわないシンフォニック・ブラックメタルをアルバム全体を通じて披露している。

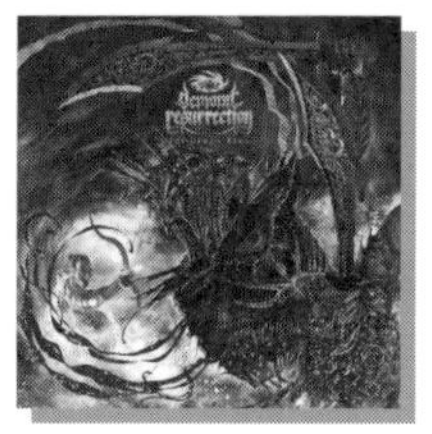

Demonic Resurrection
Dashavatar
Demonstealer Records　2017
マハーラーシュトラ州ムンバイ

民族楽器をふんだんに用いて、ヒンドゥー教の秩序の維持神ヴィシュヌの十大化身を描いた 5th アルバム。ただし、Sahil Makhija<vo, g> はヴェーディックメタルではないと主張している。前作『The Demon King』（2014 年）を最後に脱退した Mophisto こと Jetesh Menon<key> がゲスト扱いで参加し、Sitar Metal の Rishabh Seen も M1「Matsya - The Fish」で客演。ドイツの Dark Fortress の V.Santura<g> がマスタリングを担当した。

Demonic Resurrection
Live at Bloodstock
Demonstealer Records　2019
マハーラーシュトラ州ムンバイ

2018 年 8 月にイギリスの Bloodstock Open Air に出演した際の模様を収録したライヴ盤。5th アルバム『Dashavatar』（2017 年）から厳選されたエスニック色の強いナンバーが全体の半数を占め、イギリスのバンド De Profundis の Soikot Sengupta<g> と Arran McSporran<b> がサポートを務めている。序盤は観客のノリが悪くて声援がまばらで、Sahil Makhija<vo, g> の英語による MC も滑りがちだが、会場が尻上がりに盛り上がる様子が分かる。

Demonic Resurrection
Decades of Darkness
自主制作　2022
マハーラーシュトラ州ムンバイ

Sahil Makhija がヴォーカル、ギター、ベースの 3 役を兼ねた通算 8 作目の EP。2022 年 3 ～ 6 月に配信リリースした 4 曲をコンパイルしており、それらのヴォーカルを抜いたインストヴァージョンも聴ける。4th アルバム『The Demon King』（2014 年）までの頃に立ち戻り、起伏の豊かなシンフォニック・ブラックメタルを披露しており、Sahil のクリーンヴォイスが聴ける曲もある。Obscura の David Diepold と、Benighted に在籍する Kevin Paradis が交代でドラムを叩いた。

Demonic Resurrection インタビュー

ムンバイを拠点とする Demonic Resurrection は、結成から 20 年以上の歴史を誇るインドの重鎮シンフォニック・ブラックメタルバンドだ。カナダの人類学者 Sam Dunn のドキュメンタリー映画『グローバル・メタル』（2007 年）、イギリスの Sonisphere とドイツの Wacken Open Air などへの出演（共に 2014 年）を通じ、日本のメタルファンの間でもよく知られているバンドと言える。その頭目である Demonstealer

こと Sahil Makhija<vo, g>。にインタビューを申し出たところ、快く承諾してくれた。

回答者：Demonstealer aka Sahil Makhija<vo, g>

――初めまして。まず Demonic Resurrection の現メンバーは、Demonstealer こと Sahil Makhija<vo, g> と Virendra Kaith<ds> の 2 人だけで相違ないでしょうか？ 各メンバーが影響を受けたアーティスト、お気に入りのバンドも教えてください。

Sahil Makhija（以下 S）現在の正式メンバーは、ヴォーカル／ギター／キーボードの俺と、ドラムの Virendra Kaith だけだが、もう 1 人ギタリストが加わる予定になっている。影響を受けたアーティストや気に入っているアーティストだが、俺の場合は Strapping Young Lad、Blind Guardian、Dimmu Borgir、Emperor と Ihsahn、Old Man's Child、Behemoth などだ。他にも挙げるとキリがないがね。ドラムの Virendra はモダンヘヴィネス／モダンメタル志向で、Pantera、Meshuggah、Lamb of God、SikTh、それに Textures が好きだね。新たに加わる予定のギタリストは、Gojira、Karnivool、Opeth、Necrophagist、Death などをよく聴いている。俺達の音楽は、こうした影響源がミックスされたものなんだ。

――インドは 1980 年代半ば～後半に Indus Creed、Millennium、Post Mark など第一世代のヘヴィメタル／ハードロックが登場しましたが、実際にヘヴィメタル文化が浸透したのは、1991 年の経済自由化政策と 1994 年の通信自由化に伴い、衛星放送やケーブル TV、インターネットが普及した後では？と思われます。言い換えると、インドの人々にとってヘヴィメタルは割と新しい音楽ジャンルでは？と思われますが、この見立ては適切でしょうか？

S：かなり正確な考察だが、かつてのインドではジャズも流行っていたんだ。『Standing by』という素晴らしいドキュメンタリー番組のミニシリーズ（注：エナジードリンクの Red Bull の関連会社が 2015 年に制作した全 6 話のドキュメンタリー番組シリーズのこと）を一度観てみるとよいだろう。インドの大きな問題は、物事が文書としてアーカイヴ化されないことだと思う。また、欧米の音楽そのものがごく限られた社会経済階層だけに愛好され、広範な大衆向けに現地語に翻訳されなかったという事実も大きい。これは現在でも変わらないがね。

――私は 1996 年にネパールのカトマンズとポカラ、1997 年にインドのベンガルールを訪ねたことがありますが、Demonic Resurrection のようなシンフォニック・ブラックメタルバンドがインドに登場するとは想像していませんでした。しかも、Demonic Resurrection を結成した 2000 年当時、あなたはわずか 17 歳だったと知って驚きまし

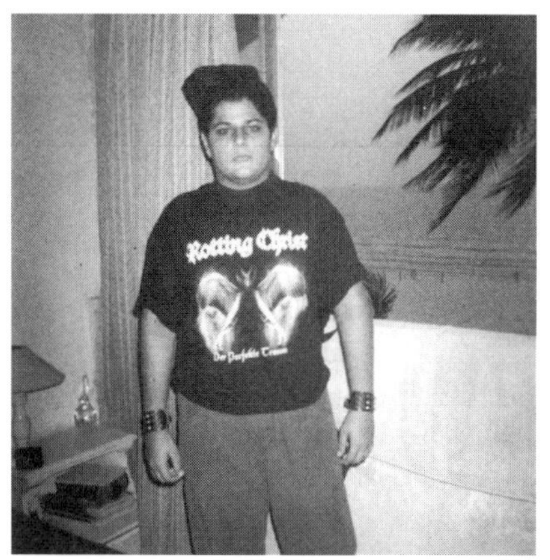

わずか 17 歳で、Demonic Resurrection を結成した頃の Sahil Makhija。Rotting Christ の T シャツを着ている。

た。2000 年の時点で、インドには Demonic Resurrection のようなシンフォニック・ブラックメタルを好むリスナー、ファンは何人くらいいたのでしょう？

S：正直なところ、セールス枚数やダウンロード数などの記録が一切残っていないので、俺達の音楽をどれくらいの人々が気に入ってくれたのかは分からない。当時のたいていのギグは対バン形式で、どんなサブジャンルに属するメタルバンドがステージに上がろうが、オーディエンスは目一杯盛り上がっていたよ。彼らはそうしたバンドを気にとめ、帰宅後にも聴いていたかもしれないし、あるいは聴いていなかったかもしれない。どちらにせよ、ライヴ会場ではエンジョイしていただろう。2000 年のデビューアルバム『Demonstealer』は 300 枚くらいプレスして、海外のファンジンやレーベル宛にも見本盤を送ったんだが、さまざまなエリアで販売する手段がなく、2 つの都市でしか売ることができなかった。ともかく、俺達は当時のインド唯一のシンフォニック・ブラックメタルバンドだったと思うよ。実際のところ、メタルバンド自体がほんの一握りしかいなかった。もしかしたら他にも何組か活動していたかもしれないが、たいていの場合、存在した痕跡を探し出すのは無理だった。

——活動初期の Demonic Resurrection は、女性メンバーの Nikita Shah<Key, vo> を擁する男女混成バンドでした。日本と違って、インドは男女混成バンドやガールズバンドが非常に少ないので、当時のリスナー、オーディエンスは奇異に思わなかったですか？

S：オーディエンス目線であれ、ミュージシャン目線であれ、メタル界の男女比は世界中どこでも不均衡だと思う。常に男のほうが多く、国力の小さい国ほど比率に偏りが生じる。なぜなら、総じてそうした国々で暮らす女性の生活は困難なもので、抑圧が大きくなるからだ。たとえばインドでは、現在でもたいていの両親は女の子に早く帰宅しろ、異性に会うな、ライヴに行くなと求める。男の子はもっと気軽にライヴに行けるがね。そんなわけで、俺達が活動を始めた頃は女性客がきわめて少なかった。バンドに入ってプレイする女性はなおさら少なかった。言い換えると、当時の俺達はムンバイ唯一の男女混成バンドだったんだよ。俺が覚えている限り、ギターやベース、ドラムをプレイする女性はベンガルールのほうが多かったんじゃないだろうか。インドではメタ

Demonic Resurrection 結成初期の Sahil Makhija（写真左端）が、女性キーボーディスト兼シンガーの Nikita Shah（写真中央）と共にメロイックサインを決めている。

ルバンドを組んだり、入ったりする女性はいまだに少数派だが、女性ミュージシャンの人口は間違いなく20年前より増えているよ。

―― 2005年の2ndアルバム『A Darkness Descends』は、あなた自身が設立したDemonstealer Recordsでリリースされました。『The New York Times』のムンバイ特派員だったMichael Edison Hayden（注：現在はアメリカの公民権擁護団体である南部貧困法律センターに所属）の取材によると、あなたはこのレーベルとDemonic Studiosと名付けたスタジオを設立するため、カレッジ（Jai Hind College）を中退したそうですが、家族や両親に反対されなかったですか？ なぜそこまでヘヴィメタルにのめり込んだのですか？

S：メタルへの愛情が芽生えたのは、高校時代にMetallicaとIron Maidenを勧められた時だ。そこからさらにデスメタルやブラックメタルなどへと突き進んだんだ。うまく説明できないが、その手の音楽とコミュニティーには共感を呼び起こす何かがあった。信じられないほどのエネルギーがあって、自分が何だか大きなものに属しているように感じたんだよ。単にハッピーな生活や恋愛について歌うんじゃなく、たとえば抵抗精神を音楽で表したSepulturaのように、シリアスなテーマを歌っているところが気に入った。組織化された宗教に反発心を示すDeicideのようなバンドもいれば、俺が大好きなダークな心象風景を描くSlayerのようなバンドもいた。それで俺はメタルに夢中になり、一生メタルソングを作りたいと思ったんだ。2002年にカレッジを中退したのは、単に音楽のキャリアを追求したからであって、レーベルやスタジオを開業するためじゃなかった。もちろん、バンドだけでは稼げないと分かっていたので、生計を得るためのプランを立てなければならなかったがね。それでカレッジを中退後、レコーディングスタジオのアシスタントとして就職したんだ。それ以前からすでにオリジナル曲を宅録したり、他のバンドのレコーディングを手掛けたりした経験もあったからね。言い換えると、Demonic Studiosは宅録ベッドルームとして、基本的には前々から存在していたんだよ。2002年にレコーディングスタジオに就職後、俺はエンジニアに昇格して2006年まで働いた。その前年にリリースしたDemonic Resurrectionの2ndアルバム『A Darkness Descends』（2005年）はプロモーションが奏功して、世界各地のディストロと取引を結ぶことができた。俺はこうして実体のあるレーベルとしてDemonstealer Recordsを立ち上げ、他のインド人バンドとリリース契約を結ぶことにしたんだ。

―― Demonstealer Recordsでは、Behemothの9thアルバム『Evangelion』（2009年）とDimmu Borgirの9thアルバム『Abrahadabra』（2011年）をインドで配給したそうですね。どちらもワールドワイドに有名なバンドですが、インドでのセールスはいかがでしたか？ 配給、流通時の交渉などのエピソードを教えてもらえますか？

S：2008年に、Behemothのマネージメントから『Evangelion』の配給について問い合わせが来た時は実に嬉しかった。何しろ俺の大好きなバンドだったからね。あの時は、限定盤のBoxセットとしてリリースすべく取り組んだ。CDとポスター、ステッカー入りのBoxセットだよ。レーベルといってもワンオペの個人商店だから、店頭を回ったり、大量にプレスしたり、印税報告書を定期的に送ったり保存したりすることは不可能だった。そんなわけで、アルバム1000枚分の包括（ブランケット）ライセンス契約を結ぶことにして、それにかかる費用を支払った。アルバム自体は素晴らしい出来映えだったし、Boxセットの出来映えもよく、クオリティも高かった。ところがセールスは悲惨なもので、たった300セットくらいしか売れなかった。このため2010～2018年にかけて、俺はBehemothの

Boxセットを半額で売り、さまざまなバンドコンテストの景品としてたくさんバラ撒いた。インドにいる多くの忠実な顧客にはタダで進呈したし、友人であるTranscending Obscurity RecordsのKunal Choksiにも100セットくらい渡し、彼の顧客に無料配布してもらった。こうして俺は8年越しで在庫を一掃することができたわけだ。Dimmu Borgirから打診が来た時も心躍らされたが、Behemothのセールスが振るわなかった苦い思い出があったので、500枚の契約にとどめた。そのうち通常盤は200枚、限定盤のBoxセットは300枚だった。Tシャツ200枚分のライセンス契約も結んだ。この時も相変わらずワンオペ体制で、口座維持費や支払など俺の手に余ることが多かったので、印税を一括で前払いしたが、やはりセールスは伸び悩んだ。Tシャツ200枚はソールドアウトしたが、通常盤とBOXセット合わせて250枚くらいしか売れなかったと思う。それでもう一度、2013〜2019年にかけてDimmu Borgirの半額セールをやったり、バンドコンテストの景品としてバラ撒いたり、しまいにはDemonic Resurrectionのアルバムの購入者特典としてタダで進呈したよ。そもそもインドにはCDショップが皆無に等しいので、俺達はWebサイトまたはムンバイのライヴ会場でしかCDを売っていなかった。インドでフィジカルCDを買う客は全然いないから、最終的にはレーベルも閉鎖してしまったよ。

―― Demonic ResurrectionとKryptosが、カナダの人類学者Sam Dunnのドキュメンタリー映画『グローバル・メタル』(2007年)に出演したことはよく知られていますが、撮影中の面白いエピソードを教えてもらえますか？　また、『グローバル・メタル』には伊藤政則氏(『BURRN!』編集顧問)、Yoshiki(X JAPAN)、川嶋未来(Sigh)も出演したので日本でも劇場公開されましたが、あなたは彼らのことをご存じでしたか？

S：きわめてシンプルな撮影だったので、面白い出来事は実際のところ何もなかったよ。撮影場所が用意され、俺はSamとの対面インタビューに応じた。厄介な出来事が起きたのはライヴの撮影だった。俺はSamにムンバイのライヴ会場でイベントを仕込んでくれと頼まれた。Samは映画用にライヴの撮影をやりたかったんだよ。それで話し合いの末、彼の意向を汲み取って出演バンドのラインナップを決めた。ここまでは順調だったが、選に漏れたバンドのファンが血相を変えて取り乱し、フライヤーを片手にライヴ会場に何人も押しかけてきたんだ。そして「そのラインナップは間違っている。あなた方は他のバンドをチェックすべきだ」と難癖をつけ、Samにフライヤーを手渡したよ。これは非常に情けない出来事で、Samは彼らの狭量さにショックを受け、困惑していた。加えて、会場内に入ることを許された人々は、声を立てて撮影を邪魔しようとしたので、いい気分はしなかった。君が名前を挙げた人物のうち、ミライは知っていて、チェコのメタルフェス、Brutal AssaultでSighと共演したこともある。X JAPANのことは知っているが、メンバーには直接会ったことがないし、マサ・イトー(伊藤政則氏のこと)も接点がまったくないね。

―― 2010年はDemonic Resurrectionにとってマイルストーンの年だったと思います。なぜなら3rdアルバム『The Return to Darkness』がイギリスの名門Candlelight Recordsで配給され、ノルウェーのInferno Metal Festivalやチェコの大規模フェス、Brutal Assaultへの出演を果たしたからです。Candlelight Recordsや、ノルウェーとチェコのオーガナイザーとはどうやって接点ができたのですか？

S：実際のところ、Candlelight Recordsとは2009年の時点で契約を締結済みだった。俺がインドでBehemothの『Evangelion』を配給したことを聞きつけて、彼らはIhsahnのアルバム(注：

2010年の3rdソロアルバム『After』だと思われる）をインドでリリースしないかと持ちかけてきた。もちろんIhsahnもお気に入りのアーティストだったが、あいにく俺はBehemothに有り金を突っ込んだ上に、Demonic Resurrectionの3rdアルバムのレコーディングと制作を進めていた最中だったから、インドでのIhsahnのアルバム配給は見送った。その代わりに、Demonic Resurrectionの3rdアルバムのアルバム配給に興味あるか？とCandlelight Recordsに逆提案したら、驚くべきことに彼らはイエスと答えてくれたよ。こうして彼らと契約を結んだわけだ。チェコのBrutal Assaultに関しても、2009年の時点で俺達はブッキングされていた。当時のベーシストだったHusain Bandukwalaがチェコの主催者に売り込みをかけたら、向こうが俺達の音楽を気に入ってくれてね。ところが、ドラマーのVirendra Kaithはパスポートを持っておらず、申請が間に合わなかったため、俺達は翌年の2010年にBrutal Assaultに出演することになった。幸いにもBrutal AssaultのオーガナイザーであるTomáš Fialaは寛大な人物で、調整を図ってくれたよ。ノルウェーのInferno Metal Festivalには、ノルウェー政府の関連団体によるConcerts Norwayという芸術家交換プログラムの一環で出演した。Great Indian Rockというインドのロックフェスを主催していた専門誌『Rock Street Journal』がノルウェー側とパートナーシップを当時結んでいたんだ。それ以上のことは詳しく知らないがね。

──私が調べたところ、インドのメタルバンドが北米や欧州で積極的にライヴするようになった時期は2010年頃からだと思われます。2018年にはあなた方より後に結成された Gutslit、Bloodywood、Against Evil、Godless、SystemHouse33、Zygnemaが1カ月以上の欧州ツアーを行い、ケララ州のスラッシュメタルバンドAmorphiaは2019～2020年に日本の大阪と東京をツアーしました。あなた方が活動を始めた2000年当時よりも、現在のインドはメタルバンドが海外進出しやすくなったのでしょうか？

S：オリジナル曲を書き、音源としてリリースしていたインド人バンドは2000年の時点ではごくわずかだったと思う。言い換えると、当時は海外に打って出るという選択肢はありえなかったはずだ。海外ツアーのために何をすべきか心得ているミュージシャンは皆無で、海外ツアーなんて誰も夢見ていなかったんじゃないだろうか。ほとんどのバンドはビジネス面についてまるで知らなかったので、俺はかつてプロモーションやマネージメント、マーケティングに関するクリニックやワークショップを開いたほどだ。インドでこうした事柄が重視されるには、もう少しばかり時間を要したがね。ただ、インド人バンドが実際にオリジナル曲を書き、音源をリリースできるようになると、海外進出について考え始めた。直近の10年間では、多くのバンドがインド国外に打って出ようとしている。なぜなら、そうしたバンドはすでにインド国内で大舞台を踏んできたからだ。現在のインドで大規模なメタルフェスはBangalore Open Airしか存続していない。俺達やGutslit、Kryptosといったバンドはヨーロッパツアーを経験済みで、他のバンドも海外ツアーのノウハウを持ち合わせており、俺達に続こうとしている。でも話を戻すと、俺達だって結成初期の2000年の時点で海外ツアーをいきなり組むことなんて無理だったと思うよ。仮に日程を組んだとしても、あの頃は渡航費やビザ取得費を捻出できなかっただろう。

──Demonic Resurrectionは2012年8月、イギリスのBloodstock Open Airにインド産バンドとして史上初参加しました。この年のBloodstock Open Airには、台湾のブラックメタルバンドChthoniCも出演しました。あなた方は彼らのライヴパフォーマンスを

俺達はヒンドゥー教を
支持しているわけではない

インド南部のハイデラバードで2017年4月に行われたライヴの終演後に、現地のファンと共に。ちなみにムンバイ〜ハイデラバード間の距離は、陸路だと約716km。東京〜青森間に匹敵する距離だ。

ご覧になりましたか？　ChthoniCは台湾の独立を掲げるバンドで、シンガーの林昶佐（Freddy Lim）は台湾の立法委員（国会議員）選挙で2度当選した現職議員として日本でも有名ですが。

S：ああ、ChthoniCのライヴは現地で観たし、メンバー達にも会場で挨拶したよ。実はChthoniCのブッキングエージェンシーとは接点があって、2012年に彼らとカップリングツアーを行うプランもあったんだが、残念ながら立ち消えになってしまった。

――2014年7月、イギリスのSonisphereに史上初出演したインド産バンドもDemonic Resurrectionでした。この年のSonisphereには、日本のBABYMETALも出演しましたが、あなた方は彼女達のライヴパフォーマンスをご覧になりましたか？　もし好きな日本人アーティストいたら教えてもらえると、なお幸いです。

S：ああ、全編通してではないが一応は観た。正直なところ、日本人アーティストのことはあまり知らないんだよ。俺が知っているのはせいぜいBABYMETAL、Abigail、Sigh、それにLoudness、X JAPANくらいだ。

――あなた方にとってのもう1つのマイルストーンは、2014年8月のWacken Open Air出演だったと思います。世界中のメタルバンドが憧れるWackenへの出演が決まった時は嬉しかったですか？　当時の面白いエピソードも教えてもらえますか？

S：2014年のWacken Open Airにブッキングされたのは夢のような出来事で、心踊らされたよ。面白いエピソードと言えば、LCC（格安航空会社）でイギリスを経由してドイツへ向かったんだが、持込手荷物の数が限られていたため、テントや寝袋、キャンプ用品などを持って行けなかった。なおかつ

Wackenの主催者はVIP用のキャンプエリアに寝床をあてがってくれなかった。どうにかしてテントだけは用意してもらったが、寝袋を持っていなかったせいで、文字どおり地べたで寝る羽目になった。会場は賑やかで、夜間は非常に寒かったが、昼間は灼熱の暑さだったよ。

―― 2014年発表の4thアルバム『The Demon King』まで、Demonic Resurrectionは欧州スタイルのシンフォニック・ブラックメタルをプレイしていましたが、2017年の5thアルバム『Dashavatar』で突然ヴェーディックメタルに様変わりしました。『Dashavatar』は、ヒンドゥー教の秩序の維持神ヴィシュヌの十大化身を題材にしたコンセプトアルバムでしたが、このような宗教色の濃いアルバムを作ろうとしたきっかけは何ですか？

S：最初にはっきり指摘したいのは、『Dashavatar』は決して宗教的なアルバムではなかったということだ。あのアルバムでは単にヒンドゥー神話を扱っただけで、俺達はヒンドゥー教を支持しているわけではない。そのことは、「Man Made Demons. Man Made God／人間が悪魔を作り、人間が神を作った」というイントロの一節で明確に示した。あのアルバムを締めくくる「Kalki - The Destroyer of Filth」という曲でも、この一節を復唱した。音楽面でも、俺達がヴェーディックメタルの領域に踏み込んだとは全然思わない。シンガポールのRudraは、ヴェーディックメタルの好例だがね。俺達の場合は各収録曲のストーリーを際立たせるべく、それらしい要素を少しばかり織り交ぜたにすぎないんだ。もしメロディーやリフを聴けば、昔ながらのDemonic Resurrectionの作品だと分かるよ。あのアルバムの制作に当たり、俺達はきわめて自然な成り行きでインスピレーションを得た。3rdアルバム『The Return to Darkness』のリリース後、当時のキーボーディストだったMephistoことJetesh Menonはラーヴァナ（注：古代インドの叙事詩『ラーマーヤナ』に登場する羅刹王のこと）を中心に据えたアルバムを作ろうと提案してきた。彼の友人がちょうど『ラーマーヤナ』を現代に置き換えたストーリーを考えていて、俺は興味をそそられたものの、自分自身でストーリーをこしらえたくなった。その結果、2014年の4thアルバム『The Demon King』のアートワークは『ラーマーヤナ』を下敷きにした絵柄になった。こうしてヒンドゥー神話を掘り下げるようになったんだ。正直なところ、俺自身はちっとも宗教的ではない西洋式のしつけを受けて育ったので、ヒンドゥー神話を聞かされたことはなかった。ところが、俺のワイフがナラシンハ（注：前掲のヴィシュヌの十大化身の1つで、獅子頭の獣人）について話し出してね。ヒンドゥー神話はきわめて残忍かもしれないと言ったんだ。俺はその時に興味をそそられ、ヴィシュヌの十大化身を総称する『Dashavatar』というアルバムタイトルのもと、ヒンドゥー神話にまつわる楽曲を書いたんだ。

―― Demonic Resurrectionは2018年にイギリスで複数回ライヴした際に、ネパールのUndersideと合流して、この年のBloodstock Open Airに出演しました。UndersideはDemonic Resurrectionより後発のバンドですが、デビュー当初からヨーロッパ諸国やオーストラリアで積極的にライヴしています。彼らのことは隣国のバンドとして評価していますか？

S：俺はUndersideが大好きなんだ！ 素晴らしいバンドで、メンバーも愛すべき連中だ。俺達は2015年にネパールに出向いてUndersideと共演したこともある。彼らはSilence Festivalという主催イベントに実に熱心に取り組んでいる。だからこそ、彼らはネパールのシーンでよく知られた存在なんだ。実はUndersideのドラマーはネパールではなくインド出身で、かつてUndying Inc.でもプレイしていた。

Nishant Hagjer という優秀なドラマーだよ（注：その後は Arogya にも参加）。

──あなたは、Demonic Resurrection の他にも、Hellwind、Infinite Hate Project、Reptilian Death、Workshop など数々のサイドプロジェクトを立ち上げましたね。最も新しいサイドプロジェクトの Solus ex Inferis はインド、アメリカ、オーストラリア、チリの 4 ヶ国混成による多国籍テクニカル・デスメタルでしたが、どうしてそんなに多くのサイドプロジェクトを立ち上げたのですか？ 全部を両立させるのは難しくないですか？

S：西洋諸国と違い、インドではバンド活動が非常に難しい。会場の数もごく限られていて、たいていは数年後に立ち行かなくなってクローズするので、なおさら活動が困難になる。フェスに関しても同様だ。大勢の人々がフェスを主催しようと目論み、どうにかして単発で行われるが、ほとんどは資金難に陥って長続きしない。したがって、大半のインドのバンドは月 1 本、年間で 12 本しかライヴしていないかもしれない。今は状況がやや好転して、インド国内でツアーを組めるようになったが、昔はそうもいかなかった。俺は長いこと音楽に打ち込んできたが、メンバー全員がそうとは限らない。言い換えると、バンドとしては週 1 ペースで集まって練習している程度だから、俺には空き時間がたくさんある。俺はそういう空き時間に、さまざまなサイドプロジェクトを立ち上げたんだ。また、いろいろなメタルのサブジャンルも好きだから、Demonic Resurrection とは違うジャンルの音楽もプレイしたい。俺はドラマーでもあり、ドラムを叩くことも好きだからね。そんなわけで、さまざまなサイドプロジェクトを立ち上げたが、メンバー探しが困難になったので、たいてい終了してしまった。そもそもメタルでは金を稼げないから、フルタイムで音楽をプレイしたいミュージシャンはたいていの場合、ボリウッド映画音楽に宗旨替えしてしまう。ひとたびそっちに流れたミュージシャンは、他のジャンルの音楽に時間を費やさなくなる。このため、現在の俺のプロジェクトは 3 つだけだ。Solus ex Inferis では作詞とヴォーカルを担当しているが、作曲には一切関与していない。このプロジェクトのマネージメントにも携わっていないから、曲作りのプロセスだけを純粋に楽しむことができる。残りの 2 つは Demonic Resurrection と、俺のソロプロジェクトである Demonstealer だ。つまり、これら 3 つを両立させるのはたやすいことだよ。

──あなたのもう 1 つのサイドプロジェクトとして興味深いのは、料理研究家としての活動です。あなたは 2011 年からオンライン料理番組「Headbanger's Kitchen」を配信していて、2019 年 9 月には高脂肪・低炭水化物のケトジェニック・ダイエット食のレシピ集『Keto Life』を出版しました。しかし、あなたのオンライン料理番組では、牛肉を使ったローストビーフ、ミートローフ、グヤーシュ（注：ハンガリー風ビーフシチュー）などが取り上げられています。インドのヒンドゥー教徒にとって牛肉はタブーではないのですか？ 同じくヒンドゥー教ではしばしばタブー視されるアルコールに対する見解も伺えますか？

S：ナレンドラ・モディ政権が権力を握って以来、インドでは牛肉が大きな問題になっている。インドのほとんどの州では牛の食肉解体が禁じられた。かたや俺の番組で牛肉を調理する際は、100％合法である「水牛の肉」を使っている（注：ヒンドゥー教徒は黒い水牛を神聖視しないため、水牛の食肉解体は禁じられていない）。また、ヒンドゥー文化で肉を食べないのはバラモン（司祭）のカーストに属する人々だけで、他の階層のヒンドゥー教徒は牛をはじめとする肉を食べているよ。インドにはさまざまな宗教や文化が根づいていて、牛肉を食べることは別に珍しくない。さらに付け加えると、インド人の 7 割方は肉を食べている。モディ政権が権力を握り、ムスリムをリンチし

父親（写真左端）と妻（写真右端）と共におどけて写った家族写真。

て殺害する口実として牛肉を持ち出す前は、まったく問題にならなかった。モディ政権は牛の保護という名目のもと、多くの人々を集団リンチで死に至らしめた自警団を飼い慣らしている。自警団が実力行使に出るのは、WhatsApp メッセンジャーで牛の輸送や牛肉の消費について通報が来るからだと称しているが、実際のところは根拠が薄く、たいていは WhatsApp メッセンジャーでの噂話だけに基づいている。農場で息絶えた動物の死骸を処理するダリト（不可触民）も自警団の標的になっている。基本的にモディ政権はヒンドゥー至上主義を推し進めるために、IS（Islamic State）のヒンドゥー版と言える自警団を動員しているわけだ。しかしおかしなことに、インドは世界 3 位の牛肉輸出国でもあるんだ（注：JETRO〈日本貿易振興機構〉の 2019 年の「輸出品目別レポート（牛肉）」によると、第 1 位はブラジル〈208 万トン〉、第 2 位はオーストラリア〈166 万トン〉で、インドの牛肉輸出量は第 3 位〈155 万トン〉だった）。たいていの食肉処理工場は、上級カーストのヒンドゥー教徒が所有していてね。そうした人々の 1 人が、「Al-Kabeer ／アル＝カビール」というイスラム風の社名を掲げたんだが、これも実際にはヒンドゥー教徒が経営する会社なんだ。アルコールに関して言えば、インドで禁酒法があるのはごく一部の州だけだが、俺は同意しかねるね。俺はそれほど酒を飲まないが、21 世紀とは思えないクレイジーな措置だよ。8 割方の州では普通に酒を飲めるがね。

―― Demonic Resurrection のアルバム群は日本でも輸入盤として流通していて、iTunes、Apple Music、Spotify などで日本でも試聴可能で、あなたの料理レシピ集『Keto Life』も日本の Amazon で入手可能です。そこで是非、最後に日本のリスナーにぜひメッセージをお願いします。

S：日本で俺達をサポートしてくれている人々すべてに、大きな愛と感謝を捧げたい。いつか日本に行って、おいしい日本食を食べて、日本という美しい国を満喫したいよ。バンドとしても日本のメタルヘッズの前でプレイできることを願っている。なぜなら、俺達のお気に入りの欧米バンドはたいてい来日公演をやったことがあって、それらの模様を収めた動画をたくさん観てきたからだ。俺達自身もいつか来日公演をやりたい。その時が来るまで、Stay Demonic ！

自ら執筆したレシピ集『Keto Life』（2019 年）を片手にアピール。

ボリウッド映画俳優の息子が、インドのメタル界のトップに君臨

Demonstealer

マハーラーシュトラ州ムンバイ　1998～　Death/Black/Thrash Metal
（影響）Behemoth、Dimmu Borgir、Nile、Obscura、Ulcerate、Meshuggah　1763

Demonic Resurrection の総帥として知られる、Demonstealer こと Sahil Makhija は 1982 年 6 月 19 日生まれ。彼の父親 Micky Makhija はボリウッド映画俳優で、出演した SF アクション映画『クリッシュ』（2013 年）やラブコメ映画『プレーム兄貴、お城へ行く』（2015）で日本のスクリーンにもお目見えしている。

Sahil は 2000 年春に若干 17 歳で Demonic Resurrection を結成して以来、同バンドでフルアルバム 5 枚などをリリース済み。その傍ら、2008 年から Demonstealer 名義でのソロアルバム 4 枚などを発表している。この他にも、Demonic Resurrection での僚友だった Ashwin Shriyan<b> と立ち上げた Reptilian Death、土木作業員のような扮装をした Workshop、あるいは多国籍編成の Solus ex Inferis など、さまざまなサイドプロジェクトで話題を提供する。

さらに幼少時から慣れ親しんでいた料理の腕前を生かして、「Headbanger's Kitchen」と題したオンライン料理番組を 2011 年から配信しており、高脂肪・低炭水化物のケトジェニック・ダイエット（ケトン食療法）を推奨。それらのレシピ 100 種以上をまとめた料理本『Keto Life』も 2019 年 9 月に発表した。

Demonstealer
The Propaganda Machine
Black Lion Records　2023
マハーラーシュトラ州ムンバイ

通算 4 枚目のフルアルバム。Aborted の Ken Bedene<ds>、Kataklysm の James Payne<ds> など欧米の有名ミュージシャンが 12 人も客演している。Sahil Makhija はこのプロジェクトでは過剰な装飾を控えた正攻法のデス／ブラックメタルを披露していたが、元 Cradle of Filth の Anabelle Iratni<key> もゲスト参加したことで、本作はシンフォニック色が強まった。その結果として Demonic Resurrection との差別化が曖昧になったと言える。

ターバン姿の6弦ベーシストが率いる
実力派ブルータル・デスメタル
Gutslit
©Rafał Kotylak
AGORAPHOBIC NOSEBLEED
MASTODON

マハーラーシュトラ州ムンバイ　2007～　Brutal Death Metal
（影響）Cannibal Corpse、Death、Dying Fetus、Napalm Death、Suffocation　3589

ブルータル・デスメタルの Gutslit は 2013 年の 1st アルバムが日本のレーベルで配給され、2018 年に来日公演を行った実績もある。このため、読者諸氏の中にはすでにご存じの方もいるかもしれない。

結成初期はドラムマシン持ち込みでライヴ

Gutslit は 2007 年に結成され、キャリアの初期は Dying Fetus のカヴァー曲をプレイしていたそうだが、唯一のオリジナルメンバーである Gurdip Singh Narang<b> によると、当時のムンバイにはブルータル・デスメタルやデスグラインド志向のバンドは皆無に等しく、ピッグスクイールはスタジオでヴォーカルを加工したものだと誤認識していたリスナーもいたそうだ。

このような周囲の無理解に加え、結成から程なくして初代ドラマーが脱退。このため、フランスの Pulmonary Fibrosis とのスプリット盤『Contorted Mutilation』（2009 年）でデビューした時も、Gutslit は全曲打ち込みのドラムに頼らざるをえず、インド国内でもドラムマシンを持ち込んでライヴした時期もあったという。

やがて Abhishek Nandi<ds> を迎えて 4 人編成の体裁を整えたバンドは、アメリカの Putrid Pile のサポートとしてタイのバンコクへ遠征。その後、Aditya Barve<vo> と Aaron Pinto<ds> が加わったバンドは、1st アルバム『Skewered in the Sewer』（2013 年）をリリースする。

同郷の Demonic Resurrection の Sahil Makhija<vo, g> がエンジニアとして関与した同アルバムは、大阪の Amputated Vein Records 系列の Ghastly Music によって日本でも配給されたが、初代ギタリストの Dynell Bangera が脱退。そこでバンドは Prateek Rajagopal を後任ギタリストとして迎え入れ、2014 年 7 月にチェコの Obscene Extreme、ドイツの Death Feast Open Air への参加を果たす。

海外遠征に積極的だがメンバー交代が頻発

Gutslit は 2015 年 8 月、Demonic Resurrection と共にチェコの Brutal Assault に出演した後、ドイツの Stillbirth、アメリカの Splattered、イギリスの Crepitation と共にオランダ、ベルギー、ドイツ、ポーランド、チェコ、スイスで 6 公演をこなしたが、翌年の正月にシンガーの Aditya が脱退。そこで、後に 2nd アルバム『Amputheatre』(2017 年) に収録される「Scaphism」のインストヴァージョンをネット上に公開。これにヴォーカルパートを被せた音源を世界中から募り、後任シンガーを探すオーディションを実施したが、最終的に選ばれた人物はベンガルール在住の Kaushal L.S. だった。彼は、インド南部を拠点とする Eccentric Pendulum と Godless でもシンガーを務めている人物である。

こうしてバンドは 2017 年 9 月、地元ムンバイのレーベル Transcending Obscurity India から 2nd アルバムをリリース。古今東西で行われた残虐な拷問、刑罰から着想を得た同アルバムのアートワークは、Testament、Incantation、Hate Eternal などと仕事をした Eliran Kantor の手によるものだ。

バンドは同作リリースに当たりチェコ、スロヴァキア、ハンガリー、オランダ、フランス、スイスで 6 公演を行い、2018 年 9 ～ 10 月にはドイツの Stillbirth とのカップリング形式でアラブ首長国連邦、カンボジア、ヴェトナム、フィリピン、台湾、日本、韓国、タイでも公演。このうち西荻窪 Flat での日本公演では Strangulation、Prism Live Hall での韓国公演では Doxology がサポートを買って出た。

2021 年に入るとシンガーの Aditya が 5 年ぶりに復帰を果たし、バンドは 2022 年 8 ～ 9 月にかけて、ドイツの Stillbirth、ニュージーランドの Organectomy との 3 組カップリング形式でヨーロッパツアーを行った。

Pulmonary Fibrosis/Gutslit

Contorted Mutilation

Cataleptic Remains Productions　2009

フランス・サントル＝ヴァル・ド・ロワール／マハーラーシュトラ州ムンバイ

バンドの初音源で、フランスの Pulmonary Fibrosis と共作したスプリット盤。ゴアグラインドの Pulmonary Fibrosis に引きずられずに、Gutslit は Dying Fetus 直系のブルータル・デスメタルという基本軸を保っている。初代シンガーの Nikhil Allug は凶暴なガテラルとグロウル、ピッグスクイールを使い分けるタイプ。特に Dying Fetus からの影響が顕著なのは、アレクサンドリアの聖カタリナ（287 ～ 305）の殉教を題材にした M7「Catherine Wheel」だ。

Gutslit

Skewered in the Sewer

Coyote Records　2013

マハーラーシュトラ州ムンバイ

Aditya Barve が低音グロウル主体で歌った 1st アルバムであり、初の単独作。ロシアの Coyote Records でリリース後、大阪の Ghastly Music によって日本でも配給された。不穏なインストの「Prelude to Putrification」が明けると、Dying Fetus 直系のアグレッシヴかつ複雑な展開の楽曲群で攻め立ててくる。M5「Abnormality」には Abnormality に当時在籍していた米印ハーフの女性シンガー、Mallika Sundaramurthy がゲスト参加した。

Gutslit

Amputheatre

Transcending Obscurity India　2017

マハーラーシュトラ州ムンバイ

ベンガルール在住の Kaushal L.S. をシンガーに据えた 2nd アルバム。前作『Skewered in the Sewer』(2013 年) でもバンドは猟奇的な歌詞の楽曲をプレイしていたが、本作は世界各地でかつて行われた残虐な拷問、刑罰から着想を得た楽曲群が目立つ。Kaushal L.S. も低音グロウル主体のシンガーで、音楽性も前作の延長線上にあるが、ドイツの Dark Fortress などで活動する Victor Bullok<g> がマスタリングを手掛けたことでプロダクションが向上し、モダン味を増している。

Gutslit インタビュー

もしかするとBloodywoodの次に、人々がパッと思い浮かべるインドのメタルバンドはGutslitかもしれない。その一因としては、唯一のオリジナルメンバーでリーダーでもあるGurdip Singh Narang<b>が常にターバンをまとっていることが挙げられる。もちろんGutslitの実力は申し分なく、日本をはじめとする域外へ積極的に打って出て、新興国のインドにも良質なブルータル・デスメタルバンドが存在することを各地でアピールしている。Gurdipにインタビューを申し出たところ、忙しい合間を縫って快く応じてくれた。

回答者:Gurdip Singh Narang(ベース、2ページ前左から2人目)

――まず、Gutslitの現メンバーはAditya Barve<vo>、Prateek Rajagopal<g>、Gurdip Singh Narang<b>、Aaron Pinto<ds>の4人で、あなたが唯一のオリジナルメンバーで相違ないですか? Gutslitというバンド名の意味も教えてもらえますか?

Gurdip Singh Narang(以下G):このインタビューの機会をもらえて光栄に思っている。『デスメタルインディア』で俺達を取り上げてくれて、ありがたい限りだ。俺達は2022年からIshwar Hariharanという新しいギタリストを入れて活動している。他のパートは君の言うとおりで、今のラインナップでオリジナルメンバーは俺だけだ。バンド名の由来なんだが、「Gut/はらわた、内臓などの意」と「Slit/切れ目、裂け目などの意」というふうにバンド名を2単語に分けると、俺達の楽曲と歌詞の内容が端的に分かるだろう。つまり先史時代の出来事であれ、現代の出来事であれ、俺達は拷問や残虐行為をテーマにした楽曲をプレイしているんだ。

――あなたは常にターバン姿ですね。たいへん失礼ですが、もしやシク教徒ですか? 日本ではTiger Jeet Singhという在外インド人でシク教徒の悪役プロレスラーが1970年代から定期的に来日していて有名です。また、日本の東京にはSingh "Heart" Jaideepというシク教徒の総合格闘家が定住していますが、このようなレスラーや総合格闘家はインドでも有名ですか?

G:信仰について尋ねるのは別に失礼なことではないよ。俺のようなシク教徒にとって、ターバンをまとうことは宗教的な習慣であり、身だしなみの一部でもあるからだ。君が教えてくれたレスラーや総合格闘家の名前は聞いたことがある。でも、彼らはムンバイではさほど知られていない。もしかすると彼らのルーツがあるインド北部のパンジャブ地方では有名かもしれないがね。

――GutslitのWebサイトを拝見したところ、Hotel Golden Palace Mumbaiという連絡先が記されていました。もしやこのホテルは、あなたが経営しているのですか?

G:ああ、本業ではホテルを営んでいる。そのおかげで、音楽以外の生活をキープできているんだ。ムンバイに来る機会があったら、俺のホテルに泊まって地元の食べ物を楽しんでほしい。

――Gutslitは2007年結成ですが、それ以前のインド亜大陸には、あなた方のようなブルータル・デスメタルバンドは皆無に等しかったのでは?と思われます。なぜあなた方はブルータル・デスメタルバンドを始めようと思ったのですか?

G:初代ギタリストのDynell Bangeraとは同じギター教室に通っていてね。俺達はお互いにメタル好きだったから、DeathとCannibal Corpseの曲をカヴァーしながらジャムセッションをしていたものだ。初代シンガーのNikhil Allugと初代ドラマーのRajieev Georgeとは、Orkut(注:Googleが最初に開設したSNS。2014年にサービス終了)をきっかけに知り合っ

た。こうして2007年にGutslitは始まったものの、当時のインドにはエクストリームメタルバンドが全然いなかった。つまり活動初期の俺達は、ライヴ活動を通じてこの手のジャンルを人々に広める役目を担っていたわけだ。幸いにも、インドではすぐに熱心なファンがついてくれたよ。

――各メンバーが影響を受けたアーティスト、お気に入りのバンドも教えてもらえますか？

G：影響を受けたメタルバンドは、Cannibal Corpse、Death、Dying Fetus、Napalm Death、Suffocation、Rotten Sound、Leng Tch'e、Decapitated、Aborted、Misery Index、All Shall Perishといったところだ。メタル以外のジャンルでは、Ozric Tentacles（注：イギリスのインストゥルメンタルバンド）、Shpongle（注：イギリスのサイケデリックバンド）、Bonobo（注：日本のジャズ／ファンクバンド）、Ghulam Ali（注：パキスタンの歌手）、Jagjit Singh（注：インドの歌手兼作曲家）、Trilok Gurtu（注：インドのパーカッション奏者であり作曲家）なども聴いている。歴代のメンバーがさまざまなジャンルの音楽を聴いていたことはラッキーだったと思うよ。

――初期のGutslitはドラムマシンをライヴ会場に持ち込んでプレイしていた、という記事を拝見しました。これは事実ですか？　当時の観客は、ドラムマシンを使うGutslitに対してどんな反応を示しましたか？

G：ああ、ドラムマシン持ち込みでプレイしていたのは事実だ。初代ドラマーのRajieev Georgeは結成から程なくして、国外で仕事をするために脱退してしまったんだ。でも当時のインドはエクストリームメタルが浸透していなかったから、後任者をただちに見つけることは不可能に等しくてね。だから当時考えられる唯一の選択肢は、ドラムの同期音源に合わせてプレイすることだった。オーディエンスは毎回目をパチクリさせていたよ。あいにく当時の機材と会場の音響設備は芳しくなかったから、ずっとドラムマシンを使い続けるわけにはいかず、最終的に後任のドラマーを探さなければならなかったがね。

――Gutslitのデビュー作は、フランスのゴアグラインドバンドPulmonary Fibrosisとのスプリット盤『Contorted Mutilation』（2009年）でした。ゴアグラインドとブルータル・デスメタルは似て非なるジャンルですが、なぜこのスプリット盤でデビューを飾ったのですか？

G：当時の俺達はまだ音楽性が定まっていなくて、暗中模索していた。でも、エクストリームメタルへの愛情があったからこそ、フランスのPulmonary Fibrosisと共同作業することになったんだ。このスプリット盤は、両方のバンドにとってメリットがあったと思う。というのも、単に音源をリリースする機会を得られただけでなく、お互いのことを海外に露出することができたからだ。この手のジャンルを好むファンベースともうまくつながることができたよ

――前掲のスプリット盤のリリース翌年に当たる2010年、Gutslitはタイのバンコクへ趣いてPutrid Pileのサポートアクトを務めました。これがGutslitにとって初の海外公演だと思われますが、どのような経緯で実現したのですか？

G：俺達はいつも、熱心な音楽ファンが存在するステージに上がる機会を求めていた。それに Putrid Pile の Shaun LaCanne と共演するのは光栄なことで、せっかくのオファーを断るなんてありえなかった。そのおかげでタイでは素晴らしいファンベースを作ることができた。彼らはその後も、俺達がタイでライヴすると観に来てくれるよ。

――Gutslit の 1st アルバム『Skewered in the Sewer』（2013 年）のレコーディングには、Demonic Resurrection の Sahil Makhija<vo, g> がエンジニアとして携わったそうですね。Gutslit と Demonic Resurrection は同じムンバイ拠点で、2015 年 8 月にはチェコの Brutal Assault に一緒に参加した間柄でもあるので、普段からお互いに親しくしているのですか？

G：あぁ、Sahil Makhija はムンバイのシーンにおける優れたメンター（指導者）であり、よき友人で、ミュージシャン仲間なんだ。彼は長年にわたって努力を重ねた末に、現在のステータスを築き上げた。初のフルアルバムの制作に当たっては、Sahil が作業の全工程をガイダンスしてくれて、ありがたかったよ。

――前掲の 1st アルバムは、ロシアの Coyote Records と日本の Amputated Vein Records 系列の Ghastly Music で配給されました。ロシアと日本のレーベルと接点ができた経緯を教えてもらえますか？

G：きっかけはネットだよ。彼らとネットでコンタクトするのは造作ないことだった。音源を送り、相手からフィードバックと同意を得られればいいんだから。ちなみに、Coyote Records と Ghastly Music がほぼ同時に好意的な反応を示したことで、俺達は両方とディールを結んだ。つまり、地域別に異なるレーベルがアルバムを配給してくれたわけだが、これが驚くほどうまくいき、俺達のアルバムはあちこちに知れ渡ったよ。

――ところで、あなたは 2013 年から、Agnya というインドの伝統音楽を現代風にアレンジした曲をプレイするバンドでも活動しているそうですね。なぜブルータル・デスメタルとまったく異なる音楽性のバンドを掛け持ちするようになったのですか？

G：さっき話したように、各メンバーはさまざまなジャンルの音楽を聴いてきた。俺自身は、フュージョンとサイケデリックミュージックにいつも興味をそそられていた。同じような方向性のミュージシャンと出会うことは格別の喜びで、この手のジャンルを深堀りするには打ってつけの手段でもあった。あいにく個人的な事情と時間の制約により、Agnya はもう活動を休止してしまったがね。

――Gutslit は 2014 年にチェコとドイツ、2015 年にオランダ、ベルギー、ドイツ、ポーランド、スイスなどをツアーしました。ヨーロッパ諸国のオーディエンスにとって、ターバン姿のベーシストが率いるブルータル・デスメタルバンドは、非常にエキゾチックな存在だったのでは？と思われますが、当時のオーディエンスの反応を覚えていますか？

G：ああ、間違いなくヨーロッパのオーディエンスにとって、エキゾチックに映ったはずだ。パンジャブ地方の伝統音楽をプレイするのかと思いきや、俺達がブルータル・デスメタルを演奏するバンドだと分かった時は、なおさらだっただろう。ヨーロッパ各地のリアクションは素晴らしかった。ほとんどのオーディエンスが俺達の曲とステージ上でのパフォーマンスを気に入ってくれたからね。その一方で、俺のことをイスラム過激派と勘違いし、会場でテロ行為を働くのではないかと怖がる人々もいた。これは滑稽であると同時に残念なことだが、憎悪と恐怖心をもたらすものは無知なんだと実感させられたよ。

――Aditya が 2016 年 1 月にバンドを一時脱退したため、Gutslit の 2nd アルバム『Amputheatre』（2017 年）はベンガルール在住の Kaushal L.S. がヴォーカルを務めました。彼を起用した経緯を教えてもらえますか？

G：そもそも Gutslit の活動だけで生計を維持するのは不可能だから、当時の Aditya はプライベートを見直し、人生を再設計するためにバンドを一時的に離れたんだ。誰にとってもこれは大事なことだし、あの頃は Aditya の代わりに新しいシンガーを探すことが理に叶っていた。Kaushal はバンドに見事にフィットしたし、ステージ上でも存在感があった。『Amputheatre』での彼のヴォーカルは素晴らしかったよ。

――前掲の 2nd アルバムは、世界各地でかつて行われた残虐な拷問、刑罰から着想を得た楽曲群が目立ちました。反対に、インドの神々や神話に根差した楽曲は作りづらいのでしょうか？

G：不思議かもしれないが、俺達はインドの神々や神話を取り上げた曲をまったく書いていない。主にヨーロッパに古くから伝わる拷問技術をテーマにした曲を書いているんだ。インドにかつて存在した王朝と支配者は宗教とないまぜになっていたが、バンドとしての俺達は宗教とは一線を引いている。言い換えると、宗教とは文献に残しておくもので、決して見下したり軽蔑したりしてはならないものだと思うよ。

――前掲の 2nd アルバムは、Transcending Obscurity India が配給しました。同レーベルもムンバイ拠点なので、レーベルオーナーの Kunal Choksi 氏とは普段から親しくしているのですか？

G：Kunal Choksi は素晴らしい人物で、新しい才能を聴き分けて発掘する能力に長けている。彼はムンバイにオフィスを構えているだけでなく、出身地も近所同士なんだ。バンドにとって、彼は素晴らしい友人で、常に俺達をサポートして導いてくれている。

――Gutslit は 2018 年 9 ～ 10 月、ドイツの Stillbirth と共にアラブ首長国連邦、カンボジア、ヴェトナム、フィリピン、台湾、日本、韓国、タイで公演しました。これらの国々とインドの国民性、文化の違いを感じた瞬間はありますか？　このツアーの裏話も教えてもらえると、なお幸いです。

G：アジア全体が俺達のホームグラウンドと言えるが、どの国もユニークで、それぞれの文化はまったく違うね。このツアーの行程は DIY で組んだから、きわめてしんどかった。計画を立てていた間は、俺達と Stillbirth のどっちかが飛行機に乗り遅れるんじゃないか、ビザが間に合わないんじゃないかと不安にかられ、夢でうなされたほどだったよ。でも俺達はあちこちに根回しを重ねた末に、ほぼ

1年がかりでツアーを実現させた。最終的にStillbirthと一緒に16日間で11ヶ国をツアーし、13本のライヴをこなした。Stillbirthのライヴは毎回素晴らしかったよ。ちなみに、あのツアーをやり抜いたことで、インドのファンも増えたんだ。ある種のゲームチェンジャーと言える出来事だったね。

――このツアーでは東京の西荻Flatでライヴしましたね。あなた方が日本のホスピタリティー、観客の反応、食べ物や飲み物に満足したかどうか、日本人として非常に気になります。実情はいかがでしたか？　日本と日本人についての印象も教えてもらえると、なお幸いです。

G：日本でのライヴは初めてだったが、日本のことや日本人の温かさについては事前にたくさん耳にしていた。それにドラマーのAaronは過去にプライベートで日本を訪れたことがあってね。彼は、日本人の計画性の高さに感銘を受けていたよ。彼はデザイナーやイラストレーターとしても活動していて、日本文化が大好きなんだ。日本ではあらゆる物事が綿密にプランニングされていて、日本人がとても献身的であることも気に入った。滞在中のホスピタリティー、食べ物や飲み物にも満足している。必ずまた日本でライヴしたい。

――GutslitとStillbirthの日本公演ではStrangulation、韓国公演ではDoxologyがサポートアクトを務めました。また、Gutslitの1stアルバムを配給したロシアのCoyote Recordsには、韓国のFecundationという有望な若手ブルータル・デスメタルバンドが所属しています。このような東アジアのブルータル・デスメタルバンドに対し、あなた方はどんな印象を持っていますか？

G：東アジアのバンドは皆一生懸命に活動しているね。俺達にも言えることだが、ヨーロッパの夏のフェスティバルに参加したり、陸続きの国をツアーして好きな音楽をプレイしたりするのは物理的にきわめて難しい。それでも君が教えてくれた日本と韓国のブルータル・デスメタルバンドは才能に恵まれていて、きっとビッグネームになれると思うよ。

――ベンガルール在住のKaushal L.S.の脱退後、シンガーのAdityaが2021年にバンドに復帰しました。その経緯を教えてもらえますか？

G：君の言うとおり、Kaushalはベンガルールに住んでいる。彼をフロントに据えた編成でツアーもやったんだが、他の都市のシンガーと一緒に活動するのは金銭面で負担が大きかった。だから俺達は互いに、すぐに会えるシンガーが必要だと思ったんだ。インドは広くて、都市間を結ぶ国内線の料金も高いからね。こうした理由で、おのずとメンバーチェンジが起こった。メンバー全員の合意のもと、Kaushalとは友好的に別れたよ。

――Adityaが復帰したGutslitは、2022年8～9月にチェコ、フランス、ドイツ、イギリス、スロヴェニア、オーストリア、ベルギー、オランダ、スイスの9ヶ国をツアーしました。日本に再来日するプランはありますか？　最後に日本のリスナーにぜひメッセージをお願いします。

G：インタビューの機会をもらえたことを、あらためて感謝している。実のところ、2022年のツアーでは諸事情で何本かのライヴをキャンセルしなければならず、大きな損失を被ったんだ。でも不幸中の幸いというか、俺達は3枚目のアルバムを完成させている。手元にはマスター音源が届いていて、リリースのタイミングを待っているところだ。制作に当たっては、アメリカの有名プロデューサー／エンジニアのMark Lewis（注：The Black Dahlia Murder、Trivuim、Whitechapelなどのプロデューサーとしても知られる）が手を貸してくれた。とても光栄に思っている。この3枚目のアルバムを引っ提げてツアーを行い、日本でもう一度ライヴしてみたいね。最後にもう一度、（日本語で）アリガト。

インド映画の劇中歌も手掛ける才人が率いる多国籍プロジェクト

Amogh Symphony

マハーラーシュトラ州ムンバイ／ロシア・モスクワ／ポルトガル・リスボン／ドイツ・ベルリン Avant-garde / Experimental （類似）Frank Zappa、Steve Vai、Periphery 6680

元 Obscura の Tom Geldschläger<b> が主宰するレーベル Vmbrella 所属で、マルチプレイヤーの Visial J. Singh が率いる多国籍プロジェクト。インド北東部のチベット系の血を引く Visial は 1986 年 4 月にアッサム州で生まれで、現在はムンバイ在住である。

ミュージシャン一家で育った彼はギターやドラム、シタールなどさまざまな楽器を習得。ムンバイの音楽スクールでレコーディング技術を学ぶと、2008 年からインド映画の劇中歌を手掛ける。その傍ら、Amogh Symphony としてのデビュー作『Abolishing the Obsolete System』を2009年に発表した。

Amogh Symphony としてはインド内外のミュージシャンを多数迎えてアヴァンギャルドな作風のアルバムを発表しており、これまでにアメリカの Jim Richman<ds>、カナダの女性マルチプレイヤー Chela Harper などが参加。3rdアルバム『Vectorscan』(2014年) からロシアの Andrey Sazonov<key> も参加し、2 枚組仕様の 4th アルバム『IV.I 』『IV.II 』（2019 年）では前掲の Andrey と Tom、それにポルトガルのマルチプレイヤー Derick Savio Gomes がメンバーとして名を連ねた。

3rd アルバムと 2 枚組の 4th アルバムには、Visial の母もゲストシンガーとして参加した。

Amogh Symphony

Xao

VJS Music 2020

マハーラーシュトラ州ムンバイ／ロシア・モスクワ／ポルトガル・リスボン／ドイツ・ベルリン

初期シングル「Vectorscan」(2008 年）を改題し、アートワークを新装したヴァージョン。インスト曲だが全パートを Vishal J.Singh がプレイした。ジャジーな佇まいを発散したかと思いきや、Djent 由来の跳ねるリフを刻んだり、派手なギターソロを繰り出したりする。そうかと思えば、民族打楽器とシンセで神秘的なムードを醸し出したりと、多種多様な要素がごった煮である。2 枚組仕様だった 4th アルバム『IV』（2019 年）よりもギターオリエンテッドな音楽性で、文字どおりキャリアの初期を垣間見た楽曲。

前身バンド時代にゴルバチョフ政権期のソ連でライヴした大ベテラン

Indus Creed

（C）Arnab Chaudhuri

マハーラーシュトラ州ムンバイ　1985～　Alternative Rock
（影響）Porcupine Tree、Deftones、Foo Fighters、Karnivool、Incubus　2234

ベンガルールの Millennium より若干早く、1985 年に始動したムンバイの最古参バンド。前身の 6 人編成バンド Rock Machine として、1988 ～ 1990 年にフルアルバム 2 枚を発表。バンドの弁によるとこの時期には、元 Genesis の Peter Gabriel<vo> が立ち上げたイギリスの WOMAD Festival に参加したり、ICCR（インド文化交流評議会）の後援を受けてゴルバチョフ政権期のソ連で 4 公演をこなしたりしたという。

やがて 1990 年代に入ると現バンド名に改称し、1995 年に Indus Creed として 1st アルバムをリリース。この年には Bon Jovi 初のムンバイ公演をサポートし、翌年には Guns N' Roses での活動で知られる Slash<g> とインドでの MTV 放映再開イベントで共演したが、1997 年にバンドは一時解散する。

Uday Benegal<vo, g> は Jayesh Gandhi<g, key> と共に Alms for Shanti なるユニットを新たに立ち上げ、ニューヨークで活路を模索するが、2010 年に Indus Creed を再始動。2012 年 4 月に 17 年ぶりの 2nd アルバム『Evolve』をリリースした。バンドの公式 Facebook によると、本校執筆時点の正式メンバーは前掲の Uday、Mahesh Tinaikar<g>、Zubin Balaporia<key> の 3 人のみである。

Indus Creed
Evolve
Universal Music India　2012
マハーラーシュトラ州ムンバイ

中軸の Uday Benegal<vo, g>、Mahesh Tinaikar<g>、Zubin Balaporia<key> の 3 人に加え、Rushad Mistry<b>、Jay Row Kavi<ds> という 5 人編成で放った 2nd アルバム。前身の Rock Machine 時代はアメリカン・ハードロック志向だったが、現バンド名義になってからはプログレッシヴな色彩が増している。ただし現在のバンドが主な影響源として挙げているのはイギリスの Porcupine Tree で、彼らのように幾分オルタナティヴ風ながらも浮遊感を醸し出す音作りが特徴。

Transcending Obscurity Records オーナー Kunal Choksi 氏インタビュー

筆者は前書『デスメタルコリア』を発表した2018年から、インドのムンバイ拠点の新興レーベル Transcending Obscurity Records を率いる Kunal Choksi 氏と親交を結んでいる。同社は、世界各地のマニアックなエクストリームメタルを多数手掛けていることで知られる。たとえば、村田恭基氏の『オールドスクール・デスメタル・ガイドブック上巻』（2019年）に登場した Master の 13th アルバム『Vindictive Miscreant』（2018年）は、まさに同社によってワールドワイド配給された。これまで Kunal Choksi 氏と筆者は、レーベルオーナーとライターという付かず離れずの関係性を保ってきたが、本稿では少々踏み込んだ質問を投げかけてみた。

――いつも御社のニュースレターや試聴用音源を定期的に送ってくださり、ありがとうございます。まずは Transcending Obscurity Records の設立経緯を簡単に教えてもらえますか？

Kunal Choksi 氏（以下 K）：まずはこんな小さなレーベルに興味を示して、インタビューを打診してくれたことに感謝したい。これは非常に意義深いことだよ。俺は Transcending Obscurity Records の立ち上げ前に、「Diabolical Conquest」という Web 媒体を 2005 年頃から運営していた。かつての俺も、君と同じように音楽ライターとして、世界各地の優れたバンドを周知するために、インタビューしたりアルバム評を書いたりしていた。しかし、掲載対象のバンドからレーベル契約に関する相談事を持ちかけられた際に、どこも名乗りを上げないなら、いっそのこと俺自身がレーベルオーナーになって、世に埋もれたバンドをサポートすべきじゃないかと考えたんだ。こうして俺はレーベルビジネスに参入し、2013 年に屋号を「Diabolical Conquest」から「Transcending Obscurity Records」に変更した。それから何年も経ったが、おかげさまで俺達はレーベルとして一歩ずつ成長を重ね、より優れた商品、リリース形態、サービスを提供しようと励んでいる。俺達はいまだにアンダーグラウンドな存在だが、誰もが公平にチャンスを得るべきだと考えているので、誰も知らないようなマイナーバンドともディールを結んでいる。とはいえ、いつか大きなレーベルに成長して、契約を交わしてくれたバンドに好条件を提示できれば、と願っているよ。

――近年は『Rolling Stone India』のみならず、アメリカの Metal Injection、Bandcamp など欧米のさまざまなメディア、ブロガーも Transcending Obscurity Records とあなたのことを記事で取り上げていますが、日本のメディアの取材に応じたことは過去にありますか？　それとも私が初めてですか？

K：君が挙げてくれたメディアで露出されたことはありがたかったが、日本のメディアの取材に応じたことは今まで一度もなかった。世界はテクノロジーでつながっているにもかかわらず、俺達に興味を示してくれた日本人は君が初めてだ（笑）。大好きな日本からイ

ンタビューの打診が来たのはきわめて意義深いことであり、貴重な機会を得られて心踊らされるし、光栄に思っているよ。

――インドと日本のメタルシーンは異なる流れをたどったのでは？と推察します。言い換えると新興国であるインドの人々にとってヘヴィメタルは割と新しい音楽ジャンルでは？と思われますが、この見立ては適切でしょうか？

K：まったくもって君の言うとおりだ。1991年の経済自由化によって欧米文化が流入し、インド人は欧米バンドの音楽にいっそう触れるようになった。そうした音楽に触発されたインド人がバンドを組み、影響を受けた先人達に追随しようとしたのは時間の問題だった。いわばパーティーに一歩遅れて参加したような状態だったが、インド人バンドは日夜成長していて、インドのメタルシーンは他のアジア諸国に引けを取らないと思うよ。オーディエンスも情熱的でね。世界各地のバンドがインド公演を行っている点から見ても、そのことは明らかだ。しかし、インドのメタルシーンがしっかり整備されるまでにはあと10年くらいかかるんじゃないだろうか。

――インドは世界で7番目に国土面積が広い国（約329万 km^2）で、2023年の国連予測によるとインドの人口は中国を上回ったと報じられましたが、メタル人口は果たしてどれくらいでしょう？　また、通常インドのメタルファンはストリーミング配信やデジタルダウンロードで音楽を楽しんでいるのですか？

K：あいにく人口統計に反して、インドはメタルヘッズがそれほど多くない。世間一般のインド人が聴いているのは、ボリウッド映画音楽や各地域に根差した民族音楽でね。英語詞の楽曲を聴くインド人リスナーも以前より増えているものの、彼らが聴いているのはポップスやラップだ。しかし、インターネットのおかげで、誰もが広範なジャンルのロックに接することができるようになった。メタル志向のリスナーならば、たやすくメタルに触れることができるだろう。インドのリスナーに関して言えば、たいていの場合はストリーミング配信やデジタルダウンロードで音楽を聴いていて、フィジカル音源よりも各種マーチャンダイズを欲しがる傾向にある。そのため、俺達も普段からバンドTシャツの販売に注力しているよ。

――御社の第1弾リリース作品は、インドではなくオーストラリアのThe Deadの3rdアルバム『Deathsteps to Oblivion』（2014年）でした。彼らとは一体どうやって接点が出来たのですか？　また、リリース当時の反応はいかがでしたか？

K：俺はThe Deadの才能を信じていたので、デモ音源やシングルを含む全ディスコグラフィーのレビュー記事を書き、インタビューしたことがある。当時のThe Deadは、3rdアルバムのリリース元を探すのに苦労していてね。それで最初に話したように、誰もThe Deadの才能を信じようとしないなら、いっそのこと俺自身がレーベルビジネスに参入したらどうかとひらめいたわけだ。なぜなら、俺には彼らのアルバムをプロモーションする意欲があったからだ。その後は事実が語るとおり、The Deadの3rdアルバムはマイルストーンとなり、世界各地で賞賛を得た。これでレーベルとしての将来像、あるいは少なくとも方向性がしっかり定まったんだよ。バンドの音楽性を信じていれば、世に押し出すことができるのは分かっていた。それに、俺は音楽ライターとして何年にもわたり活動していたから、ある特定のサブジャンルだけじゃなく、さまざまなサブジャンルに関する知識も蓄えていた。音楽ライターとしての経験が、レーベルにふさわしいバンドを見極めてディールを結ぶ時の経験に役立っているといえる。

――おっしゃるとおり、現在のヘヴィメタルは数え切れないほど多くのサブジャンルに細分化されています。その中でも、御社の場合は「No Clean Singing」というスローガンが

動物好きのKunal Choksi氏は、12匹の保護猫、犬を2匹飼っている。2匹いる犬のうち1匹も保護犬だそうだ。

示すとおり、基本的にはスラッシュメタルおよびデスメタル、ブラックメタル、ドゥームメタル、それにスラッジメタルの作品を取り扱っています。これらのジャンルにこだわる理由と、その魅力を教えてもらえますか？

K：興味深い質問だね。その手のジャンルは、エクストリームメタルにおける主要なサブジャンルじゃないだろうか。少なくとも、俺が10数年前に音楽ライターとしてのキャリアを始めた頃の話だがね。当然ながらそれ以来、さらに多くのサブジャンルが台頭し、物事は複雑化した。たとえば、ストーナー、スラッジ、アトモスフェリック・ドゥームメタル、フューネラル・ドゥームメタルなどは、広義のドゥームメタルというサブジャンルに含まれるだろう。扱うジャンルが偏っているという意味ではなく、「No Clean Singing」は俺達の取り組みを一般的に指し示した言葉にすぎない。言い換えると、斬新かつエクストリームなメタルなら、基本的には何でもウェルカムだよ。

──御社はこれまでに、スウェーデンのPaganizer、イギリスのWarlord U.K.、オランダのOfficium Triste、Paul Speckman<vo, b>が率いるMaster、それにTaylor Nordberg（Soilwork）とJeramie Kling（Venom Inc.）が組んだGoregängといったベテラン達のアルバムをリリースしてきました。2021年12月には、スウェーデンのWombbathの6thアルバム『Agma』も配給しましたが、これらの大御所達とは一体どうやって接点ができたのですか？　インドの新興レーベルであるTranscending Obscurity Recordsとディールを交わすことに、彼らは躊躇しませんでしたか？　御社のどこに、彼らが魅力を感じたのかも教えてもらえますか？

K：俺は真っすぐな人間だから、行動を起こしてから商談を交わすことを信条としている。君の指摘はごもっともで、欧米のバンドは初めのうち、インドの俺達とディールを交わすことにきわめて懐疑的だった。でも、俺達は契約を結んだ全バンドのためにベストを尽くしたので、結果的には口コミで評判が広がっていった。たとえば、Paganizerのマルチプレイヤーである Rogga Johanssonはいい経験ができたと言って、MasterのPaul Speckmannに俺達のことを勧めてくれたので、事がうまく進んだ。スウェーデンのJonny Petterssonとは友人同士で、彼が携わっているHenry Kane、Heads for the Deadなどのプロジェクトは俺達がアルバムをリリースしている。彼はWombbath、Gods Forsakenなども掛け持ちしていて、そうした別バンドでも俺達とのディールに多大な興味を示してくれた。俺達のプロモーション手法、どんな商品やサービスを提供しているのかを知ってもらうには、口コミが一番じゃないだろうか。俺達は目と耳を常にオープンにしているから、契約するにふさわしいバンドが新たに現れたら、躊躇せずにチャンスを設けている。もちろん「ウィッシュリスト」内の全バンドと仕事することは不可能だが、これまで大勢のバンドが各自の音楽を流通する

責任を託してくれたことに感謝している。

——その一方で、Transcending Obscurity Recordsは、韓国のスラッシュメタルバンドSahon（死魂）、クロアチアのBednja、アルゼンチンのMedium、ポルトガルのInnardsなどのアルバムもリリースしました。こうしたマニア好みのユニークなバンドを発掘するために、御社は一体どのようなネットワークを構築したのですか？ バンドの出身地にかかわらず、契約を結ぶ時の判断基準、決め手となるものは何でしょう？

K：これまでは契約に先立ち、バンド側から売り込みが来た場合もあれば、俺達のほうからメールでバンド側に打診した場合もあるが、最近では一定の制限枠を設けている。なぜなら、すでに大勢のバンドと契約を結んでいて、それらのアルバム群に神経を集中させる必要があるからだ。とはいえ、音源を送ってくるバンドに対しては常にオープンに接している。何が大化けしてヒットするか分からないから、契約を交わさざるをえないんだよ（笑）。当然ながら、見極めの基準は主に音楽だが、パラグアイのVerthebralのような遠隔地のバンドとディールを結ぶと、彼らがライヴする機会が逆に減ったり、地元ファンが離れてしまったりする事態が生じたのに気づいた。俺達もメタル新興国のインドのレーベルであることを十分に自覚していて、最善を尽くしているがね。また、辺境出身というだけで困難に直面していると思われるバンドもサポートすべきだろう。だからこそ俺は色眼鏡で見ないように心がけ、主に音楽だけに焦点を絞ってバンドを評価しているんだ。果たしてこれがスマートなやり方かどうか分からないが、俺はビジネスマンというよりも根っからの音楽ファンなんだよ。

——御社はTシャツ付きやサイン入りの限定盤、あるいはLP盤のようなコレクターアイテムも毎回リリースしています。それらの製造コストはかなり高額では？と思われますが、需要はどれくらいありますか？

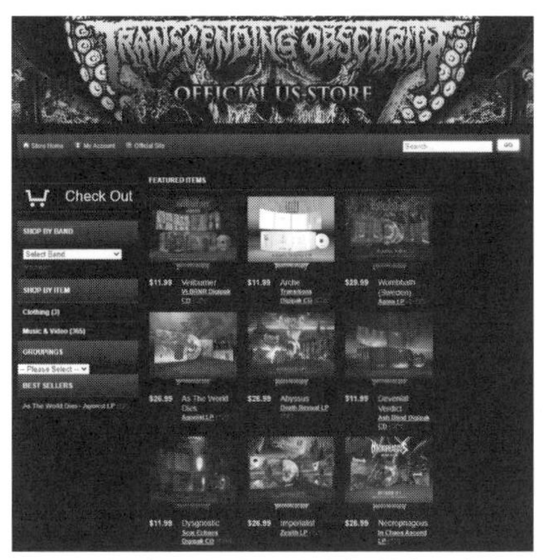

Transcending Obscurity Recordsのオンラインストア。日本の輸入レコード店で扱っていない各種マーチャンダイズを注文することもできる。

K：ストリーミング配信のプラットフォームが圧倒的なシェアを占めているため、実際に手に取れる商品へのテコ入れが必要なんだ。物理メディアに印象的なマーチャンダイズが付属していると分かれば、リスナーの購入意欲は高まる。つまり、彼らはありふれたCDやLP盤だけを欲しがっているわけじゃないんだ。需要はそれなりにあって、通常盤よりセールスが好調なケースもある。ただし君が指摘したように、その手のコレクターアイテムは製造コストが高くて、問われる要求も厳しいんだ。棺桶状のクールなBoxセットも制作コストが高額なんだが、今後のリリース作品にできるだけ頻繁に投入したいと思っている。

——私は韓国語がしゃべるれるので、前著『デスメタルコリア』でDope Entertainmentという韓国のレーベル兼プロモーターのオーナーにインタビューしました。韓国では青少年保護の見地から、音楽の歌詞やポスター、MV、ライヴ鑑賞に対する政府の規制が厳しく、同社が招聘したCannibal Corpse、Behemothのソウル公演は未成年者にチケットを販売できず、CDもレコード店で陳列不可能だったそうです。インドでエクストリー

梱包済みの商品の上に、保護猫の1匹が乗っかっている。衛生面で問題ないのだろうか。

ムメタルのCDをリリースする上で、困ったことや苦労したエピソードはありますか?

K:インドでも厳格な検閲が行われているが、メタルに関して言えばニッチなジャンルで、検閲は行き届いていない。政府当局が神経を尖らせるほどメタルを重視していないからだ。もちろん、CDのプレス業者がわいせつ物の制作を拒むケースはあるし、反宗教的なコンテンツは概して軽蔑される傾向にあるが、深刻な事態ではなく、スキャンダルに発展するわけでもない。その手の出来事が、インドでは世間を巻き込む騒ぎにならないんだ。神経過敏な人々はすぐに攻撃的な態度に出るが、今のところインドのメタルシーンには支障ないんじゃないだろうか。

──Transcending Obscurity Recordsは日本人バンドのアルバムを配給したことがありません。日本人バンドと将来的に契約する可能性はありますか? 日本に対する印象や好きな日本人アーティストについても教えてもらえますか?

K:俺は日本のバンドが大好きでね。たとえばBathtub Shitter、Intestine Baalism、Sigh、Anatomia、Coffinsなどは俺のお気に入りのバンド群で、いつか彼らと契約を交わせたらいいなとしょっちゅう想像しているが、先ほど説明したとおり、物事がうまくいかないケースもある。特に実績豊富な有名バンドとディールを交わすなら、レーベルもそれにふさわしい存在であるべきだ。俺のレーベルはその水準に達していると思うがね。当然ながら日本のメタルシーンに興味はあるので、将来的に日本の優れたバンドと契約を交わし、彼らのアルバム群を流通できればいいんだが。ちなみに、日本からたまに俺達宛に注文が来るんだよ。接点のある日本のレーベルやディストロを通じて、日本のメタルファンとつながっていられるのは素晴らしいことだと思っている。日本でも俺達の存在感をもっと高めたいね。

──御社の既発アルバム群は日本でも輸入盤として流通していて、iTunes、Apple Music、Spotifyなどでも試聴可能です。そこで、最後にTranscending Obscurity Recordsの今後の目標と、日本のヘヴィメタルファンへのメッセージをぜひお願いします。

K:今後のプランを要約すると、こういうことだ(笑)。あらゆるポジティブな方策を尽くして成長し、所属バンドのためになることを数多く行い、最終的にはグローバルに影響力を発揮できる規模のレーベルになりたいと思っている。日本のメタルファンに関して言えば、俺達のようなインドの小さなレーベルに関心を寄せてくれ、サポートしてくれてありがたい限りだ。俺達は品質にもこだわっていて、世界と遜色ないレベルの商品を提供する一方で、独自の基準を設けて情熱と誠実さを保ちたいと考えている。君のインタビューは素晴らしかった。最後まで読んでくれた読者全員にもありがとうと伝えたいね。

Albatross
The Neptune Murders
自主制作 2021 （初期）Power Metal、（後期）Heavy Metal
マハーラーシュトラ州ムンバイ

2008 年に結成された、インドでは希少な 5 人組ホラーメタルバンドによる通算 3 作目のシングル。タイトルが示すとおり、古代ローマ神話の海神ネプチューンへ捧げる生贄として、若い女性を毒牙にかける連続殺人鬼を描いている。バンドが敬愛する Mercyful Fate、King Diamond のように猟奇的なコンセプトだが、楽曲は単調で間延びした印象。本家の King Diamond に比べ、Biprorshee Das<vo> のハイトーンはたまに調子外れに聞こえる。バンドは本作発表から 7 ヶ月後に活動休止を表明した。

Atmosfear
Atmosfear
自主制作 2017 Death/Groove Metal
マハーラーシュトラ州ムンバイ

Zygnema、Systemhouse33 のドラマーでもある Mayank Sharma を擁するデスメタルバンドの 1st アルバム。結成初期は 4 人組だったが、本稿執筆時点はトリオ編成だ。不穏なストリングスによるインストの M1「Intro」が開けると、Cannibal Corpse、Six Feet Under などを影響源に挙げているとおりのナンバーが並ぶ。Bruce Mckoy<vo, g> がオールドスクールな音像に合わせて低音グロウルを響かせるが、彼は人材コンサルティング会社で働く MBA 取得者だ。

Amidst the Chaos
Catharsis
Demonstealer Records 2006 Death/Thrash Metal/Metalcore
マハーラーシュトラ州ムンバイ

Bhayanak Maut のギタリスト 2 人と Rahul Hariharan<ds> が一時掛け持ちしていたメタルコアバンドによる唯一のシングル。後に Bhayanak Maut に在籍する Sunnieth Revankar がシンガーを務めている。しかし音質が芳しくなく、インド屈指のグロウルシンガーである Sunnieth の咆哮がくぐもって聞こえる。MP3 配信サイトの SoundClick にはプログレッシヴ路線やメロディック・デスメタル風の未発表曲が残存しており、試行錯誤していた形跡が窺える。

Bhayanak Maut
MLMSML
自主制作 2021 Metalcore/Groove Metal
マハーラーシュトラ州ムンバイ

2003 年結成のメタルコアバンドによる通算 8 作目のシングル。タイトルは「My Life, My Soul, My Liver」の頭文字を取ったものだ。ツインヴォーカル形態だった時期もあるバンドだが、本稿執筆時点のシンガーは 2019 年に加入した Aman Virdi だけである。とはいえ、彼のグロウルが聞こえるのは前半の 3 分ほど。それ以後は急にスローダウンし、神秘的なムードを醸し出すインストパートばかりと化す。Skyharbor の Keshav Dhar<g> がエンジニアを務め、プロデュースも手掛けた。

Asylum
Inmate
自主制作 2014 Groove Metal/Metalcore
マハーラーシュトラ州ムンバイ

Wired Anxiety の Naval Katoch がギターを兼務していた 4 人組バンドによる唯一の EP。ただし音楽性は Wired Anxiety とは異なり、アメリカ産メタルコアの先人達の影響下にある。Vivek Bhatt の唱法も、Lamb of God の Randy Blythe によく似ている。しかし裏を返すとオリジナリティーに乏しいのも事実。M5「Agitate the Origin」だけは哀愁漂うアコギで始まるという工夫が見られる。Devoid の Arun Iyer<vo, g> がエンジニアを務めた 1 枚。

Biopsy
Fractals of Derangement
Transcending Obscurity Distribution 2015 Brutal Death Metal
マハーラーシュトラ州ムンバイ

2012 年に始動した 3 人組ブルータル・デスメタルバンドのデビュー EP。ヴォーカル、ギター、ドラムという編成で、ベースは不在だ。アメリカの Disgorge などの影響が顕著で、削岩機のようなブラストとゴリゴリしたリフ、それに下水道ヴォイスが三位一体となって襲いかかる。しかしイギリスの Web 媒体の取材によると、Shomeresh Shetty<vo> はプライベートではヒップホップも聴くそうだ。本稿執筆時点では Keshav Javadekar<ds> を除くメンバー 2 人は国外に移住している。

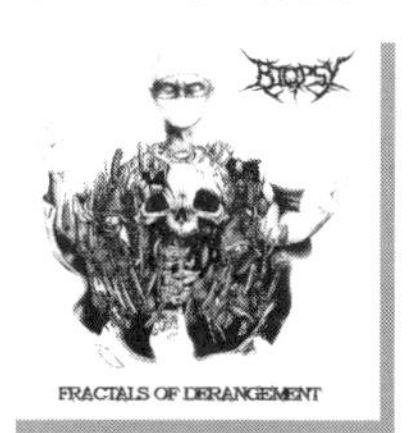

Bloodkill
Throne of Control
自主制作 2021 Thrash/Groove Metal
マハーラーシュトラ州ムンバイ／アラブ首長国連邦ドバイ

2016年結成の5人組スラッシュメタルバンドによる1stアルバム。リリースから約半年後にイタリアのPunishment 18 Recordsにて再発された。神秘的なインストのM1「The Unveiling」から、バンドが影響源に挙げているExodus風のM2「Blindead Circus」へと続く。しかし現編成で初期楽曲を録り直したM4「3B」、表題曲のM8などは幾分プログレッシヴで、Gojiraからの影響が窺える。本稿執筆時点で、Vishwas Shetty<g>はアラブ首長国連邦のドバイに移住している。

Blood Meridian
Elements of Brutality
自主制作 2011 Death Metal
マハーラーシュトラ州ムンバイ／パンベル

Demonic Resurrection加入前に、Ashwin Shriyan<b>が在籍したデスメタルバンドの唯一のEP。Nileのようにオリエンタルな要素を交えているが、M2「Coma」ではメロウなギターを披露し、M4「Kill for the Lust of Blood」ではスラミングで落下する。M5「Spheres of Madness」はDecapitatedのカヴァーだ。本稿執筆時点の正式メンバーは3人のみ。Miku Baruah<vo>はバンドを脱退後、ムンバイでフィットネスクラブを営んでいる。

Brahma
Reborn, Remasters, Vol.2
自主制作 2002 Thrash Metal
マハーラーシュトラ州ムンバイ

結成は1993年に遡る4人組の古参バンドによる2ndアルバム『Reborn』のリマスター盤。アートワークも刷新されている。バンド名の由来は、ヒンドゥー教の創造神ブラフマー（仏典では梵天）だ。全体的にスロー～ミドルテンポの楽曲が多勢を占める。アルバム前半のナンバーは正統派メタルの範疇に入るが、Devraj Sanyal<vo>がアルバム後半からグロウルを解禁し、多少デスメタル寄りに様変わりする。Devrajは本稿執筆時点で、ユニバーサルミュージックのインド法人の社長職を務めている。

Brazen Molok
Demolition Cycle
自主制作 2018 Death Metal/Deathcore
マハーラーシュトラ州プネー

2012年からDevil Lies on Strings名義で活動していた4人組バンドが、リズム隊を刷新すると共に、現バンド名に改称して放った1stアルバム、Cannibal Corpse、Nileといったアメリカのデスメタルの先人達を影響源に挙げているが、実際のところはデスコアの性向が色濃い。特にM4「Dead Hopes」あたりからSaurabh Barhare<vo>がハイピッチのスクリームやピッグスクイールを繰り出したり、小幅なビートダウンや休符を交えたりする。プレイは安定しており、なかなかの力量だ。

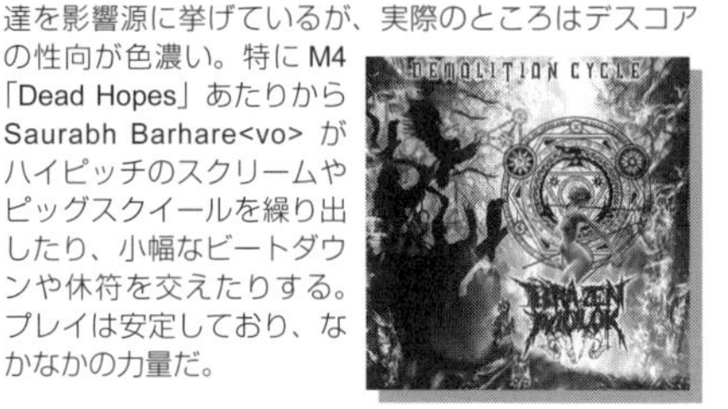

Brute Force
Force Fed
Counter Culture Records 2008 Thrash Metal
マハーラーシュトラ州プネー

2005年結成の4人組スラッシュメタルバンドが遺した唯一のアルバム。1980年代のスラッシュメタルBig4を影響源に挙げており、確かにその片鱗は垣間見れるが、スラッシュメタルに不可欠な初期衝動、アグレッションがきわめて希薄。頼りないプロダクションも相まって、むしろ大人しく感じてしまうほどだ。バンドは本作限りで解散したが、東洋系の顔立ちをしたWayne Hu<g>は2013年にBolt Actionなる多国籍バンドの一員として中国・広東省のコンテストに参加していたので、華僑だと思われる。

Carnage Inc.
Tenebris
自主制作 2019 Thrash Metal/Crossover
マハーラーシュトラ州ムンバイ

2011年に結成された4人組スラッシュメタルバンドによる初のフルアルバム。デビューEP『Fury Incarnate』（2016年）ではシンガーも兼ねていたNavin Mudaliyarがギター専任となり、新加入のVarun Panchal<vo, g>を迎えている。ベーシストも新メンバーに変わっているが、音楽性は前作とさほど変わらず、Nuclear Assaultに代表されるクロスオーヴァー・スラッシュを志向している。ただしバンドが公言するように、1980年代の先人達よりも幾分モダンな音作りをしている。

Cassiopeia
Hibernating Dreams
Depressive Illusions Records　2012　Ambient Metal
マハーラーシュトラ州カリヤン

独りブラックメタルのプロジェクトを複数立ち上げて活動しているSvartblodことSouvik Dasが、Sonam Malhotraなる女性と組んだユニットによる唯一のEP。SF小説『ソラリスの陽のもとに』（1961年）の舞台である惑星や、海王星、こぐま座、木星の衛星エウロパの名が楽曲に銘打たれている。アンビエント・ブラックメタルの範疇に入るかもしれないが、神秘的なシンセの音色で全編が覆われており、ノイジーなギターや絶叫が響くパートは割と少ない。独白だけの参加に終わったSonamの存在感も乏しい。

Coshish
Firdous
Universal Music India　2013　Progressive Metal
マハーラーシュトラ州ムンバイ

英語の「Attempt／試み」に当たるヒンディー語をバンド名に掲げた、2006年結成の4人組プログレッシヴメタルバンドによる1stアルバム。アートワークが示すとおり、人間が解脱に至るまでの過程を題材にした1枚だが、実はアルバムのストーリーと曲順が合致していない。フィジカルCDに封入された意味深な写真10枚の日付をヒントに、リスナーが本当の曲順を推理する必要があるのだ。肝心の音楽性はPorcupine Treeのように思索的で浮遊感があり、ヘヴィさは薄いが、全編ヒンディー語歌詞なのでオリエンタル色が濃厚だ。

Colossus
Lying in Circles
自主制作　2006　Heavy/Thrash Metal
マハーラーシュトラ州ターネー

ムンバイ近郊のターネーで活動したツインギター、キーボード奏者を含む6人組バンドによる唯一のデモ音源。Encyclopaedia Metallumでは「Heavy/Thrash Metal」に分類されているが、バンドはプログレッシヴメタルを掲げており、メロウなパートではOpethからの影響が垣間見える。ギタリスト2人は派手な速弾きも繰り出すが、プロダクションは貧弱で、Kris Rathnam<vo>の歌唱も頼りない。オリエンタルなイントロで始まるM5「Taandav」ではグロウルでの歌唱も聴けるが、やはり迫力不足。

Cosmic Infusion
Cosmic Infusion
自主制作　2013　Symphonic Black Metal
マハーラーシュトラ州ムンバイ

2003年にムンバイで始動した5人組シンフォニック・ブラックメタルバンドが、苦節10年の末にようやく発表した5曲入りEP。アートワークで分かるようにメンバー全員が白塗りを施しているが、衣装は少々チープだ。Emperor、Dimmu Borgirなど北欧の先人達を影響源に挙げているバンドで、Sushan Shetty<vo, key>が金切り声を上げて健闘しているものの、ブラストで爆走するパートは少ない。換言すると、長尺志向の割にはスロー～ミドルテンポの楽曲ばかりなので、劇的な盛り上がりに乏しい。

Consecration
Consecration
自主制作　2014　Heavy Metal
マハーラーシュトラ州プネー

2011年に始動したツインギターの5人組バンドによる1styEP。Adwitya Sharan<vo>の唱法は終始グロウルで、メタルコアの範疇に入る音楽性だが、バンドは影響源としてDream TheaterやOpeth、Porcupine Treeといったプログレッシヴメタルの先人達を挙げている。そのため、M3「Hostile Retribution」やM4「Silent Walk」ではサイケデリックな浮遊感を発散するパートを設けている。バンドのFacebookは閲覧不可だったので、すでに解散した可能性がある。

Dark Helm
Jaffar(10th Anniversary Edition)
自主制作　2021　Middle Eastern Folk/Deathcore
マハーラーシュトラ州プネー

2008年結成の3人組バンドが、デビューEP『Persepolis』（2011年）リリースから10年を経て、同アルバム収録曲を現編成で録り直してシングルカットした音源。プログレッシヴ・デスメタルを標榜しているが、実際はBorn of Osirisのような音楽性でペルシャ伝来の打弦楽器サントゥールや民族打楽器を用いている。現シンガーのDhairya Anandは、前任者よりもディープなグロウルで吠えるタイプだ。全体的にオリジナルよりも音質が向上した感がある。

Darkrypt
Delirious Excursion
Transcending Obscurity India　2016　Death Metal
マハーラーシュトラ州ムンバイ

2013 年に始動した 4 人組デスメタルバンドの 1st アルバム。Edge of Sanity などで知られる Dan Swanö がエンジニアを務めた 1 枚だが、Morbid Angel、Death などアメリカ産バンドの影響が窺える半面、欧州〜北欧流のハイゲインの音作りはしていない。M4「Cryptic Illusions」でスウェーデンの Rogga Johansson が歌声を披露し、Albatross/Primitiv の Riju "Dr. Hex" Dasgupta<b> が作詞家として全 9 曲のうち 3 曲に関与した。

Démonos
From Sacred to Profane
Dunkelheit Produktionen　2016　Black Metal
マハーラーシュトラ州ムンバイ

ムンバイ出身の Démonos Obscurís こと Dipankar Roy<vo, g, b> によるプロジェクトの 1st EP。Burzum、Bathory などの影響が窺えるブラックメタルであり、表題曲の M1 は絶叫が虚空に響き渡るナンバーだが、ベースが妙に目立ちすぎて逆に浮いている。部分的にラテン語詞を交えた M2「A Clarity of Indignation」は約 6 分 30 秒という長尺のミドルチューンで、M3「Nibirum Solstitium {Surge Daemon}」はブラックメタルらしい疾走感を味わえる。

De l'enfer
Quand La Nuit Dévore Tout
Achtung! Records　2012　Raw Black Metal
マハーラーシュトラ州カリヤン／ムンバイ

Svartblod こと Souvik Das<vo ,g ,programming> と Lysetdod<g> の 2 人が、Vent d'Automne とは違う名義で発表したデモ音源。ウクライナの Depressive Illusions Records でもカセット形態で再発された。バンド名は「From Hell」を指すフランス語だ。シューゲイザーというよりプリミティヴ・ブラックメタルに近い音楽性で、霧のようなシンセのせいでギターとドラムがくぐもっている。突風の SE とシンセによるインストの M4「The Dark Sky Erupts」は音質が幾分マシだが、多勢に影響はない。

Devoid
Drop Dead, Gorgeous
自主制作　2019　Thrash/Death Metal
マハーラーシュトラ州ムンバイ

2005 年に結成されたデス／スラッシュメタルバンドによる通算 4 作目のシングル。デビューアルバム『A God's Lie』(2010 年) 発表時は 5 人組だったが、数度のメンバー交代劇の末にトリオ編成で活動している。2013 年発表の EP『The Invasion』は Vader を想起させる面があった。かたや、虚飾にあふれた SNS でのリア充アピールを皮肉った本作では Decapitated のようにグルーヴ感を採り入れたデスメタルを打ち出しており、リスナーによってはメタルコアと捉えるかもしれない

Dead Exaltation
Despondent
自主制作　2021　Death Metal
マハーラーシュトラ州プネー

2015 年に始動した 3 人組デスメタルバンドの 1st アルバム。創設者の Mradul Singhal<g, b> は 2020 年 3 月に交通事故死したため、生前の彼と書きためたマテリアルを Satyajit Gargori<vo> と Aditya Oke<ds> の 2 人が世に送り出した。タイトルチューンの M9 をはじめとする楽曲群は割とオールドスクールな部類だが、曲展開にひねりを加えたナンバーもある。M5「The Psychology」は中盤でアコギ、M7「Omnia Mors Aequat」はクリーントーンのギターを用いている。

Dionysian
The Reticent
自主制作　2017　Progressive Metal
マハーラーシュトラ州ムンバイ

2010 年に結成された 4 人組バンドが SoundCloud に公開していた楽曲。バンド側はプログレッシヴメタルを標榜しているが、Priyyank Kotian<vo> はクリーンとグロウルの二刀流で、むしろメタルコア／ポストハードコアと解釈したほうがよい音像。とはいえ、Priyyank の歌唱はクリーンだと不安定である。前掲の SoundCloud には「Dark/Light of Misery」と題した曲も試聴できて、こちらでは Djent 由来のリフを刻んでいる。しかしプロダクションの拙さも相まって、何とも歯切れが悪い。

Dirge
Dirge
自主制作 2023 Sludge/Doom Metal
（初期）マハーラーシュトラ州プネー／（現在）ムンバイ

2014年結成の5人組スラッジメタルバンドによるセルフタイトルの2ndアルバム。前作『Ah Puch』（2018年）は中世のスペインによる新大陸征服から着想を得た作品だった。自らが影響源として挙げるEyehategodと仕事をしたアメリカ人エンジニア、Sanford Parkerがミックスを担当している。前作と同じく超スローテンポの長尺曲ばかり収めているが、本作では空間を意識したポストロック風のアプローチを採っており、静謐なクリーントーンのギターやTabish Khidir<vo>の囁き声を交えた曲がある。

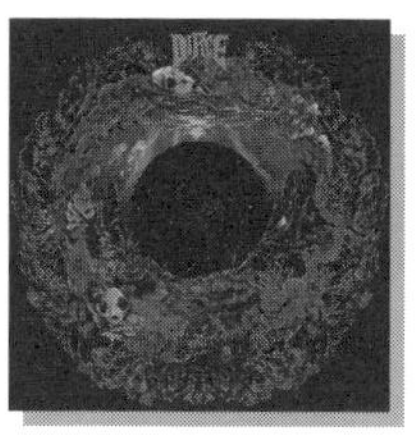

Eternal Returns
Siege Sombre
自主制作 2022 Groove/Thrash Metal
マハーラーシュトラ州ターネー

2009年結成のグルーヴメタルバンドによる通算7作目のシングル。本稿執筆時点の正式メンバーはNarendra Patel<vo>とHarsh Makwana<g, b>の2人だけ。このため、ウクライナ人ドラマーのViktor Lytvynovが客演した。元々は速さよりも重厚なグルーヴ感を押し出すバンドだが、本作では序盤で荒涼としたリフを刻んだかと思いきや、Viktorのブラストを境目に幾分テンポアップし、緩急を際立たせようとしている。しかし異なる曲を1曲につないで、6分超の長尺曲に仕立てた印象も受ける。

Dormant Inferno
Embers of You
Transcending Obscurity India 2016 Death/Doom Metal
マハーラーシュトラ州ムンバイ

2009年結成の3人組ゴシック／ドゥームメタルバンドによる通算3作目のシングル。Gautam Shankar<vo>は本稿執筆時点でアメリカのジョンズ・ホプキンス大学でゲノム研究に従事しており、本作にも遠距離レコーディングで参加したと思われる。My Dying Bride、Paradise Lostなどの影響下にある耽美なドゥームメタルを志向。表題曲のみで13分超えという大作で、曲調はスローテンポだが起伏に富んでいる。怪しげな囁きから地割れのようなグロウルまで、Gautamが表現豊かな歌唱を披露する。

Exhumation
Consider This
自主制作 2011 Death Metal
マハーラーシュトラ州ムンバイ

元Demonic ResurrectionのPrashant Shah<g>を擁する4人組デスメタルバンドが、2枚のEPなどを経て発表した1stアルバム。バンドの公式Facebookには「Brutal Death Metal」と記されているが、前掲の既発EP2枚で打ち出した音楽性は、甲高いスネアの打音が響くゴアグラインド寄りのものだった。かたや本作では、Cannibal CorpseやNileなどの影響が窺えるなデスメタルを志向。プロダクションも既発EP2枚よりも向上した。

Emergency Trigger
Isolated
自主制作 2019 Groove Metal
マハーラーシュトラ州ムンバイ

GrimmortalのEvan Shimron<ds>が掛け持ちしている、4人組バンドのシングル。表題曲は、デビューEP『Origin』（2017年）の延長線上にあるが、ベースソロで幕を開ける趣向が見られる。しかし、Swapnil Garud<vo>が繰り出す金切り声は本作でも調子外れで、ひどく耳障りだ。バンドの公式SNSには「スラッシュメタルに、実験的なグルーヴとインド特有の要素を交えた」と記されているが、そういう雰囲気は感じない。音圧が薄く、良好とは言えないプロダクションも前作同様だ。

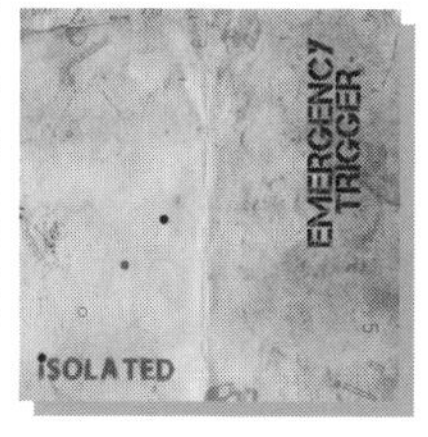

Fate
Lead Us to Darkness
自主制作 2001 Black Metal
マハーラーシュトラ州ムンバイ

Roshan J<vo, b>とNitin<g>のKumar兄弟に、Hitesh P. Ghelani<ds>という3人組バンドが遺した唯一のEP。Encyclopaedia Metallumでは「Black Metal」に分類されているが、メロディック・デスメタル寄りのナンバーも収められており、流麗なギターソロを聴ける。とはいえ、スタジオで一発録りしたかと思われる作品ゆえに、著しくチープな音質だ。表題曲のM3はクリーントーンのアルペジオに合わせて絶叫が木霊する楽曲で、聴きようによってはDSBM風である。

Fade
The Demo
自主制作 2009 Thrash/Death Metal
グジャラート州ヴァドーダラー

2006年に結成された4人組バンドによる唯一のデモ音源。Encyclopaedia Metallumでは「Thrash/Death Metal」と分類されているが、あえてどちらかを選ぶならスラッシュメタルのほうだろう。特にM4「Segue」は、Metallicaの代表曲「One」を意識した節のあるフレーズを交えたインストの長尺曲だ。バンド解散後、メンバーの半数はThe UnderGodsなるバンドで活動中だが、音源リリースには至っていない。

Festacorn
Raspberry Punch
自主制作 2020 Progressive Metal
マハーラーシュトラ州ムンバイ

2018年のEP『It's Only Natural』でデビューを飾ったムンバイ出身バンドのシングル。『Slap City Central』と題した1stアルバムのリードトラックと位置付けられている。元々は5人組だったが、本稿執筆時点は4人編成だ。プログレッシヴメタルを標榜しているが、デビュー当初からニューメタルやオルタナティヴの性向が色濃い。本作では静かなイントロからジャジーなビート感を採り入れたヴァースへつながる新機軸が見られるが、中盤からはDeftones、System of a Downを心なしか想起させる。

Fleur Rouge
Ballades En Ville
2020 Post-Black Metal
自主制作
マハーラーシュトラ州カリヤン

Svartblodこと Souvik Dasが立ち上げた、ポスト・ブラックメタルのプロジェクトの1st EP。プロジェクト名は「赤い花」を意味するフランス語。奇妙な曲名のM1「Suicide in Shibuya」を除き、各収録曲のタイトルもフランス語表記だ。もしやAlcestを手本にしたのだろうか。ノイジーなギター、ブラストと共に絶叫が木霊する作品だが、全編にわたり霧がかかったような音像で、淡くはかなげでもある。しかし実のところ、各収録曲はすべてM1のアレンジ違いヴァージョンにすぎず、ワンパターンである。

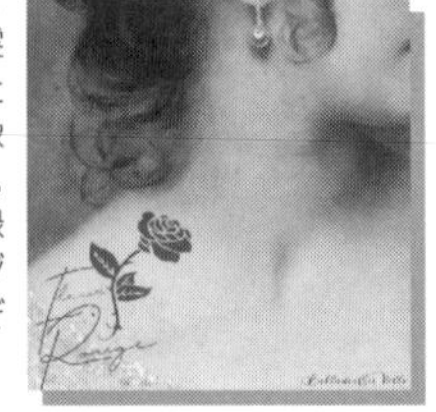

Flood of Mutiny
Declamation
BladeTip Records 2020 Death/Groove Metal
グジャラート州ヴァドーダラー

前掲のFaceと同じく、グジャラート州ヴァドーダラー出身のバンドが、2010年の結成から10年という節目に発表した1stアルバム。過去のライヴ映像を観ると、Rage Against the Machineの1stアルバム（1992年）収録曲をトリオ編成でカヴァー演奏していた。しかし本稿執筆時点は4人組。音楽性もミクスチャーではなく、グルーヴメタル期のSepultura、Machine Headなどの影響が窺えるものだが、中盤のM4「Invisible Apocalypse」などはスローで深く沈むドゥームメタル風の曲だ。

Gaijin
Gaijin
Transcending Obscurity Distribution 2015 Technical Death Metal
マハーラーシュトラ州ムンバイ

2010年結成の5人組テクニカル・デスメタルバンドによる1st EP。カナダのCryptopsyやGorgutsのアルバム群を手掛けたPierre Remillardをエンジニアに起用した1枚だが、前者のCryptopsyほどスピーディでブルータルな音像ではない。むしろ後者のGorgutsのようにアヴァンギャルドで複雑な構造の曲をじっくり聴かせるタイプだ。ちなみに本書編集人のハマザキカク氏は、「Gaijin／外人」というバンド名について、「Alien／宇宙人」を誤訳した可能性があると考察していた。

Goddess Gagged
Resurfaces
自主制作 2011 Alternative Metal
マハーラーシュトラ州ムンバイ

2008年結成の5人組バンドによる1stアルバム。Protest the Heroの2ndアルバム『Fortress』（2008年）にちなむバンド名を掲げているが、内省的で浮遊感を醸し出すパートを設けた楽曲群は、むしろTextures、Peripheryなどを想起させ、長尺志向も持ち合わせている。メンバー5人のうち、Devesh Dayal<g>とKrishna Jhaveri<b>の2人が、後にSkyharborでプレイするようになったのも頷ける。2017年のシングル「Vibes」はメタル色が乏しい。

Grimmortal

Excecrating Normality

自主制作　2013　Deathcore

マハーラーシュトラ州ムンバイ

2009 年に始動した 4 人組デスコアバンドのデビュー EP。Whitechapel、Veil of Maya などを影響源に挙げており、Rahul Nair<vo> はガテラルやピッグスクイールを巧みに使い分け、デスコアらしいビートダウンや激しいブラストを随所に交えているが、アルバム後半から起伏の大きなプログレッシヴな色彩が増していく印象を受ける。バンドは本作発表後、Rahul に代わって Abhishek Dhamankar を後任に迎えたが、結成初期から在籍するメンバーは Prateek Keni<b> だけとなった。

GrooveBot

Under Pressure

自主制作　2022　Industrial/Alternative Rock

マハーラーシュトラ州ムンバイ

Paradigm Shift の Chinmay Agharkar<g> が、男女さまざまなシンガーをゲストに迎えるプロジェクトの 3rd シングル。本作では、同じくムンバイ拠点の Goddess Gagged の Siddharth Basrur がヴォーカルを務めている。しかし肝心の音楽性は、プログレッシヴメタルの Paradigm Shift や Goddess Gagged とはまるで異なるインダストリアル路線だ。本作は Static X のように電子音を交えつつ、縦ノリのグルーヴ感を発散するが、目新しさに欠ける。

Halahkuh

Indignant

自主制作　2017　Melodic Death/Thrash Metal

マハーラーシュトラ州プネー

2011 年に始動した 4 人組デス／スラッシュメタルによる、通算 3 作目のシングル。インドではなく、中東のアッバース朝（750 ～ 1517）を滅ぼしたフレグ・ハン（チンギス・ハンの孫）にちなんだバンド名を掲げている。デビュー EP『Desecration』（2013 年）の音楽性はメロディック・デスメタル寄りだったが、本作は叙情性よりもアグレッションとグルーヴ感を重視したサウンドに路線変更し、結果的にはバンドがフェヴァリットに挙げている Decapitated を想起させるところがある。

Hellwind

Taste of Metal

自主制作　2012　Heavy Metal

マハーラーシュトラ州ムンバイ

これも Demonstealer こと Sahil Makhija のサイドプロジェクトのデジタルシングルだが、彼はドラマーに転身。Demonic Resurrection および Workshop で Sahil とプレイ経験のある Rajarshi Bhattacharyya<g>、Aditya Mehta<b> を含む 5 人組で、奇をてらわない正統派メタルを披露している。Akshay Deodhar<vo> は Ozzy Osbourne に声質が少々似ているが、プロダクションがやや貧弱で、曲自体も単調なので高揚感に欠ける。

Infernal Wrath

Inside of Me

Counter Culture Records　2009　Progressive Death Metal

マハーラーシュトラ州ムンバイ

キーボード奏者を含む 6 人組デスメタルバンドによる唯一のアルバム。全 11 曲のうち歌モノは 5 曲で、それらの合間に短いインスト曲が挟み込まれている。表題曲の M2 をはじめとする歌モノの 5 曲は Morbid Angel、Nile などの影響が窺え、曲によっては静的なパートでもオリエンタルな雰囲気を発散したり、ストリングスで盛り上げたりする。しかし合間に挟み込まれたインスト曲が、ある時はインドの伝統音楽、ある時はジャズピアノ、ある時は壮麗なオーケストレーションだったりと、一貫性に欠ける。

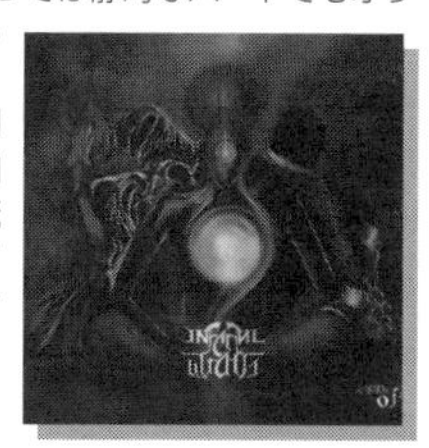

Infestation

Slaughter Your Gods

自主制作　2020　Death Metal

マハーラーシュトラ州ナーグプル

ビームラーオ・アンベードカル（1891 ～ 1956）が数十万人の不可触民と共に仏教に集団改宗した地である、ナーグプルで活動する 5 人組デスメタルバンドの 3rd シングル。Immolation、Incantation などと混同しそうなバンド名だが、前シングル「R.I.P Cage」（2019 年）はどちらかというとデスコア寄りだった。かたや本作の場合、ゴアグラインドのように間奏部分にスプラッター映画風の SE が入るものの、Decapitated のようにグルーヴ感のあるデスメタルを披露する。

Infinite Redemption

Face of Disaster

自主制作　2012　Melodic Death/Black Metal

マハーラーシュトラ州ムンバイ

元 Cosmic Infusion のリズム隊を擁する、5 人組バンドによる唯一の EP。専任シンガーの Rust Hammer こと Varun Sharma とギター兼任の Katas による実質ツインヴォーカル形態で、Varun のスクリームと Katas の低音グロウルが随所で交錯する。全体としては Cosmic Infusion とは異なり、シンフォニック要素を省いたブラックメタルといえる。Varun はバンド解散後にカナダのトロントへ移住し、Eternal Rust なるネオフォークのプロジェクトを立ち上げた。

Killchain

Psychosis

自主制作　2016　Thrash Metal

マハーラーシュトラ州ムンバイ

2014 年に始動した 5 人組デスメタルバンドのデビュー EP。Obituary、Morbid Angel、Death などを影響源に挙げており、結成初年にオンラインで公開した初期音源はそれらの先人達からの影響が窺えるものだった。その延長線上にあると言えるが、M2「Mouldered」とタイトルチューンの M4 では重心をいっそう低くした鈍重なパートを設けており、Bolt Thrower を想起させる面もある。Carnage Inc. の Moin Farooqui<ds> がプロデュースを務めた。

John Ferns

Axetacy

自主制作　2007　Progressive Rock/Metal/Shred

マハーラーシュトラ州ムンバイ

Brahma のギタリストである John Ferns の 1st ソロ EP。Joe Satriani、Steve Vai、Yngwie Malmsteen といった欧米のギターの巨匠達を影響源に挙げているとおり、全編インスト作品である。シタールのような音色が聞こえる表題曲の M1 で幕を開け、緩急を心得たギタープレイを聴ける M2「Looking Ahead」へと続く。終始派手に弾きまくるのではなく、物悲しいアルペジオや情感あふれるロングトーンなど、引き出しの多さが伝わる半面、プロダクションは良好とは言いがたい。

Killibrium

Purge

自主制作　2018　Death Metal

マハーラーシュトラ州ムンバイ

Primitiv の Nitin Rajan<vo> と元 Albatross ～ Devoid の Keshav Kumar<g> を擁する、4 人組デスメタルバンドのデビュー EP。元 Demonic Resurrection の Ashwin Shriyan<b> がエンジニアとして手を貸したようだ。バンドの結成時期は不明だが、SNS や YouTube などは 2015 年から稼働している。Cannibal Corpse をはじめとするアメリカのデスメタルバンドの影響下にあり、本作での Nitin の唱法はもろに Chris Barnes を彷彿とさせる。

Kasck

Deal with the Devil

自主制作　2023　Thrash Metal

（初期）マディヤ・プラデーシュ州ボパール（現在）マハーラーシュトラ州プネー

2015 年に結成された 3 人組スラッシュメタルバンドの 4 曲入りデビュー EP。ただし M1「Death to the Crooked」とタイトルチューンの M4 は、Saurabh Sharma<ds> の加入前にレコーディングされたと思われ、2020 ～ 2021 年にかけて先行配信済みだ。基本的には昔気質のスラッシュメタルで、前のめり気味に突っ走ると Destruction、Kreator などを想起させるが、M3「A Thousand Death」には Saurabh Lodha のベースをやけに強調したパートがある。

Kill the King

Regicide

自主制作　2021　Thrash Metal

マハーラーシュトラ州プネー／ニューデリー

2016 年に結成された 5 人組スラッシュメタルバンドの 2nd シングル。本作の半年ほど前に発表した 1st シングル「In the Name of Culture」（2021 年）に続き、ニューデリーのバンド Aarlon の Pritam Goswami Adhikary をシンガーに起用している。ヒンディー語詞の曲をプレイする Aarlon とは異なり、Pritam Goswami Adhikary はここではオール英語詞の歌唱を披露。タイトで引き締まった楽器隊のプレイは、Testament や Exodus などを想起させる。

Krayl

Schwarzer Krieg

自主制作　2022　Black Metal, Ambient

マハーラーシュトラ州カリヤン

これまた Svartblod こと Souvik Das によるプロジェクトの 3rd EP。英語で「Black War」に相当するドイツ語をアルバム名に掲げている。前 EP『Maladie Mortelle』（2020 年）と同様に無機質なブラストに合わせて、Souvik Das の絶叫が木霊するという作風だが、ドイツの軍歌や戦場を思わせる SE、あるいはクラシック音楽の『ワルキューレの騎行』などを、各収録曲の締めくくりにつなげる趣向が見られる。とはいえ、書き下ろしパートはすべて荒涼としたプリミティヴ・ブラックメタルだ。

Last Rituals

Kaalhasti

Zee Music Company　2018　Vedic/Melodic Death Metal

マハーラーシュトラ州プネー

サウスポーの Tapan Patel<b> を擁する 5 人組ヴェーディックメタルバンドのシングルで、MV も制作された。Born of Osiris、Meshuggah などを影響源に挙げているため、モダンな音作りをしているが、現地語による歌唱も相まってオリエンタル色が濃厚だ。ヒンドゥー教の破壊神シヴァを祀る実在の寺院にちなむ曲名なので、髭面の Harish Chawria <vo> がシヴァを称えるマントラ（真言）を反復するパートがある。なお、アートワークの人物はメンバーではなく、MV に出演した俳優である。

Letterz

Imagine Salt

自主制作　2020　Instrumental Progressive Metal

マハーラーシュトラ州ムンバイ

イギリスの音響と映像の専門学校 SAE Institute に留学経験がある、Tejas Narayan<g> が率いる 5 人組インスト・プログレッシヴメタルバンドのデビュー EP。Animals as Leaders、Periphery などを影響源に挙げているとおりの音楽性で、Djent 特有の重低音リフを多用している。しかし先行シングルの「M2「Toad」をはじめとする楽曲群は案外とシンプルな構造で、バンドが傾倒している 2 組ほど難解ではない。マスタリング・エンジニアは Skyharbor の Keshav Dhar<g> が担当。

Lobotomical Abstract Torture

Sacrificing Session 1

ADX Records　2012　Electro Black Metal

マハーラーシュトラ州ムンバイ

数々のプロジェクトを手掛ける独りブラックメタラー、Svartblod こと Souvik Das が 2012 年に発表した EP。本作でもコナミの人気ゲーム『サイレントヒル』シリーズに敬意を表し、同ゲームで描かれた街や湖の名が曲名に冠されている。不穏なシンセのドローン（持続音）や SE で構成された楽曲ばかりで、ギターやベース、ドラムの音は皆無。ヴォーカルに関しても、M1「Journey Through Silent Hill」で Margi Shah なる女性による現地語のナレーションが聞こえるくらいで、メタル色も皆無だ。

Machspeed

Pleasure in Misery

自主制作　2021　Heavy Metal

グジャラート州ヴァドーダラー

White Illusion 名義で 2009 年に結成後、2017 年から現バンド名に改称した 4 人組バンドの 1st アルバム。同郷のグルーヴメタルバンド Flood of Mutiny の Rishabh Kapoor<ds> がメンバーに名を連ねているが、本作で広がるサウンドは正統派メタルの範疇に収まったものであり、Judas Priest などからの影響を感じさせる。しかし、Miraj Modha<vo> は声域が狭い上に調子外れであり、アートワークのみならずプロダクションもチープ。特に楽器隊の音圧が弱すぎる。

Metakix

Connect & Inspire

自主制作　2008　Heavy/Thrash Metal

マハーラーシュトラ州ムンバイ

1995 年結成の 4 人組バンドによる 2nd アルバム。スラッシュメタルを標榜する割には正統派メタル風の M1「Back in the Zone」で幕を開けるが、全体的にスロー～ミドルテンポの楽曲中心。アグレッションや疾走感に乏しい半面、前掲の M1 と M7「True Alter」は 7 分超と無駄に尺が長い。Zomb こと Deepak Menon<vo, g> は時折グロウルを繰り出すが、クリーンヴォイスの歌唱は終始不安定で、聴く側を困惑させる。前作『Headlines』（2002）から 6 年ぶりのリリースだったが、これが最終作となった。

Mistet Fjell
Dette Kval Vil Ikke Ende
Depressive Illusions Records　2012
マハーラーシュトラ州ムンバイ　Black Metal

これも独りブラックメタラーの Svartblod こと Souvik Das によるデモ音源だが、ウクライナの Depressive Illusions Records にてカセット形態で流通された。プロジェクト名と作品名はノルウェー語で記されている。Spirit in Eternal Pain 名義のデモ音源と同じく、チリチリしたギターとくぐもったブラストに合わせ、Souvik が不気味に囁く楽曲群を収めている。アンビエントな音色のシンセに移行する曲もあるにはあるが、やはりアルバムとしての体を成しているとは言いがたい。

Oblitera
Living Refusal
自主制作　2021　Death Metal
マハーラーシュトラ州ムンバイ

2020 年に始動した 4 人組バンドの 1st シングル。ツインギター編成だが、正ドラマー不在のため、ドラムは打ち込みである。バンドの公式 YouTube には、Dimmu Borgir、Trivium、Iron Maiden などのカヴァー演奏を節操なくアップしていた。しかし、実際のところは昔気質のデスメタル志向であり、Death、Cannibal Corpse などの影響が窺える。本作から 8 ヶ月後にリリースされた 2nd シングル「Caves of Disembowelment」(2021 年)では流麗なギターソロを聴ける。

Noiseware
Clouds at Last
自主制作　2018　Experimental/Progressive Metal
マハーラーシュトラ州プネー

2009 年結成の 5 人組プログレッシヴメタルバンドによる 1st アルバム。初期の Skyharbor のように、浮遊感を発散する曲とアグレッション重視の曲の両方を味わえる。Born of Osiris ほど派手ではないが、電子音が飛び交う M3「Within Dreams」や M4「Vortex」なども聴ける。ギターチームの Aniket Patni と Adhiraj Singh は、インドでいち早く 8 弦ギターを採り入れたプレイヤーと言われ、After the Burial ばりの硬質なリフで攻め立ててくる局面もある。

Orion
On the Banks of Rubicon
自主制作　2012
マハーラーシュトラ州ムンバイ　Progressive Death Metal

パキスタンにも同名バンドが存在したが、こちらは 2008 年からムンバイで活動する 4 人組デスメタルバンドの 1st EP。Albatross、Systemhouse33 などのギタリストである Vigneshkumar Venkatraman が、本作ではヴォーカルに挑戦した。Opeth のようなプログレッシヴな楽曲群を収めており、M1「Oh Sweet Ebullition」と M3「Astral Embodiment」は 6 ～ 7 分台の長尺曲。Vigneshkumar の唱法は主に低音グロウルだが、クリーンヴォイスも披露する。

Obstinate
Infraction
自主制作　2017　Progressive Metal
マハーラーシュトラ州プネー

2015 年に始動した 5 人組バンドによる 1st EP。いわゆる Djent 系に属すバンドだが、クリーン＆グロウル担当の Abhi Kar<g, vo> とラッパーの Abhinav を擁するツインヴォーカル形態。このため重低音リフで跳ね回りつつも、イギリスの Hacktivist のようにヒップホップ要素を交えている点が大きな特徴。それでいて Abbi が歌唱するクリーンパートではスペーシーな浮遊感を発散し、M5「Way We Go」ではスラップベースを聴かせるパートを設けたりと、一筋縄でいかない個性を発揮している。

Overhung
Moving Ahead
Overhung Music　2016
マハーラーシュトラ州ムンバイ　Hard Rock

2010 年にムンバイで始動した 4 人組バンドの 1st アルバム。デビュー EP『Extended 4Play』(2012 年)発表後、Sujit Kumar<vo> はヴァージニア州に居を移し、米印両国を往復しながら活動している。シッキム州出身の Girish and the Chronicles と同じく往年のハードロック回帰型のバンドで、もろに Mötley Crüe のような M1「Sex Machine」で幕を開け、アルバム中盤からは Guns N' Roses、Aerosmith などの影響が窺えるナンバーも並ぶ。

Paradigm Shift
Sammukh
自主制作 2018 Progressive Metal
マハーラーシュトラ州ムンバイ

2008年結成の6人組プログレッシヴメタルバンドによる2ndアルバム。Kaushik Ramachandran<vo>のたゆたうような歌唱とフォーキッシュなバイオリンの組み合わせが異国情緒を発散。M1「Vimukh」でMeshuggahのような重低音リフを突如響かせたり、Porcupine TreeやOpethからの影響が窺えるフレーズが飛び出したりもする。しかし全体的には壮麗なストリングス、クワイアによる装飾を施したナンバーが中軸を成し、オリエンタルな旋律を押し出した表題曲のM9はMyrathを想起させる。

Providence
Vanguard
自主制作 2011 Progressive Metalcore
マハーラーシュトラ州ムンバイ

元Bhayanak MautのSunnieth Revankar<vo>、現GutslitのAaron Pinto<ds>らを擁する5人組メタルコアバンドのデビューEP。バンドは本作で2012年のRolling Stone Metal Awardsで4部門を制した。穏やかなインストのM1「Glass Eye Dawn」で幕を開けたかと思いきや、Sunniethが堰を切ったようにグロウルで咆哮し、ハードエッジなリフを刻みながら襲いかかる。バンドは本作発表後、Karan Poteなる新シンガーを迎えて活動中だ。

Pin Drop Violence
Right II Riot
Counter Culture Records 2007 Metalcore
マハーラーシュトラ州ムンバイ

インド産ニューメタルの先駆者と謳われた2000年結成のバンドによる2ndアルバムであり、最終作。前作『Compose...Oppose...Dispose』(2004年)では5人組だったが、本作は4人編成で放たれた。前作と同様にハードコアやヒップホップなど諸要素のごった煮サウンドだが、プロダクションは良好とは言いがたい。M1「No Regrets」はSlipknotからの影響が窺える曲だが、中盤にヒップホップ風の語りを交えている。MVが制作されたM10「Independence」ではラップを導入している。

Ragnhild
Tavern Tales
自主制作 2019 Melodic Death/Viking Metal
マハーラーシュトラ州プネー

インド初のヴァイキングメタルバンドを標榜する5人組の1stアルバム。Amon Amarth、Ensiferumなどを影響源に挙げており、そのものズバリ「A Viking Mosh」と題した楽曲でコール&レスポンスを誘う。しかし全体としては、時折フォーキッシュなフレーズを交えるメロディック・デスメタルという印象で、前掲の2組ほど勇壮さを感じない。ドレッドヘアのRohit Jalgaonkar<vo>のグロウルも一本調子だ。本作発表後に元Last RitualsのHarmesh Pillay<ds>が加入した模様だ。

Primitiv
The Skull and the Stick
Metal Masala 2017 Death Metal
マハーラーシュトラ州ムンバイ

2013年結成の5人組デス/ドゥームメタルバンドによる通算2作目のシングル。ブラックメタル風のアートワークなので路線変更を遂げたのかと思いきや、実際は1stアルバム『Immortal & Vile』(2016年)の延長線上にあるサウンド。つまり、Nitin Rajan<vo>が終始グロウルで咆哮することを除けば、Black Sabbathに源流を持つ重厚なドゥームメタルである。ただし、前掲の1stアルバムよりヴィンテージ感覚を増した印象を受ける。なお、Nitinは2020年11月に42歳で急死した。

Reptilian Death
The Dawn of Consummation and Emergence
Old School Metal Records 2013
マハーラーシュトラ州ムンバイ Brutal/Technical Death Metal

DemonstealerことSahil Makhija<vo, g>が2001年に立ち上げたプロジェクトの2ndアルバム。過去のライヴ映像では、Bhayanak Mautに当時在籍したVinay Venkatesh<vo>が白塗り、Sahilをはじめとする楽器隊が漆黒のフードつきマントという出で立ちで、背徳的なイメージを発散していた。音楽性もBehemothのようなデス/ブラックメタルだが、体感速度はそれほどでもない。北マケドニアのDarzamadicus Recordsでも配給されたが、本作が最終作となった。

Sabotage

The Order of Genocide

自主制作　2019　Thrash Metal

マハーラーシュトラ州ムンバイ

Cyril Thomas<g> を中心に結成されたツインギター、5人組スラッシュメタルバンドの4曲入りEP。Skyharbor の Keshav Dhar<g> がエンジニアを務めた。1980年代のスラッシュメタル Big4 の中でも Slayer と Anthrax への傾倒ぶりが窺えるバンドだが、特筆すべきオリジナリティに欠ける。2018 ～ 2019年の W:O:A Metal Battle インド予選のファイナリストに2年連続で残った経歴の持ち主だが、換言すると独自性の希薄さゆえに本選出場を2年連続で逃したのかもしれない。

Scribe

Hail Mogambo

自主制作　2014　Hardcore

マハーラーシュトラ州ムンバイ

2016年結成の5人組カオティック・ハードコアバンドによる 3rd アルバム。シンガーの Vishwesh Krishnamoorthy は映画やドラマの脚本、監督も手掛ける才人だ。前作『Mark of Teja』(2010年) と同様にアヴァンギャルドでテクニカルな楽曲群が並ぶが、本作のほうが複雑さを増しており、Protest the Hero を想起させる。その一方で、Vishwesh がラップを繰り出す曲や、アッパーな電子音が飛び交う曲もある。スウェーデンの名匠 Jens Bogren がマスタリングを担当した。

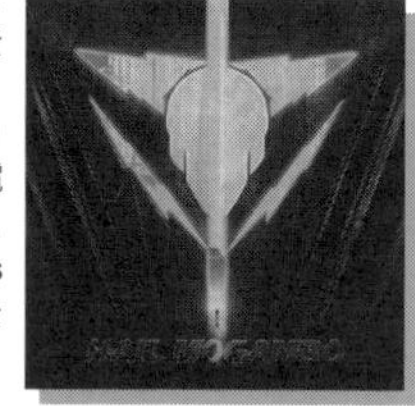

Sarfaad

Dog Days

自主制作　2020　Progressive Metalcore

マハーラーシュトラ州ムンバイ

2019年に始動した4人組プログレッシヴ・メタルコアバンドの 2nd シングル。Scarlet Dress の Sushant Vohra が専任ギタリストとして名を連ねている。1st シングル「Painting a Villain」は After the Burial ばりの重低音サウンドで襲いかかる曲だったが、本作は意外にも Arbaaz Khan<vo> が序盤でラップを披露するパートを配している。ただしアグレッシヴさはしっかり保たれており、Arbaaz がグロウルを解禁する中盤から激重のビートダウンで徐々に沈んでいく。

Serpents of Pakhangba

Serpents of Pakhangba

自主制作　2020　Avant-garde Folk Metal

マハーラーシュトラ州ムンバイ／アッサム州グワハティ／パナマ

Amogh Symphony の Vishal J.Singh<g, key> が新たに立ち上げたプロジェクトの 1st アルバム。結成当初はシタール奏者とダンサーを含む6人編成だったが、本作は4人組で放たれた。Fidel Dely Murillo<ds> はパナマ出身だ。アヴァンギャルドな即興主体の作風だが、バイオリンや民族楽器を用いたフォーキッシュなナンバーもあり、Vishal が要所で派手なプレイを披露。Aruna Jade<vo> の唱法は民謡風だが、M5「Headhunters」でグロウルを繰り出す。

Sceptre

One Shot One Kill

自主制作　2019　Thrash Metal

マハーラーシュトラ州ムンバイ

1998年結成のスラッシュメタルバンドが、現行の5人編成で放った通算4作目の EP。キャリアの初期から Pantera、Sepultura などのようなグルーヴ志向のスラッシュメタルを一貫してプレイしている。インド特有の社会問題に切り込むバンドで、表題曲の M2 ではインドとパキスタンが1947年の分離独立から領有権を長年争うカシミール紛争の不毛さを嘆いている。本作のアートワークも、2017年5月にインド軍に捕縛されたカシミール地方の住民が「人間の盾」にされた事件にちなむものだ。

Solar Deity

Mahayagna

Nephalist Recordings　2020　Black Metal

マハーラーシュトラ州ムンバイ

3人組ブラックメタルバンドによる通算7作目のシングル。前シングル「Unspoken」(2020年) はなぜか全編インストだった。本作でも、楽器隊のみのパートが冒頭から2分以上続くため、またもインストかと思いきや、サンスクリット語のヴォーカルが聞こえてくる。肝心の歌詞は、ヒンドゥー教の太陽神スールヤ (仏典では日天) を称える歌から抜粋したもの。したがって、ヴェーディックメタルの範疇に入るが、曲構造はきわめてシンプル。Aditya Mehta<vo, g> は後半で1回だけグロウルで吠える。

Solus ex Inferis
Exogenesis
自主制作　2022　Death Metal
マハーラーシュトラ州ムンバイ／アメリカ・ニューヨーク州マンハッタン／アメリカ・カリフォルニア州ロスガトス

Demonic Resurrection の Sahil Makhija<vo> が、Six Feet Under の Marco Pitruzzella<ds> と共に参加しているプロジェクトによる通算 3 作目の EP。プロジェクトを束ねる Dave Sevenstrings<g> の派手なプレイと Marco による爆速のブラストを押し出したテクニカルデスメタルを一貫して披露。本人の弁によると作曲に関与しておらず、Demonic Resurrection と方向性も異なるが、Sahil は野太いグロウルで存在感を示している。

Spasmodia
Malicious Premonitions
自主制作　2022　Brutal/Technical Death Metal
マハーラーシュトラ州ムンバイ／アメリカ・カリフォルニア州サンフランシスコ

2 人組ブルータル／テクニカル・デスメタルバンドの 1st EP。Biopsy の Keshav Javadekar がヴォーカルとドラムを、元 Grimmortal の Akhilesh Rao がギターとベースをそれぞれ兼務している。凶暴な下水道ヴォイスとは裏腹に、Origin や Necrophagist のようなテクニック重視のデスメタルを打ち出しており、スラミング系のブルータル・デスメタルバンドとは趣が異なる。Akhilesh Rao は 2015 年からアメリカへ移住し、本稿執筆時点ではシリコンバレーの Apple 本社で働いている。

Southlane
W.W.A.R.S
自主制作　2017　Thrash Metal/Crossover
マハーラーシュトラ州ムンバイ

ムンバイ出身の 4 人組スラッシュメタルバンドによる 2nd アルバム。バンドの YouTube には、Metallica と Sepultura の楽曲のカヴァー動画が公開されていた。しかし実際のところは、Nuclear Assault や Municipal Waste などの影響下にあるクロスオーヴァー・スラッシュ志向であり。ザクザクしたリフを刻みながらハイテンションで駆け抜ける。Encyclopaedia Metallum には、Rakesh Poojary<vo, g> と Nihal Hadkar<g> の氏名がなぜか登録されていなかった。

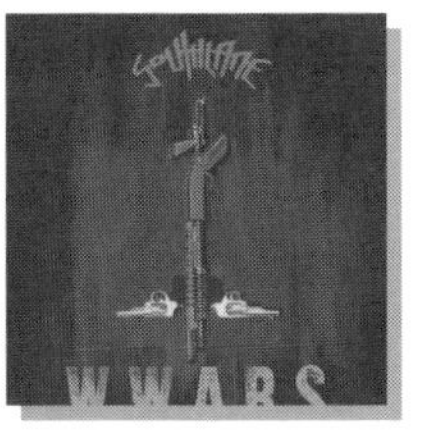

Spiral Shades
Hypnosis Sessions
RidingEasy Records　2014　Doom Metal
マハーラーシュトラ州ムンバイ／ノルウェー・ヴェンラ

ムンバイ在住の Khushal Bhadra<vo> が、ノルウェー南部沿岸の街ヴェンラ在住の Filip Petersen<g, b, ds> とオンライン上で結成した 2 人組ドゥームメタルバンドの 1st アルバム。ブルース由来のサウンドは Led Zeppelin からの影響が窺える一方で、Khushal の唱法は Robert Plant と Ozzy Osbourne の特徴を折衷した感じだ。音像は生々しくダイナミックで、Khushal と Filip が一度も顔を合わせず、遠距離レコーディングで制作したとは信じがたいほどだ。

Spiked Crib
Wreath
自主制作　2016　Symphonic Black Metal
マハーラーシュトラ州ムンバイ

男女ツインヴォーカル形態の 6 人組バンドが結成 10 年目の節目に発表した 1st EP。男性シンガーの Crudus こと Gareth Amarjit Mankoo と女性シンガーの Lady Hecate は 2 人ともグロウル主体の歌唱なので緩急の妙に欠け、出で立ちもごく普通だが、Cradle of Filth、Dimmu Borgir などの系譜に連なる高品質なシンフォニック・ブラックメタルを志向。疾走パートや叙情的なギターで気分を高ぶらせる一方で、インド産バンドらしくオリエンタルな旋律やタブラの打音を交える曲もある。

Spirit in Eternal Pain
Le Royaume Froid
No Remorse Records　2013
マハーラーシュトラ州カリヤン　Ambient Black Metal

独りブラックメタルのプロジェクトを多数手掛ける、Svartblod こと Souvik Das の 2013 年発表のデモ音源。ギリシャの No Remorse Records で配給後、ウクライナの Depressive Illusions Records で再発された。「The Cold Kingdom」に当たるフランス語をタイトルに掲げている。霞の向こうから聴こえるようなブラストに合わせ、Souvik が不気味に囁くナンバーを 3 曲収めている。全編にわたり荒涼とした雰囲気を発散しているが、曲としての体を成しているとは言いがたい。

Stark Denial
Covenant of Black
Transcending Obscurity India　2018　Black Metal
マハーラーシュトラ州ムンバイ

2009 年結成の 4 人組ブラックメタルバンドによる 1st アルバム。欧米のバンドのようにメンバー全員がコープスペイントを施している。不穏なサイレンの SE が鳴り響いた後、バンド名を冠した M2 からは北欧産ブラックメタルの先人達に忠実なナンバーが並ぶ。Marduk、Dark Funeral などを影響源に挙げている点は、ベンガルール産バンドの Dark Desolation とよく似ている。ノルウェー語の題名を冠した M9「Hyllest Til Kulten」は Mayhem の Euronymous<g> に捧げた曲だ。

Sutledge
Retribution
自主制作　2018　Groove Metal/Metalcore
マハーラーシュトラ州ムンバイ

ムンバイの 4 人組メタルコアバンドによる 3rd シングル。Encyclopaedia Metallum には 2015 年結成と記されているが、バンドの公式 Facebook には 2011 年の時点でライヴ写真が投稿されているため、活動歴はもっと長いと思われる。歴史アクション映画『300〈スリーハンドレッド〉』（2006 年）に触発された曲だとの触れ込みで、確かに同映画に登場する古代ギリシャの戦士の兜がアートワークに描かれている。しかし単調な曲展開やプロダクションの粗さも相まって、どうにも煮えきらない印象を受ける。

Systemhouse33
Salvation
自主制作　2022　Thrash/Groove Metal
（初期）マハーラーシュトラ州ナグプール／（現在）ムンバイ

2003 年結成のスラッシュメタルバンドが、元 Sceptre の Gilroy Fernandes<g> を迎えた 4 人編成で放った 4th アルバム。1st アルバム『Depths of Despair』（2013 年）は幾分プログレッシヴで Gojira のような音楽性だったが、2nd アルバム『Regression』（2016 年）から Machine Head のようにグルーヴ感を強調したスラッシュメタルに様変わりした。本作も同様の音楽性だが、M5「Blood Covenant」はイントロと終盤でオリエンタルな旋律を用いている。

Targe
Godless & Divine
自主制作　2021　Death/Groove Metal
マハーラーシュトラ州ムンバイ

Ivin Viegas なるギタリストが立ち上げた 4 人組バンドの 3rd シングル。前シングル「The Cortege」（2020 年）から、Demonstealer こと Sahil Makhija がシンガーを務めている。しかし彼が率いる Demonic Resurrection や、彼自身のソロワークとはまったく異なり、グルーヴメタル／メタルコアに近似した音楽性である。曲展開に変化を加えるべく、Sahil Makhija が高音のスクリームと低音のグロウルを使い分けたり、休符を挟んだりしているが、類型的である。

The End
White Lotus
Cvlminis　2014
マハーラーシュトラ州カリヤン　Avantgardiste Black Metal

Vent d'Automne の Svartblod こと Souvik Das が全楽器パートをこなしたプロジェクトの 1st EP。ロシアから Skyforest の Bogdan Makarov、フランスから Soupir Astral の Tomas Erstein といった客演シンガーを招いている。浮遊感を発散するシンセや耽美なピアノ、それに女性ナレーションなどを交えつつ、悲壮な絶叫とブラストを各曲の要所で繰り出す。Svartblod こと Souvik は本作発表後、プロジェクト名を Désenchantée に改称した。

The Minerva Conduct
The Minerva Conduct　Metal/Experimental/Progressive
Transcending Obscurity Records　2017
マハーラーシュトラ州ムンバイ／アメリカ・カリフォルニア州サンフランシスコ

当時 Gutslit に在籍していた Prateek Rajagopal<g> が、同じく当時 Demonic Resurrection のメンバーだった Nishith Hegde<g> と Ashwin Shriya<b> を迎えて制作したインストバンドによる 1st アルバム。アートワークの異なる限定盤もある。両バンドとはまったく異なるモダンな Djent 系サウンドを志向しているが、高い技量で一気に聴かせる。元 Animals as Reader のアメリカ人ドラマー Navene Koperweis が全面参加しているが、全体的には Periphery に近い音像だ。

The Multiverse Concept
Our Laws Used to Be Storybooks
自主制作 2021 Experimental Metal Metal
マハーラーシュトラ州プネー

プネー出身で、アメリカのニューヨークに移住したAksheya Chandar<g.b>による通算7作目のEPであり、最終作。キャリアの初期のアルバム群はPeripheryからの影響を感じさせたが、前EP『Postcards from Nowhere.』（2020年）はアンビエントなポストロックに様変わりした。本作の場合、M2「Electric Jellyfish (Should Sting Us All)」の後半から無機質でメカニカルなリフが響き渡るが、複雑に跳ね回る作風ではなく、アンビエントミュージック寄りだ。

The Second Fovea
Headshot
自主制作 2021 Groove Metal
マハーラーシュトラ州ムンバイ／西ベンガル州シリグリ

Wired Anxietyの Naval Katoch<g>と Priyam Srivastava<ds>が新たに参加した、5人組プロジェクトによる1stシングル。Nihaar Katoch<b>とPriyamはムンバイ出身だが、本稿執筆時点はアメリカのペンシルベニア州とカリフォルニア州にそれぞれ移住している。幾分ダークで重苦しい色彩をまとったメタルコアで、クライマックスではストリングスの音色が飛び出すが、劇的な盛り上がりに乏しい。

Vajra
Riha
自主制作 2014 Heavy Metal
マハーラーシュトラ州ムンバイ

2008年に結成された正統派5人組バンドの1stアルバム。バンド名の由来は古代インドの武闘神インドラ（仏典では帝釈天）の武器で、現在では密教系の日本仏教（真言宗・天台宗・禅宗）やチベット密教（仏教）で法具として使われているものだ。Iron Maidenからの影響が窺えるフレーズ、シンガロングを交えているが、歌詞は全部ヒンディー語。Prasenjit Sarkar<vo>は割とソフトな声質で、タイトルチューンのM3はメロウなバラードかと思いきや、中盤から突如としてグロウルの掛け合いが入る。

Valtiel
Nightmares of a Rotten Dimension
自主制作 2012 Dark Ambient Metal
マハーラーシュトラ州カリヤン

よきも悪しきも多作のSvartblodことSouvik Dasによるプロジェクトの1stアルバム。ニュージーランドのSatanica Productionsで配給された。オランダのGnaw Their Tonguesを影響源に挙げているが、ノイズの轟音で攻め立てるのではなく、単調かつミニマルな電子音で不穏さを醸し出そうとしている。しかし全体としては著作権フリーの音素材のようにチープだ。プロジェクト名の由来は、コナミのホラーゲーム『サイレントヒル3』（2003年）に登場するクリーチャーだ。彼は日本贔屓なのだろうか。

Vent d'Automne
Everything Is Fading Away
Cvlminis 2012 Experimental Black Metal
マハーラーシュトラ州ムンバイ

Svartblodこと Souvik Das<vo ,g ,programming>とLysetdod<g>という2人組ブラックメタルバンドによる唯一のEPで、ロシアのCvlminisでも数量限定で販売された。バンド名はフランス語で「秋風」を指す。Alcestをフェヴァリットに挙げており、確かにM1「Escaping the Crowd」は俗にブラックゲイズと呼ばれるシューゲイザー風の曲だが、M2「Big City Depression」からはDSBMの性向が強くなる。全体としてプロダクションは良好とは言えない。

Vintered
Demo 2013
Depressive Illusions Records 2013 Depressive Black Metal
マハーラーシュトラ州カリヤン

SvartblodことSouvik Dasが、P.Dの変名で発表した独りブラックメタルによるデモ音源。荒涼とした風のSEと単調なシンセによるM1「I」が開けると、DSBM路線のナンバーが並ぶ。M2「II」とM3「III」はノイジーなリフに単調なドラム、それにループ素材に合わせて絶叫がたまに響くだけで、曲としての体を成していない。M4「IV」でようやくテンポアップするが、機械的に同じリズムを反復するだけである。ウクライナのDepressive Illusions Recordsにてカセット形態で流通された。

Vizia

Vizia

自主制作　2011　Death Metal

マハーラーシュトラ州ムンバイ

ムンバイで2009年に結成された5人組デスメタルバンドが唯一遺したEP。バンド名がよく似たVajraに在籍するPratik Kulgodがドラムを兼務している。M1「The Beginning」は冒頭と締めくくりに物悲しい雰囲気を発散するパートがあるが、基本的にはアメリカのデスメタルの流儀に則っている。M3「Humanity Enslaved」も同様のイントロで幕を開けるが、もっと起伏に富んだ曲構造だ。本作を締めるM4「FFD (Early Days)」はどちらかというとグルーヴ感を重視した印象を受ける。

Wired Anxiety

The Delirium of Negation

Transcending Obscurity Distribution　2016　Death Metal

マハーラーシュトラ州ムンバイ

2009年に始動した4人組デスメタルバンドの2nd EP。元Demonic ResurrectionのAshwin Shriyan<b>がエンジニアを務めた。ロシアのKatalepsyを影響源に挙げているが、スラミングで落下するわけでもなければ、難解なプレイを繰り出すわけでもない。Dheeraj Govindraju<vo>は時折ピッグスクイールを使うが、M1「Test Subject: Human」などのフレージングはメロディック・デスメタル寄りで、ファンキーなグルーヴ感を醸し出すM4「Focus 22」が異彩を放つ。

Within Ceres

Untether

自主制作　2020　Progressive Metalcore

ゴア州パナジ

インド西部のゴア州で2014年に始動した6人組プログレッシヴ・メタルコアバンドによるシングル。同年リリースの1st EP『Skyless』(2020年)はVRが発達した未来を描いたコンセプト作だった。本作もその延長線上にあり、VRヘッドセットを着用した人物がMVに登場する。Born of Osirisを影響源として挙げているが、シンセの装飾は彼らほど派手ではなく、Arnold Carvalho<vo>がクリーンヴォイスを使うパートはTextures、Peripheryなどのように浮遊感を醸し出す。

Workshop

Made Love to the Dragon

Demonstealer Records　2013　Heavy Metal

マハーラーシュトラ州ムンバイ

これもDemonstealerことSahil Makhija<vo, g>のサイドプロジェクトで、2ndアルバム。アートワークで一目瞭然だが、Sahilをはじめとするメンバー全員が土木作業員のような扮装をしている。前作『Khooni Murga』(2009年)と同じく、Demonic Resurrectionとはまったく異なる正統派メタル路線で、Sahilはグロウルを封印。その一方で「Humor Metal」を標榜しているため、幾分ゆるい雰囲気を醸し出しており、レゲエやフュージョンの要素を交えた曲もある。

Zealous

Survival of the Fittest

自主制作　2010　Thrash Metal

マハーラーシュトラ州ムンバイ

実働わずか1年に終わった4人組スラッシュメタルによる唯一のシングル。1980年代のスラッシュメタルの大御所からの影響が窺えるサウンドが、Vicky<vo, g>の声質はハスキーな濁声で、欧州産スラッシュメタルのような質感も併せ持つ。タイトルチューンのM3は前のめりな疾走チューンだが、全体としては粗いプロダクションだ。メンバー4人のうち、Rishikesh Prabhu<g>とSomesh Prakasam<b>はAscendereなる新バンドで活動中だが、本稿執筆時点でアルバムリリースに至っていない。

Zygnema

I Am Nothing

自主制作　2019　Thrash/Groove Metal

マハーラーシュトラ州ムンバイ

2006年結成の4人組スラッシュメタルバンドが、国連の国際女性デーに合わせて発表したシングル。スウェーデンのJens Bogrenがマスタリングを手掛けた。インドで多発する性犯罪を非難する曲で、MVで夜道を走るバスが頻繁に映る。察するにこれは、2012年12月にデリーで23歳の女子大生が乗客6人に集団暴行された末に殺害された事件に触発されたからだろう。キャリアの初期からMachine Head、Panteraなどの影響が顕著だが、本作ではインダストリアル風に装飾したパートを設けている。

インド亜大陸のメタル CD を扱うショップ一覧

本書に掲載された作品群は、日本の各配信ストアでたいてい試聴可能である。とはいえ、あくまでフィジカル CD を手に入れてコレクションしたいという読者層も一定数いるのではないだろうか。そこで日本国内で、インド亜大陸のメタル CD を扱っているショップをリスト化してみた。いずれもオンラインで注文可能なので、本書を片手にチェックしてほしい。

Asian Rock Rising

http://www.asianrockrising.net/

『デスメタルインドネシア』著者の小笠原和生氏が運営するオンラインストア。本稿執筆時点ではインド産バンドの CD を中心に、スリランカの Stigmata の CD や T シャツを取り扱っている。Demonic Resurrection の 2nd アルバムの初回限定ボックス（T シャツ付き）、Coshish が限定 500 セット生産した DVD ボックスセットなどを入手できるのは、日本全国を見回してもおそらく同店のみだろう。

DEATHRASH ARMAGEDDON

http://deathrash.cart.fc2.com/

北海道の函館にて 2001 年に創業したレーベルであり、オンラインストア。本稿執筆時点では、Kapala の 2nd EP（2019 年）、Northern Alliance の唯一の EP（2007 年）、Taarma による Xasthur のカヴァー音源集（2010 年）などを取り扱っている。店舗ブログで辺境メタルバンドの CD の入荷情報を発信している。

EV Online Store

http://darkblaze.net/

日本産シンフォニック・ブラックメタルバンド Ethereal Sin を率いる Yama Darkblaze 氏 <vo> が立ち上げたオンラインショップ。欧州や北欧、東欧などのバンドの作品群に加え、パキスタンの Dionysus の 1st EP（2012 年）、シンガポールの Rudra の 4th と 5th アルバムのリイシュー盤（2008 ～ 2009 年）を本稿執筆時点では取り扱っている。2022 年 8 月に運営会社を変更して復活した Evoken de Valhall Production の各種公式ツアー T シャツを入手できるのも特徴である。

RECORD BOY

http://recordboy.shop-pro.jp/

『オールドスクール・デスメタル・ガイドブック上巻』にコラムを寄稿した大倉了氏が営む高円寺のパンク、メタル専門レコード店。バングラデシュの Orator と Surtur、スリランカの Genocide Shrines と Serpents Athirst の作品群を入荷したことがあるが、すべてソールドアウト。本稿執筆時点で取扱中の CD は、パキスタンの Taarma による Xasthur のカヴァー曲集（2010 年）のみだ。

Outbreak of Evil

http://outbreak.cart.fc2.com/

『ウォー・ベスチャル・ブラックメタル・ガイドブック』著者のアウトブレイク・ショウ氏のディストロ。同名ファンジンの創刊号（2018 年）には、インドの Tetragrammacide のインタビューが掲載された。本稿執筆時点では、Serpents Athirst、Genocide Shrines など 4 組参加のスプリット盤『Scorn Coalescence』（2019 年）、Genocide Shrines の再発ライヴ盤の再発 CD（2018 年）を取扱中。

Obliteration Records (aka はるまげ堂レコードショップ)

http://www.obliteration.jp/

Butcher ABC を率いる傍ら、「ASAKUSA EXTREME」シリーズおよび「ASAKUSA DEATH FEST」の主催者として辣腕を振るう関根成年氏 <vo, g> のオンラインショップ。本稿執筆時点では、インドの Wired Anxiety の 1st アルバム（2012 年）、Gutslit の 1st アルバム（2013 年）、Perforated Limb のデビュー EP（2016 年）、スリランカの Arra の 1st アルバム（2018 年）などを取り扱っている。

ROCK STAKK RECORDS

http://rockstakk.shop-pro.jp/

2006 年に大阪・梅田でオープンした中古／輸入ヘヴィメタル専門 CD ショップ。大阪のスラッシュメタル専門イベント「True Thrash Fest」のオーガナイザーでもあり、2019 ～ 2020 年にインドの Amorphia を 2 度にわたり招聘したこともある。その Amorphia のデビュー作（2018 年）の再発盤に加え、バングラデシュの Burial Dust、Eternal Armageddon、H2SO4 などの作品群も取り扱っている。

インド南部 South India

インド南部5州（アンドラ・プラデーシュ州、カルナータカ州、ケララ州、タミル・ナードゥ州、テランガナ州）には、ドラヴィダ語族（タミル語、テルグ語など）を話す人々が住まう。特にカルナータカ州の州都ベンガルールは1991年の経済自由化以降、欧米のグローバルIT企業の集積地となり、「インドのシリコンバレー」と呼ばれる。タミル・ナードゥ州の州都チェンナイもインド南部有数の大都市で、世界中の自動車メーカーの工場が軒を連ねており、「インドのデトロイト」と形容されるほどだ。2011年インド国勢調査によるとカルナータカ州全体の1人当たりGDPは約2819ドルで、タミル・ナードゥ州のそれは約2590ドル。したがって、インドの全土平均（約1690ドル）の約1.5～1.6倍だが、両州には合わせて908万人ものスラム街人口があることも見過ごせない。

インド最南端のケララ州は教育、社会サービスなどが整備されており、スラム街人口の比率も州全体のわずか0.6%（4万5417人）だ。アンドラ・プラデーシュ州とテランガナ州の関係性は複雑で、2014年まで両州は一体となってアンドラ・プラデーシュ州を構成していた。しかし、テランガナ州には1724～1948年までイスラム系のハイデラバード藩王国（別名ニザーム藩王国）が存在しており、同国は1947年の印パ分離独立時に、単独での独立を宣言した。このため、インド政府当局は武力行使によって同国をインドへ編入後、紆余曲折を経てアンドラ・プラデーシュ州に併合したが、住民達は単独州としての分離独立を長年にわたり要求。その結果、新州テランガナ州が2014年に発足したのである。

本章に登場するインド南部のバンド104組のうち6割以上（68組）がベンガルール拠点で、オカルティックな正統派バンドMillenniumは1988年にこの地で産声を上げた。1998年結成の正統派バンドKryptosはヨーロッパで積極的にライヴしており、2019～2020年に2度来日したケララ州の新鋭スラッシュメタルバンドAmorphiaは日本での知名度を高めつつある。また、インド南部の伝統音楽のエッセンスを採り入れたPineapple Expressは、Marty Friedman（元Megadeth）が2019年にラジオ番組で称賛していた。なお、アラビア海に浮かぶラクシャディープ諸島と、旧フランス領のポンディシェリ連邦直轄領出身のメタルバンドは見当たらなかった。

調査対象エリア（人口およそ2億5254万人）

アンドラ・プラデーシュ州、カルナータカ州、ケララ州、タミル・ナードゥ州、テランガナ州、ラクシャディープ諸島、ポンディシェリ連邦直轄領。

※人口は2011年インド国勢調査に基づく。ただし当時のアンドラ・プラデーシュ州とテランガナ州は分割されていなかった。

言語　ヒンディー語（連邦公用語）、英語（準公用語）、カンナダ語（カルナータカ州の州公用語）、タミル語（タミル・ナードゥ州の州公用語）、テルグ語（アンドラ・プラデーシュ州とテランガナ州の州公用語）、マラヤーラム語（ケララ州の州公用語）。

宗教　ヒンドゥー教徒が多数派だが、2011年インド国勢調査によるとケララ州はムスリム（26.56 %）とクリスチャン（18.38%）の比率がインドの全土平均（前者は14.23 %、後者は2.3%）を大幅に上回る。ラクシャディープ諸島は宗教人口の96.58 %（6万2268人）がムスリムである。

聖地 Wacken でフルセットのステージを インド勢として初めて披露した正統派

Kryptos

カルナータカ州ベンガルール　1998～　Heavy/Thrash Metal
（影響）Iron Maiden、Black Sabbath、初期 Metallica、初期 Def Leppard　4788

ベンガルール拠点の Kryptos は、20 年以上にわたり第一線で活躍してきた正統派メタルバンドの重鎮だ。ドイツの名門 AFM Records でアルバム群が配給され、同国の代表的メタルフェス Wacken Open Air に 2 度にわたり出演（2013 年と 2017 年）した実績を見ても分かるように、その名は欧米諸国にも広く知れ渡っている。

海外レーベルといち早く契約

Kryptos の結成年は 1998 年で、奇しくインドとパキスタンが相次いで地下核実験を強行し、両国はそれぞれ核保有国だと宣言。印パ関係の緊張が高まった時期だった。Nolan Lewis<g> と Ganesh Krishnaswamy<vo, b> を中心に始動したばかりの頃は、Judas Priest や Iron Maiden といった有名バンドの代表曲をコピーしていたが、徐々にオリジナル曲を書きためる。

結成から 6 年後にリリースした 1st アルバム『Spiral Ascent』（2004 年）は、元 Dark Tranquillity の Niklas Sundin<g> がアートワークを描いたことも相まってカルト的な人気を集め、自主流通作品にもかかわらず、南米やヨーロッパのマニアが買い求めたそうだが、相次ぐメンバー交代劇に伴って当初はギター専任だった Nolan がヴォーカルも兼務することに。彼のデスヴォイス寸前の濁声は、その後の Kryptos の音楽性に欠かせない要素になる。

バンドはその後、カナダの人類学者 Sam Dunn のドキュメンタリー映画『グローバル・メタル』（2007 年）に Demonic Resurrection と共に出演し、アメリカのカリフォルニア州の Old School Metal Records とのディールを獲得。Rohit Chaturvedi<g> と Jayawant Tewari<b>、それに前作『Spiral Ascent』から在籍する Ryan Colaco<ds> を擁した編成で、Kryptos は 2008 年に 2nd アルバム『The Ark of Gemini』を発表。翌年 2 ～ 5 月には、地元ベンガルールの大規模フェス、Rock 'N India と Deccan Rock に相次いで出演し、Iron Maiden、Amon Amarth、Textures などの胸を借りる。さらに 2010 年 7 月には初の欧州ツアーを行い、ハンガリーの Rockmaraton Festival、ドイツの In Flammen Open Air のステージに上がった。

Wacken の大舞台に上がる

2012 年リリースの 3rd アルバム『The Coils of Apollyon』から、Kryptos のアルバム群はドイツの AFM Records と、ロシアのレーベル Fono で配給されるようになった。翌年夏にバンドは再びドイツへ向かい、同国の Flammen Open Air と Ragnarock Open Air を経て、ついに Wacken Open Air の大舞台に上がる。コンテスト形態の W:O:A Metal Battle ではなく、正真正銘の Wacken でフルセットのステージを披露したインド産バンドは Kryptos が初だった。2014 年には、ノルウェーの Inferno Metal Festival 出演を含む欧州～北欧 9 ヶ国でライヴを行う。2016 年の 4th アルバム『Burn up the Night』は 10 年以上バンドから離れていた Ganesh の復帰作となり、バンドは同作リリースに先駆けてドイツとスイスで 9 公演をこなし、Headbangers Open Air にも参加した。

2017 年 7 ～ 8 月には 2 度目の Wacken Open Air 出演を含む欧州ツアー 14 公演を行ったが、2013 年から Ryan Colaco の後任を務めていた Anthony Hoover<ds> が脱退。このため、5th アルバム『Afterburner』（2019 年）は正ドラマー不在のままリリースされ、同アルバム発売に伴うマルタ、ドイツ、オランダ、スウェーデンでの 13 公演は、Regicide の Vijit Singh<ds> をサポートに起用して行われた（その後、正式加入）。同アルバムの表題曲は『BURRN!』の「総括 2019」で、6th アルバム『Force of Danger』（2021 年）収録曲の「Hot Wired」は同誌の「総括 2021」で、それぞれ Best Tune に選出された。これもインド産バンド初の快挙でもある。

Kryptos
Spiral Ascent
Clandestine Musick　2004
カルナータカ州ベンガルール

Ganesh Krishnaswamy がヴォーカルとベースを兼ねた唯一のアルバムで、バンドのデビュー作。現在はシンガーも兼ねる Nolan Lewis<g> と同じく、Ganesh の唱法はグロウル主体。イントロで物悲しいピアノやアコギを用いた M3「(Forgotten) Land of Ice」、M8「Forsaken」などは、聴きようによってはメロディック・デスメタルとも捉えられるナンバーで、現在の音楽性とはだいぶ異なる。プロダクションもひどく劣悪で、これまた現在のバンドとは似ても似つかない。

Kryptos
The Ark of Gemini
Old School Metal Records　2008
カルナータカ州ベンガルール

Ganesh Krishnaswamy<vo, b> の長期離脱に伴い、Nolan Lewis がヴォーカルとギターを兼務すると共に、Rohit Chaturvedi<g> が加わった 2nd アルバム。勇壮なミドルチューンの M1「Sphere VII」で幕を開けるが、メロディック・デスメタル路線のナンバーやドゥームメタル風の曲も収められている。また、締めくくりには物悲しいインストの M9「The Presence of Eternity」を配するなど、まだ試行錯誤を重ねている様子が窺える。プロダクションも依然としてチープだ。

Kryptos
The Coils of Apollyon
Iron Fist Records　2012
カルナータカ州ベンガルール

前作『The Ark of Gemini』（2008 年）に続き、Nolan Lewis<vo, g> がヴォーカルを引き継いだ 3rd アルバム。古代エジプト神話の冥府の王アヌビスや、タイトルに銘打たれた Apollyon（『ヨハネの黙示録』に登場する奈落の王アバドンのギリシャ語読み）など、古今東西のさまざまな暗黒神から着想を得た楽曲群が並ぶ。本作でバンドの基本軸は定まり、「歌唱はグロウルでスラッシーだが、メロディアスな正統派メタル」という個性的な音楽性を具現化。前 2 枚よりプロダクションも格段と向上した。

Kryptos
Burn up the Night
AFM Records　2016
カルナータカ州ベンガルール

Ganesh Krishnaswamy が専任ベーシストとして復帰した 4th アルバム。前 3 枚でプレイした Ryan Colaco<ds> の後任として Anthony Hoover がドラムを叩いている。前作『The Coils of Apollyon』（2012 年）の延長線上にある作風だが、6 ～ 8 分台の長尺曲がなくなり、コンパクトに短くまとめられた楽曲群が多勢を占める。小気味よいリフを刻む M2「Full Throttle」、M5「One Shot to Kill」などは、Judas Priest からの影響が窺えるナンバーだ。

Kryptos
Afterburner
AFM Records　2019
カルナータカ州ベンガルール

Anthony Hoover<ds> がカナダのバンクーバーへ移住したため、正ドラマー不在の 3 人組で放った 5th アルバム。前作『Burn up the Night』（2016 年）で見られた楽曲のコンパクト化を推し進めた結果、アルバムの総尺が初めて 40 分未満になった。表題曲の M1 は Overkill のような疾走チューンだが、M2「Cold Blood」のイントロは Iron Maiden の「2 Minutes to Midnight」（1984 年）を想起させる。それ以後の楽曲群も、古きよき正統派メタルへの憧憬が窺える。

Kryptos
Force of Danger
AFM Records　2021
カルナータカ州ベンガルール

前作『Afterburner』（2019）発表後にサポートドラマーを務めた Vijit Singh が正式加入した 6th アルバム。アルバムの総尺は 35 分台までに縮まった。正統派メタルのお約束どおりに疾走チューンの M1「Raging Steel」で幕を開け、M2「Hot Wired」でその勢いを引き継ぐが、実のところ 4th アルバム『Burn up the Night』（2016 年）以後は芸風に大きな変化はない。逆に言うと、たとえマンネリと見なされても正統派メタルへの愛情を貫くのだという強い信念を感じさせる。

Kryptos インタビュー

筆者は 1997 年にベンガルールを訪れたことがある。その翌年に同地で結成された Kryptos はドイツの大手レーベル AFM Records との契約を獲得し、インド勢として唯一、Wacken Open Air の大舞台に 2 度出演（2013 年と 2017 年）するなど、今やインドでトップクラスの正統派バンドになった。そのフロントマンである Nolan Lewis<vo, g> は多弁かつユーモアあふれる人柄の持ち主だった。

回答者：Nolan Lewis（ヴォーカル兼ギター、2 ページ前左から 2 人目）

――初めまして。まず現在の Kryptos のメンバーは、Nolan Lewis<vo, g>、Rohit Chaturvedi<g>、Ganesh Krishnaswamy<b>、Vijit Singh<ds> の 4 人で相違ないでしょうか？　バンド結成のきっかけと、各メンバー

が影響を受けたアーティスト、お気に入りのバンドも教えてください。

Nolan Lewis（以下N）（日本語で）コンニチワ。まずはこのインタビューの機会を設けてくれたことに、遠くインドから感謝したい。遡ること1998年、俺とGaneshは地元のベンガルールでKryptosを結成した。同じ大学に通っていて、音楽の趣味嗜好も似ていたからね。最初期のラインナップは、Ganeshがベース兼ヴォーカル、俺がギター、それにドラマーのChing Lenというトリオ編成で、Black SabbathやLed Zeppelinなどの曲をカヴァーしていた。やがてオリジナル曲を書き始めるにつれて、よりハード&ヘヴィな音楽性になって、デビュー作『Spiral Ascent』（2004年）をリリースするに至ったわけだ。さらに数年経ってRohitが加入し、その後も何度かメンバー交代を繰り返したけど、俺とGanesh、Rohitというラインナップで直近の6年くらいは安定している。Vijit Singhが合流したのは2019年のことだ。俺のお気に入りのバンドはJudas Priest（今までで最高！）、Iron Maiden、Thin Lizzy、Black Sabbath、初期Metallica、初期Def Leppardなどだね。ただ、スラッシュメタルやドゥームメタル、デスメタル、グラムメタルなど、他のさまざまなジャンルのバンドも好きだよ。かなり広範にわたるがね。Ganeshは1960～1970年代の音楽に深く傾倒していて、Led Zeppelin、AC/DC、Rush、Cream、Black Sabbath、Creedence Clearwater Revival、The Whoなどが大好きだ。Ganeshはブルースやジャズにも傾倒している。Rohitはハードロックと80年代メタル志向で、Judas Priest、Iron Maiden、Whitesnake、Scorpions、Accept、Dokkenなどが好きだね。Vijitは（Regicideという）デスメタルバンドでもプレイしているから、その手のバンドをよく聴いているけど、実際のところはGuns N' Roses、AC/DC、Megadeth、Anthraxなども好きなんじゃないだろうか。

――インドと日本のメタルシーンは異なる流れをたどったのでは？と推察します。言い換えると新興国であるインドの人々にとってヘヴィメタルは割と新しい音楽ジャンルでは？と思われますが、この見立ては適切でしょうか？

N：確かに1980年代のインドでメタルを聴くことはできたけど、諸外国のようにシーンが多様化したのは2005年以降ではないかと思う。それ以前に活動していたバンドはたいていカヴァー曲をプレイしていて、オリジナル曲を発表していたバンドはごく少数にすぎなかった。加えてかつてのインドでは、CD、レコード、専門誌などを入手することが至難の業だった。その代わりにテープトレードは長いこと盛んだったがね。インターネットは、インドのメタルシーンにとって外界への扉を開けてくれた存在だが、俺に言わせればそれに伴う弊害も大きかった。インドのメタルシーンは自然発生的に育たなかった。インターネットによって、それまで音楽をろくに聴いていなかった人々でも、ボタンをクリックすればすべてにアクセスできるようになった。言い換えると、インドの大半のバンドマンやリスナーは本当の意味で音楽を「理解」しておらず、音楽はファストフードのように大量消費されるものと化した。インドの人々がアルバム全体を聴き込むために時間を費やしたり、何かしらのバンドに夢中になったり、バンドの来歴や歌詞を深く掘り下げたりすることは滅多にない。誰もがYouTubeやSpotifyなどで1曲聴いたら別の似たような曲へと乗り換わり、それでいて誰かの「ファン」だと自称する。もしかしたら俺は少しばかり古いタイプの人間なのかもしれないが、それゆえにこんなふうに実感するのだろうし、インドのメ

インドのメタルシーンの基盤は脆弱

2021年の6thアルバム『Force of Danger』発表時のラインナップ。左からVijit Singh<ds>、Nolan Lewis<vo,g>、Rohit Chaturvedi<g>、Ganesh Krishnaswamy<b>。

タルシーンの基盤は脆弱ではないかと思う。なぜなら、たいていの場合、音楽に対する愛情が真摯なものではないからだ。つまり、音楽に夢中になって打ち込むのではなく、ソーシャルメディアで「観てもらい、聴いてもらって」各自の承認欲求を満たすことが動機のすべて になってしまっている。話は変わるが、Loudnessは偉大なバンドだね。彼らは、俺が初めて知った日本人メタルバンドのうちの1組だ。1990年代のことだが、X JAPANやSighなどと共に、Loudnessをたまに聴いていたよ。

―― Kryptosのデビュー作『Spiral Ascent』は、少しばかり北欧メロディック・デスメタルの影響を受けた作風でした。だからこそ、当時Dark TranquillityのギタリストだったNiklas Sundinにジャケットデザインを依頼したのですか？　当時目指していた音楽性や、1stアルバム発表当時の反響を教えてもらえますか？

N：デビューアルバムを制作した当時は、80年代メタルからスラッシュ、メロディック・デスメタル、あるいはドゥームメタルに至るまで、さまざまなジャンルからの影響を雑多に取り込んでいた。言い換えると、あの頃の俺達は音楽性がまだ定まっていなかったから、ごった煮になってしまったんだよ（笑）。でも不思議なことに、芳しくないプロダクションだったにもかかわらず、さまざまなジャンルからの影響を詰め込んだおかげで、かなりユニークなサウンドに仕上がった。確かに粗い出来映えのアルバムだったが、実に興味深いアイデアが盛り込まれていて、今聴き直したとしても他とはまったく違って聞こえるんだ。それがよいことなのか悪いことなのかは、リスナーの判断次第だがね（笑）。当時の俺達はDark Tranquillityの大ファンだったから、彼らの何かしかの感性が俺達の曲に影響を及ぼしたと思う。Niklas Sundinはジャケットデザイナーとしても活動していることが分かったので、俺達はNiklasにメールを送

り、オファーを引き受けてくれることを願った。幸いにも彼は、インドの俺達のアルバムジャケットを描くことに興味津々だったよ。そんなわけで物事がうまくいった。それから6～7年後、Dark Tranquillity初のインド公演で俺達Kryptosはオープニングアクトを務めたんだ。Niklasに直接会うことができたのはクールな出来事だったね。彼は、地に足の付いた素晴らしい人物だよ。デビュー作を2004年にリリースした時は、どこから手をつけるべきかまったく分からなかった。当時のインドには配給網やレーベルが皆無に等しかった。それに、インターネットはまだ黎明期だったから、誰もがパソコンを所有してネットに接続できるわけでもなかった。このため、デビュー作のプロモーションは困難を極め、地方紙やライヴ会場での口コミを頼りにする以外になかった。それでも地元では200枚くらい売れたし、ドイツや南米のディストロと接点ができたおかげで、そうした地域にも俺達の音楽を知らしめることができた。程なくして、さまざまな国の人々が俺達のデビュー作を楽しく聴いたとネット上に書き込み始めた。俺達はその時、もっと上を目指すことができるかもしれないと思ったんだ（笑）。

――デビューアルバム『Spiral Ascent』（2004年）ではGaneshがベースとリードヴォーカルを兼務しましたが、それ以後のアルバム群ではあなたがギターとヴォーカルを兼ねています。ヴォーカルを交代したきっかけを教えてもらえますか？

N：実際のところ、Ganeshは2006～2013年までバンドを離れていたんだ。彼自身のキャリアと他の関心事を追求するためにね。今までに何人かのシンガーをオーディションで試したんだが、適任者が見当たらず、俺がずっとヴォーカルを兼務している。もちろん、シンガーとしての道のりは険しいけど、求めている音像にだいぶ近づいたと思うよ。

――あなたは2005年にAeons of Sorrowというプロジェクトで、デモ音源を発表したことがあるそうですね。しかもAeons of Sorrowの音楽性は、現在のKryptosとはまったく異なるDSBMですが、なぜこのジャンルのデモ音源を作ったのですか？

N：ハハハ。あのデモは、家で退屈していて他にやることがなかったから暇つぶしで作ったのさ。それは冗談だが、当時の俺の精神状態はあまりよくなかった。望んでいたとおりの人生を歩めず、少しばかり落ち込んでいたので、そんな心境を反映した曲を自宅で書こうと思ったんだ。正直なところ、ブラックメタルはそれほど聴いていないし、DSBMについてもよく分かっていなかった。単に心の趣くままに楽器を鳴らしてホームレコーディングしたんだよ。すると、現在はCyclopean Eye Productionsというアンダーグラウンドレーベルを運営している友人のSandesh Shenoyが「DSBMみたいだ。リリースできる可能性がある」と言ってくれてね。あれは純粋にパーソナルなデモだったから、俺自身は音源化して発表しようと思わなかったが、彼がリリースしたければ好きにしてくれと言って、俺はあのデモを託した。そんなわけで、Sandeshはスウェーデンのcursed Productionsというレーベルに掛け合い、あのデモをどうにかこうにかカセット形態でリリースしてみせた。彼とスウェーデンのレーベルとの間でどんなやり取りが交わされたかは知らないが、俺が宅録したデモがDSBMのコミュニティー向きにリリースされてしまったのは、振り返ってみるとちょっと驚くような流れだったね（笑）。とはいえ、あのデモにはメランコリックな魅力があったんだと思うよ。

――KryptosとDemonic Resurrectionが、カナダの人類学者Sam Dunnのドキュメンタリー映画『グローバル・メタル』（2007年）に出演したことはよく知られていますが、撮影中の面白いエピソードを教えてもらえますか？　また、『グローバル・メタル』には冒頭に名前の挙がったX JAPANのYoshiki<ds, key>、Sighの川嶋未来<vo>に加え、伊藤政則氏（『BURRN!』編集顧問）も出演したので、同作は日本でも劇場公開されました。あなた方は彼らのことをどの程度ご存じでしたか？

N：Sam Dunnは実にクールな男だった。『グローバル・メタル』の撮影中に俺達は仲良くなり、どこかのイベントでバッタリ出くわしたこともある。面白いエピソードと言えば、ベンガルールでIron Maiden初のインド公演が行われた日に、Sam Dunnが俺のインタビューを撮ろうとして宿泊先のホテルで待ち構えていた時だ。あいにく俺はどうしてもIron Maidenのライヴが観たかったので、観客に混じって入場列の中で3時間も並んでいて、「絶対にこの列から離れたくない」とゴネたんだ（笑）。すると、Sam Dunnは俺の意向を汲んでホテルから出てきて、Iron Maidenがステージに出てくるまでの時間を使ってライヴ会場でインタビューを行い、次の日にSam Dunnの宿泊先のホテルで追加のインタビューに応じた。『グローバル・メタル』では俺が間抜けな男に映ったかもしれないけど、あれは面白かったよ（笑）。マサ・イトー（伊藤政則氏のこと）とYOSHIKIは映画の中でしか接点がないが、ミライはCyclopean Eye ProductionsのSandesh Shenoyを通じて個人的に知っている。というのも、Sandeshはインドで Sighの音源やマーチャンダイズを取り扱っているんだ。正確な時期は覚えていないが、ミライは2000年代初頭にベンガルールをたまに訪れていて、その頃にミライとは親しくなった。それから何年も経ってから、俺達はSighと共にノルウェーのInferno Metal Festivalに出演したんだ。ミライは本当にクールな男で、素晴らしいミュージシャンだよ。

――Kryptosの2ndアルバム『The Ark of Gemini』（2008年）はアメリカのOld School Metal Recordsで配給されましたが、それは『グローバル・メタル』出演がきっかけだったのですか？　また、この2ndアルバムには古代エジプト神話の冥府の王アヌビス、『ヨハネの黙示録』に登場する奈落の王アバドンなど、古今東西のさまざまな暗黒神から着想を得たナンバーが収録されています。あなた方にとって、ヒンドゥー教の神々や神話に根差した楽曲はむしろ作りづらいのでしょうか？

N：実際のところはOld School Metal Recordsのオーナー宛に売り込みの手紙を送ったことがあってね。デビュー作の見本盤も一緒に送ったと思うよ。当然ながら他にも複数社のレーベルに売り込みをかけたが、Old School Metal Recordsが興味を示してくれたので、2ndアルバムの配給契約を結んだんだ。オーナーのPatrick Remseierは実に素晴らしい人物で、幅広いリスナーに俺達の作品を届けるチャンスを与えてくれた。彼には心の底から感謝している。君の言うとおり、2ndアルバムにはさまざまな神話をテーマにした楽曲群を収めた。なぜなら昔も今も、はるか古代の歴史、神話などは興味をそそられる題材だからね。ただ、そうした神話に自分なりの味付けというか、ひねりも加えたい。つまり、たいていの場合、この手のテーマを扱った俺達の曲の歌詞は、歴史的エビデンスや「事実」に根ざしたものではないんだ。はるか昔に何があったのかを自分なりに解釈したほうが楽しいからね（笑）。インドの神話や神々といったものにはまったく魅了されなかった。どういうわけか、諸外国のものほど興味をそそられたことが一度もなかったね。加えて、その手のものはインドという国の大きな構成要素であって、俺達は周りでいくらでも目にすることができる。だからこそ、世の中には他にどんなものがあるのだろうかと、想像を絶えずめぐらせていたんだと思うよ。

―― Kryptosは2010年7月に、ハンガリーのRockmaraton Festival、ドイツのIn Flammen Open Airに出演しました。たぶんこれはKryptos初の海外ツアーだったと思われますが、ハンガリーやドイツのオーディエンスはどんな反応を示したか覚えていますか？　なぜならハンガリーやドイツのオーディエンスにとって、インドのメタルバンドのライヴを観るのは初めての経験では？と思われるからです。

N:ああ、俺達は2010年に初めてヨーロッパでツアーした。それほど大規模なツアーではなく、ハンガリーとドイツ、それからスイスで数本のギグをこなした程度だった。俺達は常にヨーロッパツアーを目指していたから、あの時は念願が叶って舞い上がっていたよ（笑）。当然ながら（ツアー中は）何をどうすべきか全然分からなくて戸惑ったが、すぐに順応することができた。ヨーロッパの人々は好奇心旺盛で、俺達インドのメタルバンドの外見やサウンドを知りたがっていた。その一方で、彼らは非常に献身的でね。俺達はあれ以来、特にドイツではまずまずのファンベースを築き上げたと思うよ。あいにくハンガリーでは何年もライヴしていないんだが、将来また行くことができればと思っている。

―― 2010～2015年にかけて、Demonic Resurrection 、Scribe、Bhayanak Maut、Undying Inc.、Zygnema、Inner Sanctum、それにKryptosの計7バンドが、ノルウェーのInferno Metal Festivalに相次いで出演しました。この時期、Inferno Metal Festivalのオーガナイザーとインドのメタルバンドは何か特別なパートナーシップがあったのですか？

N：詳しくは知らないが、俺達の地元ベンガルールのメタルフェス、Bangalore Open Airとインドの専門誌『Rock Street Journal』、それにInferno Metal Festivalのオーガナイザーの3者が提携関係を当時結んでいたんだと思う。俺の知る限り、あれは一種の「等価交換」のようなものだった。つまりインド側がInferno Metal Festivalにバンドを派遣する見返りに、ノルウェー側もObliteration、Nekromantheonといったバンドをインドのイベントに送り込んだわけだ。非常にクールな取り組みだったが、数年前にこの提携関係は解消された。その理由はよく分からないがね。

―― 2012年の3rdアルバム『The Coils of Apollyon』から、Kryptosのアルバム群はドイツのAFM Recordsがワールドワイド配給しています。AFM Recordsといえば、ドイツのIron Savior、Masterplan、U.D.O.などに加え、フィンランドのLordiやMors Principium Est、スウェーデンのNocturnal Rites、イタリアのRhapsody of Fireなども所属する名門レーベルです。同社からオファーが来たきっかけは何ですか？

N：実際のところ、『The Coils of Apollyon』のレコーディングは2011年の時点で完了していて、俺達はヨーロッパのレーベルと契約する可能性を探っていた。アメリカのOld School Metal Recordsはありがたい存在だったが、露出効果を上げて世界市場へリーチするという面で、俺達は次のレベルに進む必要があった。そのため、特にヨーロッパの大手レーベルを一生懸命に探したんだ。さまざまなレーベルに見本盤を送ったところ、興味を示してくれたところはごく少数だったが、その中でも一番熱心だったAFM Recordsが最高の条件を提示してくれた。アルバム5枚の契約を結んでくれた上に、彼らはドイツに拠点を構えているので、俺達はヨーロッパツアーに出るたびにドイツで直接ミーティングを行うこともできた。まさに理想的なオファーだったよ。こうして俺達はAFM Recordsと契約を結び、『The Coils of Apollyon』はワールドワイド配給された。4～6枚目のアルバムもAFM Recordsでリリースした。彼らとの関係性は今のところ非常に良好で、とても気持ちよく一緒に仕事ができ

る。物事がよい方向に進んで、心底から満足しているよ。

── Kryptosは2013年7～8月のドイツツアーで、インド人バンドとして史上初めてWacken Open Airに出演しました。世界中のメタルバンドが憧れる聖地Wackenへの出演が決まった時は嬉しかったですか？　当時の面白いエピソードも教えてもらえますか？

N：ああ、実に素晴らしい瞬間だった。俺達はキッズの頃から大規模なメタルフェス、とりわけWackenに出演することを夢見ていた。ついに夢が叶った時は信じられない気分だった。最初にバンドを結成した時、まさかWackenのような象徴的なフェスティバルに出演できるとは想像もしていなかったからね。それに一度きりではなく、2017年に再びWackenのステージに上がることができたのもクールな出来事だった。初めてWackenに出演した2013年は、いささか恐れ多くて我を失っていたんじゃないかと思う（笑）。しかし、2017年にもう一度Wackenに出演した時は、深夜3時という出番だったせいで少々クレイジーになっていた。それでも会場は満杯で、信じられない気分だったよ。さらにクレイジーなことに、2017年の時はWackenの出番を終えたら、ただちにオランダのアイントホーフェンまで陸路移動しなければならなかった。なんとかアイントホーフェンでのギグには間に合ったがね。完全に疲れ切って、仮眠する時間すらなかったが、これまた凄い経験だったよ。

── 先に述べたとおり、Ganesh Krishnaswamyは『Spiral Ascent』（2004年）でベースとリードヴォーカルを兼務した後、ドゥームメタルバンドのBevar Seaで専任シンガーとして長らく活動していました。その彼が、Kryptosの4thアルバム『Burn Up the Night』（2016年）でベーシストとしてバンドに復帰したきっかけは何ですか？　一度バンドを離脱したGaneshが10年ぶりに出戻った時は気まずくなかったですか？

N：実際のところは適切なタイミングでの復帰だった。2014年だったと思うが、当時のKryptosのリズム隊だったJayawant Tewari<b>とRyan Colaco<ds>が脱退した際、Ganeshはバンドに復帰する心構えができていた。おそらくそうなる運命だったんだよ。Ganeshがバンドを離脱していた間も、俺達は友達付き合いを保っていたから、（彼が復帰した時は）ちっとも気まずくなかった。Ganeshとは長い付き合いだから、彼が出戻った時も違和感はなく、ずっとバンドに残留していたような気分さえした。それ以来、バンドはスムーズにうまくいっているよ。

── Kryptosは2017年8月、2回目のWacken Open Air出演を果たしました。日本のDIR EN GREYもWackenに2回出演したことがありますが（注：2007年と2011年）、DIR EN GREYの音楽は聴いたことありますか？

N:ああ､YouTubeで彼らの曲を聴いたり、ライヴパフォーマンスを観たりしたことがある。俺達とは全然タイプの違う音楽をプレイしているが、かなり興味深いサウンドだし、他の多くのバンドと差別化を図っていると思う。

── 2019年の5thアルバム『Afterburner』は、正ドラマー不在のままリリースされましたが、誰がドラムを叩いたのですか？　インドでサポートドラマーを雇ったのですか？

N：前任ドラマーのAnthony Hooverは2018年初頭にカナダのバンクーバーへ移住してしまったので、『Afterburner』ではBevar SeaのDeepak Raghuが全曲ドラムをプレイした。彼は素晴らしいプレイを披露してくれたが、あいにくベンガルールから離れた場所に住んでいて、Bevar Sea以外にも複数のバンドを掛け持ちしているため、フルタイムでKryptosに加入することは叶わなかった。そんなわけで、Vijit Singhがサポートドラマーを務めた

後に正式加入したんだ。

――『Afterburner』のタイトル曲が、日本の専門誌『BURRN!』の「総括2019」で、続く6thアルバム『Force of Danger』（2021年）収録曲の「Hot Wired」も同誌の「総括2021」で、それぞれBest Tuneに選出されたことはご存じでしたか？（注：選者はどちらも同誌レギュラー執筆陣の土屋京輔氏）セレクトされた感想も聞かせてください。

N：AFM Recordsから連絡が来るまで、その件は全然知らなかったが、非常に素晴らしいことだ。俺達の音楽が日本で受け入れられているかどうか分からなかったので、その知らせには本当に驚いたよ。しかも『BURRN!』のような有名雑誌で取り上げられたとは、信じられない気分だった。『BURRN!』の関係者全員と、俺達の音楽を気に入ってくれた日本のメタルヘッズには心の底から感謝している。

―― Kryptosは1998年結成なので、すでに20年超のキャリアを誇ります。インドという国で、これだけ長くバンド活動を継続出来る秘訣は何でしょう？

N：その割には、不思議なことにまだ「新鮮さ」を感じるんだ。逆に言うと、それほど長いこと活動してきたとは思わないね。なぜなら好きなことをやっていて、音楽をプレイしたり、ツアーしたりするのは絶えず血湧き肉躍ることだからだ。そのため俺達は曲を書いたり、レコーディングしたり、ギグをしたりすることを常に楽しみにしている。でも、それ以上に重要なのは。俺達メンバーが家族同然の仲ということだ。俺達は長い付き合いで、同じような音楽を聴いて成長したので、他のたいていのバンドよりもメンバー間の考えが一致している。だからこそ長続きしているんだろうと思うがね。

―― Kryptosは『Afterburner』リリース後、ドイツ、スウェーデン　オランダ、マルタの4ヶ国で13公演をこなしましたが、まだ日本公演を一度も行ったことがありません。ミュージシャンとして、もしくはプライベートで日本訪問したことがありますか？　もし好きな日本人アーティストがいたら教えてもらえると、なお幸いです。

N：いつか日本でライヴしたいと思っているよ。実は2020年2月に行われたTrue Thrash Festのオーガナイザーのミキ（注：Rock Stakk Records店主の松尾幹稔氏のこと）とやり取りを交わしたんだが、タイミングが合わなかった。いずれうまくいくと思っているがね。俺達の友人であるAmorphiaはすでにジャパンツアーを2回やっていて、彼らが日本をエンジョイしていたので、俺達も日本へ行けるとよいのだが。日本には常々行きたいと思っているけど、ミュージシャンとしても、プライベートでも一度も訪れたことがない。日本と日本文化、環境は実に魅力的だよ。日本の神話、超自然的存在（注：神々や精霊、死霊など）についても俺はかなり読み込んだほうだから、その面でも好奇心をそそられる。好きな日本人アーティストはさっき話したようにLoudnessとSigh、それにSabbat、Abigail、Anatomia、Defiledなどだね。

――あなた方のアルバム群は日本でも輸入盤として流通していて、デビュー作『Spiral Ascent』以外はiTunes、Apple Music、Spotifyなどで日本でも試聴可能です。最後に日本のリスナーにぜひメッセージをお願いします。

N：それは素晴らしいことだ。あいにくデビュー作『Spiral Ascent』は長らく廃盤扱いで、俺達の手元にもマスター音源は残っていない。というのも、管理していたスタジオが火災に遭ってしまってね。運が悪かったよ。それはともかく、このインタビューの機会を設けてくれて感謝している。日本のファン、リスナーに近い将来に会えることを願っている。（日本語で）アリガトウゴザイマシタ！

Arch Enemy と Mr.Big のメンバーが アルバムにゲスト参加した正統派バンド

Against Evil

アンドラ・プラデーシュ州ヴィシャーカパトナム　2014～　Heavy Metal
（影響）Judas Priest、Accept、Megadeth、Motorhead、Metallica　679

2014 年に結成された正統派の 4 人組メタルバンド。2015 年 1 月に 6 曲入りデビュー EP『Fatal Assalt』をインドの Transcending Obscurity Records にて発表。イタリアより DGM の Simone Mularoni<g> をエンジニアに迎えた同作で好リアクションを得る。

2015 年 10 月には Parkway Drive や Trivium、Children of Bodom など欧米の有名バンドと共に、イギリスの『Metal Hammer』が企画したコンピレーション盤『Grave New World』に参加し、前掲のデビュー EP 収録曲の「War Hero」を提供。『Rolling Stone India』にて 2015 年の「Best Emerging Bands」に選定され、2016 年 12 月にデリーで行われた Arch Enemy の Jeff Loomis<g> のソロ公演でサポートアクトを務めた。

これらの活動を経て、2018 年 4 月に自主リリースした初のフルアルバム『All Hail the King』は日本の『BURRN!』の輸入盤レビューで高評価され、バンドは 2019 年 8 ～ 9 月にドイツ、ベルギー、オーストリア、スイスで 18 公演をこなした。『BURRN!』編集顧問の伊藤政則氏は、2021 年 5 月の 2nd アルバム『End of the Line』も「欧米のバンドと比較してもまったく遜色のない作品」と称賛している。

Against Evil
End of the Line
自主制作　2021
アンドラ・プラデーシュ州ヴィシャーカパトナム

前作『All Hail the King』（2018 年）に続き、DGM の Simone Mularoni<g> をエンジニアに起用した 2nd アルバム。質実剛健な正統派メタルを奇をてらわずに本作でも披露しているが、2019 年の欧州 4 ヶ国ツアーを経て、力強さが一段と増した。M7「Metal or Nothin'」は Manowar のように勇壮なミドルテンポの曲だが、Billy Sheehan（Mr.Big 他）が客演した M3「Out for Blood」と M8「Fearless」は快活なアメリカン・ハードロック路線である。

ベーシスト不在の2ピースで初来日ツアーを敢行したスラッシュメタル

Amorphia

ケララ州チェーサラ　2013～　Thrash Metal
（影響）Sodom、初期 Kreator、Merciless、Sadus、Demolition Hammer　350

インド最南端のケララ州で結成されたトリオ編成スラッシュメタルバンド。現メンバーは Vasu Chandran<vo, g>、Faizan mecci<b>、Vivek Prasad<ds> の3人で、リズム隊の2人は南部の大都市ベンガルールに居を移している。

2013年（2012年の説もある）の結成後、2014～2015年に「Master of Death」「The Lieber Code」の2曲をネット上に公開し、2018年4月に1st アルバム『Arms to Death』を発表。2019年2月には大阪の RockStakk Records 主催イベント、True Thrash Fest に参加すべく、日本の地を初めて踏んだ。ただしその役回りは、出演をキャンセルしたフィリピンの Mass Hypnosia の代役だった。しかも、前任ベーシストが不慮の事故により土壇場で来日不能となり、バンドはやむなく Vasu と Vivek の2ピースで来日したが、前掲の True Thrash Fest 出演後には東京にも足を伸ばし、2公演をこなした（うち1公演はフィンランドの Bonehunter とのカップリング形式）。

2020年2～3月には 2nd アルバム『Merciless Strike』を引っ提げて大阪と東京で再来日ツアーを行ったが、この時も Faizan Mecci の代役としてサポートベーシストの Sujay Subhash を起用していた。

Amorphia
Lethal Dose
Awakening Records　2022
ケララ州チェーサラ

前2作と同じく、中国の Awakening Records で配給された 3rd アルバム。ホラー映画の一場面のようなインスト曲の M1「Chambers of Pain」が明けると、もろに Sodom のようにスタスタと軽快に駆け抜ける曲が続く。Vasu Chandran<vo, g> の吐き捨て型の唱法も、Sodom の Tom Angelripper<vo, b> のようだ。「致死量」を意味する表題曲の M6 とアートワークが示すとおり、苦痛を伴う手術や拷問を想起させるタイトルを冠した楽曲が目立つ。

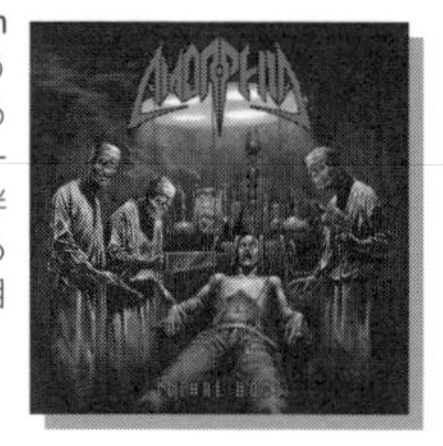

インド産ゴアグラインドのパイオニアとして 20 年の歴史を誇る 2 人組

（C）Dhruva Suresh

Gruesome Malady

カルナータカ州ベンガルール　1999 ～ 2007、2015 ～　Goregrind　（類似）Snuff Fetish、Phlegm Thrower、Downthroat、Abandoned Grave、Praselizer　1374

Jimmy Palkhivala<vo, g, b> と Vikram Bhat<ds, vo> から成る 2 ピースのゴアグラインドバンド。彼ら 2 人はベンガルール産デス／ドゥームメタルの先駆者 Dying Embrace にも在籍している。

Dying Embrace 本隊とまったく異なる路線を打ち出すべく、Jimmy と Vikram は 2002 年に Gruesome Malady 名義で初のデモ音源を発表。翌年の 1st アルバム『Infected with Virulent Seed』は、チェコのレーベル Bizarre Leprous Production にて配給された。

2004 ～ 2005 年には、アメリカの女性ゴアグラインドバンド Mortuary Hacking Session や、ポーランドの同系バンド Patologicum とのスプリット盤をリリース。その後、足取りが数年間途絶えるが、インドの Roadcrew Records が 2010 年に既発曲をすべてコンパイルした 2 枚組ベスト盤『Anthology』をリリースする。しかし現地の Web 媒体の報道によると、このベスト盤はバンドの意に沿わない形で発売されたものらしい。

Jimmy と Vikram は 2011 年に復活した Dying Embrace のベスト盤リリースなどを経て、Gruesome Malady 名義では 14 年ぶりの 2nd アルバム『Scumbustion』を再びチェコの Bizarre Leprous Production から 2017 年 6 月に発表した。

Gruesome Malady
Scumbustion
Bizarre Leprous Production　2017
カルナータカ州ベンガルール

俗に溺死ヴォイスと呼ばれるゴボゴボしたヴォーカルに忙しないドラム、それにアヴァンギャルドなフレーズを奏でるギターが絡み合う 2nd アルバム。Jimmy Palkhivala<g,b,vo> のフレージングは非常にユニークで、欧米のゴアグラインドとは明確な違いを打ち出している。全 10 曲中 7 曲が 4 ～ 5 分台と、この手のバンドにしては長尺曲が多いのも特徴だ。前作『Infected with Virulent Seed』（2003 年）については、田上智之氏の『ゴアグラインド・ガイドブック』（2023 年）を参照願いたい。

1980年代のヘヴィメタル全盛期に産声を上げたベンガルールの最古参バンド

Millennium

カルナータカ州ベンガルール　1988～　Heavy Metal
（類似）Iron Maiden、Ozzy Osbourne、Mercyful Fate、Sabbrabells（日本）、Crowley（日本）　※

1980年代に世界を席巻したヘヴィメタルブームはインドにも波及し、同国のメタルバンドの第一世代もこの頃に出現していた。そのうちの1組がMillenniumで、結成は1986年（1988年の説もある）に遡る。

ハイスクール時代までロンドン近郊で暮らしたVehrnon Ibrahim<vo>と、医者志望のイラン人留学生Riouniz Golsorkhi<g>を中心に結成。キャリアの初期はIron Maidenのカヴァーバンドにすぎなかったが、1993年にデビュー作『Born to Reign』をカセット形態で発表。同作に収録された「Only Be One」「Peace Just in Heaven」のMVはMTVインドでオンエアされた。

1995年4月にDeep Purple初のムンバイ公演をサポートし、この年にはセルフタイトルの1stアルバムも発表した。1997年にはVehrnonの実弟であるSharmon<g>を迎えた編成で、2ndアルバム『1 Concept 2 Live』をリリースするが、Rioumizは2000年にイランへ帰国し、バンドも長いブランクに入る。

しかし2008年3月に地元ベンガルールの大規模フェスRock 'n Indiaで復活の狼煙を上げ、本稿執筆時点ではKryptosのRohit Chaturvedi<g>、Bevar SeaのDeepak Ragh<ds>を迎えた布陣に再編された。

Millennium
1 Concept 2 Live
Firehorse Entertainment Studio　1997
カルナータカ州ベンガルール

セルフタイトルの1stアルバム（1995年）と同様に、カセット形態で発表した2ndアルバム。M2「Rainmaker」はOzzy OsbourneやMercyful Fateを想起させる曲だが、M3「Bleat」の終盤は突如ドゥワップと化すので意表を突かれる。M6「Romantika」はアコースティックによるバラードで、Vehrnon Ibrahim<vo>がソウルフルな横顔を披露。M7「Jabbing at the Bone」からライヴ音源に移行し、イギリス育ちのVehrnonの熟れたMCも聴ける。

キャプテン和田誠氏の「劇的メタル」関連オムニバス盤に楽曲を提供

Motherjane

ケララ州コチ　1996 ～　Progressive Ethnic Rock
（類似）Rush、Dream Theater、Orphaned Land、Myrath　4384

カルナータカ音楽の要素をいち早く採り入れた 4 人組プログレッシヴロックバンド。Clyde Rozario<b>、John Thomas<ds> を中心に 1996 年に結成。2002 年の 1st アルバム『Insane Biography』でデビューを飾ると、同作に収録された「Soul Corporations」がバンドの代表曲となり、キャプテン和田誠氏の「劇的メタル」関連オムニバス盤で紹介される。

2008 年には 2nd アルバム『Maktub』を発表し、翌年の『Rolling Stone India』『Rock Street Journal』両誌でアワードを受賞。VIMA（Voice Independent Music Awards）でも 3 部門にノミネートされた。2008 ～ 2009 年にはアラブ首長国連邦のドバイと、インドネシアのジャカルタでライヴを行う。

2010 ～ 2011 年に Suraj Mani<vo>、Baiju Dharmajan<g> が相次いで脱退するが、バンドはメンバーを補充してシングル「No Contest」をリリースし、ICCR（インド文化交流評議会）の後援で 2012 年 9 月にウクライナへ遠征。ヤルタ、シムフェローポリ、オデーサ、ハルキウ、キーウの 5 都市で公演した。

その後もメンバー交代を経て、2018 年 5 月にシングル「Namaste」を発表したが、土着色は希薄になっていた。

Motherjane
Maktub
aum-i artistes　2008
ケララ州コチ

Suraj Mani<vo>、Baiju Dharmajan<g> を擁した編成で放った 2nd アルバムで、数々の賞に輝いたバンドの出世作。Rush、Kansas のようなプログレシヴロックにカルナータカ音楽の旋律を大胆に添加してオリエンタル色を打ち出した。しかしプロダクションは頼りなく、Orphaned Land や現在の Myrath のような大仰さにも欠ける。M3「Broken」の MV で各メンバーが白塗りならぬ赤塗りを施しているが、この化粧はケララ州北部のテイヤムという神降ろしの祭儀に由来するものだ。

民族楽器バンスリやサーランギーを用い、Marty Friedmanに「天才と変態の間」と称賛される

Pineapple Express

カルナータカ州ベンガルール　2012～　Progressive Fusion
（影響）Dream Theater、Periphery、Pink Floyd　2077

ベンガルールで2012年に始動したプログレッシヴ／フュージョン系バンド。結成初期は3人組だったそうだが、現在はツインヴォーカル形態で、フルートやバイオリンを含む8人組という大所帯。このうち、Bhargav Sarma<g>はインド北東部のグワハティ出身で、Ritwik Bhattacharya<g>はインド東部のコルカタ出身だ。

インドの伝統音楽の素養を持つYogeendraHariprasad<Key, vo>を中心に前身のEchoesが結成され、地元ベンガルールのBreak Freeというコンテストに出場するが、Echoesを名乗るバンドが他にもエントリーしていたことが判明し、Eswaraに一時改名する（「E」は「Ethnic」や「Electric」を指し、「Swara」はサンスクリット語で「音」を意味する）。

本来バンドは同コンテストに参加するためのプロジェクトだったが、3位入賞を果たしたのを機にパーマネントなバンドに移行し、2013年もベンガルールやケララ州コチでのコンテスト出場を続け、好リアクションを得る。現バンド名義では、2018年にデビューEP『Uplift』およびシングル「Fire」と「Anthem」を発表。2019年にも2nd EP『Deja Vu』などをリリースすると、Marty Friedman（元Megadeth）がFM Yokohamaの番組で「天才と変態の間」と称賛した。

Pineapple Express
Jazbaat
自主制作　2022
カルナータカ州ベンガルール

ヒンドゥスターニー音楽の素地を持つShubham Royなるアーティストと共作したシングル。バンスリやサーランギーといった民族楽器を用いた前半部分は牧歌的で心地よいムードを醸し出すが、中盤からDjent風のリフを刻み始め、PeripheryやAnimals as Leadersのような佇まいへと変貌する。とはいえ、デビューEP『Uplift』（2018年）をはじめとする既発アルバムの楽曲群とは異なり、曲調が目まぐるしく変わるわけではない。同時期にデリーで始動したKrakenと相通ずる方向性である。

ヒンドゥー至上主義に虐げられた人々の怨嗟を表現する不可触民ブラックメタル

Willuwandi

ケララ州コチ　2009 ～　Black Metal　（影響）Bathory、Watain、Silencer、Marduk、Mgla　※

メンバー全員が不可触民のダリトだと公言する4人組ブラックメタルバンド。現地語（マラヤーラム語）で「牛車」を意味するバンド名は、かつてケララ州で牛車に乗りながらダリトの権利向上を訴えた活動家マハトマ・アイヤンカリ（1863 ～ 1941）の逸話にちなむ。バンドロゴにあしらわれた「Since 1893」という文言は、アイヤンカリがダリトの権利向上運動を始めた年を意味する。

Setsu<vo, g>、Balu<g>、Swathi Sangeeth<b>、Subi<ds> の 4 人によって 2009 年に結成されたとの触れ込みだが、バンドの公式 YouTube には実質 5 曲の音源しか公開されていない。そのうち「From the Shadows to the Stars」という曲は、ハイデラバード在住のダリトの大学生がヒンドゥー至上主義の学生団体 ABVP（全インド学生協会）とのトラブルに巻き込まれて学生寮から退去させられた挙げ句、2016 年 1 月に自殺した事件に触発されたものである。同年 10 月にはニューデリーでも類似の事件が発生し、ムスリムの学生が ABVP とのトラブルに巻き込まれた後に失踪し、今なお行方不明となっている。このニューデリーの事件を描いた曲が「Eat Me Brother」である。つまり、Willuwandi はヒンドゥー至上主義に虐げられた人々の怨嗟をブラックメタルで表現しているのだ。

Willuwandi
Blackgod
自主制作　2017
ケララ州コチ

2017 年に公開された MV を観れば一目瞭然だが、元々は遊牧民だったアーリア人がインド北部に侵入し、先住のドラヴィダ人を隷属させる過程でカースト制度が成立したという通説に根差した曲。不可触民だったにもかかわらずインドの初代法務大臣に上り詰め、晩年は仏教に帰依して不可触民の集団改宗を促したビームラーオ・アンベードカル（1891 ～ 1956）の映像も出てくる。肝心の音楽性は Watain、Gorgoroth など北欧の先人達の影響下にあるが、音だけを聴いていると暴虐性や疾走感に乏しく、プロダクションもチープだ。

Willuwandi インタビュー

Willuwandiは本稿執筆時点で、Encyclopaedia MetallumやSpirit of Metalといったデータベースサイトに登録されておらず、Last.fmでも検出されないバンドだ。結成は2009年との触れ込みだが、本稿執筆時点ではアルバムやEPもリリースしていない。それでもインタビューに踏み切ったのは、ひとえにメンバー全員がダリト（不可触民）という特異な出自ゆえである。彼らがフルネームを公表していないのは、身の安全を守るためかもしれない。フロントマンのSethu<vo, g>にインタビューを申し込んだところ、彼は改宗者ではないものの、ヒンドゥー教よりも仏教に傾倒している人物だと分かった。

回答者：Seth（ヴォーカル兼ギター、前ページ写真左から2人目）

――まず、Willuwandiの現メンバーは結成から一貫して、Sethu<vo, g>、Balu<g>、Swathi<b>、Subi<ds>の4人で変わりないでしょうか？　各メンバーが影響を受けたアーティスト、お気に入りのバンドも教えてください。

← Tweet

Truth always wine, this statement is false and deceptive. If there is any army of pastor preachers and the gentleman is ignorant, the truth can also be defeated. The Vedic brahmin succeeded in destroying Buddhist Dharma from India by killing Buddhist monk. _ BAWS, volume-18.

WilluwandiのSethuがインタビュー中に筆者へ送りつけた画像。ビームラーオ・アンベードカルの生前の発言を紹介するTwitterアカウントの投稿をキャプチャしたもので、仏教の僧侶がヒンドゥー教徒に虐殺される様を描いたイラストが添えてある。

Sethu（以下S）ああ、ラインナップはそのとおりだ。俺達はブラックメタルを、紀元前5世紀にインドで始まった仏教をもう一度盛り立てる手段にしようと作り替えているんだ。ヒンドゥー教徒にはうんざりさせられているからね。お気に入りのバンドは俺達自身だ。

――あなた方はヒンドゥー教徒ではなく、ビームラーオ・アンベードカル（1891～1956）と同じく仏教に改宗したダリト（不可触民）なのですか？

S：メンバー全員がダリトだが、改宗はしていない。アンベードカル博士は素晴らしいことを成し遂げた。まさに神のような存在だよ。俺達が住んでいるケララ州には、かつてチェーラ朝（注：紀元前3世紀から紀元後3世紀にかけて存在した王朝）があってね。

チェーラ朝が栄えた古代のインドでは仏教も広まったんだが、根絶やしにされてしまったんだ（といって筆者に画像を送る）。

――インドには、あなた方と同じくダリトのバンドが他にも存在するのですか？それともあなた方だけですか？

S：たいていのヒンドゥー教徒はクリエイティヴな発想が働かないから、Willuwandi みたいなコンセプトのバンドを誰もやろうとしない。最近、俺が腕をケガしてしまったのも、ヒンドゥー教徒の目の敵にされているせいだ。他のダリトの人々はトラブルに巻き込まれたくなくて、俺達のことを悪魔崇拝者だと言っている。でも、Willuwandi は俺の夢を叶えるためのバンドなんだ。たとえ他のメンバーが去ってしまっても、俺はバンドを辞めないよ。

――あなた方の地元のケララ州はインドの他州よりも教育、社会サービスなどが整備されており、教育水準も高いので識字率はインドで最高の 94%です。また、ムスリムとクリスチャンの比率がインドの全土平均よりも大幅に多いので、宗教的多様性も備えている印象を受けます。それでも不可触民のダリトであるあなた方にとって、生きづらさを感じることはありますか？

S：俺が住んでいるケララ州コチには、インド最古のモスク（629 年建立）や教会（1503 年建立）、シナゴーグ（1568 年建立）が建っているよ。でも、暮らしている人々はブラックメタルをちっとも分かっていなくて、俺達はドラック漬けの悪魔崇拝者呼ばわりされている。かつてのケララ州にチェーラ朝があったことを知らないのと同じくらい、これは大きな問題だ。確かにケララ州の識字率はインドで一番高いけど、俺達が教育をめぐって大学でストライキをやったら、ヒンドゥー至上主義団体のせいで大学を追い出されてしまった。俺はもう 30 代だから、昔の話だがね。しかしそれ以来、アンベードカル博士の理念を継承し、肖像写真を飾っているような大学では、ダリトの学生に対する差別がたくさん起きているんだ。

――あなた方が YouTube で公開している楽曲のうち、「From the Shadows to the Stars」は 2016 年 1 月に自殺したダリトの大学生に捧げたもので、「Eat Me Brother」は同年 10 月に行方不明になったムスリムの大学生を悼んだ曲だそうですね。

S：ああ、インドの大きな問題は、ダリトとムスリムに対する不寛容だよ。それに、ヒンドゥー教徒の学生達やヒンドゥー至上主義の一部の団体は、俺達がヒンドゥー教に嫌気を指していて、お釈迦様をリスペクトしていることに気づいている。

――もう一度尋ねますが、結局あなた方はヒンドゥー教徒ではなく、ビームラーオ・アンベードカルと同じく仏教に改宗したダリトなのですか？

S：俺はいつもお釈迦様と自然を信じていて、ヒンドゥー教の文化を望んでいないが、残念ながら身分上はヒンドゥー教徒のまま

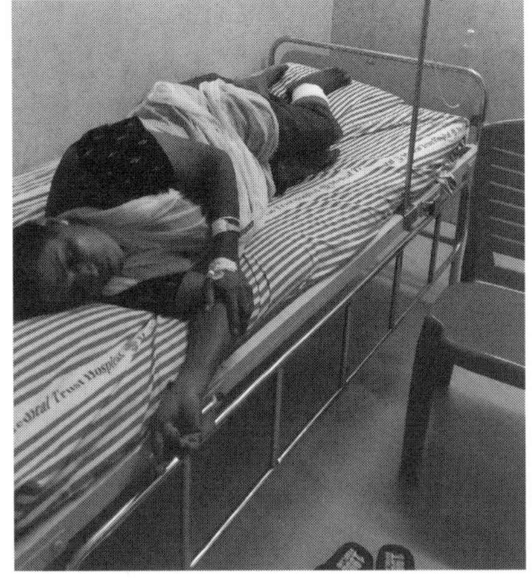

これも Willuwandi の Sethu がインタビュー中に筆者へ送りつけた画像。粗末な病室のベッドに、Sethu の母親と思しき中年女性が横たわっている。Sethu によると、入院理由は新型コロナウイルス感染症ではないとのことだった。

だ。地元のケララ州でギグをたくさんやったはいいけど、母が病気になり、入院してしまってね。母を助けたいんだが、治療費が足りなくて困っている。俺は Willuwandi に賭けているから、母の治療費を稼ぎ出すためにも、優秀なマネージャーやプロモーターとめぐり会いたいよ（といって筆者に画像を送る）。

──インド北部に侵入したアーリア人が、インダス文明の担い手とされていたドラヴィダ人を隷属させる過程でカースト社会が成立したという通説が、「Blackgod」の MV で描写されています。しかし最近の歴史研究によると、アーリア人の侵入とインダス文明の衰退は無関係であり、アーリア人の侵入よりも200 年ほど前に、インダス文明は何らかの自然災害によって滅んだと言われています。あなた方はこのような歴史研究についてどう思いますか？

S：今も昔も、アーリア人はインダス文明の担い手ではないよ。俺達が住んでいるケララ州コチの近所には、ムジリスという古代の港の遺構があってね。ムジリスは、はるか古代にギリシャ人やローマ人、ペルシャ人、中国人、アラブ人などが交易をして栄えた港なんだが、1341 年に起こった洪水で水没してしまった。それと同じように、アーリア人が仏教徒をヒンドゥー教徒に改宗させたせいで、多くの仏教文化が失われたんだ（といって筆者に画像を送る）。

これも Willuwandi の Sethu がインタビュー中に筆者へ送りつけた画像。英語版 Wikipedia のキャプチャ画像で、ケララ州の文化財に指定されている仏像を写したもの。9～14 世紀の間に建立された仏像で、黒い花崗岩で作られているが、左側が破損している。

──最後に、あなた方の公式 YouTube で聴ける楽曲のうち、残りの 2 曲「Azadi」と「Naga」は、それぞれ何をテーマにした曲なのですか？

S：「Azadi」はヒンディー語やペルシャ語で「自由」を表す言葉でね。「Naga」は瞑想をしていたお釈迦様を雨風から守った蛇神のことだ。つまり「Azadi」は最近のインドの政治情勢と俺達ダリトが求めてやまない自由を、「Naga」はお釈迦様が再び現れることをテーマにした曲なんだ。

Bangalore Open Air/ Infinite Dreams Entertainment 代表 Salman U Syed 氏インタビュー

ベンガルールで2011年から開催されている大規模メタルフェスBangalore Open Airの主催者であるSalman U Syed氏にインタビューを打診したところ、驚くべきことにインドでは少数派（約13%）であるムスリムの青年実業家ということが分かった。なおかつ、Salman U Syed氏はムスリムなのにアルコールをたしなんでいると思しき発言が見られるが、インドに酒屋が皆無というわけではないし、各州政府が発行する免許を取得したレストランやバーで飲酒することは可能だ。インドにもKingfisherをはじめとするビールブランドや、ウイスキーやワインなどを手掛ける酒造メーカーも複数存在するし、WHO（世界保健機関）の調べ（2018年発表）によるとインド人の年平均アルコール消費量は2005年（2.4リットル）から2016年（5.7リットル）の間で2倍以上に延びている。ムガル帝国時代のインド（1526～1857年）はイスラム教を奉じていても飲酒が盛んだったというし、現在のエジプト、チュニジア、

モロッコ、レバノン、シリア、トルコといった国々も飲酒には比較的寛容である。読者諸氏にはあらかじめご了承願いたい。

――初めまして。まずインド最大級のメタルフェスであるBangalore Open AirとInfinite Dreams Entertainmentの概略、事業規模などについて簡単に教えてもらえますか？

Salman U Syed（以下S）まずは日本からインタビュー依頼が来たことを光栄に思っている。日本のメタルファンは素晴らしいと耳に入れているから、近いうちに訪れることができるといいけど。Bangalore Open Airが初開催されたのは2011年で、僕はそれ以前にKryptosのマネージャーを務めていたことがある。Kryptosはインドの有名バンドで、欧州ツアーをいち早く敢行した。僕とWacken Open Airとの接点もその頃にできた。Wackenを観に行った僕は、その規模の大きさに圧倒され、インドのメタルヘッズ向けのささやかなメタルフェスを立ち上げようと決心した（注：2011年に初開催されたW:O:A Metal Battleインド大会のこと）。それは、インドのメタルバンドにプレイする場を与えることでもあった。Infinite Dreams Entertainmentは、ライヴエンターテイメントと企業PRイベントを主に手掛けるイベント運営会社でね。直近ではエナジードリンクのモンスターウルトラ（白）のインド全土でのプロモーションに携わったよ。ちなみにInfinite Dreamsという社名は、Iron Maidenの曲から拝借したんだ（注：1988年のIron Maidenの7thアルバム『Seventh Son of a Seventh Son』に収録）。

―日本初のロックに特化したプロモーターとしてウドー音楽事務所が創業したのは1967年で、同社は今でもDeep Purple、Kiss、Aerosmith、Bon Joviといった欧米の大御所バンドの来日公演を招聘しています。また、1985年創業のH.I.P.(Hayashi International Promotion)はKnotfest Japanの主催者とし

て、1990年創業のクリエイティブマンはLoud Parkの主催者としてそれぞれ知られています。インドの場合、Infinite Dreams Entertainmentより前からプロモーター業を行っていた会社はありましたか？

S：インドでもIron Maidenをはじめ、Metallica、Scorpions、Roger Waters（元Pink Floyd）をはじめ、欧米の大御所アーティストがたくさんライヴしたよ。僕がIron Maiden初のインド公演を観に行ったのは17歳の時で（注：2007年3月17日のEddfestのこと）、総じてDNA Networksという会社がそれらのビッグネームを招聘していた。インドでは過去にも、Great Indian Rock Festival、Independence Rock Festival、Fireball Festivalといったフェスティバルがいくつか開かれたけど、たいていは長続きせず、1～2回で終了したケースもある。言い換えると、2011年から年1ペースでコンスタントに開催しているメタルフェスは、インドではBangalore Open Airだけだよ。つまり、僕らはメタルとハードロックに特化したインド唯一の大規模フェスを主催しているんだ。

──あなたのLinkedInアカウントを拝見したところ、インドの国立単科大学である NICC（National Institute of Creative Communication） でVisual Communication（映像コミュニケーション）の学位を修めたとあります。ということは、元々あなたは映画やTV業界で仕事していたのですか？　なぜ音楽業界に参入したのかを教えてもらえますか？

S：まず、僕は勉強が嫌いだった。何を勉強すべきか迷ったけど、自分自身ではクリエイティブな人間だと見なしていた。それで母が僕のことをNICCに放り込んだんだ。映画やTV業界で仕事したことは一度もないよ。NICCの授業でPink Floydの「Comfortably Numb」（注：1979年のPink Floydの11thアルバム『The Wall』収録曲）のMVをリメイクしようと試みたけど、さんざんな出来映えに終わり、「これは僕の作品じゃない」と自分に言い聞かせた。言い換えると、NICCで学んだことはPhotoshopの使い方だけで（笑）、Bangalore Open Airのクリエイティブなコンテンツは僕が独力ですべて作っている。僕はNICCの校舎を寝床がわりにして、友人達と一緒に良質なロックを聴いて過ごした。楽器も始めたけど下手くそだった。それでもロックで何かをやりたいと常々思っていてね。そんな時、友達に紹介されたベンガルールのパブが気に入り、そこでロックやメタルを流すDJをやりたいと思った。これが音楽業界でキャリアに始めたきっかけなんだけど、家では激しい非難を浴びた。なぜなら僕はムスリムとして育ったから、アルコールがたくさん置いてある店に入り浸ることを問題視されたんだ（注：インドの2011年の国勢調査によると、カルナータカ州のムスリムの割合は約646万人で、州全体の宗教人口〈約5285万人〉の12.9%を占める）。それでも、僕はベンガルールの多くのローカルバンドとギグを企画するようになり、インドの他の都市からも出演バンドを募るようになった。Kryptosのメンバーも大好きだった。彼らはイカした人々で、一緒にツルんで遊んだよ。それに、僕はIron Maidenをインドに招聘したDNA Networksの関係者と面識があったから、Iron Maidenの3度目のインド公演（注：2009年2月15日にベンガルールで行われたRock 'n Indiaのこと）でKryptosをオープニングアクトに起用してもらったんだ。

──あなたはKryptosだけでなく、同じベンガルール出身のMillenniumのマネージャーも務めたそうですね。その経緯を教えてもらえますか？　また、KryptosがドイツのAFM Recordsとの契約を獲得し、Millenniumが2008年3月のRock 'n Indiaで約10年ぶりの復活を遂げたのも、すべてあなたがサポートしたおかげですか？
S：Kryptos が Iron Maiden の 3 度目のインド公演でオープニングアクトを務めた後、僕は Kryptos の Nolan Lewis<vo, g> と会って、彼らのマネージャー業を正式にやらせてくれるかどうかを尋ねた。Nolan がイエスともノーとも言わなかったので、僕は Kryptos のアメリカツアーを企画したけど、あいにく頓挫してしまった。でも、2010 年と 2013 年に実施したヨーロッパツアーはかなりうまく行ったよ。Kryptos との関係は 7 年くらい続いたけど、僕が Bangalore Open Air を立ち上げてからは Kryptos のマネージメントに専念するのが徐々に難しくなり、互いに別々の道を歩むことになった。バンドのマネージメントと Bangalore Open Air の主催を両立させるのは不可能だったよ。でも、僕がマネージャーだった頃は Kryptos にとって好ましい時期だった。Kryptos は海外でプレイするに値するバンドだと僕は思っていたからね。その甲斐あって、Kryptos は Wacken 関連の音楽出版社である Enrom Music ならびに、AFM Records との契約を獲得できた。これらは、僕がヨーロッパで築いたコネクションでもあるんだ。今でも Kryptos のメンバーとは友人同士で、毎週末にビールを一緒に飲んでいるような間柄だ。実にクールな関係だよ。最近開設された Kryptos のオフィシャルサイト（http://kryptosmetal.com/）も僕がデザインしてあげたんだ。 Millennium をマネージメントした時期はごく短期間で、Rock 'n India での復活からだいぶ後のことだった。Millennium の Vehrnon Ibrahim<vo> もいい友人で、彼がギタリストとドラマーを探すのを手伝ったこともある。その結果、Kryptos のギタリストの Rohit Chaturved が加わり、Millennium の一員として何本かクールなギグをやったよ。

――ベンガルールはインド南部有数の大都市なので、1994 ～ 1996 年の時点でイギリスの Jethro Tull、元 Guns'N Roses の Slash<g> が公演を行いました。また、Rock 'n India の立ち上げ前から、ベンガルールでは先に述べたように Iron Maiden を招聘した Edfest をはじめ、Great Indian Rock Festival、Rock 'N India、Deccan Rock といった大規模イベントが開催済みでしたが、これらの先行イベントは動員面、商業面で成功したのでしょうか？

S：それらの先行イベントが短命に終わった理由は、ビジネスとして成り立たなかったからだ。Bangalore Open Air も立ち上げから数年間は赤字続きだったけど、僕らは自分達が愛するもの、つまりロックとメタルにひたすら集中した。すべては音楽への情熱と愛、そしてフェスを成功させるためにどれだけ頑張れるかにかかっているんだ。僕はいつも暗いトンネルの先には光が差しているだろうと信じていた。その甲斐あって光を見ることができたので、決してあきらめずによかったと思っているよ。

―― Bangalore Open Air はその名が示すとおり、Wacken Open Air と提携関係にあることで知られています。どうやって Wacken 設立者の Thomas Jensen や Wacken Foundation との接点が出来たのですか？本家本元の Wacken と良好なパートナーシップを築き、2011 年から年 1 ペースで継続できた秘訣も教えてもらえますか？

S：Thomas は実にクールで、ロックンロールを絵に描いたような人物だね。Thomas は僕にインスピレーションを与えてくれた人物で、彼のおかげで Bangalore Open Air は始まったんだ。立ち上げ当初の数年間で、Thomas と彼の相棒である Holger Hübner がこなした膨大な仕事量にすっかり圧倒された。継続開催できた秘訣は、信頼と献身に他ならないよ。Thomas や Holger とはもう 10 年来の付き合いで、素晴らしい関係を築き上げてきた。Bangalore Open Air の立ち上げ初期に資金難に陥った時も、Wacken Foundation が援助し

てくれたんだ。これは僕個人の人生にとってもきわめて重要な出来事でもあった。他にもWackenの関係者の中で、献身的にサポートしてくれた人々がいた。バイスプレジデントのMiriam Hensel、キュレーターのEnno Haymen、それにマーケティングチームなどだ。

—Bangalore Open Airは2012年から、ドイツのKreator、SuidakrAなど欧米の有名バンドをヘッドライナーに据えています。2019年にはアメリカのSuffocation、ノルウェーのAbbathをダブルヘッドライナーに起用しました。その一方で、Bangalore Open Airは日本のバンドを一度もブッキングしたことがありません。インドのオーディエンスは、日本人バンドに興味がないのでしょうか？これまで本家本元のWackenには、SabbatとMetalucifer（2002年）、MUCC（2005年）、DIR EN GREY（2007年、2011年）、Loudness（2016年）、LOVEBITES（2018年）などが出演したことがありますが。

S：Wacken Open Airに出演した日本人バンドの大半を、ずいぶん前からチェックしている。日本人バンドは総じてクールだね。W:O:A Metal Battle Japanオーガナイザーのシロウ・マツナガ（注：Red Rivet Records代表でもある松長史朗氏のこと）はいい友達だよ。日本のメタルアーティストがインドで人気があるかどうか分からないけど、Loudness、X JAPAN、BABYMETALはインドでも知られているんじゃないだろうか。兀突骨、Defiled、Anatomia、Abigailなど何組かの日本人バンドはインド公演を行ったけど、日本人バンドのライヴをもっと頻繁にインドで観ることができればいいなと思っているよ。

——前述のKreator、SuidakrAしかり、SuffocationやAbbathしかり、インドでライヴしたのは総じてキャリア初の出来事だったのでは？と思われます。彼らのような欧米の有名バンドは、インドの風景、会場、オーディエンスを見てどんな反応を示しましたか？インド人バンドと欧米人バンドのビジネス慣行の違い、気質の違いなども教えてもらえると、なお幸いです

S：ほとんどのバンドにとって、インドはエキゾチックな国に映っただろうね。ただ、インドはメタル新興国で、シーンの規模はまだ小さい。メタルのためのエコシステム（注：ビジネス生態系）はまだ存在しないんだ。

——これまでBangalore Open Airで招聘した欧米人ヘッドライナーのうち、インドのオーディエンスは誰に最も好意的な反応を示しましたか？　Kreatorのようなスラッシュメタルですか？　それともSuffocationのようなデスメタルや、Abbathのようなデス／ブラックメタルですか？　あるいはAlcestのようなポスト・ブラックメタルですか？

S：個人的には、アメリカのIced Earth（注：2013年に出演）とOverkill（注：2018年に出演）のライヴが素晴らしかったと思うよ。

——　Bangalore Open Airは、W:O:A Metal Battleインド代表バンドを選考する場としても機能しています。インドは世界で7番目に国土面積の広い国（約329万km^2）で、その広さは日本（約38万km^2）のおよそ9倍に及びますが、毎年の予選をどうやって行い、適切に管理しているのですか？　また審査員にはどういった人々を起用しているのですか？

S：正確に言うと、現在はインド、ネパール、バングラデシュ、スリランカの4ヶ国でW:O:A Metal Battleを実施しているんだ。選考プロセスは4つのフェーズで成り立っている。まずフェーズ1はインドを除く3ヶ国での予選で、それぞれの国の代表バンドを1組ずつ選出する。フェーズ2はインドの5都市（ベンガルール、グワハティ、コルカタ、ムンバイ、ハイデラバード）で行われる予選で、各都市の代表バンドを1組ずつ選出する。フェーズ3はインドの5都市の代表バンドによる勝ち抜き戦で、

インドはメタル新興国で、シーンの規模はまだ小さい

2018年のBangalore Open Airの様子。前ページ見開き写真のAlcestに加え、Overkill、Immolation、Nervecellの計4組を国外から招聘して開催された。

フェーズ4ではネパール、バングラデシュ、スリランカの代表バンドも加わり、インド亜大陸の代表バンドを決める。通常、フェーズ4の決勝戦はBangalore Open Airの前日に行われる。審査員にはインド亜大陸のベテランバンドや、歴代のW:O:A Metal Battleで優勝したインド亜大陸のバンドが名を連ねているよ。

—— 2019年のW:O:A Metal Battleインド亜大陸の代表バンドはインドではなく、バングラデシュのTrainwreckでしたが、将来的にパキスタンやモルディヴ、ブータンでも予選を行うことを考えていますか？

S：インドとパキスタンは長いこと政治的に対立しているから、パキスタンのバンドと一緒に何かをやるのは難しいだろうね。モルディヴとブータンでW:O:A Metal Battleを開催する意義があるかどうかは、費用対効果の面で今はまだ分からない。

——日本ではインドより1年遅く、W:O:A Metal Battle Japanが2012年からスタートしました。過去のW:O:A Metal Battle Japanを勝ち上がったバンドのライヴをご覧になったことがありますか？

S：僕はW:O:A Metal Battleドイツ本選の審査員の1人でもあるので、各国の代表バンドはすべてチェックしている。2019年の日本代表バンドだったVanishing（注：ヴィジュアル系パンクバンドを標榜している愛知県の3人組）は思ったよりオールドスクールなバンドだったね。僕はああいうオールドスクールなジャンルの音楽が好きなんだ。

——ところで、Infinite Dreams Entertainmentのコーポレートサイトを拝見したら、日本の精密機器メーカーのエプソン、ドイツの自動車会社アウディなどのインド市場でのPRを手掛けていたので驚きました。こうした有名企業とビジネスした経験は、Bangalore Open Airの運営に役立っていますか？

S：僕らはこれらの企業の販売代理店ではなく、あくまでイベントやプロモーション活動を支援しているんだ。エプソンの場合は展示会での製品PRで、アウディの場合は正規販売店のプロモーションに携わった。Bangalore Open Airをサポートしてくれるグローバル企業に関しては一概に言えないけど、いろいろな企業が関与してくれてい

る。基本的には、若者向けのブランドを保有している企業は Bangalore Open Air との親和性が高いね。

── Bangalore Open Air は 2015 年から、やはり日本企業のカシオのインド法人のスポンサードを受けています。カシオのメタルウォッチ、G-Shock や電卓、鍵盤楽器はインド市場でよく売れていると報じられていますが、どうやってカシオと接点が出来たのですか？

S：さっき話したように G-Shock は若者向けの製品なので、僕らは**カシオのインド法人にアプローチした**。Bangalore Open Air のオーディエンスと G-Shock の相性は完璧だと思っていたからね。そんなわけで幸運にもカシオのインド法人と関わることができた。

── Bangalore Open Air の立ち上げから現在に至るまでの間で、最もよかったことと最も苦労した出来事があったら、それぞれ教えてもらえますか？

S：2013 年（注：前掲の Iced Earth を含め、Dark Tranquillity、Ihsahn、Animals as Leaders、Leprous の 5 組が欧米から参加）は**偽物のチケットが出回り、僕は完全に打ちのめされた**。まさに死んだも同然だったよ。この混乱から僕を救い出し、厳しい時期に手厚くサポートしてくれたのは僕の母親と Wacken Foundation だけだった。大勢の人々が口を利いてくれず、友人達には無視され、すぐそばで支えてくれると思っていたはずの人々は跡形もなく消えてしまったので、僕は混乱の極みにあった。精神的ストレスから立ち直るまで半年くらいかかった。実際のところ、Bangalore Open Air 立ち上げ初期の出来事で、僕はいまだに悪夢でうなされるよ。でも、どんなに「二度と開催するな」と言われても、僕はやりたいことをあきらめたくなかった。誰もが反対したけど、僕は Bangalore Open Air を潰したくなかったので、2013 年はクラウドファンディングで資金を集めることにした。暗いトンネルの先にはいつか光が見えるだろうと静かに信じていたんだ。でも、目標額には遠く及ばず、クラウドファンディングでお金を出してくれた人は 190 人にすぎなかった。あの時は、目標額に達しない場合は全額返金するルールだった（注：All or Nothing 方式と呼ばれる)。そこで僕はお金を出してくれた人々に、規模を縮小した状態で開催してもよいかどうか、夜を徹して電話で 1 人ずつ尋ねた。すると、驚くことに 190 人全員が同意してくれたんだ。こうして 2014 年も Bangalore Open Air を開催することができた（注：欧米からは Destruction と Rotting Christ の 2 組のみ出演)。収支が黒字になったのも、この時が初めてだったんだ。僕は最初の 3 年間で多くの教訓を得た。ビジネス全体がどう機能しているか、誰が信頼の置ける人で、誰が飲み友達なのか、トラブルに巻き込まれたら誰がそばにいてくれるのか、といったことだよ。人生の早い時期に教訓をたくさん得ることができてよかったよ。どん底まで落ち込んだ時に手を差し伸べてくれる人々がいなかったら、たぶん僕は生き延びられなかっただろう。

──最後に、日本のヘヴィメタルファンへのメッセージを聞かせてください。

S：日本のメタルファンには、ライヴに行ったりマーチャンダイズを買ったりしながら、各自の地元のバンドやイベント主催者をサポートしてほしいね。バンドやイベント主催者は、このエンターテイメントビジネスに多大な努力を払っている。彼らをサポートすることが最良の道なんだ。もしオールドスクールなメタルが好きなら、インドの Kryptos をチェックするといいよ。いつか日本を訪れ、日本のメタルファンとパーティーで楽しんだり、サントリーのシングルモルトウイスキー､山崎を一緒に飲んだりできるといいね。

『Rolling Stone India』シニアライター、Anurag Tagat 氏インタビュー

アメリカのカリフォルニア州サンフランシスコで 1967 年に創刊した老舗音楽誌『Rolling Stone』は、2008 年からインドでも英語の活字メディアとして刊行されている。インド版の『Rolling Stone India』の誌面や Web サイトのデザインはアメリカ本国のレイアウトを忠実に踏襲しているが、インド亜大陸の音楽事情についてもノンジャンルで頻繁に報じているのが特徴で、インドではメタルを扱う数少ないメディアとしても機能している。『Rolling Stone India』でメタル関連の記事を一手に担う Anurag Tagat 氏は、ロンドン大学ゴールドスミスカレッジで修士号を取得したインテリだった。

――初めまして。あなたは 2012 年から『Rolling Stone India』で執筆していて、同誌のメタル関連の記事はたいていの場合、あなたが寄稿しています。音楽ライター、評論家として活動を始めたきっかけと、影響を受けたアーティストを教えてもらえますか？

Anurag Tagat 氏（以下 A）：君が『デスメタルインディア』の執筆に当たり、僕から洞察を得るために時間をわざわざ割いてくれたことに感謝したい。僕は兄弟達と共に、流行のアメリカンポップスからニューメタル、ミクスチャーに至るまで、あらゆる音楽を体験してから、徐々に自分なりの聴き方を確立させていった。音楽というものを理解する上で、Linkin Park や Tool、非メタル系では Death Cab for Cutie、City and Color など、さまざまなバンド／アーティストの音楽が役に立ったと思うよ。インド産バンドに関して言えば、Split（注：すでに解散したムンバイの４人組オルタナティヴ系バンド）、Sky Rabbit（注：ムンバイの４人組エレクトロ／ポスト・パンクバンド）、それから Bhayanak Maut や Scribe などが、自国のシーンの動向にいっそう注意を払うきっかけを与えてくれたね。かつての僕は単にたくさんのライヴを観て、いろいろな音楽をできる限りチェックしたいと思っていた。友人達には大勢のバンド／アーティストを勧めてもらったよ。と同時に、一般的な意味での執筆活動、少なくともジャーナリズムの世界に入りたいと思っていた。差し当たり、教育分野やタウン情報の記事をいくつか書いたけど、アートや文化、特に音楽に携わる機会がもっと欲しかったので、『Hindu Metro Plus』という媒体の外部ライターになった。これは大手英字新聞『The Hindu』の別冊で、紙面はアートと文化に特化しているんだよ。『Hindu Metro Plus』は今でも根強い読者に支持されているけど、僕はロンドン大学ゴールドスミスカレッジに１年間留学する道を選び、2012 年にジャーナリズムの修士号を取った。ちょうどこの年、『Rolling Stone India』の求人情報を人づてに教えてもらってね。当時の僕は留学を終えて新しい仕事を探していたので、ただちに応募した。それで、うまいこと採用されて以来、まったく後悔していないよ！

――ご存じのとおり『Rolling Stone India』

は、アメリカの音楽誌『Rolling Stone』のインド版に当たります。日本の『Rolling Stone Japan』の歴史は少し複雑で、1973年に創刊されましたが、2年強で一度休刊しました。それから30年以上が過ぎた2007年、『Rolling Stone Japan』は復活しましたが、この雑誌名を使用できるライセンシー、つまり発行元が3回も変わりました。2017年末からは、カルチュア・コンビニエンス・クラブのグループ会社が『Rolling Stone Japan』を年4回の季刊誌として発行しています。これに対し、『Rolling Stone India』の運営体制はどうなっているのですか？『Rolling Stone India』の事業規模、編集ポリシーなども簡単に教えてもらえますか？

A：そもそも『Rolling Stone India』の発行権は、実業家のAnandとAnuradhaのMahindra夫妻が2008年に取得したんだ（注：夫のAnand Mahindraはインドの財閥Mahindra Groupの3代目会長）。当時の彼らはMW Indiaという出版社（注：『Man's World』という高級メンズファッション誌の発行元）のオーナーでもあったけど、現在の発行人兼編集長であるRadhakrishnan Nairに運営を託した。ところが、2013年にSpenta Multimediaという版元がMW Indiaの過半数の株式を取得し、傘下に収めたんだよ。僕はSpentaと『Rolling Stone India』の事業規模をすべて把握しているわけじゃないけど、すでに『Rolling Stone India』は紙媒体ではなくデジタルに完全移行したため、編集ポリシーはたびたび変更されている。昔の『Rolling Stone India』はボリウッド映画音楽とは違うジャンルの音楽を一貫してサポートしつつ、時事問題も扱っていた。2015年からはNirmika Singhという女性が幹部に就任し、ポップカルチャーやメインストリーム寄りのミュージシャン、それにK-POPを頻繁に扱っている。K-POPは、インドでもかなりの人数のファンを獲得しているんだよ。

――インドでは1993年に、自国初のヘヴィメタル／ハードロック専門誌『Rock Street Journal』が創刊した前例があります。一方、『Rolling Stone India』の創刊は2008年で、だいぶ後発になりますが、先行者の『Rock Street Journal』を追い抜けるという確証はあったのでしょうか？

A：『Rolling Stone India』が2008年に創刊された頃、『Rock Street Journal』は低迷していたと思う。つまり、Mahindra夫妻のような投資家達は、『Rolling Stone』という強力なブランドをインドの読者にアピールする絶好のチャンスが来たと見ていたんじゃないかな。確かに『Rock Street Journal』はまだ存続しているけど、『Rolling Stone India』はブランド力をうまく生かして、多くの読者の支持を得ることができた。インディーズで活動しているインド人アーティストは総じて、自分たちのストーリーを伝えてくれる強力な媒体が登場したと感じていたんじゃないだろうか。

――日本の老舗専門誌『BURRN!』と比べると、『Rolling Stone India』は若い読者層を獲得しているのでは？と推察します。というのも、『BURRN!』の表紙を飾るのは通常、Metallica、Whitesnake、Megadeth、Ozzy Osbourne、Iron Maidenといった大ベテラン達ですが、『Rolling Stone India』はSikTh、Meshuggah、Lamb of Godなど、少々モダンなバンドも表紙に起用しているからです。

A：いい質問だね。確かに『Rolling Stone India』もMetallica、Iron Maidenを表紙に使ったことがあるし、Anthraxも1回だけ表紙に起用したことがある。今後はMegadethを表紙に使う機会もあるかもしれないけど、『Rolling Stone India』の表紙を飾るのは通常、もっとモダンなバンドだね。少なくとも『Rolling Stone India』がMichael Schenker、Accept、Mötley Crüeなどを表紙に起

用することはないと思うよ。

──その一方で、インドのメタルバンドで『Rolling Stone India』の表紙を飾ったことがあるのはDemonic ResurrectionとScribeだけでは？と思われます。言い換えると、インドのメタルファンは、自国のメタルバンドよりワールドワイドに名の知られた欧米のメタルバンドに強い関心を持っているのでしょうか？

A：これも重要な質問だね。僕はこの点について何年も悩んできた。正直なところ、インド国内で大規模なファンベースを築き上げたメタルバンドはまだ登場していないと思う。たとえば、BloodywoodやSkyharborはヨーロッパ諸国やアメリカで注目を集めているけど、インド国内での動員力はせいぜい500人くらいだ。そう考えると、彼らよりキャリアの長いDemonic ResurrectionとScribeの2組が、『Rolling Stone India』の表紙に起用されたという事実は理に叶っている。Scribeはカオティック・ハードコア路線だけど、広義のヘヴィミュージックをプレイするバンドだと僕は見なしているよ。確かにインドのリスナーは欧米のメタルバンドに強い関心を持っているけど、実力さえ伴えばインドのバンドだって固定ファンを獲得できるだろうね。たとえば、The Down Troddence、Zygnema、Inner Sanctum、Godless、Gutslitなどのように。

──インドは世界で7番目に国土面積の広い国（約329万km²）で、その広さは日本のおよそ9倍（約38万km²）に及びます。各地域で活動するインドのバンドの近況、各種ライヴ、コンサート情報をどうやって収集して記事化しているのですか？

A：個人的にはヘヴィミュージックやポストロックに関する記事を書くのが好きだけど、あらゆるジャンルの音楽を聴いているよ。なぜなら、それが僕の仕事の一部だからね！そんなわけで、ニューデリー、ムンバイ、ベンガルール、チェンナイ、コルカタといった大都市以外の地域で、優れたサウンドを奏でるアーティストを発掘するように心掛けている。大都市ではない地域で育まれた音楽には真実のストーリーが伴っていて、各地域特有の言語で美しい歌詞を綴っていることが多いので、興味をそそられるね。ライヴイベントに関しては、インドの各地で開催されるフェスティバルをできる限りたくさん取材しようと努めている。一時期より数が減ったとはいえ、インドでは年間50本あまりのフェスティバルが何かしら開催されているんだ。

── 2010年頃から欧米人バンドがインドだけでなく、ネパール、スリランカ、バングラデシュまで足を伸ばしてライヴするケースが見られます。もちろん、こうした国々でもメタルバンドが何組も活動していますが、『Rolling Stone India』ではそれらの情報も押さえているのですか？　また、パキスタンやモルディヴ、ブータンのバンドを取材したことはありますか？

A：僕は何年にもわたり、パキスタンのアーティストやバンドにインタビューしてきた。『Rolling Stone India』で僕が担当しているコラム「Beyond the Border」は、まさにインドの近隣国のアーティストや、在外インド人のアーティストをノンジャンルで取り上げているんだ。在外インド人のアーティスト達は、海外でインド文化を代表する存在だからね。インドの近隣国のメタルバンドに関して言えば、ネパールのUnderside、パキスタンのTakatakなどにインタビューしたことがあるよ。

──『Rolling Stone India』のWebサイトやSNSを拝見したところ、日本のバンドに関するニュースが少なく、私がかろうじて発見したのは(1)2015年にワールドツアーを行っていた頃のBABYMETALのインタビュー、(2) X JAPANのドキュメンタリー映画『We Are X』（2016年）に出演したYoshiki<ds, key>とKissのGene Simmons<b, vo>の対談、(3) 日本のポストロックバンドMonoのインド公演（2018年9月）の告知記事くらいでした。インドの読者は、日本のメタルバンドに対してあまり関心を抱いていないのですか？　たとえば2012〜2017年にかけて、Abigail、Defiled、Anatomia、Sete Star Sept、Corbata、Desecravity、兀突骨という日本人バンド7組がインド公演を行ったことがあります。もちろん、彼ら以外にも日本では大勢のメタルバンドが活動していますが。

A：わざわざ調べてくれてありがとう。2017年8月の兀突骨のインド公演は衝撃的だったよ。君が挙げてくれた日本人バンド7組はどれも鮮烈で、印象に残るパフォーマンスをインドで披露してくれたと言っても間違いないだろう。でも、残念ながら『Rolling Stone India』で記事化されなかった理由はいろいろあってね。日本人バンドに取材するには言葉の壁をクリアしなければならないし、インタビューする機会すら設けられていないケースも多い。それに『Rolling Stone India』の場合、インド公演を終えたアーティストにインタビューするよりも、告知記事（公演情報）だけを載せることが多いんだ。媒体側からすると、インタビューにこぎ着けるまでの手順、方法をその都度模索することのほうがハードだからね。確かに『Rolling Stone India』の読者は日本発の文化に興味があるだろうし、インタビュー記事の有無にかかわらず、日本のメタルバンドのインド公演を観に行くとは思うよ。

2015年8月のWacken Open Airにインド人メディアとして招待されたAnurag Tagat氏（写真中央）にはファン垂涎の3A（Access All Areas）のバックステージパスが渡され、Dream TheaterのJordan Rudess（写真左）とOpethのMikael Åkerfeldt（写真右）と1枚の写真に収まることができた。

――『Rolling Stone India』では創刊から2年後の2010年から、インドのメタルバンドを顕彰するRolling Stone Metal Awardというアワードを年1ペースで開催していたそうですね。あなたも、このアワードに関与していたのですか？　Rolling Stone Metal Awardの選考プロセス、受賞バンドに贈呈された賞品なども教えてもらえますか？

A：Rolling Stone Metal Awardは、僕の同僚だったAshwin Sharmaが仕切っていたアワードでね。社内ではイベントチームと編集チームが連携して公募要項を策定し、プロダクションやソングライティング、独自性などを基準にしてノミネート作を絞り込み、最終的に受賞したバンドには表彰式の場で生ライヴを披露してもらった。バンド側に贈られた賞品は、楽器メーカーのGibsonとタイアップした特注トロフィー、Zippoライター、カシオのメタルウォッチ、G-Shockなどだった。しかし僕の知る限り、『Rolling Stone Metal Award』はスポンサー不足と主体性に欠けていたせいで、残念ながら廃止されてしまった。2016年以降は開催されておらず、復活のメドが立っていないんだ。

――現在の『Rolling Stone India』はデジタルに完全移行したため、紙の雑誌を発行しなくなったそうですね。当然ながら、現在はヘヴィメタルに関する最新情報を各種Webサイトや SNSで入手することができるし、競合の『Rock Street Journal』もWebサイトやSNSでニュース提供を続けています。ネット上で強い影響力を持つ個人ブロガーも多数いますが、あなたはペーパーメディアの存在意義をどのように認識していますか？

A：最初に話したとおり、『Rolling Stone India』はデジタルに完全移行している。雑

2015年8月、Anurag Tagat氏（写真左から2人目）はドイツのハノーバーにも赴き、ScorpionsのRudolf Schenker（写真左端）、Klaus Meine（写真右から2人目）、Matthias Jabs（写真右端）の3人と対面。密着インタビューを行った。ちなみにScorpionsは同年2月、結成50周年記念アルバム『Return to Forever』（2015年）をリリースしていた。

誌とはいっても、『Rolling Stone India』はApple StoreやGoogle Playなどでダウンロードする課金アプリ、もしくはPDFファイルでなければ購読することができない。僕が思うに、日本とインドではメディア消費行動がまったく異なるんじゃないだろうか。中産階級の平均的なインド人は総じてSNSとTV漬けだけど、それらで流れるニュースの大半は誤報やガセネタ、デマで毒されている。それから非常に残念なことに、インドでは紙媒体の信頼度が下がっていて、社会階級や生い立ち、教育水準などによって細分化された特定層の間だけで好まれているんだ。

―― 2012年から『Rolling Stone India』で執筆を始めてから現在までの間で、最も嬉しかった出来事と最も苦労した出来事があったら、それぞれ教えてもらえますか？

A：最も嬉しかった出来事は、2015年にドイツへ取材旅行に行ってWacken Open Airを取材しただけでなく、Scorpionsに密着インタビューして彼らと同じ時間を過ごせたことだね。これらはドイツ政府の招聘プログラムのおかげで実現したんだ。滅多にないひと時だったね。反対に最も苦労した出来事といえば、いろいろと難しい選択を迫られたり、僕が『Rolling Stone India』の表紙候補に推していたバンドが採用されなかったりしたことが挙げられるけど、そういうことは毎回付きものだよ。

―― 最後に今後の活動プランと、日本のヘヴィメタルファンへのメッセージをぜひお願いします。

A：新型コロナウイルスのパンデミックの影響で、マスコミ業界も予算が削減されている。僕個人も生き残りに必死だけど、常にどこかに生き残るための余地があると思っているよ。日本のロックやメタルファンへ伝えたいのは、日本人アーティストの中には世界全体を見回してもユニークで、強烈なインパクトを放っている人達がいる、ということだ。そういう音楽を聴かせてくれて、僕はありがたく思っているよ。

Abaddon
Son of Hell
自主制作　2014　Heavy/Thrash Metal
カルナータカ州ベンガルール

元 Infamy ～ Piston の Jehosh Gershom がベースとヴォーカルを兼務した 4 人組の正統派バンドによる 1st デモ。バンドの公式 YouTube には、Judas Priest と Motörhead のカヴァー演奏が複数公開されているが、全体的には Iron Maiden からの影響が顕著。ギターの音が薄っぺらい半面、ベースの音をやたら強調しているが、どの楽曲も総じてシンプルな構造である。シンガーとしての Jehosh Gershom の歌唱は不安定かつ調子外れであり、プロダクションもチープだ。

Abandoned Agony
Infected Unborn
自主制作　2008　Brutal Death Metal
カルナータカ州ベンガルール

ベンガルールで 2006 年に結成されたデスメタルバンドが遺した唯一のデモ。バンドの Myspace に残存している写真を見ると、結成当初は 4 人組で活動した後、トリオ編成に変わっていた。Cannibal Corpse、Suffocation などを影響源に挙げており、M5「Barbaric Killing」は Nile を思わせるイントロで幕を開けるが、いかんせん迫力やブルータリティーが不足しており、プロダクションもチープだ。YouTube を丹念に探すと、「Deformed」なる未収録曲の MV が出てくる。

Aempyrean
Fireborn
Cyclopean Eye Productions　2018　Black/Death Metal
カルナータカ州ベンガルール

Dhwesha の Ajay Nagaraj がベース専任で掛け持ちする 5 人組バンドのデビュー EP で、日本の『BURRN!』の輸入盤レビューに掲載された。古代の宇宙論で天の最も高い場所を指す単語「Empyrean」に、「A」をわざと加えたバンド名を掲げている。Morbid Angel、Possessed などを影響源に挙げており、M3「Chapel of Ghouls」はまさに Morbid Angel のカヴァー。しかし出音の印象としては、Behemoth を筆頭格とするデス／ブラックメタル志向が垣間見える。

Aeons of Sorrow
Aeons of Sorrow
Cursed Creation Records　2005　Doom Metal/Ambient
カルナータカ州ベンガルール

Kryptos の Nolan Lewis<vo, g> のソロプロジェクトによる唯一のデモ音源。Nolan が全パートを独力でこなし、スウェーデンの Cursed Creation Records からカセット形態で流通された。普段 Kryptos で披露している正統派メタルとは全然かけ離れた音楽性で、物悲しさと寂寞感を醸し出す DSBM 寄りのナンバーが並んでいる。とはいっても、タイトルチューンの M2 をはじめとする各収録曲はどれも単調なフレーズを反復するばかりなので、退屈に感じるかもしれない。

Agam
Seventh Ocean
AGAM Music Productions Private Limited
カルナータカ州ベンガルール　2019　Carnatic Progressive Rock

2003 年結成の 7 人組バンドが、2nd アルバム『A Dream to Remember』(2017 年) 発表後にシングルカットした楽曲。バンド名の由来は、サンスクリット語で「伝承」を指す Agama（アーガマ）にちなむ（仏典では「阿含」)。チェンナイの音楽家 Lalgudi Jayaraman の楽曲からリズムパターンを拝借しており、Dream Theater のようなイントロで始まるが、個人技の応酬は少ない。Harish Sivaramakrishnan<vo> が歌い出すと、土着色が顕著になる。

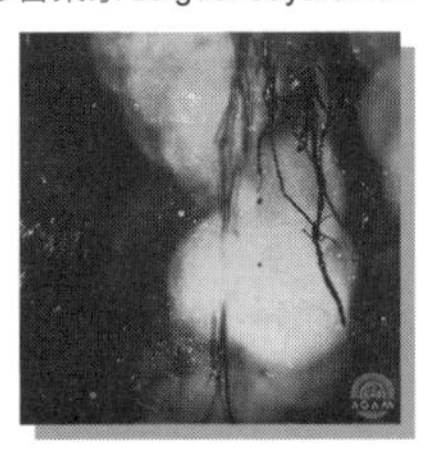

Analyzed Consequences
Qualia
自主制作　2017　Progressive Metal
カルナータカ州マニパル／ベンガルール

カルナータカ州マニパルで 2012 年に結成後、州内の大都市ベンガルールに拠点を移した 3 人組（ライヴでは 4 人組）インスト・プログレッシヴメタルバンドの EP。Rush や Dream Theater を源流に持つ技巧的なプログレッシヴメタルをあくまで志向。Planet X のようなフュージョン色も、Animals as Leaders のような Djent の要素も皆無だが、それらの代わりにダークな佇まいを発散。同じカルナータカ州の Agam のように、インド南部の伝統音楽から採り入れたフレーズがたまに見え隠れする。

Armed Ark
Rewrite Your Story
自主制作 2018 Thrash Metal
テランガナ州ハイデラバード

2015年に結成されたツインギター、キーボード奏者を含む6人組バンドによるデビューEP。バンドロゴの周囲に新約聖書の「マルコによる福音書」1章15節の文言が記されているため、クリスチャンバンドだと思われる。耽美なピアノによるインストのM1「Hail the King」がKatatoniaを想起させるため、メロディックドゥームかと思いきや、続くM2「Battle」は正統派メタル寄りの曲。締めくくりのM4「Take Me Home」は大仰なクワイヤやストリングスを導入した7分超の長尺曲だ。

Bevar Sea
The Timeless Zone'
Metal Assault Records 2022 Stoner/Doom Metal
カルナータカ州ベンガルール

2010年に始動した4人組ドゥーム／ストーナーメタルバンドの3rdアルバム。KryptosのGanesh Krishnaswamyがベーシストではなくシンガーを務めている。前作『Invoke the Bizarre』（2015年）には、Black Sabbathの代表曲「Iron Man」をもっと鈍重にしたような曲があった。しかし、キャリアを重ねるにつれて適度なメロディックさを採り入れた結果、本作はCandlemassを思わせる作風になった。長尺志向は相変わらずで、8～9分台のナンバーが多勢を占める。

Arav Krishnan
To Take the Fall
Sound Awake Studios 2021 Heavy/Groove Metal
カルナータカ州ベンガルール

本稿執筆時点でわずか16歳という、早熟なギタリストのシングル。本作の半年ほど前にリリースした2nd EP『Wayfinder』（2021年）は硬軟巧みなプレイを押し出した全編インスト作だったが、1st EP『Horizon』（2020年）には自身のグロウルを交えた楽曲が複数あった。近未来のディストピアを題材にしたという本作でも、自らグロウルで吠えている。Sodomのように軽快に疾走しつつ、ブラックメタル風のトレモロを繰り出したり、流麗なギターソロを聴かせたりと、振り幅が大きい。

Black Blood
Sacred Beast Cult
自主制作 2009 Death/Black Metal/Grindcore
カルナータカ州ベンガルール

2005年にベンガルールで結成されたトリオ編成バンドによる唯一のデモ音源。アートワークに「Brutal Death Metal」と銘打たれているが、ブルータル・デスメタルの要素は皆無で、全体としてプロダクションはひどく劣悪だ。M1「HeadHunter」は怪しげな囁き声で幕を開けたかと思いきや、やみくもにドラムが打ち鳴らされ、深いエコーのかかった濁声や絶叫と混じり合う。M3「Downfall of the Gods」は低音グロウル主体の歌唱を除けば、ほとんどプリミティヴ・ブラックメタルだ。

Beastial Murder
Dark Matter
自主制作 2021 Progressive Metal
ケララ州コチ

2008年に結成されたエクストリームメタルバンドのシングル。1st EP『Sorbere Bestia Intra』（2015年）発表後にシンガーが脱退したため、アメリカのデスメタルバンドThe FacelessのJulian Kersey<vo>が助っ人参加している。前掲のEPではメカニカルで無機質なリフを刻みつつ、変拍子やテクニカルなプレイを交えていた。本作の音楽性もその延長線上にあるが、Julian Kerseyのドスの利いた低音グロウルによって、デスメタル風の佇まいになっている。

Blind Image
More than Human
Headbangers India 2009 Thrash/Groove Metal
タミル・ナードゥ州チェンナイ

2006年結成の5人組メタルコアバンドによる2ndアルバム。結果的にこれが最終作となったと思われる。素粒子実験に携わる研究者を主人公に据えたコンセプト作という触れ込みだが、出音の印象としては物語性をあまり感じない。Noble Luke<vo>はクリーンとグロウルを併用しているが、アルバム全体を俯瞰すると彼が元々在籍していたArtillerieと割合よく似た音楽性で、Chimairaを想起させるところがある。ただし、Djent風の跳ねるリフを刻むナンバーや、ニューメタル路線の曲もある。

Blood & Iron
Voices of Eternity
自主制作　2013　Progressive/Power Metal
タミル・ナードゥ州チェンナイ／カルナータカ州ベンガルール

2005 年結成のパワーメタルバンドの 3rd アルバム。ただし正式メンバーは 3 人のみ。このため中心人物の Ashish Shetty がギターとベースを兼務し、ニュージーランド出身の Giles Lavery<vo>、シリア出身の Youmni Abou Al Zahab<vo> などがゲスト参加した。前掲の客演シンガー 2 人は伸びやかなハイトーンヴォイスの持ち主で、Iron Maiden や初期の Queensrÿche を想起させる音楽性である。本稿執筆時点で、Ashish はカナダのバンクーバーへ移住している。

Copper Planet
Intractable
自主制作　2020　Progressive Metal
ケララ州ティルバナンタプラム

ケララ州の州都ティルヴァナンタプラム出身のバンドの 3rd シングル。2015 年の初期楽曲「Unobtained」の MV ではツインギターの 5 人組だったが、本稿執筆時はトリオ編成で活動中だ。「Progressive Metal」を謳っているが、さほど難解な曲調ではなく、誤解を恐れずに言えば Alter Bridge、Shinedown など今時のアメリカの有名バンドを想起させる。既発シングル「Abandoned」と「An Augury of Paradise」（共に 2019 年）よりキャッチーな印象も受ける。

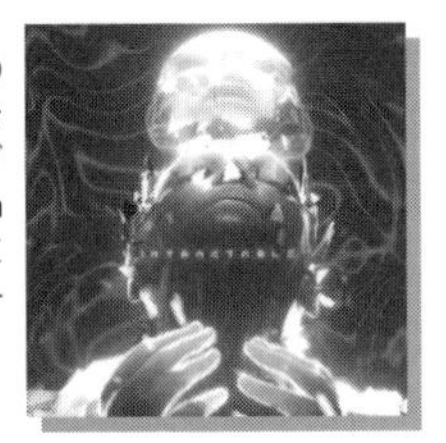

Carnal Nirvana
Between Heaven and Hell
自主制作　2020　Black Metal
ケララ州コチ

Christopher<vo> と Varun Thomas<g> を中心に結成された 4 人組バンドのデビューシングル。ポスト・ブラックメタルを標榜しており、淡く浮遊感のあるイントロで幕を開けたかと思いきや、Christopher の絶叫が響き渡る。その後、ほんのりとメランコリックさを醸し出すパートを設けているが、基本的には単調なリフを刻みながらジリジリと進む曲であり、ブラストで疾走するわけではない。したがって、劇的な盛り上がりを求めるリスナーは物足りなさを覚えるかもしれない。

Corrode
Lapse into Delirium
自主制作　2012　Melodic Death Metal
カルナータカ州ベンガルール

Vinay "Goldy" Ganesh<g> を中心に 2007 年に結成されたメロディック・デスメタルバンドが、メンバーの交代と活動休止期間を経て、4 人編成で発表した初 EP。In Flames、Arch Enemy などを影響源に挙げているとおりの音楽性だが、バンド名を冠した M4 と M5「A Place Called Death」では、Opeth のようなプログレッシヴな側面が窺える。叙情的なギターソロは聴きごたえがあり、予備知識なしで聴いたら北欧産バンドの作品と間違えるかもしれないが、プロダクションは良好とは言いがたい。

Chaos
Rise from the Ashes
自主制作　2020　Thrash Metal
ケララ州ティルヴァナンタプラム

2015 年に始動した 4 人組スラッシュメタルバンドによる、通算 4 作目のシングル。『Chaos A.D.』（1993 年）リリース当時の Sepultura、Machine Head などの影響下にある音楽性で、幾分モダンでグルーヴ感覚を採り入れたスラッシュメタルをプレイしているが、Nikhil Wartooth<g> の出で立ちは Anthrax の Scott Ian<g> を想起させる。2017 年の 2nd アルバム『All Against All』に続き、Skyharbor の Keshav Dhar<g> がプロデュースを担当した。

Cross Legacy
A New Dawn
JSplash Studios　2014　Melodic Heavy Metal
カルナータカ州ベンガルール

2006 年に始動した 5 人組クリスチャンバンドによる 1st アルバム。メンバー 5 人のうち、Amith Ramos<violin, key> は、アラビア海に面した港町マンガロール近郊の医科大学の准教授でもある。アルバム前半は Status Quo のようなブギー調のナンバーが続き、1960 ～ 1970 年代に逆戻りしたような感覚を抱く。しかし、Amith のバイオリンをフィーチャーした M5「Sea of Traitord」以後はバラエティ豊かな楽曲群が収められており、現地語で歌う客演シンガーを迎えた曲や、バラードも聴ける。

Cry
Dead Within
Rigorism Production　2011　Depressive Black Metal/Ambient
テランガナ州ハイデラバード

Shock Therapy の Rahul Das<vo> が、I なる名義で始動した独り DSBM の 2nd アルバムにして最終作。ロシアの Rigorism Production から数量限定で販売された。長谷部裕介氏の『デプレッシヴ・スイサイダル・ブラックメタル・ガイドブック』(2018 年)でレビューされた前作『SuiSide』(2010 年)はチープな作風だったが、本作はプロダクションが向上。ピコピコした単音の電子音を依然として使っているが、ストリングスやピアノに加え、時折オペラティックな唱法も繰り出して耽美な雰囲気を醸し出す。

Crypted
Equilibrium
自主制作　2010　Technical Death Metal
タミル・ナードゥ州チェンナイ

2009 年に結成されたデスメタルバンドによる 4 曲入りデビュー EP。メンバー 4 人のうち、Vishnu Reddy<ds> は結成当時わずか 17 歳だった。バンドの公式 SNS に「Experimental」「Progressive」と謳っているように、タイトルチューンの M2 は Death のように起伏の大きな 7 分超の長尺曲。かたや M3「Flesh Eater」は、バンドのもう 1 つの影響源である Decapitated のような硬質なリフを刻んで突進する曲だ。バンドの公式 YouTube では未音源曲のライヴ映像を視聴できる。

DarkCrucifix
Chapters of Damnation
自主制作　2000　Black Metal
ケララ州コチ

1998 年結成のブラックメタルバンドによる唯一の 3 曲入りデモ。元は 4 人編成だったが、メンバー脱退の末に Samir<vo, g, b> と Jayesh<ds> の 2 ピースになった。前者の Samir は、父の仕事の関係で中東のクウェートで生まれた。劣悪音質に白塗りという組み合わせはブラックメタル然としているが、元々 Samir が Slayer や Metallica、Exciter といったスラッシュメタルの大御所に傾倒していたため、各収録曲の構造はスラッシュ寄り。とはいえ粗いプレイが目立ち、出来映えは著しくチープだ。

Dark Desolation
Spasmodic Coitus
自主制作　2016　Black Metal
カルナータカ州ベンガルール

2010 年に始動した 5 人組ブラックメタルバンドのシングル。Venom の Stuart "La Rage" Dixon がギターソロを提供した。音楽性としては、バンドが傾倒している Dark Funeral、Marduk など北欧産ブラックメタルバンドの作法に忠実で、激しいドラミングで初端から畳みかける。しかし、背徳感を醸し出す MV を見ると、2 人のメンバーが白塗りをしている一方で、残りの 3 人は普通の出で立ちだった。なお、本稿執筆時点の正式メンバーは ShredAJ<g> だけの模様だ。

De'sat
When the World Stopped Turning
自主制作　2011　Progressive Metal
カルナータカ州ベンガルール

2010 年結成の 6 人組バンドによるデビュー EP。グロウル担当の Necro Nash<vo> と、クリーン担当の Victor Charles Mckertich<g, vo> のツインヴォーカル形態で、メタルコアを一応の基盤にしているが、全体的にプロダクションは貧弱。Victor が調子外れなハイトーンで歌うパートになると正統派メタル色が強まり、笛や女声コーラスを導入した M2「Impious Jihad」や M3「Rize Again」ではフォーキッシュな要素も交えているので、確たる軸が定まっていない感がある。

Dhwesha
Sthoopa
Dunkelheit Produktionen　2014　Death Metal
カルナータカ州ベンガルール

2008 年結成の 4 人組デスメタルバンド(ただしベースはサポート)による 1st アルバム。カルナータカ州の公用語であるカンナダ語で「憎悪」「復讐」を指す単語をバンド名に掲げている。11 ～ 14 世紀に実在したホイサラ朝の建国史を扱った M4「Hoy! Sala」、ヒンドゥー教の秩序の維持神ヴィシュヌの化身で、獅子頭の獣人ナラシンハを描写した M5「Ugra Narasimha」などの楽曲群を全編カンナダ語でプレイしている。しかしオリエンタルな曲調ではなく、Bolt Thrower などへの傾倒ぶりが窺える。

Diabolus Arcanium

Path of Ascension

Symphonic Black Metal

Transcending Obscurity Distribution

2015

タミル・ナードゥ州チェンナイ

Fortified Destruction として 2011 年に結成後、バンド名を改めたチェンナイ拠点の 5 人組（本作発表後は 4 人組）バンドによる 1st アルバム。元々はパワーメタル志向だったそうだが、バンド名の変更後は欧州〜北欧流のシンフォニック・ブラックメタルに大変貌した。チェンナイではこの手のジャンルを打ち出すバンドが希少だったせいか、Archon<key> は『Rolling Stone India』のアワードで Best Keyboardist に選ばれたが、プロダクションは貧弱でアートワークもチープだ。

Diarchy

Splitfire

Unherd Music

2020

Stoner Metal

カルナータカ州ベンガルール

ベースレスの 2 人組で活動するストーナーメタルバンドの 2nd アルバム。初端の M1「Kamal Hossen」は実在のインド人俳優を題材にした曲と思いきや、バンドの弁によると無関係のようだ。デビュー作『Here Lost We Lie』（2017 年）と同じく、2 ピースとは思えない重厚かつ骨太なグルーヴ感覚を発散する一方で、往年のサイケデリック感覚も交えている。このため、バンド自身が影響源として挙げている Karma to Burn、Kyuss などよりも、Spiritual Beggars に相通ずるところがある。

Djinn and Miskatonic

Even Gods Must Die

Transcending Obscurity India

2018

Doom Metal

カルナータカ州ベンガルール

2011 年に始動した 5 人組ドゥーム／ストーナーメタルバンドの 2nd アルバム。前作『Forever in the Realm』（2013 年）でも見られた長尺志向は変わらず。いきなり 15 分超えの M1「I,Zombie」で幕を開け、その後も 9 〜 12 分台の長尺曲が複数並ぶ。同郷の Bevar Sea よりも 1960 〜 1970 年代のブルースやサイケデリックへの憧憬を強く反映した音楽性で、日本の Church of Misery を想起させる面がある。M3「Doombringer」はオルガンの音色を効果的に使ったナンバーだ。

Duravasa

Metanoia

自主制作

2020

Progressive Metal

タミル・ナードゥ州ベッロール

2 人のシンガー、バイオリン奏者を擁する 7 人組の大所帯プログレッシヴメタルバンドの 2nd シングル。バンド名の由来は、インドの叙事詩『マハーバーラタ』に登場する聖人だ。ニューデリーの Warwan のようにヒンディー語詞で Djent をプレイしているが、バイオリンを用いるインド南部のカルナータカ音楽の要素を交え、エキゾチックな質感も醸し出す。ヒンディー語詞のクリーンヴォイスは民族音楽風だが、中盤からグロウルも飛び出す。1st シングル「Bhaukal」（2019 年）より長尺で 9 分超だが、高度なプレイで中だるみさせない。

Dying Embrace

Era of Tribulation

Armée de la Mort Records

2012

Death/Doom Metal

カルナータカ州ベンガルール

前身の Misanthrope 時代を含めると、1991 年までキャリアを遡ることができるデス／ドゥームメタルの古参 4 人組のベスト盤。フランスの Armée de la Mort Records で配給された。2011 年の再結成以前の既発曲とデモをコンパイルしているが、曲の並びは年代順ではない。全体として著しく劣悪なプロダクションで、ドゥームメタル特有の遅さを備えている点を差し引けば、プリミティヴ・ブラックメタルのような音像だ。Vikram Bhat<vo> の唱法もブラックメタルバンドのそれに近い。

Eccentric Pendulum

Tellurian Concepts

自主制作

2017

Thrash/Death Metal/Metalcore

カルナータカ州ベンガルール

2008 年結成の 5 人組プログレッシヴ・メタルコアバンドによる EP。全 3 楽章、18 分強の組曲であり、ドバイ出身の Tony Das<g>、アメリカ出身の Micheal Manring<b> などが客演している。バンド名に掲げた「Eccentric」という言葉どおりに、Gutslit の元メンバーで、同郷の Godless でもシンガーを兼務する Kaushal L.S.<vo> のグロウルと Micheal のフレットレスベース、それにサックスの音色が激しく交錯するが、最後まで通して聴くには忍耐力を要するかもしれない。

Elnaz
Hacate
自主制作 2021 Post-Black/Death Metal
ケララ州コチ

ケララ州コチを拠点とする独りポスト・ブラックメタルのシングル。Joel Johny なるキャリア不明の人物が全パートを独力でこなしている。1st EP『Flowers Under the Midnight Sun』（2020 年）の頃から前衛的な作風で、ブラックメタル然としたトレモロリフと怪しい囁き声に、物悲しいアコギやシンセを織り交ぜたり、人工的で冷ややかな質感を加えたりしていた。本作も不穏なビートに合わせて無機質なリフを刻むが、正味 2 分ほどの小曲にすぎず、爆発音と共に唐突に幕を閉じる。

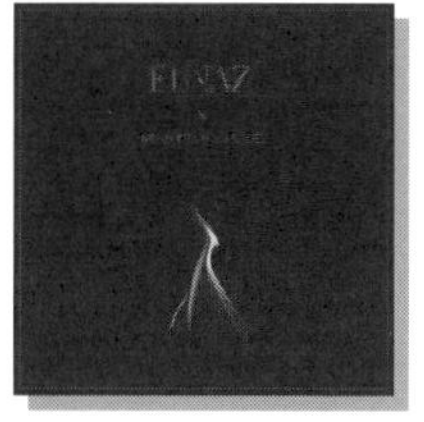

Escher's Knot
Convolution
自主制作 2019 Progressive Groove/Death Metal
タミル・ナードゥ州チェンナイ

Theorized の Madhav Ayachit<vo, g> がベーシストとして参加した 5 人組メタルコアバンドの 2nd シングル。楽曲そのものは 2013 年の時点でプレイされていたが、音源化はこれが初である。1st EP『Tessellations』（2010 年）は Djent 風のリフを刻みつつも、Opeth のように静謐なパートや変拍子を交ぜた曲があった。かたや本作の場合、プログレッシヴさよりも攻撃性やアグレッションを重視した楽曲だが、たまに繰り出される Abijith Rao<vo> の金切り声が少々耳障り。

Enthrall
Throes of Fire
MetalFighters 2011 Heavy/Progressive Metal/Rock
カルナータカ州ベンガルール

結成は 1995 年に遡る古参バンドの 2nd アルバムで、ギリシャのレーベル MetalFighters で配給された。前作『Infernal Horizon』（2006 年）発表時はキーボード奏者を含む 5 人組だったが、本作は眼鏡姿の Neil Rego<vo, b> のソロワークと化し、客演ミュージシャンを脇に従えている。Raven なる架空の人物を主人公に据えたコンセプト作との触れ込みで、バンドもプログレッシヴメタルを標榜しているが、正統派の枠内にとどまっている印象。Neil の歌唱もかなり不安定で、プロダクションも貧弱だ。

Fantom
Hellucinate
自主制作 2014 Heavy/Thrash Metal
カルナータカ州ベンガルール

2013 年にベンガルールで結成された 4 人組スラッシュメタルバンドによる初のデモ音源。1980 年代のスラッシュメタル Big4 からの影響が窺えるが、Arjun Umashankar<vo, b> の幼い声質がよきも悪しきも目立つ。バンドの Facebook で閲覧できる集合写真を見ても、童顔のメンバーが混じっている。きっと 1980 年代のメタルを後追いで聴いた世代だろう。本稿執筆時点で Arjun はカナダのエドモントン、Akshay Suresh<ds> はオーストラリアのブリスベンに居を移している。

Entity of Hate
Cursed for Eternity
自主制作 2017 Melodic Black Metal
タミル・ナードゥ州チェンナイ

チェンナイ拠点の Diabolus Arcanium が、中心人物の Hex<vo, g, b> 以外のメンバーを総入れ替え。さらにバンド名も変更して放った4曲入り EP。リマスターヴァージョンも存在する。Diabolus Arcanium 時代と同様にシンフォニック・ブラックメタルを披露しているが、前身バンド時代よりメリハリのある楽曲を収めている。インストの M4「Bloody Tears」は、コナミのゲーム『ドラキュラ II 呪いの封印』（1987 年）の BGM のカヴァーだ。日本贔屓のメンバーが在籍しているのだろうか。

Final Surrender
Frogs in a Pane
Rottweiler Records 2021 Christian/Progressive/Metalcore
カルナータカ州ベンガルール

2010 年結成のメタルコアバンドによる通算 5 作目の EP。クリスチャンだと公言している 4 人組だが、1st アルバム『Empty Graves』（2013 年）にはインドの伝統音楽やエレクトロを採り入れた楽曲があった。本作も打弦楽器のサントゥールやディジュリドゥを用いたインストの M1「Hubris」で幕を開けると、各収録曲の要所で電子音も飛び交うが、全体的にリフの刻み方が Djent 風に様変わりした。クリーンパートで Jared Sandhy<ds> が巨体に似合わぬソフトな美声を披露する。

Formidable Hate Machine
Inception of Textured Audio Violence
自主制作 2021 Industrial Metal
カルナータカ州ベンガルール／アッサム州グワハティ

元 Aempyrean などの Rohit Raghupathy が全楽器パートを、アッサム州グワハティの Telal Xul が歌唱をそれぞれ担う 2 人組の 1st アルバム。抽象画のようなアートワークとは裏腹に、Fear Factory や Rammstein のようなインダストリアル路線。M7「Orgasmatron」は Motörhead の 7th アルバム（1986 年）収録曲を質感を変えてカヴァーしたもの。締めくくりではアッサム州のシンガーソングライターである故 Jayanta Harazirka の楽曲を大胆にカヴァーした。

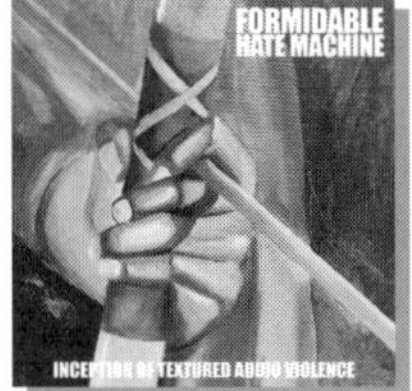

Gorified
It's Not Fear That Tears You'll Apart... It's Us
Coyote Records 2020 Death Metal/Grindcore
カルナータカ州ベンガルール

2004 年に始動したゴアグラインドバンドによるベスト盤。ロシアの Coyote Records で配給された。1 〜 10 曲目は現行の 3 人組で放った 1st アルバム（2020 年）に収録されたもの。11 〜 16 曲目はオリジナルの 4 人編成によるデビュー EP（2006 年）収録曲だ。1st アルバムの楽曲群はブルータル・デスメタル寄りで、リズミカルな下水道ヴォイスと技量の高い楽器隊による緊張感あふれるプレイを堪能できる。しかし、デビュー EP の楽曲群は音質が著しく劣悪で、プレイも拙いため、1st アルバムの楽曲群との落差に戸惑う。

Goatsmoke
What's the Scene, Bob?
自主制作 2022 Stoner/Sludge Metal
カルナータカ州ベンガルール

2019 年結成の 4 人組バンドによる 1st EP。M1「What's (Really) the Scene, Bob?」の前半はメロコアバンドのように軽快に疾走するが、後半から Black Sabbath に源流を持つストーナーメタル路線へと様変わりする。M2「Controlled Substances」以後も Black Sabbath 風の鈍重なナンバーが並ぶが、Joshua Sebastian<vo> の激情ほとばしるグロウルがミスマッチである。M5「Devil's Lettuce」は終盤でメロウなアコギの音色を堪能できる。

Grossty
Crocopter
Transcending Obscurity India 2016 Grindcore
カルナータカ州ベンガルール

2012 年に結成されたグラインドコアバンドの 1st アルバム。Bad Influence と Pimp というツインヴォーカル形態の 6 人編成で発表されたが、本稿執筆時点ではオーソドックスな 4 人組に再編されている。全 21 曲という大作だが、どれも尺は短い。特に M19「Rawr」はわずか 2 秒の曲で、バンドが影響源に挙げている Napalm Death の「You Suffer」に匹敵する短さだ。アルバム全体の作風も Napalm Death の影響下にあり、低音グロウルと甲高い絶叫が交錯しつつ、ひたすら爆走を続ける。

Godless
States of Chaos
自主制作 2021 Death Metal
テランガナ州ハイデラバード

2015 年結成の 5 人組デスメタルバンドの 1st アルバム。シンガーの Kaushal L.S. は Eccentric Pendulum、Gutslit などでの活動で知られる。低音グロウル主体の彼の歌唱も相まって、過去に発表した 2 枚の EP と同じく Cannibal Corpse を想起させる音楽性だが、Slayer のようにスタスタと軽快に駆け抜ける局面もある。Decapitated、Vader などポーランド勢の作品群を送り出した Hertz Studio でミックスとマスタリングを行ったせいか、音作りは洗練されている。

Harken
Im-perfection
自主制作 2021 Death/Thrash Metal
ケララ州ティルヴァナンタプラム

Aerial Machine 名義で結成後、バンド名を改称した 5 人組による初音源。セルフタイトルの 1st EP からのリードトラックと位置づけられているが、本稿執筆時点で肝心の EP はリリースに至っていない。バンドの弁によるとデスメタルやスラッシュメタルの先人達から影響を受けたそうだが、実際は Pantera、Machine Head などに代表されるグルーヴメタル色が濃厚。Edge of Sanity、Bloodbath などで知られる Dan Swanö がマスタリングを担当したが、起伏に乏しく平板な印象を受ける。

Hell Hordes
Hell Hordes
自主制作 2021 Death/Thrash Metal
ケララ州アラップーザ

2度の来日経験がある、Amorphia の Vasu Chandran によるソロプロジェクトの 1st アルバム。Amorphia での僚友 Vivek Prasad<ds> が作詞をヘルプした一方で、Vasu Chandran は本職のヴォーカルとギターのみならず、ベースとドラムも兼務している。Sodom の影響が色濃い Amorphia とは異なり、本人の弁によると Morbid Angel、Benediction、Deicide といったデスメタルの先人達を意識したそうで、不穏なトレモロリフを奏でながら休みなく疾走する。

Hostilian
Catalyst
自主制作 2019 Groove Metal
テランガナ州ハイデラバード

2016年にハイデラバードで結成された5人組（本稿執筆時点は4人組）メタルコアバンドの 2nd EP。バンドが傾倒する Chimaira のように、豪快なグルーヴ感と冷徹な刻みリフを軸とした音楽性は前作『Monolith』（2017年）と変わらない。ただし、本作は幾分プログレッシヴな展開のナンバーも収めており、M1「Legion」と M4「Regressive Instincts」は6分超だ。それでも Sagar Iyer<vo> の熱き咆哮を基盤に、メタルコアバンドらしいアグレッションはしっかりと保たれている。

Heruka
བརྟུལ་ཞུགས་སྤྱོད་པ་ (Tulzhug Chöpa)
自主制作 2019
カルナータカ州ベンガルール Death/Doom Metal, Dark Ambient

ベンガルールで始動した3人組バンドの 1st デモ。ただし、Padma Vajra<vo> はネパール出身だ。バンド名の由来はチベット密教（仏教）の守護尊ヘールカ（日本の明王に相当）である。チベットに密教を伝えたインドの密教行者パドマサンバヴァ（生没年不詳）に捧げた M1「Düsum Sangye」ではチベット語による読経が厳かに唱えられ、表題曲の M2 ではスラッジメタル風の鈍重なリフと低音グロウルが交錯する。M2 の後半からは、チベットの宗教儀式で用いる打楽器や読経のようなヴォーカルで神秘性を際立たせる。

Illucia
A New Reign
自主制作 2022 Heavy Metal
カルナータカ州ベンガルール

2014年に結成された3人組バンドによる通算3作目であり、初のフルアルバム。1st EP『111』（2017年）の頃からサポートシンガーを務めていた Lucidreams の Vineesh Venugopal が正式加入した一方で、Vishal Venugopal<b> がバンドを離脱。このため Nitin M Charles がギターとベースを兼務した。先行配信された M2「Clap of Thunder」をはじめ、Judas Priest、Iron Maiden などへの憧憬を映し出した正統派メタルを変わらずに披露しているものの、全体的にチープで貫禄不足である。

Holokauston
Hymns for an Unavailing Tragedy
Hammerkrieg Productions 2018 Black Metal
タミル・ナードゥ州チェンナイ

タミル・ナードゥ州チェンナイの独りブラックメタルによる 1st アルバム。中心人物の Lord Chaos こと Arjun Somvanshi は2000年2月生まれで、リリース当時わずか18歳という計算になるが、Darkthrone、Emperor、Mayhem などが確立させた様式にきわめて忠実。M1、M2、M3 の「Pessimism」は総尺30分近い組曲で、M4「Fist of a Crusader」も9分超えだが、ノイジーなパートから DSBM 風のパートへ移行し、さらにシンフォニックなパートを配したりと、緩急を生かした工夫が随所に見られる。

In Heavens Eyes
Salvation
自主制作 2010 Groove Metal/Metalcore
タミル・ナードゥ州チェンナイ

2009年に始動したクリスチャンバンドによる 1st EP。元々は5人編成だったが、本稿執筆時点のメンバーは Rueban Issac<vo, ds>、Joshua Shodavaram<g>、Jacob Thomas<b> のみだ。メタルコアの範疇に入るサウンドといえるが、やや遅れて登場したベンガルールの Final Surrender よりは洗練されておらず、個々の楽曲の魅力も乏しい。オリジナルリリースから9年後に追加収録された M7「The Cleaning」は歌唱やプレイの劣化度合いが著しく、逆に後味が悪くなる。

Infamy
Age of Deceit
自主制作　2019　Heavy Metal
カルナータカ州ベンガルール

ベンガルールで 2016 年に始動した正統派バンドによるデビュー EP。初期 Iron Maiden、Saxon、Angel Witch などイギリスの先人達のような空気感を発散。意図的に粗い音像は、1970 年代末に勃興した NWOBHM ムーヴメントへのオマージュだろう。B 級感が漂うアートワークもマニア心を刺激する。本作リリース当時は 4 人編成だったが、M5「Smoking Gun」でヴォーカルも兼務した Aashish Gururaj<g> 以外のメンバーがすべて脱退。本稿執筆時点はツインギター編成の 5 人組である。

Inner Sanctum
Divided by Hate
自主制作　2020　Death/Thrash Metal
カルナータカ州ベンガルール

2007 年に始動した 5 人組デス／スラッシュメタルバンドによる通算 3 作目のシングル。Eccentric Pendulum の Arjun Mulky<g> をツインギターの片翼に迎えている。1st アルバム『Legions Awake』（2015 年）はデス／スラッシュというよりもメタルコア路線だったが、本作は打って変わってスローテンポで重苦しい雰囲気を発散する。インド国内の宗教対立や社会の分断を憂慮する内容の曲だが、オリエンタルな曲調ではなく、Behemoth、Immortal などを想起させるナンバーだ。

Ironic Reversal
Dysgenic
自主制作　2015　Death Metal
カルナータカ州ベンガルール／ニューデリー

Godless、Eccentric Pendulum なども掛け持ちする Kaushal L.S.<vo> と、Analyzed Consequences でプレイした Madhur Murli<g, b> と Rahul Kini<ds> の 3 人から成るバンドの 2nd EP。近未来の悪夢を描いたコンセプト作という触れ込みの割にチープなアートワークだが、Obscura のような技巧的なデスメタルを披露する。本稿執筆時点でニューデリー出身の Madhur はアメリカのボストンに、Rahul はイギリス王室属領で租税回避地のジャージー島に移住している。

Limit Zero
Miles of Sun
自主制作　2015　Progressive Metal
カルナータカ州ベンガルール

Shreyas Skandan<g> を中心に始動したプログレッシヴ・メタルコアバンドのシングル。正シンガー不在のため、1st アルバム『Gravestone Constellations』（2012 年）に続き、元 Bhayanak Maut の Sunneith Revankar<vo> がゲスト参加した。Periphery、Textures などのような音像で、クリーンパートではスペーシーな浮遊感を発散する。Shreyas は本作を最後にアメリカへ移住し、本稿執筆時点でペンシルベニア大学工学部の博士課程で学んでいる。

Lucidreams
Ballox
Transcending Obscurity Records　2017
カルナータカ州ベンガルール　Heavy Metal/Hard Rock

ベンガルール拠点の正統派の 5 人組バンドによる初の EP。前身の Avalanche 時代を含めると、1992 年までルーツを遡ることができる古株だ。オリジナルメンバーは Vineesh Venugopal<vo> のみで、Inner Sanctum の Narayan Shrouthy<b> が楽器隊に混じっている。初期の Ozzy Osbourne の作品群のような佇まいで、Vineesh の唱法もどこか Ozzy を意識した節がある。要所に疾走ドラミングを配しているが、同じようなテンポの曲が続くので、やや平板な印象を受ける。

Maloic
Death
自主制作　2018　Melodic Death Metal
カルナータカ州マンガロール

アラビア海に面した港湾都市マンガロールで始動した、5 人組メロディック・デスメタルバンドの 1st アルバム。バンド名の由来は、メタルファンにはお馴染みのメロイックサイン（Maloik Sign）だ。初期 In Flames、Arch Enemy、Amon Amarth などの影響下にあり、先行シングルとなった M3「Wasted Soul」では、もろに Arch Enemy の Michael Amott<g> から拝借したようなフレーズのギターを繰り出す。その一方で、インド南部のカルナータカ音楽に根差した旋律を交える点が特徴。

Manfilth
Demo 2020
自主制作 2020 Death Metal/Grindcore
カルナータカ州ベンガルール

Pisakas の Nilesh Das<g> を含む 3 人組バンドによる 1st デモ。タイトルが示すとおり、地元ベンガルールで 2020 年にジャムセッションした 4 曲を収録している。Bandcamp の説明文にはデスメタルやパンク、ハードコアからの影響も交えたと記してあるが、蓋を開けてみると混じり気なしのグラインドコアだ。楽曲面では、ブラストをアクセント代わりに交えているが、基本的に 2 ビートで駆け抜ける 1 分台の疾走曲ばかりで、曲展開のバリエーションに乏しい。アートワークと同様に、音質もきわめてチープで耳障りだ。

Moksha
Walk Before You Crawl
自主制作 2017 Heavy Metal
タミル・ナードゥ州チェンナイ

1995 年にツインギター、キーボード奏者を含む 6 人組として始動したチェンナイの古参バンドの企画盤。2006 年に 34 歳で急死した Leon Fredrick Ireland<vo> の 10 周忌に合わせて制作した追悼アルバムで、Leon 存命時に温めていたマテリアル 6 曲と新曲 5 曲を収めている。Leon 以外のメンバーが全員参加したのか、セッションマンで穴埋めしたのかは窺い知れないが、チープなアートワークとは裏腹にキャッチーなメロディアス・ハードロックを披露。曲によっては、Fair Warning を想起させる面がある。

Megadrone
Transmission II: Jovian Echoes
Metal Assault Records 2022 Drone/Doom Metal
カルナータカ州ベンガルール

Kryptos ではベーシスト、Bevar Sea ではシンガーを務める Ganesh Krishnaswamy のソロプロジェクトによる 2nd アルバム。前アルバム『Transmissions from the Jovian Antennae』（2020 年）の頃から、やたらと尺が長いドローン／アンビエントミュージックを一貫して披露している。本作も基本的には、残響が尾を引く重低音のドローンリフとスペーシーなシンセだけで成り立っており、瞑想状態に没入するような感覚を得られる半面、メタルファン向きの音楽とは言いがたい。

Moral Collapse
Moral Collapse
Subcontinental Records 2021 Progressive Death Metal
カルナータカ州ベンガルール／ドイツ・バイエルン州バイロイト

Eccentric Pendulum の Arun Natarajan<b> と Infamy の Sudarshan Mankad<g> が、元 Obscura の Hannes Grossmann<ds> を迎えたデスメタルのプロジェクトのデビュー作。Arun Natarajan は本職のベースに加え、ヴォーカルとギターも兼務した。Hannes Grossmann の凄まじいドラミングが全編にわたり炸裂するが、テナーサックスや民族打楽器を用いたアヴァンギャルドな曲もある。元 Death の Bobby Koelble<g> などが客演。

Mephistopheles
Word of Mephi
自主制作 2009 Death/Thrash Metal
アンドラ・プラデーシュ州ヴィシャーカパトナム

日本にも同名ヘヴィメタルバンドが 1980 年代から活動しているが、こちらはヴィシャーカパトナムで 2007 年に始動した 5 人組バンドが遺した唯一のデモ音源。Encyclopaedia Metallum には「Death/Thrash Metal」に分類されている。しかし、全体としては著しく劣悪なプロダクションで、特にドラムがくぐもって聞こえる。M1「Revenge」や M2「Immortal Morality」の曲調も、どちらかというとスローテンポなので、デス／スラッシュメタルらしい佇まいは微塵も見られない。

Moral Putrefaction
Scum of the Earth
自主制作 2019 Death Metal
タミル・ナードゥ州チェンナイ

2015 年に始動したデスメタルバンドの 1st デモ。各配信ストアではアートワークがバンドロゴのみになっている。活動初期はツインギターの 5 人編成だったが、シンガー脱退により 4 人組となり、元々ギター専任だった Ronald Nathanael がヴォーカルも兼務している。シンガーとしての Ronald Nathanael は、地を這うようなグロウルで吠えるタイプだ。基本的には昔気質のデスメタルで、あえてスローテンポの楽曲で不穏さを醸し出そうとしているが、見方を変えるとインパクトに欠ける。

Myndsnare

Conditioned: Human

Demonstealer Records 2008 Progressive Thrash/Death Metal

カルナータカ州ベンガルール

女性ドラマーの Yasmin Claire Kazi を擁した 3 人組デスメタルバンドによる唯一のアルバム。Death、Cynic などを影響源に挙げているとおりの音楽性で、特に『Symbolic』（1995 年）時代の Death への傾倒ぶりが窺える。KP Krishnamoorthy<vo, g> の唱法も、故 Chuck Schuldiner<vo, g> を意識した節が見られるが、KP の金切り声は本家と比べるとやや耳障りだ。バンドは 2010 年にあえなく解散しだが、本作はそれから 11 年後の 2021 年に再発された。

Neolithic Silence

Neolithic Silence

自主制作 2014 Melodic Death/Thrash Metal

カルナータカ州ベンガルール

Lucidreams の Jayanth Sridhar<g> が 2004 年に立ち上げた 5 人組デス／スラッシュメタルバンドが、結成 10 年の節目に放った初の EP。シンセを使った短い SE の M1「Prelude」が明けると、意外にもドゥームメタルのように暗く重たい M2「War Cry」へと続く。M3「Passions of Demise」から本来のデス／スラッシュメタルに回帰する兆しを見せ、流麗なギターソロも随所で披露するが、激しく疾走する局面が予想に反して少ないため消化不良感がある。全体的に音質も良好とは言えない。

Nauseate

Tales of Groaning Existence

Grindhead Records 2020 Grindcore

カルナータカ州ベンガルール

2010 年に始動したトリオ編成バンドによる 1st アルバム。総尺は 30 分強だが 33 曲も詰め込んでいる。ベルギーの Agathocles とのスプリット盤（2014 年）でデビューを飾った点から分かるとおり、典型的なグラインドコアとは異なるミンスコアを披露。つまり、ポルノやゴアなどの猟奇的なテーマ、メタリックなリフなどを排した音楽性で、グラインド特有の尺の短さを除くとプリミティヴで粗い音像だ。ちなみにアートワークのモチーフは、インドではなくスペインのカタルーニャ地方で勇名を馳せた中世の傭兵集団アルモガバルスだ。

Nihilus

Without Gray Matter

自主制作 2016 Technical Death Metal

カルナータカ州ベンガルール

2010 年に始動した 4 人組デスメタルバンドによる初の EP。本稿執筆時点の正式メンバーは Manu Manjunath<g> と Siddharth Manoharan<ds> の 2 人のみだ。Origin、Nile といったテクニカル・デスメタルの先人達を影響源に挙げており、チープなアートワークとは裏腹に、緩急の利いた楽曲を披露曲。タイトルチューンの M2 と M3「Iridium Delirium」は起伏の激しさが増す。バンドの YouTube で試聴できる次回作『Borealis』収録予定曲はプログレッシヴな要素が強くなっている。

Necrophilia

Scavengers of Society

自主制作 2020 Death Metal

カルナータカ州ベンガルール

ベンガルールで 2008 年に始動した 3 人組バンドによる 3rd シングル。フランスの Deathspell Omega を影響源に挙げている点から分かるとおり、ブラックメタル色が濃厚。バンド側は「Death Metal」と称しているが、デス／ブラックメタルと解釈したほうが賢明だろう。Behemoth を想起させた前シングル「Rapacious」（2020 年）を含め、初のフルアルバム『Subliminal Subjugation』に収録予定だと謳われているが、肝心のアルバムは本稿執筆時点でリリースされていない。

Onslaught

Leap of Faith

自主制作 2012 Alternative Metal

テランガナ州ハイデラバード

ハイデラバードのクリスチャンバンドによる 1st アルバム。元々は 3 人組だったが、本作は Rueban<vo, ds> と Yohan<g, b> の Issac 兄弟のみで制作された。イギリスの同名スラッシュメタルバンドとは異なり、このバンドはグランジやニューメタル志向。初期の Marilyn Manson からメロディーラインを拝借したような曲もあるが、著しくチープなプロダクションでプレイも粗い。Rueban は、同郷のクリスチャンバンドの In Heavens Eyes にも在籍しているが、本稿執筆時点はデリーに転居している。

Perforated Limb
Genocide of the Righteous
Bizarre Leprous Production　2016　Brutal Death Metal
カルナータカ州ベンガルール

2007年に始動したブルータル・デスメタルバンドの1stアルバム。チェコのBizarre Leprous Productionで配給された。元々は4人組だが、本稿執筆時点ではSreenivas Lalge<g>とRajeev Krishnaswamy<vo>のみ残留している。インドでスラミングをいち早く実践したバンドと謳われているが、落差はさほど大きくなく、オールドスクール風に聴こえる。また、Napalm Death、Carcassも影響源に挙げているため、グラインドコア志向が随所に顔を覗かせる。

Please Disrupt
Verge of Death
自主制作　2009　Thrash Metal
カルナータカ州マンガロール

2005年に結成されたバンドによる唯一のデモ音源。バンドの公式Facebookには8人もメンバーが記されているが、正メンバー5人の他にサポート要員3名がいた模様だ。Arch Enemy、Kalmahなどを影響源に挙げているが、メロディック・デスメタル志向が窺えるナンバーはM6「Authority in Black」くらいで、全体的にプロダクションも劣悪。表題曲のM2は正統派メタル風で、M4「Nicoffein」とM5「Blind Man」というバラード2曲が中盤で続くため、逆に困惑させられる。

Pisakas
Fabricated Animosity
自主制作　2018　Death Metal
カルナータカ州ベンガルール

2009年に結成されたデスメタルバンドの1stアルバム。元々は4人組だったが、Nilesh<g>の脱退によりトリオ編成でリリースされた。バンド名の由来は、屍肉を喰らうインド神話の飢鬼だ。デビューEP『Nefarious Exigency』（2015年）の収録曲には1980年代の邪悪なスラッシュメタルの先人達の影響下にある楽曲も含まれていた。しかし本作は終始一貫して、低音グロウルと重低音リフ、それに甲高いスネアが交錯するデスメタル然とした楽曲群が並ぶ。とはいえ、プロダクションはアートワークと同様にチープだ。

Primal Abuse
Voice of Venom
自主制作　2019　Thrash Metal
テランガナ州ハイデラバード

2012年に結成された4人組スラッシュメタルバンドの1st EP。基本的な音楽性は1980年代のスラッシュメタルBig4の影響化にあり、タイトルチューンのM1の序盤はMetallica、Megadethなどを想起させるが、中盤でテンポチェンジすると幾分グルーヴメタル風になる。M4「Lunatics」は後半に大きくスローダウンするパートがある。とはいえ全体的には際立った個性に乏しく、類型的な音像だ。Swaroop Kumar<ds>が2021年7月に心臓麻痺で死去したため、本稿執筆時点はドラマー不在である。

Piston
Draw First Blood
自主制作　2018　Thrash Metal
カルナータカ州ベンガルール

2016年に始動したスラッシュメタルバンドの5曲入りデビューEP。結成当初は4人組だったが、本稿執筆時点ではトリオ編成で活動している。もろにSlayerの影響下にあるスラッシュメタルを志向しているが、この手のバンドでは珍しくドラマーのRakshith Herurがシンガーも兼務している点が最大の特徴だ。怒気や邪悪さの面では本家に遠く及ばないが、モヒカン姿でドラムを叩きながら歌うRakshithの姿が異彩を放つ。M5「Arise」は、言わずと知れたSepulturaの代表曲のカヴァーだ。

Prime Rage
Desecrated Faith
Nomous Records　2021　Death Metal
カルナータカ州ベンガルール

2010年に始動した4人組デスメタルバンドが、苦節11年の末にリリースした初のEP。活動初期はAutopsy、Obituaryなどから影響を受けたそうで、短いSEのようなM1「Wail of the Mystics」が明けると、確かに重量感に力点を置いたスローテンポの曲が続く。その一方でDeath、Necrophagistなどにも近年は傾倒しており、リードトラックのM5「Incendiary Hallucinosis」ではウネウネとうねるフレーズを繰り出すが、鈍重な曲調と噛み合っていない印象を受ける。

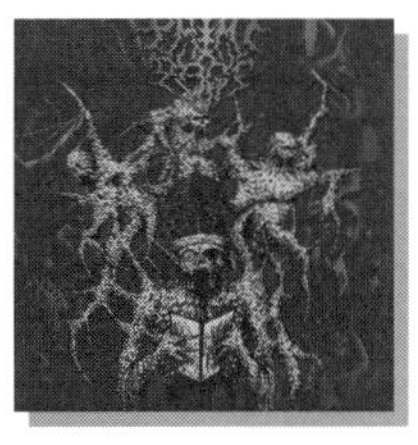

Project MishraM
Meso
Mishram Records　2021　Progressive Carnatic Fusion
カルナータカ州ベンガルール

ツインギターにフルート、バイオリンを含む7人組バンドによる初のフルアルバム。Periphery、Animals as Leader、TesseracT などを影響源に挙げる一方で、インド南部のカルナータカ音楽の様式のみならず、サンバやジャズの要素を交えた楽曲も収録。初端の M1「Sakura」は曲名とは裏腹に日本情緒は皆無に等しい。M4「Loco Coko」からヘヴィネスを押し出し、M5「Kanakana」ではグロウルも飛び出すが、全体的にアヴァンギャルドな長尺曲が多いため、慣れるまで戸惑うかもしれない。

Purulent Attack
Cracking Open the Tumour of a Sick Mind
Old Grindered Days Records　2020　Death Metal/Goregrind
カルナータカ州ベンガルール

現 Nauseate の Charles Firman Rozario<vo> が、元バンドメイトの Hermon Clifford Rozario<g, b> らと共に新たに立ち上げた3人組グラインドコアバンドの 1st EP。同名の6曲入りデモ音源に8曲を追加収録し EP の体裁に整えたものだが、大半の楽曲は秒単位であり、総尺は9分程度だ。前掲の Nauseate とは音作りの方向性が異なり、地下臭がより強く、プリミティヴな音像である。終始くぐもって聞こえるヴォーカルと、甲高い打音を響かせるスネアや金物が好対照を成す。

Purvaja
Dark Goddess Divine
Sonic Blast Media　2013　Black Metal
テランガナ州ハイデラバード

Shock Therapy のシンガーで、独り DSBM の Cry としても活動した Rahul Das が独りヴェーディックメタルに宗旨替えした 1st EP。シンガポールの Sonic Blast Media で配給された。アートワークで一目瞭然だが、血と殺戮を好むヒンドゥー教の女神カーリーを題材にした楽曲群が多勢を占める。ヴェーディックメタルといっても、その筋の先駆者である Rudra のような荘厳さに欠ける。換言すると、Darkthrone のようなプリミティヴなブラックメタルにエスニック要素を添加したサウンドともいえる。

Quarantine
Decadence
自主制作　2016　Groove Metal
カルナータカ州ベンガルール

2012年に結成された5人組メタルコアバンドによる初の EP。もろに Lamb of God を想起させる鋭利でグルーヴィーな楽曲群が並ぶ。しかし、M7「Structure 6」は Sukruth のクリーンヴォイスと Siddhanth Sarkar<vo> のグロウルが交錯するナンバーで、叙情味を醸し出すアレンジも施されている。Skyharbor の Keshav Dhar<g> がミックスとマスタリングを手掛けた。中心人物の Sukruth Mallesh<g, vo> は現在ソロシンガーとしてポップス界で活動している。

R.A.I.D.
Defiance
Rottweiler Records　2022　Hardcore/Crossover Thrash
テランガナ州ハイデラバード

In Heavens Eyes の Rueban Issac がシンガーを務める4人組バンドの 3rd アルバム。Hatebreed、Agnostic Front などアメリカのハードコア勢を影響源に挙げているが、実際のところはグルーヴ重視のミドルチューンが多勢を占める。その一方で、Biohazard からも影響を受けていると思われ、M4「I Against I」ではラップ風の歌唱を聴ける。前掲の In Heavens Eyes と同じくクリスチャンバンドだが、日本の侍や鎧武者をアートワークに描いた意図は何だろうか。

Regicide
As Skin Turns to Flesh
Metal Media Productions　2019　Death Metal
カルナータカ州ベンガルール

2017年に始動した新鋭デスメタルバンドのデビュー EP で、メキシコの Metal Media Productions で配給された。オールドスクールを標榜しているが、アメリカよりも欧州〜北欧のデスメタルの先人達に傾倒していることが窺える。タイトルチューンの M4 は、Bolt Thrower のように重厚なイントロで始まったかと思いきや、蓋を開けてみると Entombed や Dismember を想起させる疾走パートを配している。元々は5人編成のバンドだが、本稿執筆時点ではシンガー不在である。

Revival
Aliens
自主制作 2020 Progressive Metal
テランガナ州ハイデラバード

2011 年から活動する Djent 系バンドによるシングル。バンドの SNS と YouTube には「Jesus」とか「Christ」といった言葉が見受けられるため、クリスチャンバンドかもしれない。また、結成当初は 5 人組だったが、本作のリリックビデオにはツインヴォーカルにツインギター、さらにキーボード奏者を含む 7 人編成と記載されている。しかし 5 人から 7 人にメンバーが増えた割には音圧に欠け、演奏に破綻はない半面、小さくまとまりすぎた印象を受ける。シンガー 2 人の声質も似通っていて、メリハリに乏しい。

Shrapnel
Intellectual Pursuit
自主制作 2004 Heavy Metal
カルナータカ州ベンガルール

実働 4 年に終わった正統派の 4 人組バンドが唯一遺したアルバム。メンバー全員がベンガルールにあるヴィスベスヴァラヤ工科大学の学生だった。Iron Maiden の影響が顕著で、全 10 曲中 7 曲が Iron Maiden 風の起伏に富んだ長尺ナンバー。しかし、Deepak Rao<vo, g> の声質は中音域の濁声で、全体的にプロダクションも貧弱だ。本稿執筆時点で、Deepak はシリコンバレーの IT ベンチャーで、Varun Madhusudhan<g> は大手監査法人デロイトのインド事務所で管理職にそれぞれ収まっている。

Shepherd
Shepherd
自主制作 2017 Stoner/Doom Metal
カルナータカ州ベンガルール

2011 年に始動した 3 人組スラッジメタルバンドによる EP。1st アルバム『Stereolithic Riffalocalypse』(2015 年)は、Eyehategod のように重苦しいナンバーを多勢収めていた。しかし本作はスラッジの根底にあるハードコアの要素を見つめ直し、それを前面に押し出した作風になったため、著しくスローな曲は皆無に等しい。ただし、極度に歪んでひび割れたようなスラッジ特有の音作りは前記の 1st アルバムと同様だ。バンドの Facebook は閲覧不可だったので、本作が最終作になったと思われる。

Skrypt
Oceans Alive
自主制作 2016 Thrash/Groove Metal
テランガナ州ハイデラバード

Godless にも在籍する Ravi Nidamarthy<g> と Abbas Razvi<b> を擁する、5 人組スラッシュメタルバンドによるシングル。Skyharbor の Keshav Dhar<g> がミックスとマスタリングを手掛けた。デビュー EP『Discord』(2010 年)発表時から、純然たるスラッシュというよりはメタルコア寄りのサウンドだったが、本作ではそこに Dream Theater のようにプログレッシヴな要素を添加。この結果、表題曲だけで 13 分強の大作となったが、中だるみさせない技量の高さが窺える。

Shock Therapy
Sparrows
自主制作 2011
テランガナ州ハイデラバード

2009 年に結成されたハイデラバード拠点のブルータルデスメタルバンドが、インドネシアの Web 媒体、Xtreme Zine での PR 用に提供した曲。元々はツインギターの 5 人組だったが、本稿執筆時点はトリオ編成でベーシスト不在である。ズンズンと重苦しいスラミング風のパートと疾走パートを交えているが、落差は案外と小幅。ゴアグラインドのように要所でサンプリング音声を用いている。現メンバー 3 人のうち、Aniketh Yadav<ds> はデスメタルバンドの Godless でもプレイしている。

Slain
New Genesis
自主制作 2015 Power Metal
カルナータカ州ベンガルール

キーボード奏者を含む 6 人組クリスチャンメタルバンドのシングル。1st アルバム『Here & Beyond』(2010 年)から 5 年ぶりに放たれた。イントロや間奏部分はバンドが傾倒する Symphony X、Dream Theater のような佇まいだが、Judah Sandhy<vo> のマイルドな歌声を聴けるパートはキャッチーで耳馴染みがよく、Journey を想起させる時がある。前掲の 1st アルバムにも良質な楽曲が多数収められているので、メロディー重視派のリスナーにお勧めしたい。

Sledge

VanQuish

自主制作 2009 Groove Metal

テランガナ州ハイデラバード

ハイデラバードで1999年に結成された5人組デス/スラッシュメタルバンドによる2nd EP。ただし、Nitin Rajan<vo>はムンバイ出身だ。Nitinの唱法はデスメタル然とした低音グロウルだが、全体的にスラッシーなリフを刻みながら疾走する局面が多い。M2「Theatre of War」はもろにSlayerを想起させるナンバーだ。2015年4月以降、バンドの公式Facebookは更新が滞っており、Nitinはムンバイのドゥームメタルバンド Primitivに参加した後、2020年に死去した。

Symphonies of Gore

Guts so Pure... Gore so Real

Necroinsomniac Records 2020 Death Metal/Goregrind

カルナータカ州ベンガルール

元Aempyreanなどの Rohit Raghupathy が Dr.Retro Pussfvkという変名を使い、豚の仮面を被ったPigなるシンガーと組んだ2人組バンドの1stアルバム。バンド名やアルバム名の「Gore」という単語に、ゴボゴボしたヴォーカルはいかにもゴアグラインド然とした佇まいで、アートワークはチープだ。音楽面ではスラッシーなリフを刻む半面、ブラストを使わない曲も複数あって、振り幅が広い。グラインドコアの先人達ではなく、Macabre、S.O.D.などのカヴァー曲もプレイしている。

Speedtrip

Trapped in a Maze

自主制作 2017 Heavy/Thrash Metal

カルナータカ州ベンガルール

2016年にライヴ活動を始めた5人組メタルバンドのデビューアルバム。Overkillのような M1「Kiss of the Black Mamba」で初端から勢いよく疾駆するが、中盤にはミドルテンポのナンバーも配している。シンガーのKaushik Baruahは甲高い声でまくし立てるタイプ。M4「Wasteland」などではグロウルも披露するが、やや迫力不足だ。プレイは相応に安定しており、本作リリースに合わせて地元最大級のフェス、Bangalore Open Airに出演したのも頷ける。

Tangents

Igor

oaf. Records 2020 Progressive Metal

カルナータカ州ベンガルール

2017年の1stアルバム『Motion/Emotion』でデビューを飾り、Twelve Foot Ninjaのベンガルール公演をサポートした5人組Djent系バンドによる通算2作目のシングル。バンドの弁によると、表題は人間の「Ego」に引っかけたもので、特定の人物を指したわけではない。Siddharth Nair<vo>の咆哮が響き渡る半面、序盤の曲展開が単調なので困惑するが、後半から突如としてボサノバ風のムーディーなインストに様変わり。Siddharthはここでお役御免となるため、またも困惑する。

Ston'd

Disaster Area

Rehab 2009 Melodic Death Metal/Metalcore

カルナータカ州ベンガルール

現Escher's KnotのAbijith Rao<vo>が元々在籍していた5人組バンドによる唯一のEP。グルーヴメタル寄りのM1「Nothing Remains」で幕を開けるが、M3「Entombed」はメロディック・デスメタル要素の強い楽曲だ。しかし全体的にチープなプロダクションであり、ミドルテンポ主体ということも相まって、アグレッションや疾走感に乏しい。バンドのReverbNationでは「Lebensraum」という未収録曲も聴ける。

The Black Regiment

Righteous Mutiny

自主制作 2017 Heavy/Thrash Metal

カルナータカ州ベンガルール

インテルのインド支社で勤務経験のある Darshan Hegde<g, vo>を中心とする5人組バンドのデビューEP。勇壮なギターを奏でるインストのM1「The Upheaval」から、Metallicaを思わせるM2「Black Flag」へと続くが、急にデスメタル風になったり、小幅なビートダウンを配したりしてチグハグな印象を受ける。Iron MaidenのようなＭ長尺ナンバーのM3「We're One」とM4「The Ultimate Soldier」でも同じようなアレンジが施されていて違和感を覚える。

The Down Troddence

How Are You? We Are Fine, Thank You

自主制作　2014　Folk/Death/Thrash Metal

ケララ州カヌール／カルナータカ州ベンガルール／タミル・ナードゥ州チェンナイ

Ultimatyum なるプロジェクトを母体に、2009 年に始動した 6 人組バンドの 1st アルバム。現地ではアートワークの異なるフィジカル CD が流通された。Tool、Opeth、Slipknot などを影響源に挙げているが、実際はメタルコアの性向が色濃く、インダストリアル風の味付けをたまに施している。また、M5「Nagavalli」から土着色がにわかに強まり、インドの伝統楽器の音色を交えてくる。M6「Forgotten Martyrs」ではインド南部のカルナータカ音楽に由来するギターソロが聴ける。

Threinody

Surrender to the Blade

自主制作　2014　Progressive Thrash Metal

カルナータカ州ベンガルール

ベンガルールで 1996 年に結成後、2007 ～ 2012 年まで活動休止していた 4 人組スラッシュメタルバンドの復活第 1 弾シングル。ただし、本稿執筆時点のオリジナルメンバーは Siddharth Naidu<vo, b> と Premik Jolly<g, key> の 2 人だけだ。前 EP『Trimetallicthreinonide』(2006 年）は純然たるスラッシュというより、Iron Maiden のように静と動を対比させたナンバーが目立ったが、本作はバンドの影響源である Slayer、Kreator などへの憧憬を割と素直に反映している。

Theorized

Psychosphere

自主制作　2014　Thrash Metal

カルナータカ州ベンガルール

2005 年結成の 4 人組スラッシュメタルバンドによる 1st アルバム。往年のスラッシュメタル Big4 からの影響を基盤に、Nevermore のようにソリッドかつ技巧的なプレイを交える点はデビュー EP『False Hope of Tyranny』(2009 年）と変わらず。ただし本作ではプログレッシヴな長尺曲にも挑んでおり、組曲形式の M8 と M9「Engines of Creation」の総尺は 14 分 30 秒に及ぶ。メンバー 4 人のうち、Madhav Ayachit<vo, g> はカナダのトロントに移住している。

Trash Talk

Burd

DANK　2020　Experimental Metal

（初期）タミル・ナードゥ州ベロール／（現在）カルナータカ州ベンガルール

2013 年に始動した 4 人組バンドの 2nd EP。タイトルが示すとおり、さまざまな鳥をモチーフにした 4 曲が収録されている。「Experimental Metal」を標榜しているバンドだが、ニューメタルやミクスチャーの要素が色濃い。M1「Ruuster」と M2「Sekretari Burd」は System of a Down、Twelve Foot Ninja などの影響が窺える曲で、M3「Pijun」でレゲエの要素を交えている。締めくくりの M4「Kondor」では一変してアトモスフェエリックな空気感を発散。

Verses

Threshold

自主制作　2018　Symphonic/Melodic Death Metal

カルナータカ州ベンガルール

ニューデリーの 2008 年に結成された、ツインギター、キーボード奏者を含む 6 人組デスメタルバンドによるシングル。2011 年のデビュー EP のタイトルチューンを、現行ラインナップでリメイクした曲だと思われる。Acrid Semblance の場合は Childrem of Bodom からの影響が顕著だったが、彼らの場合は Dark Tranquillity を主たる影響源に挙げている。このため鍵盤を多用した耽美なメロディック・デスメタルを披露しており、後半の流麗なギターソロは聴きごたえがある。

Warmarshal

...To Regain Lost Glory

Slaytanic Records（DistroKid）　2018　Death Metal

テランガナ州ハイデラバード

2017 年に始動した 3 人組デスメタルバンドのデビュー EP。メンバー 3 人のうち、Soumick Chakraborty<vo, g> は大手監査法人デロイトのコンサルタントでもある。Bolt Thrower、Obituary などを影響源に挙げており、勇壮なイントロの M1「Armageddon Awaits」で幕を開けると、重心を落としたミドルテンポのナンバーが並ぶ。ただし、オールドスクール感はそれほど発散しておらず、むしろモダンな音像だ。バンドは本作を引っさげ、2019 年 1 月に初のスリランカ公演を行った。

Whitenoiz
Sovereign Name
自主制作 2015 Metalcore
カルナータカ州ベンガルール

Slain の Joe Jacob<ds> を擁する 5 人組クリスチャンバンドによる 1st アルバム。ただし音楽性はプログレッシヴ志向の Slain とはまるで異なり、現代風のメタルコアだ。グロウル担当で眼鏡姿の Sam Thomas John と、クリーン兼キーボード奏者の Taz James による実質ツインヴォーカル形態で、日本の Crossfaith のように派手なエレクトロサウンドが飛び交う曲もある。M10「Father God」はイントロの泣きのギターから一変してメロディック・デスメタル風になる。

Wolf's Lair
Wolf's Lair
自主制作 2012 Heavy/Power Metal
タミル・ナードゥ州チェンナイ

元 Blood & Iron の Mark Thomas<vo>、Vivin Kuruvilla<key>、Arun Daniel<b> の 3 人を擁する、6 人組シンフォニック・パワーメタルバンドのデビュー EP。Blood & Iron のデビュー作（2007 年）と同一線上の音楽性で、あくまでミドルテンポの暑苦しいパワーメタルを基盤に、大仰なシンセとテクニカルなプレイを絡めている。換言すると Labyrinth、Rhapsody of Fire など欧州の先人達とは方向性が明らかに異なり、キャッチーさや疾走感、哀愁に欠ける。

Xector
Beyond Oblivion
自主制作 2012 Progressive/Melodic Death Metal
カルナータカ州ベンガルール

2005 年に Spitfire 名義で結成後、バンド名を改称した 5 人組バンドが遺した唯一の EP。「Encyclopaedia Metallum」では「Progressive/Melodic Death Metal」に分類されているが、メタルコアの性向が色濃い。その一方で、Nevermore を影響源に挙げているとおり、鋭利で技巧的なギタープレイを随所で聴ける。ちなみにメンバー 5 人のうち、Charan Reddy<vo> と Suhas Nagendra<g> は、IBM やアクセンチュアのインド法人で勤務経験がある。

インド南部に古くから伝わるカルナータカ音楽

本節に登場したバンド群のうち、Motherjane、Duravasa、Maloic、The Down Troddence などはインド南部に古くから伝わる伝統音楽、つまりカルナータカ音楽の要素を採り入れている。ここではそのカルナータカ音楽について少し掘り下げてみよう。

インドでは古くからヒンドゥー教の神々を称える賛歌が歌われてきたが、インド北部では 13 世紀にイスラム王朝（奴隷王朝ともデリー・スルタン朝ともいう）が成立したことで、ヒンドゥーの音楽伝統とペルシャの影響を受けたイスラム的要素が融合。この結果、ヒンドゥスターニー音楽と呼ばれるインド北部の伝統音楽が形成された。このヒンドゥスターニー音楽では、日本でもお馴染みのシタールやタブラを即興でプレイする。

前掲のイスラム王朝は 1320 年頃にインド中部～南部のデカン高原にも遠征し、一時はインドのほぼ全域を支配するまでに至った。しかし、被征服地では重税に対する反発が起き、ヒンドゥー教徒の間で自主独立の動きが強まったことで、ヒンドゥー教を奉じるヴィジャヤナガル朝が 1336 年に成立。現在のカルナータカ州に首都を置くと、巨大なヒンドゥー寺院を造営するなどして、ヒンドゥー的な文化を保護した。カルナータカ音楽は、このようなインド南部の地方王朝やヒンドゥー寺院の庇護を受けて育まれ、15 ～ 16 世紀にはインド南部のドラヴィダ語族（マラヤーラム語、タミル語、カンナダ語など）で歌い継がれるようになった。さらに 18 世紀半ばに入ると、伝統弦楽器のヴィーナー、伝統打楽器のムリダンガムやガタムなどに加え、西洋楽器のバイオリンが使われるようになった。というのも、バイオリンは微細な音階を表現できる上に、インドの伝統楽器よりもメンテナンスが手軽だからだ。その一方で、クラシック音楽と異なり、カルナータカ音楽のバイオリン奏者はステージ上であぐらをかいた状態で演奏するため、バイオリンのヘッドを下に向けるのが特徴だ。

元々は口伝で歌い継がれてきたカルナータカ音楽の楽曲数は数千曲に及ぶが、歌詞のテーマはたいていの場合、ヒンドゥー教の神々である。また、カルナータカ音楽で最も重要な歌曲形式はクリティといい、これはパッラヴィ（主題提示部）、アヌパッラヴィ（副主題提示部でパッラヴィよりも高い音域で歌われる）、チャラナム（アヌパッラヴィの後に広い音域で歌われる終止部）という 3 パートで構成されている。とはいえ、さまざまな即興パートを付け加えて、楽曲の尺を延ばすことも可能であり、近年ではバイオリンのみならず、サックスやマンドリン、クラリネット、ギターなども使われている。

ちなみにヴェーディックメタルの始祖的存在の Rudra はシンガポール出身だが、インド南部にルーツを持つメンバーで構成されており、やはりカルナータカ音楽の要素を織り交ぜているバンドだ

カースト制度
常に社会制度の前提

日本にも外来語として浸透したカーストという言葉は、実はポルトガル語に由来する。16世紀にインドへ入植したポルトガル人は、インドの社会慣行を目の当たりにして、ポルトガル語で家柄や血統を指すカスタ（Casta）と呼んだ。ポルトガル人よりも遅れてインドへ入植したイギリス人は、これをカースト（Caste）と称した。つまり、カーストという言葉はヨーロッパの人々が持ち込んだ外来語であり、それがインドに逆輸入され、ひいては世界中に定着したのである。では、インドの人々は元々カーストを何と呼んでいたのだろうか。それにはインド人がヴァルナとジャーティと呼ぶ言葉を知る必要がある。

4つの種姓とヒエラルキー

本来ヴァルナとは色を意味するサンスクリット語で、紀元前2000～1500年前に中央アジアからインド亜大陸へ侵入したアーリア人が、自分達と先住民族を区別するための用語だったとする説もある。元々は遊牧民だったアーリア人が定住農耕生活へと移行し、先住民族との混淆が進むにつれてヴァルナの意味は変容し、身分や階級を指す言葉になった。アーリア人の宗教（ヒンドゥー教の前身で、便宜上バラモン教と呼ばれることが多い）とその法典による理論化を経て、紀元前1000～600年頃には次のようなピラミッド型の階級構造が確立される。すなわち聖典ヴェーダを口承するバラモン（司祭）を頂点とし、クシャトリヤ（王侯、武人階級）、ヴァイシャ（農民、手工業者などの庶民層）へと階層を下るに従って清浄さが失われ、底辺のシュードラ（隷属民）へと至る4層のピラミッド社会だ。

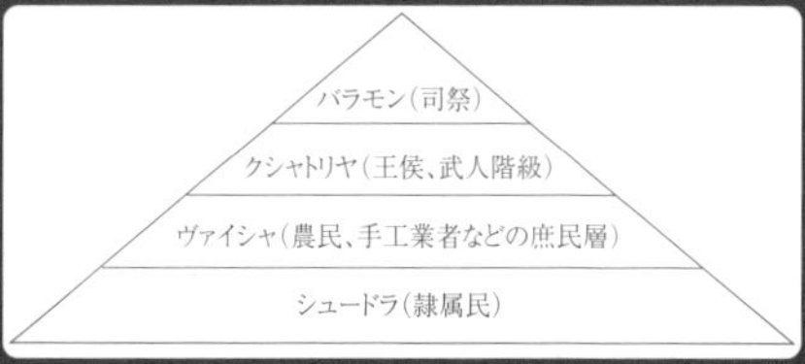

バラモン（司祭）
クシャトリヤ（王侯、武人階級）
ヴァイシャ（農民、手工業者などの庶民層）
シュードラ（隷属民）

※上述の階層から疎外されたダリト（不可触民）は、ヒンディー語でアチュート（英語のuntouchableに相当）、パンチャマ（第5のヴァルナに属する者を指す）などと呼ばれる。なおダリトという言葉は、プラークリット語起源の「抑圧された者」という意味の自称で、近代における不可触民地位向上運動の中で用いられた。

伝説や物語上では、バラモンとクシャトリヤとの間で序列をめぐる対立があったことが描写されている。しかしバラモンがクシャトリヤの統治権を宗教的に承認し、クシャトリヤがバラモンを物質的に支えることで、最終的に両者ともに特権的身分を享受したのである。そしてバラモンとクシャトリヤに貢物を収める庶民層、すなわちヴァイシャを含む上位3種のヴァルナはドヴィジャ（再生族）とも総称され、少年期に師からヴェーダを学習し通過儀礼を受けることで、宗教的に生まれ変わると見なされた。これにより上位3種のヴァルナはヴェーダの祭式に参加できるが、シュードラはヴェーダの学習が許されず、通過儀礼を受ける資格もないため、宗教的に生まれ変わることができない。そのためシュードラはエーカジャ（一生族）と蔑まれ、上位3種のヴァルナから社会生活のあらゆる面で差別を受けることになった。

ジャーティと不可触民

やがて紀元前5～6世紀頃になると、ガンジス川流域に複数の都市国家が形成され、貨幣経済が発達したことで、社会や経済の仕組みは複雑になった。また、仏教やジャイナ教が興隆すると、バラモン教は後退を余儀なくされたが、やがて先住民族のさまざまな民間信仰の要素を取り込むことでヒンドゥー教へと変容した。時代が下って中世前期に入ると、ヴァルナと職業との関係に変化が生じる。特に4種のヴァルナのうち、元々は庶民層を意味したヴァイシャがさまざまな商工業者に変わり、従来ヴァイシャが担っていた農業、手工業といった職業はシュードラに移行したのだ。その一方で、ヒンドゥー教では不浄と見なされる職業、たとえば動物の屠殺や皮革加工、汚物清掃、洗濯といった汚れ仕事に従事するシュードラの一群は4種のヴァルナの枠外へとはじき出され、不可触民という第5の階層が形成された。ヴァルナはこの過程でさまざまな職業へと細分化され、ジャーティと呼ばれる職能集団が大量に出現した。

ジャーティとは生まれや出自といった意味を持つサンスクリット語に由来する言葉だ。各地の村落社会で様々な社会集団が世俗的に職業を世襲していく中でジャーティを形成していったと考えられる。そして異なる生業のジャーティが社会的あるいは経済的に結びつき、自給自足の村落共同体を形成した一方で、ヒンドゥー教の教義の中核といえる浄と不浄の観念により上下貴賤の序列が生じた。それゆえに、同じジャーティ間でのみ婚姻することが重んじられ、序列が下のジャーティとは食事を共にしないといった規制を有するようになったのである。何しろ、上述の4層のピラミッドに属する人々はカーストヒンドゥーと総称されるが、不可触民はその枠外にいるためアウトカーストと見なされ、見たり触れたりすると穢れる人間として扱われたのだ。他のヒンドゥー教徒と同じ信仰を持っているにもかかわらず、不可触民はヒンドゥー寺院への参拝が禁じられたり、井戸や貯水池も使用できなかったりした。こうして従来シュードラに分類されていた人々への差別が緩和された半面、不可触民への差別はむしろ強まった。かたや、中間層に位置する各ジャーティの序列は厳格に固定されていたわけではなく、曖昧かつ流動的だった。地域や時代によって地位や序列が異なったり、職業のさらなる細分化につれてジャーティが分裂して新たな集団が形成されたりすることもあった。いずれにせよ、ヴァルナを大枠、ジャーティを細部とする社会制度が形成された時期は11～12世紀頃だと考えられる。換言すると、たいていの人々が認識しているカースト制度とは、ヴァルナとジャーティの組み合わせであり、双方がヒンドゥー教と一体化して21世紀になっても社会慣行として根づいているのだ。

イスラム教の伝来とイギリス統治期

13世紀にインド初のイスラム王朝（奴隷王朝ともデリー･スルタン朝ともいう）が成立するが、ジャーティ・システムはきわめて流動的で、その区分や序列は変化し続けたという。ところがイギリスが1757年のプラッシーの戦いに勝利し、インド統治を本格化させると、あらゆるジャーティは「4種のヴァルナ＋不可触民」のどこかに必ず位置付けられることになり、1772年にはヒンドゥー法が適用されるようになる。このヒンドゥー法には、古代の「ヴァルナ・システム」に基く刑罰体系が含まれるため、個人のジャーティがどのヴァルナに帰属するのかが重要な問題になる。というのも、ヴァルナの序列が低いと法廷の場で不利に働くおそれがあるからだ。

こうしてカーストの向上運動、つまり自分の属するジャーティが序列の高いヴァルナに分類されるようアピールする運動が繰り広げられた。たとえば地方農民の中には、自らはクシャトリヤの正統な末裔であると主張する集団が現れた。また、それぞれのジャーティが各自の慣習に、寡婦の再婚や飲酒を避けるといった上位ジャーティの規範を数十年、数世代にわたり採り入れる動きも見られた。その結果、長い年月を経て実際に地位向上に成功した集団もいるという。インドの人類学者M. N. シュリニバス（1916～1999）は、このような長期間にわたる動きを「サンスクリット化」と呼んでいる。一方、マハトマ･ガンディーは不可触民のことをハリジャン（神の子）と呼んで擁護に努めたが、カースト制度自体を撤廃しようとしたわけではなかった。

そして現在へ

ジャーティは今なお2000～3000ほど存在しており、バート（歌詠、系譜作成のジャーティ）、スナール（金細工のジャーティ）といった具合に、それぞれに固有の名称がある。いずれも4種のヴァルナないし不可触民と対応しているが、先に述べたとおり職業は細分化されている。たとえば前掲のバートはバラモンおよびその同類、スナールはクシャトリヤおよびその同類に源流を持つが、ナーイー（床屋のジャーティ）はシュードラ、チャマール（皮革加工のジャーティ）は不可触民の中に位置付けられる。都市化や近代化が進むに連れ、このような職能集団が提供していたサービスは機械に取って代わられ、先祖代々継いでいたものとは異なる職業に就くことも少なくない。とはいえ、不可触民がいまだに世襲的な職業に就いているケースは多く見られるし、インドではジャーティ内婚姻を維持するために見合い婚が今でも主流となっている（注：男性のジャーティが女性よりも高い上昇婚は許容されるが、その逆は忌避される）。もちろん現在のインドには婚活サイトやマッチングアプリも複数見られるが、それらは年齢や居住地、母語などの項目に加え、社会階級区分を記入する欄を設けているという。

1950年に制定されたインド憲法は、カースト制度に基づく差別を禁じており、インド当局は本稿執筆時点で94回もの憲法改正を通じて、差別是正措置を講じ続けてきた。不可触民という呼び方にも法的な根拠はなく、インド当局は指定カーストという呼称を使っている（先住民族のことは指定部族という）。2011年のインド国勢調査によると、指定カーストに該当する人々は約2億人（人口比およそ16.6%）、指定部族に該当する人々は約1億人（人口比およそ8.6%）に達する。この両者に、その他の後進諸階級（注：不可触民と指定部族以外で、教育的または社会的に不利な立場にある社会集団、2011年国勢調査では未集計）を加えた人々のために、インド当局は優遇措置を設けている。すなわち、国公立大学への入学枠、公務員や教員採用枠、各種議会での議席などを人口比に応じて留保しているのだ。これは留保制度といい、その恩恵に与った対象者の中から大学進学者が徐々に増え、中間所得層や知識階級も形成されていった。

1900年代の経済自由化に伴って人材の流動化が進み、ITサービス業をはじめとする新しい産業が創出されたことで、少なくとも都市部においてカースト制度は形骸化したかのように見える。しかしバラモンが最上層、不可触民が最下層という序列は今なお残存しており、不可触民を取り巻く環境は厳しい。そもそも、インド当局はカースト制度に基づく差別を禁じているものの、人々のジャーティに対する帰属意識とそれに基づく社会的関係によって成立するカースト制度は、いまだ根強く残っている。圧倒的多数派（人口比およそ79.8%）のヒンドゥー教徒にとっての社会生活は常にカースト制度を前提にして成り立っている。つまり婚姻や就職、そしてさまざまな相互扶助が常にジャーティの序列、つまりカースト制度を前提として組み立てられている以上、ジャーティを否定すると自らの社会生活が困難になってしまうのだ。したがってインド当局はカースト制度の存在を認めつつも、それに起因するさまざまな差別と不平等を解消しようと苦慮しているのである。

スリランカ民主社会主義共和国

Democratic Socialist Republic of Sri Lanka

スリランカはインド亜大陸の南東に浮かぶ洋梨状の島国だ。国土面積は約6万5410k㎡で、日本の北海道（8万3454 k㎡）より小さい。

スリランカは15世紀初頭に中国の明朝（1368～1644）の朝貢国になったが、16世紀にポルトガル、17世紀にはオランダが入植。その後、欧州でのナポレオン戦争（1799～1815）の戦後処理に伴い、イギリスに統治権が移ったのを機にセイロンと呼称された。スリランカの名産であるセイロンティーは、イギリス統治時代の名残を伝えるものである。英連邦内の自治領として独立したのは1948年2月で、1972年に共和制に移行してスリランカ共和国に改称。さらに1978年には大統領制となり現国名を使うようになったが、それから5年後の1983年に内戦が勃発。政府軍とLTTE（タミル・イーラム解放のトラ）による武力衝突が26年も続いた。

内戦終結後の2010～2012年は8～9%台の高い経済成長率を示し、IMF（国際通貨基金）の2020年統計によると、スリランカの1人当たり名目GDPは3679ドルだった。しかし、貿易赤字と財政赤字が慢性化し、対外債務が膨らんでいった。また、2019年4月にコロンボで発生した連続爆破テロ事件で観光需要が落ち込んだ一方、スリランカ当局は大型減税を断行。これが年間およそ14億ドル（約1934億円）の歳入減をもたらした上に、新型コロナウイルスの感染拡大によって観光業がいっそう落ち込み、外貨不足に陥った。このため、景気悪化と物価上昇が同時進行するスタグフレーションに歯止めがかからず、2022年4月におよそ510億ドル（約6兆6537億円）の債務不履行（デフォルト）に陥ったのである。

本書に登場するスリランカ産バンド56組のうち8割強（45組）はコロンボを含む西部州拠点、または西部州出身メンバーを擁する。その中でも、近年はGenocide Shrines、Serpents Athirstなどのウォー・ブラックメタルバンドが、日本のアンダーグラウンドシーンで存在感を高めているが、彼らよりもキャリアの長いバンドも存在し、シーンもある程度は細分化されている。たとえば、シンハラ語のメタルソングをいち早くプレイしたと謳われる正統派のWhirlwind、パワーメタルのベテランStigmata、それにDSBMのDhishtiなどだ。

民族　2012年スリランカ国勢調査によるとシンハラ人（74.9%）が多数派で、タミル人（15.3%）、スリランカ・ムーア人（9.3%）が続く。その他はマレー人（0.2%）、欧米人の血を引く英語話者のバーガー人（0.1%）など。

言語　シンハラ語、タミル語（共に公用語）、英語（連結語）。

宗教　2012年スリランカ国勢調査によると上座部仏教徒（70.1%）が多数派。ヒンドゥー教徒（12.5%）、ムスリム（9.6%）、クリスチャン（7.6%）などは少数派。

ディスカバリーチャンネルの旅番組に 出演したPure Sri Lankan Metal

Stigmata

西部州デヒワラ・マウントラビニア　1999～　Heavy/Power Metal
（影響）Death、Nevermore、Rush、Iron Maiden、Black Sabbath、Judas Priest　※

Stigmataは、スリランカのメタルシーンを文字どおりDIY精神で開拓したパワーメタルの重鎮だ。バンドの歴史は1999年、同じ男子高に通っていたSuresh De Silva（ヴォーカル、写真右から2人目）とTennyson Napolean（ギター、写真左から2人目）が意気投合したところから始まる。バンド名の由来は、この年にリリースされたArch Enemyの2ndアルバムだ。

メタルのサブジャンルを啓発

Sureshの弁によれば、かつてのスリランカでは、現地の著名人がBlack SabbathやDeep Purple、Iron Maidenなどの定番曲をカヴァーしていたそうだが、自国産のメタルバンドは少数派だったらしい。なおかつ、Stigmataが結成された1999年の時点で、ヘヴィメタルは多数のサブジャンルに枝分かれしていたが、当時のスリランカは世界のトレンドから周回遅れしていた。

そこで結成初期のStigmataは、旧態依然とした母国のオーディエンスにメタルのトレンドを啓発する活動を行った。オリジナル曲に加え、MetallicaやPantera、さらにはCradle of Filth、Arch Enemy、System of a Down、Disturbedなど種々雑多なバンドを頻繁にカヴァーしたのである。

承知のとおり、1999年のスリランカでは政府軍とLTTE（タミル・イーラム解放のトラ）がまだ戦火を交えている最中だった。それゆえに海外アーティストのスリランカ公演の本数も限られ、同国のオーディエンスも海外バンドを生のライヴで観る機会に恵まれなかったことが窺える。

しかし、Stigmataの地道な活動の甲斐あって、同国の人々はメタルの派生ジャンルを認識できるようになり、ひいてはStigmataのオリジナル曲を聴きたいという声も高まったのである（ちなみに欧米のメタルバンドによる史上初のスリランカ公演は、2008年11月のCivilization Oneによるものだが、彼らはスリランカ人メンバーのChitral "Chity"

Somapala<vo>を擁する多国籍バンドだった)。

中東、東南アジア、オセアニアでも公演

バンドはメンバー交代を重ねつつ、2002年にデビューEP『Morbid Indiscretion』を発表し、翌2003年には1stアルバム『Hollow Dreams』をリリースした。2006年には2ndアルバム『Silent Chaos Serpentine』を引っ提げ、初のモルディヴ公演を行った。

2009～2010年には、Tantrumを率いるJaveen Zoysa<b>を迎え入れた編成で、シングル「Dead Rose Wails for Light」と3rdアルバム『Psalms of Conscious Martyrdom』を相次いで発表。両作はバンドの出世作となり、バンドは2009年7月にマレーシアのイベント、Southern Ultimate Explosion Metal Festivalに参加し、2010年にはディスカバリーチャンネルの旅番組「invite Mr. Wright」に出演。同年10月には、オーストラリアのイベント、Melbourne International Arts Festivalに出演した。

アルバムデビュー10周年の2013年には、インドのニューデリーで行われたSouth Asian Band Festivalに参加し、2014年10月にはインドのAlbatrossなどと共に、バングラデシュのダッカで初開催されたSouth Asian Rockfestへ参加。2015年3月には、インド産デス／スラッシュバンドのDevoidと共にアラブ首長国連邦のドバイへ遠征し、同年10月には4thアルバム『Ascetic Paradox』を引っ提げ、ニュージーランドのウェリントンとオークランドで2公演をこなした。

バンドはその後、Thisara Dhananjaya(ベース、写真右端)、Hafzel Preena（ドラムス、写真左端）という新たなリズム隊を迎えて、シングル「Heavy is the Head that Wears the Crown」(2018年)、「Alyssa」(2020年）などをリリース。ところが、Hafzelは2022年にタイのバンコクへ移住したため脱退した。

Stigmata
Hollow Dreams
自主制作 2003
西部州デヒワラ・マウントラビニア

バンド初のフルアルバム。Iron Maidenを手本にしたと思しきフレーズが見え隠れするが、M1「Thicker than Blood」で刻むリフは、もろにNirvanaの「Smells Like Teen Spirit」のようで、かえって困惑する。Suresh De Silva<vo>が要所で金切り声を上げて奮闘するが、いかんせん単調なミドル～スローテンポの楽曲ばかりだ。この頃から6～11分台の長尺ナンバーに挑んでいるが、最も尺の短いM11「Extinction」のほうが逆に彼らしさを凝縮した曲である。

Stigmata
Silent Chaos Serpentine
自主制作 2005
西部州デヒワラ・マウントラビニア

現Nevi'imのVije Dhas<b>らを迎えた5人組で放った2ndアルバム。本作も音質は良好とは言えないが、前作よりもパワーメタルらしくなり、基本軸が定まった。M1「Swinemaker」はArch Enemy風のフレーズを交えた疾走チューン。M3「Jazz Theory」はフラメンコギターを導入した6分超の長尺ナンバーで、現在もライヴの定番曲である。M4のパワーバラード「Lucid」は、パーカッション奏者のJananath Warakagodaを迎えたアコースティックヴァージョンも別途制作された。

Stigmata
Psalms of Conscious Martyrdom
M Entertainment Label 2010
西部州デヒワラ・マウントラビニア

プログレッシヴな要素を押し出し、全8曲の半数が6～10分台という長尺になった3rdアルバム。Tennyson NapoleanとAndrew Obeysekaraのギターチームが随所で派手なプレイを披露するが、「邪悪より解き放て」というラテン語を副題に冠したM2「Purer」はIron MaidenとDream Theaterから拝借したようなフレーズが散見する。相変わらずプロダクションは弱いが、M3「The Summoning Cry of Aries」ではストリングスや民族打楽器を導入する試みが見られる。

Stigmata
The Ascetic Paradox
自主制作 2015
西部州デヒワラ・マウントラビニア

5年の制作期間を費やしたという触れ込みの4thアルバム。M2「An Idle Mind Is the Devil's Workshop」は民族打楽器を間奏でフィーチュアした疾走チューン。アニメーションによる同楽曲のMVは、アメリカのフロリダ州の動画投稿サイトChannelFixが主催したAsia Music Video Awardsで優勝作に輝いた。13分超えのM8「And Now We Shall Bring Them War!」は、Panteraの故Dimebag Darrel<g>に捧げた曲だという。

Stigmata
Heavy Is the Head That Wears the Crown
自主制作 2018
西部州デヒワラ・マウントラビニア

Shafeek Shuail<g>、Thisara Dhananjaya<b>、Hafzel Preena<ds>という新戦力3人を迎えたシングル。スラップベースから始まるミドルチューンで、Angraのように南国情緒を感じさせるフレーズを用いている。適度にキャッチーで、従前よりも音質が向上した半面、唐突なカットアウトで終わるため、興を削がれる感もある。同曲のMVは2ヴァージョンあり、「Cosplayer Version」と題されたものにはアメコミヒーローに扮したコスプレイヤーが大挙出演する。著作権はクリア済みだろうか。

Stigmata
Alyssa
自主制作 2020
西部州デヒワラ・マウントラビニア

Shafeek Shuail<g>の脱退により、現行の4人編成でリリースした第1弾シングル。動物愛護を題材にした曲で、バンドメンバーが添い遂げた盲目の保護犬の写真がアートワークにあしらわれている。タイトルもその保護犬の名にちなんだものだ。音楽的には、Suresh De Silva<vo>が朗々とした歌唱を聴かせるミドルチューンで、疾走パートやグロウルが飛び出す局面もあるが、逆に間延びした印象を受ける。本作からバンドは、イギリス在住のスリランカ系移民2世のRomesh Dodangodaをエンジニアに起用している

Stigmata
Sacred Spaces: Solve Et Coagula
自主制作 2020
西部州デヒワラ・マウントラビニア

前シングル「Alyssa」(2020年)から約半年後にリリースしたシングル。副題の「Solve Et Coagula」は、山羊頭の悪魔の腕に刻まれたラテン語で「溶かして固めよ」を意味する。壮麗なストリングスで気分を高めると、Suresh De Silva<vo>の暑苦しい熱唱と共にパワフルかつ勇壮に疾走するが、サンバやレゲエのリズムを織り交ぜて南国情緒を醸し出す間奏はAngraを想起させるところがある。この間奏が冗長で中だるみを覚えるが、Hafzel Preenaが派手なドラミングで健闘する。

Stigmata
Throw Glass in a House of Stone
Serandip Music Group 2021
西部州デヒワラ・マウントラビニア

2021年発表のシングル。Tennyson Napoleanによる泣きのギターソロで幕を開けるが、MVではこれがカットされている。聴きようによってはデスメタルのような激しいドラミング、グルーヴ感を醸し出すパート、あるいはDragonForceをはじめとするメロディック・スピードメタル風のパートなどを設け、起伏に富んだ曲を作ろうと試みたことは伝わってくる。Suresh De Silva<vo>も従来どおりに朗々とした歌唱を聴かせるが、いろいろな要素を詰め込んだ結果、かえって散漫になった印象を受ける。

Stigmata インタビュー

Pure Sri Lankan Metalを標榜するStigmataは、20年強のキャリアを誇るパワーメタルのベテランだ。彼らは長年にわたりツインギターの5人編成だったが、本稿執筆時はギター1本の4人組である。彼らにインタビューを申し出たところ、タイへ旅立つ前のHafzel Preenaを含むメンバー全員が快諾してくれた上に、宗教や民族といったデリケートな話題にも忌憚なく答えてくれた。

回答者：Suresh De Silva<vo>、Tennyson Napoleon<g>、Thisara Dhananjaya<b>、Hafzel Preena<ds>

――初めまして。まず各メンバーが影響を受けたアーティスト、お気に入りのバンドを教えてもらえますか？

Suresh De Silva：フロントマンでシンガー、それに作詞担当者として、俺のインスピレーション源は多岐にわたる。Nevermore、Death、Devin Townsendなどから、Iron Maiden、Judas Priestなどの正統派メタル、Metallica、Megadethなどのスラッシュメタル、Rush、Fates Warning、Tool、Opethなどのプログレッシヴメタル、それに『Jesus Christ Superstar』（1971年）のようなミュージカル音楽に至るまで、この場では挙げきれないほどだ。

Tennyson Napoleon：僕はMarty Friedman（元Megadeth）の大ファンでね。彼のプレイと耳は本当に素晴らしい。日本に移住してから、さらに素晴らしいサウンドを奏でているんじゃないだろうか。Animals as Leaders、Intervalsのようなプログレッシヴメタル、Death、Metalica、Testamentのようなスラッシュメタル、Rammsteinのようなインダストリアル、Type O Negative、Nightwish、Cradle of Filth、Amorphisのようなゴシックメタルも好きだよ。

Thisara Dhananjaya：影響を受けたアーティストはMetallica、Ministry、Mudvayne、Uaral。それからBlack Sabbath、Deep Purple、Judas Priest、Queensrÿcheといった欧米の大御所だね。メタル以外ではThe Doors、Nancy Sinatra、ABBA、Boney-Mといった往年のロック／ポップスも聴くし、1990年代のポップスも大好きだ。

Hafzel Preena：Dream Theater、Opeth、TesseracT、Animals as Leaders、Devin Townsendといったモダンなプログレッシヴメタルや、スラッシュ、デスメタル、グルーヴメタルの影響を受けている。Messhugah、Lamb of God、Gojira、Trivium、Behemoth、Nevermore、Arch Enemyなども聴いているよ。

―― Stigmataというバンド名は、Arch Enemyの同名2ndアルバム（1998年）から拝借したそうですね。最近、Arch EnemyはBlack Earthというサイドプロジェクトを立ち上げ、Black Earth名義の企画盤『Path of the Immortal』（2019年）を発表しました。同アルバムには初期メンバーのJohan Liiva<vo>、Christopher Amott<g>が参加していて、彼らはこのラインナップで日本ツアーを行いましたが、ご存じでしたか？

Suresh De Silva：ああ、知っている。Johan LiivaとChristopher Amottを迎えて、Arch Enemyの『Black Earth』（1996年）～『Burning Bridges』（1999年）までの初期アルバム3枚から厳選したセットリストで日本公演をやったと知り、とても心躍らされたよ。実のところ、Arch Enemyのアルバム群の中では『Burning Bridges』が一番のお気に入りだがね。それから君の言うとおり、俺達のバンド名はArch Enemyの『Stigmata』にあやかったものだが、アメリカ産ホラー映画『スティグマータ／聖痕』（1999年）もインスピレーション源でもあるんだ。

Tennyson Napoleon：10代の頃、最初に聴いたメロディック・デスメタルがまさにArch Enemyだった。彼らの2ndと3rdアルバムは今でもお気に入りだ。当時のメンバーを交えた日本公演はとてもいいアイデアだったと思うよ。Arch Enemyの歴代シンガー3人の中では、Johan Livaが一番

好きだね。Angela Gossow の声質は粗くてブルータルだった。現行ラインナップの Arch Enemy のサウンドには、Alissa White-Gluz の声質がフィットしている気はするけど。

──私はこのインタビューを申し込む前に、過去 30 年あまりにリリースされたインド亜大陸のメタルバンドの音源を大量に聴きました。隣国のインドでは 1980 年代半ば～後半の時点で、ムンバイの Indus Creed、ベンガルールの Millennium、インパールの Post Mark という自国産ハードロックバンドの第一世代が登場し、バングラデシュでも 1980 年代半ば～ 1990 年代初頭には、Warfaze、রক্ স্ট্রাটা（RockStrata）、In Dhaka というハードロックバンドの第一世代が活動していました。しかしスリランカの場合は少し遅く、Stigmata や Whirlwind の結成時期は 1990 年代半ば～後半です。Stigmata より前から活動していたメタルバンドはスリランカには存在しないのですか？

Suresh De Silva：1970 ～ 1980 年代のスリランカでも何組かのバンドが活動していて、その中でも Rattlesnake と Venom（注：イギリスの同名バンドとは無関係）の 2 組がスリランカのハードロックの第一世代と言える。ただ、それらのバンドはたいていの場合、カヴァー曲をプレイしていた。たとえば Black Sabbath、Jethro Tull、Iron Maiden、Deep Purple といった欧米の大御所達の楽曲群だ。俺達はそういう自国産バンドのカヴァー演奏をきっかけに、原曲をプレイしたバンドを愛聴するようになった。1998 年に入ると、Independent Square というバンドがスリランカ初の全曲オリジナルによるアルバム『Bring Back the Sun』をリリースした。Independent Square はメタルではなくオルタナティヴ系のバンドだが、オリジナル曲をプレイするという点で多大な刺激を受けた。いずれにせよ、1999 年に結成された俺達 Stigmata が、スリランカで初めてヘヴィかつエクストリームな音楽をプレイしたバンドでね。初ライヴは 2000 年のことで、当時は音楽性とスタイルが定まらず暗中模索を重ねていたが、俺達ならではの音楽を作りたいという情熱だけは強かったよ。

──私が調べた限り、史上初めてスリランカでライヴした欧米のメタルバンドは Civilization One だと思われます（2008 年 11 月）。当時の Civilization One は、スリランカ人シンガーの Chitral "Chity" Somapala を擁する多国籍バンドでしたが、彼らより前にスリランカ公演を行った海外のメタルバンドはいますか？

Suresh De Silva：Civilization One はスリランカで複数回ライヴしていて、俺達はオーディエンスとして会場に足を運んだことがある。ただ、スリランカに史上初めて訪れた海外バンドは彼らではないんだ。より正確には、隣国のモルディヴに Serenity Die というスラッシュメタルバンドがいてね（注：すでに解散）。2006 年にモルディヴの首都マレで行われた Rock Storm というイベントに出向いて Serenity Die と共演した後、俺達が Serenity Die をスリランカのイベントに呼んだんだ。確か 2008 年 8 月だったから、こちらのほうが Civilization One よりも早かったよ。俺達が過去に企画した Psycho Martyrdom というイベント（注：2011 年 5 月開催）には、アラブ首長国連邦の Nervecell と英米混成の Cyanide Serenity が出演した。Cyanide Serenity の当時のシンガーは、アメリカ人の Travis Neal だった。その他には、アメリカの As I Lay Dying、シンガポールの Rudra、ギリシャの Rotting Christ、インドの Demonic Resurrection と Kryptos がスリランカでライヴしたことがある。とはいえ、全体的に海外バンドがスリランカでライヴする頻度はそう多くないね。

── Stigmata が結成された 1999 年当時、

スリランカでは政府軍とLTTE（タミル・イーラム解放のトラ）がまだ内戦を繰り広げていました。このため、当時のスリランカの人々は気軽に外出して音楽を楽しめる状況ではなかったと思われますが、結成初期のStigmataは一体どうやってライヴ活動していたのですか？　また、シンハラ人とタミル人が一緒にバンドを組んで活動するというケースはあるのでしょうか？

Thisara Dhananjaya：異なる民族同士の問題が音楽シーンに影響を及ぼしたとは特に感じないね。26年にわたったスリランカの内戦は、ごく少数の過激派が広めたイデオロギーのせいで引き起こされた。言い換えると、時代も世代も異なる出来事だったんだよ。スリランカの音楽シーンには大勢のタミル人アーティストがいるけど、彼らが差別に遭ったり、不当な扱いを受けたりしているとは思わない。皆が協調し合って活動しているよ。Stigmataの場合、各メンバーの民族的、宗教的バックグラウンドはそれぞれ違うけど、俺達をつなぎとめているものは常に音楽で、宗教的な信条でも民族でもないんだ。

Tennyson Napoleon：最初期のライヴの時から、僕らはスリランカに希望と団結のメッセージを送る音楽をプレイしていた。つまり、宗教と民族間のあらゆる対立を音楽で乗り越え、ヘヴィメタルをきっかけに集まったオーディエンス全員を団結させていたんだよ。Stigmataの歴代メンバーにはタミル人やシンハラ人だけじゃなく、ムスリムや上座部仏教徒、クリスチャンもいた。今だってそうだよ。現在のStigmataのラインナップはクリスチャン2人、ムスリム1人、上座部仏教徒1人だ。民族でいえばタミル人とシンハラ人が2人ずつで、各自異なるバックグラウンドを持った4人組バンドだけど、兄弟や家族のようにメンバー全員が一丸になってプレイして、曲を書いているから、宗教や民族の違いなんて全然関係ないよ。赤い血が流れているのは皆同じなんだから！　内戦について言えば、終結に至るまでに多くの人命が失われ、あらゆるエリアの人々が困難を味わった。僕らは内戦の真っ只中でさえ、たくさんライヴをやったよ。争いの絶えない国で生まれ育ったからこそ、音楽は僕らに不可欠なものであり、男として生まれ育った以上は求められることを何でも、いつでもこなした。つまり、厳しい現実から逃れると共に、正気を保つための手段が音楽だったんだ。

―― Stigmataの1stアルバム『Hollow Dreams』（2003年）は、地元スリランカのRock Companyという会社が配給を支援したそうですね。同社はいつ、誰が創業したのですか？

Suresh De Silva：『Hollow Dreams』は初のフルアルバムであると共に、スリランカ初の本格的なメタルのアルバムでね。なおかつスリランカ初のコンセプトアルバムでもあった。Rock Companyを設立したのは、Ajith Perera、Rohan Perera、Senak Pereraという3兄弟だ。彼らはレーベルというよりはイベンターで、良質なコンサートをスリランカで開催すべく、自国の新人ロッカーやメタルバンド向けの受け皿になろうとしていた。それで、リハーサル用のスペースを開放して地元のバンドにマーケティングやプロモーションのノウハウを指南し、バンドマンが集まって曲作りするための場所も提供してくれた。俺達が自力でイベントを企画したり、音源をリリースしたりする際にも支援してくれたよ。

―― 2ndアルバム『Silent Chaos Serpentine』（2006年）発表後、Tantrumを率いるJaveen Zoysa<b>がStigmataに加入しました。彼が加わった経緯を教えてもらえますか？ また、現在のJaveenはシンハラ語の曲を歌うソロシンガーに転向しましたが、やはりスリランカでは英語詞の曲よりもシンハラ語詞の曲の需要が高くて、売れ行きがよ

英語詞の曲を好むリスナーは 2 ～ 3%以下

―― Stigmataは3rdアルバムを発表した2010年、ディスカバリーチャンネルの旅番組に出演したり、オーストラリアのイベント、Melbourne International Arts Festivalに出演したりと、積極的な活動が目立ちました。これらの番組やイベントへの出演オファーは、どういう経緯で舞い込んだのですか？

Suresh De Silva：バンドを長年サポートしてくれた友人のDelon Weerasingheは、映画やTVビ番組制作に携わっていてね。彼が、ディスカバリーチャンネルの司会者であるIan Wrightに俺達の曲を紹介してくれたんだ。すると、先方からオファーが舞い込み、Ianの冠番組『Invite Mr. Wright』に出演することになった。Ianはスリランカに出向き、俺達Stigmataと数週間を共に過ごした。3rdアルバムのリリースに先駆け、Ianと共にスリランカ中をロケバスで回ったものだよ。Melbourne International Arts Festivalは今でも大好きなイベントだ。出演の機会を設けてくれたのは、Indra Adamsというオーストラリア在住のスリランカ系ブッキングエージェントだったね。3rdアルバムは非常にプログレッシヴで複雑な作風だったが、欧米諸国や中東、アジアのさまざまなネット媒体で好リアクションを獲得したよ。

いのですか？

Suresh De Silva：より正確に言うと、『Silent Chaos Serpentine』ではVije Dhasがベースをプレイしたが、彼はリリース後に脱退したため、後任ベーシストとしてJaveenが加入したんだ。Javeenは3rdアルバム『Psalms of Conscious Martyrdom』（2010年）の頃まで在籍したよ。3rdアルバムのドラマーは、Taraka Roshan Senewirathneだった。JaveenとTarakaは熟練したミュージシャンで、ライヴパフォーマンスも堅実だったが、2人ともTantrumでの活動に専念すべく脱退した。Tarakaだけは、Stigmataの4thアルバム『The Ascetic Paradox』（2015年）にも再び参加して、ツアーにも一緒に出てくれたがね。Javeenとは今でも連絡を取り合う間柄で、彼のソロワークも楽しく聴いている。既存のシンハラ語音楽とはまったく次元の異なる作品で、彼は自分なりの立ち位置とサウンドを確立してみせた。スリランカでは、シンハラ語とタミル語の曲に対する需要が高くてね。このマーケットに参入すれば、広範なリスナー向けの曲を作れる余地がある。正直なところ、スリランカの全人口およそ2167万人のうち、英語詞の曲を好むリスナーは2～3%以下だろう。

―― 2010年にStigmataの結成10周年記念ライヴが行われた際、Asian Rock Risingのオーナーで、『デスメタルインドネシア』著者でもある小笠原和生氏がわざわざ飛行機でスリランカまで駆け付けたそうですね。小笠原氏とはどういう経緯で知り合ったのですか？

Suresh De Silva：カズオ（注：小笠原和生氏のこと）は素晴らしい男だ。ちょうど3rdアルバムがリリースされた頃に彼と接点ができたので、俺達はスリランカでカズオを出迎えた。非常に光栄だったよ。スリランカではカズオと楽しい時間を過ごした。日本もしくはスリランカで彼と再会できることを願っている。

Tennyson Napoleon：カズオとは、さっき話題に上がったRock Companyを通して知り合った。彼は関係各所全員に連絡を取り、僕らの結成10周年記念ライヴを観に来てくれた。彼と知り合うことができてラッキーだったよ。カズオは素晴らしい男だ。なぜなら、海外にもスリランカのメタルについて一生懸命に知ろうとしていて、アメリカやヨーロッパ以外の国々にもメタルが好きな人がいるということを、身をもって証明してくれたからだ。カズオはとてもフレンドリーに接してくれて、僕らをサポートしてくれた。彼はAsian Rock Risingを通じて、アジアのさまざまなバンドを日本や諸外国に広めている。その献身ぶりと厚いサポートに、僕らは永遠に感謝しているよ。

――Stigmataは2014年にインドのAlbatrossと共にバングラデシュへ、2015年には同じくインドのDevoidと共にアラブ首長国連邦のドバイへ遠征しました。スリランカとインド両政府間の関係は複雑ですが、インドのメタルバンドに対してどんな印象を持っていますか？

Suresh De Silva：俺達はインドのバンドやアーティストに最大限の敬意を払っている。実際にインド東部の音楽、特に伝統音楽や民族音楽を評価している。インドのメタルバンドも素晴らしいね。たとえばSkyharbor、Demonic Resurrection、Bloodywood、Devoid、Kryptos、Amogh Symphonyなどは、バラエティ豊かなサウンドを聴かせるクールなバンドだよ。

Tennyson Napoleon：インドのメタルシーンの規模は大きい。Bloodywoodなどのバンドは海外を積極的にツアーしていて、YouTubeの動画の再生回数は数百万回に及んでいる。Bloodywoodはインドの伝統文化と音楽をメタルに融合させた、新鮮かつモダンなバンドだね。在外インド人は世界中に散らばっているから、メタルを含んだインド系ミュージシャンの影響力は、僕らの想像以上に大きい。たとえば、カナダの有名なDjent系バンドのIntervalsにも在外インド人のAnup Sastry<ds>が在籍していたし（注：本稿執筆時はSkyharborのサポートドラマー）、インド人ギタリストのGuitar Prasanna（注：インド南部のカルナータカ音楽の要素を採り入れたジャズフュージョン／プログレッシヴロック系ギタリスト）はTestamentのAlex Skolnick<g>とセッションしたことがある。インドの伝統音楽は複雑だけど、スリランカにも多大な影響を及ぼしているよ。

――インドでは2011年からWacken Open Airへの出場権を賭けたコンテストW:O:A Metal Battleが開かれており、近年はスリランカ、ネパール、バングラデシュでも予選が開催されるようになりました。すでにStigmataはモルディヴ、マレーシア、アラブ首長国連邦、オーストラリア、ニュージーランドでも公演した経験がありますが、W:O:A Metal Battleによってスリランカの他のバンドの海外進出が、今後もっと活発になると思いますか？

Suresh De Silva：俺個人としては、StigmataのPure Sri Lankan Metalを体験していない世界各地の人々に、俺達ならではのユニークなサウンドとクレイジーなライヴパフォーマンスを披露したいと思っているよ。海外でのライヴは信じがたいほど貴重な経験だ。今後も、さまざまな国のバンドやアーティストと共演する機会が訪れるとよいのだが。

Tennyson Napoleon：何組かのスリランカ人バンドがインドでライヴしたけど、僕が知っているのは Mass Damnation くらいだね。まさに君が指摘した W:O:A Metal Battle のスリランカ予選が 2018 年に初開催された際、彼らがその予選を制し、インド亜大陸全体の代表バンドを選ぶ決勝戦に進んだんだ。

――その一方で、日本のアンダーグラウンドなメタルシーンでは、Genocide Shrines、Serpents Athirst などスリランカのウォー・ブラックメタルバンドが高く評価されています。Stigmata の各メンバーやスリランカの人々は、彼らのようなウォー・ブラックメタルバンドに対してどんな印象を持っていますか？

Suresh De Silva：Genocide Shrines、Serpents Athirst が彼らなりの音楽で、日本のアンダーグラウンドシーンに存在を知らしめたのは素晴らしいことだ。この 2 バンドに敬意を表するばかりだ。ウォー・ブラックメタルのムーブメントを起こそうとしているのは彼らくらいしかいない。これは賞賛に値することだよ。

Thisara Dhananjaya：確かにスリランカには、ブラックメタルやその他さまざまなエクストリームなサブジャンルを好むファンベースが存在する。特に、旧首都のコロンボがある西部地域とその周辺で盛んだね。個人的にその手のジャンルは認めているけど、各自の音楽やメッセージ、バンドを象徴するイメージがしっかり伝わらない限り、熱心に聴こうとは思わない。それに、ブラックメタルは癖のあるジャンルで、万人受けしないと思うよ。

―― Stigmata は 1999 年結成なので、すでに 20 年超のキャリアを誇ります。スリランカという国で、これだけ長くバンド活動を継続できる秘訣は何でしょう？

Tennyson Napoleon：秘訣といえるものは忍耐力だね。そもそも僕らは昼間の仕事も持っているから、音楽で儲けようとしていない。逆に言うと、クリエイティブ面での制約、レーベルからの圧力といったものがないんだ。たとえば、僕らの曲は尺が長くなりがちで、7～8 分台のものもあるけど、一生懸命それらの尺を短くしようと頑張っても 6 分 45 秒くらいが限界だ。結成から 20 年以上経った今は、新たなスタート地点に立ったように感じる。ヘヴィメタルという音楽ジャンルがクリエイティブなムードを放出する限り、僕らは活動を続けると思うよ。

Suresh De Silva：バンドが長続きした秘訣は、経験から学ぶことだ。失敗から得た教訓を強みに変えるんだ。そして一緒に仕事するミュージシャンや関係者を大切にし、自分自身や積み上げたキャリア、ファンを大切にすること。それらすべてに忠実であり続け、最善のものを提供するんだ。自分自身の音楽や芸術様式に忠実であることも欠かせない。俺達にはヴィジョン、情熱、コミットメント、忍耐力が備わっている。俺達はこれまで人間として、ストーリーテラーとして、ソングライターとして、あるいはパフォーマーとして進化を続けることに焦点を絞ってきたと思う。一貫性を保ちつつ、現代のデジタルプラットフォームとテクノロジーを受け入れ、より多くのオーディエンスに音楽を届けることを目指している。それには多くの犠牲とハードワークを伴うが、自分がやることを楽しみ、愛する必要があるよ。

―― 4th アルバムのリリース後、シンガーの Suresh De Silva は作家活動を始め、『From Chaos to Catharsis』（2017 年）と『The Eternal Dark：Requiem』（2018 年）という 2 冊の著書を発表しました。私も日本の出版業界で 20 年以上ライター、編集者、翻訳者として活動しているので、スリランカの出版事情には興味をそそられます。2 冊の著書の内容と、スリランカの出版事情を簡単に教えてもらえますか？

Suresh De Silva：嬉しい質問だね。俺は物語を作るのが好きなんだ。Stigmata

の活動もまさに物語を作ることであって、どの曲にもストーリーがある。それゆえに人々は俺達を気に入ってくれたんだと思うよ。君が指摘した2冊は、どちらも自費出版で発表した。1冊目の『From Chaos to Catharsis』は、詩や短編小説、散文、エッセイ、過去のブログ記事などを収録したものだ。2冊目の『The Eternal Dark：Requiem』はゴシックやコズミックホラー（注：アメリカの小説家H. P. ラヴクラフト〈1890～1937〉が唱えたジャンル。文字どおりに、宇宙規模の超常的存在に恐れおののくホラー作品を指す）、スリラー、サスペンス、スリランカの歴史、ダークファンタジーなどを折衷した書き下ろし小説だ。スリランカにも作家のコミュニティーがあり、優れた書き手もいるんだが、この手のフィクションの小説に取り組む人が少ない。出版社もいろいろあるが、陰鬱でダークな物語をサポートしてくれる版元はそれほど多くない。それで、自費出版することにしたんだ。今は小説、ショートストーリーの作品集など計3冊を書き進めている。

――ところで、あなた方は日本と日本人に対してどのような印象を持っていますか？　もし好きな日本人アーティストがいたら教えてもらえると、なお幸いです。

Tennyson Napoleon：日本のアート、映画、アニメなどの文化や、食べ物、音楽、規律、社会的価値、労働倫理などは素晴らしく、すべての面で完璧だ。日本人は素晴らしいし、尊敬に値するね。僕はMAXIMUM THE HORMONE、BABYMETAL、BAND-MAID、ONE OK ROCK、Crossfaith、Fear, and Loathing in Las Vegasといった日本人アーティストが好きだし、J-POPもよく聴いている。ファンクやジャズにも言えるけど、日本人アーティストのミュージシャンシップはあらゆるジャンルで抜きんでていると思うよ。個人的には日本のミニマリズム（注：必要最小限の持ち物でシンプルな生活を送ること。仏教や禅の思想としばしば結びついて言及される）が大好きでね。日本には一度も行ったことがないけど、人生における興味深いことを日本から学んだよ。僕の夢は、いつか実際に日本を訪れることなんだ。

――Stigmataのアルバム群は、先に挙げた小笠原氏の通信販売店、Asian Rock Risingで取り扱っており、初期アルバム3枚と直近のシングル3作はiTunes、Apple Music、Spotifyなどで日本でも試聴可能です。最後に日本のリスナーにぜひメッセージをお願いします。

Suresh De Silva：インタビューの事前準備で、君が多大な時間と労力を費やしてくれたことに感謝している。とても光栄だよ。俺達は目下、イギリスの有名プロデューサー／エンジニアであるRomesh Dodangodaと一緒に通算5枚目のアルバムに取り組んでいてね。Romeshはスリランカ移民2世で、Motörheadの『The Wörld Is Yours』（2010年）、Sylosisの『Monolith』（2012年）、Bring Me the Horizonの『Amo』（2019年　）などのレコーディングに携わった腕利きなんだ。イカしたマーチャンダイズも準備中だ。ぜひこの機会に、俺達のFacebook、Instagram、YouTubeなどで最新情報をチェックしてほしい。俺達の夢は日本でライヴすることでね。今回のインタビューをきっかけに、少しでも具現化するとよいのだが。最後まで読んでくれてありがとう。

Tennyson Napoleon：僕らはスリランカの伝統的なリズムとメロディー、グルーヴ感を取り入れたユニークなサウンドを志向しているけど、メタルのルーツにも忠実なんだ。**どうか先入観なしで耳を傾けてほしい**。きっと驚くと思うよ。僕らのFacebook、Instagramなどもぜひチェックしてほしい。（日本語で）アリガトウゴザイマシタ！

DSBM なのにレザージャケットにコープスペイントという勇ましい姿形

Dhishti

西部州コロンボ　2009～　Black Metal
（影響）Burzum、Nocturnal Depression、Austere、Shining（スウェーデン）、Woods of Desolation　429

コープスペイントにレザージャケットという、勇ましい出で立ちの Jayakody<vo> を擁する 5 人組バンド。一見すると、Genocide Shrines のようなウォー・ブラックメタルバンドのような出で立ちだが、実際の彼らの影響源は Austere、Nocturnal Depression、Shining など、長谷部裕介氏の『デプレッシヴ・スイサイダル・ブラックメタル・ガイドブック』に登場する欧米のアーティストだ。Raaksha なるバンドに在籍していた Jayakody と Deshapriya<g> を中心に、2009 年に始動。過去のインタビュー記事によると、DSBM を志向した動機は、当時の Jayakody 自身が抗うつ治療を受けていたからだという。

2010 年に 1st アルバム『Decease』を発表するが、オリジナルメンバーの Udugampola<b> がヒップホップの MV に参加したことを咎められて解雇され、ドラマーも現任の Alles に交代する。2011 年にはシングル「Neecha Paapa」を自主リリースし、2012 年の元旦に 2nd アルバム『Meditation of Death』をリリース。バンドは同アルバムを引っさげ、インドのムンバイ、ベンガルール、グワハティ、ダージリンで 4 公演をこなした。2014 年 9 月には Rotting Christ のスリランカ公演でサポートアクトを務めた。

Dhishti
Dhishti
自主制作　2021
西部州コロンボ

現行の 5 人組で放ったセルフタイトルのシングル。単独作としては通算 4 作目だ。4 人編成だった 1st アルバム『Meditation of Death』（2012 年）は 22 分超の超大作の 2 曲でアルバムを満たす趣向で、陰鬱で寒々とした楽器隊のプレイに合わせて、Jayakody<vo> が苦悶の絶叫や泣き声を絞り出していた。本作でも彼の唱法は変わらないが、イントロで勇壮なリフを刻み、要所でブラストで駆け抜けるなど、DSBM というよりは正攻法のブラックメタルへと様変わり。尺も約 6 分半まで縮まった。

シンハラ朝『マワーハンサ』建国神話以前の神霊崇拝を探究するペイガン・ブラック

Funeral in Heaven

西部州コロンボ　2003～　Black Metal
（影響）Venom、Bathory、Celtic Frost、Mayhem、Immortal、Wolves in the Throne Room　694

スリランカの多数派民族であるシンハラ人の民族的ルーツは、インド北部にあると言われる。シンハラ人の拠り所である史書『マハーワンサ』に記された建国神話は、紀元前543年（仏陀入滅の年）に獅子の血を引く王子ヴィジャヤがインドから渡来して先住民を征服し、スリランカ最古のシンハラ朝を建てたというもの。しかしそれ以前のセイロン島（現在のスリランカ）には複数の部族が共存し、土着のさまざまな神霊を崇めていたとされる。

Funeral in Heavenはこうしたスリランカ古来のルーツを探求すべく2003年に始動した6人組ペイガン・ブラックメタルバンドで、メンバー6人のうちChathuranga Fonseka<vo>、Naga Yakka こと Joseph De Alwis<g>、BlasphemousWargoat こと Kasun Nawarathna<ds, violin>の3人はウォー・ブラックメタルバンドのGenocide Shrinesでも活動している。

2006年のデモ音源『Blasphemy Is Our Throne』を皮切りに、2009～2010年にシングル1枚、EP2枚（うち1枚はライヴ盤）を発表。同郷のPlecto Aliquem Capiteとのスプリット盤『Astral Mantras of Dyslexia』（2011年）は、ドイツのDunkelheit Produktionenで配給された。

Funeral in Heaven
Daiwaye Haaskam Saha Paralowa Sapatha
Legion of Death Records　2010
西部州コロンボ

フランスのLegion of Death Recordsで配給された初のEP。収録曲は、M1「The Origins of Evil: Abhawaya」とM2「Malediction of Veracity: Udhbhawaya/Punarbhawaya」の2曲のみだが、どちらも6～8分台の長尺だ。M1はImmortalを思わせる勇壮なナンバーだが、叙情味を感じさせるパートを配している。M2は一変して悲壮感を帯びたミドルテンポの曲だ。両楽曲とも終盤で民族打楽器を織り交ぜ、土着的なムードを発散する。

インド発祥の諸宗教の道徳、規範を忌み嫌うウォー・ブラックメタル

Genocide Shrines

西部州コロンボ　2011～　Black/Death Metal
（影響）Celtic Frost、Bathory、Metal Church、Motörhead、Blasphemy　1702

スリランカに仏教が伝来したのは紀元前3世紀頃。かたやヒンドゥー教がスリランカに浸透したのは11世紀である。この両宗教に加え、ジャイナ教、シク教などインド発祥の諸宗教の道徳や規範、つまりダルマ（仏典では法）を忌み嫌う4人組ウォー・ブラックメタルバンドがいる。2011年に結成されたGenocide Shrinesだ。

メンバー4人のうち3人はFuneral in Heavenにも在籍しているが、Chathuranga Fonseka<vo>はここではTridenterroccultなる変名を使い、目出し帽で顔を隠している。デビューEP『Devanation Monumentemples』（2012年）をはじめ、これまでにシングル1枚とライヴ盤2枚を発表済み。非常に極端なコンセプトを打ち出しているバンドだが、Tridenterroccultの弁によると「民族や才能にかかわらず厳しい基準でメンバーを選んで活動しており、過去にタミル人が経営するライヴ会場に出演したことがある。その日はSerpents Athirstのメンバー1人がサポート扱いで参加したが、この人物はムスリムだ」という。アウトブレイク・ショウ氏の『ウォー・ベスチャル・ブラックメタル・ガイドブック』に、Tridenterroccultのインタビューが載っているので、本書と共にご覧願いたい。

Genocide Shrines

Manipura Imperial Deathevokovil: Scriptures of Reversed Puraana Dharmurder

西部州コロンボ　Vault of Dried Bones　2015

カナダのレーベルVault of Dried Bonesで配給された初のフルアルバム。ヒンドゥー教の破壊神シヴァの象徴であるリンガ（男性器）とヨーニ（女性器）を禍々しい骸骨で装飾したアートワークが目を引く。バンスリ（インドの横笛）のような音色と読経を用いたインストのM1「Pillar I: Deimetrical Satanic Dasayoga」が明けると、暗黒サウンドが容赦なく渦を巻く。単にブラストで暴れ回るだけでなく、底なし沼へ沈み込むようなパートを設けて、緩急の差を際立たせた楽曲群が特徴的だ。

仏教ナショナリズムに反発していると思しきウォー・ブラックメタル

Serpents Athirst

西部州コロンボ　2011～　Black Metal
（影響）Blasphemy、Sarcófago、Venom、Beherit、Immortal、Bathory　251

2011年に始動した4人組ウォー・ブラックメタルバンド。プリミティヴ・ブラックメタルのArraのドラマーであるObliteratorことAmrish Nazeer<vo, g>と、MahasonaことVinodh Perera<ds>との2ピースで始動し、2012年に6曲入りのデモ音源『Prevail』がボリビアのEternal Transmigration Recordsにて流通される。

その後、大幅にメンバーが入れ替わり、2013年には専任シンガーのReverend Khaostormを迎え入れ、Obliteratorは本来のポジションであるドラムに戻る。2014年にはDecimator<b>と、Funeral in Heaven、Genocide Shrinesなどに在籍するBlasphemousWarGoatことKasun Nawarathna<g>が加入して現行の4人編成になる。

バンド初のEP『Heralding Ceremonial Mass Obliteration』は、アイルランドのInvictus Productionsでリリースされた。元来スリランカにはブッダ（釈迦）が生涯で3度訪れ、ヤクシャ（夜叉）とナーガ（蛇神）を帰依させて島を浄化したとの伝承がある。換言すると、このバンドも蛇（Serpent）の名をバンド名に掲げることで、仏教ナショナリズムへの反発心を示しているのかもしれない。

Serpents Athirst
Heralding Ceremonial Mass Obliteration
Cyclopean Eye Productions　2016
西部州コロンボ

荘厳なクワイアと鐘の音がSE代わりに鳴り響くと、BlasphemyやBlack Witcheryのように禍々しく暴虐な音塊で襲いかかる。専任シンガーとして加入したReverend Khaostormの唱法は獣性を終始むき出しにしたもので、人間業とは思えないほどだ。換言すると、北欧ブラックメタルの影響下にあった2ピース時代の面影は皆無で、まったく別のバンドに生まれ変わったといえる。バンドコンセプトとは裏腹に土着臭はない。ロシアのSickritesのシンガーだったAlex Shadrinがアートワークを担当。

シンハラ語のメタルソングをいち早く
プレイしたと謳われるベテラン
Whirlwind

西部州コロンボ　1995 ～ 2009、2011 ～　Heavy Metal
（類似）Helloween、Sepultura、Nightwish　2678

同郷のStigmataよりもやや早く、1995年に始動したベテランバンド。バンドは自身の音楽性についてSri Metalと形容している。Misha Wickramanayake<vo, g>を中心に結成後、精力的にギグを重ねると、2000年にSLBC（スリランカ放送協会）の英語放送ラジオでスリランカ初のメタルバンドとして紹介される。バンドはこれを機に、SLBCのプロデューサーだったHarold Fernandoと接点を持ち、同局のスタジオでオリジナルソングをレコーディングするようになる。

2003年のデビュー盤『Pain』は英語詞曲に加え、同国のポピュラー音楽界では当時稀だったシンハラ語詞の楽曲も収めたことで評判を呼び、母国だけでなくオーストラリア、ドイツ、インド、シンガポールでも流通されたという。2004年のシングル「Mindbender」ではスリランカ産メタルバンドとしては本格的なMVを初めて制作。同曲は地元ラジオ局でチャート入りし、バンドは2005年にSLO（Sri Lankan Original）なるアワードに輝く。

元StigmataのNisho Fernando<ds>を迎え入れた2007年の2ndアルバム『Agony』以後は活動が断続的になり、中心人物のMishaはブラックメタルバンドのSiblings of Hatredでギタリストとしてプレイしたこともあるが、本稿執筆時は4人編成で活動中だ。

Whirlwind
Agony
自主制作　2007
西部州コロンボ

オリジナルリリースから10年超の歳月を経て、Bandcampでも配信された2ndアルバム。曲が進むにつれ、正統派メタルやオルタナティヴ、シンフォニックメタルなど細分化されたサブジャンルを節操なく往来する。M5「Trapped」とM8「Immortalize」にはMaria Soyzaなる女性シンガーがゲスト参加した。MVが制作されたM9「Vacant Life」とM10「Burning Shadows」はパワーメタル寄りだが、耽美な鍵盤による締めのインストのM11「Trapped - The End」と噛み合っていない。

A Village in Despair
In Our Water, In Our Air
自主制作 2020 Atmospheric Black Metal
西部州コロンボ

Plecto Aliquem Capite、Rathas などに在籍するメンバーが新たに始動させた 4 人組バンドによる、通算 3 作目のシングル。「絶望の村」を指すバンド名が示すとおり、スリランカの都市部と農村の経済格差を嘆く楽曲を送り出しており、1st シングル「Hope and Longing」(2017 年) の頃から同一のアートワークを使い回している。イントロは現地民謡のようだが、Darkthrone、Burzum などの影響が窺える。ただし、音質はそれほど劣悪ではなく、緩急の差を心得た曲作りをしている。

Ancient Curse
In the Name of Illumination
自主制作 2013 Thrash Metal
中部州キャンディ

スリランカ中部に位置する第二の都市キャンディで、2011 年より活動する 4 人組スラッシュメタルバンドの 3 曲入り EP。中心人物の Shane Seneviratne<vo, g> と Virjan Marcellin<b> は同じ男子高に通っていた旧友同士。タイトルチューンの M1 と M2「Death to the King」は案外と正統派メタル寄りで流麗なギターソロも聴けるが、本来フックを盛り上げるべきコーラスワークが素人臭い。M3「Fight」は歌詞を鑑みるに、時の大統領マヒンダ・ラージャパクサとその親族による不正を糾弾した曲だろう。

Abyss
Shatter
自主制作 2016 Groove Metal
西部州コロンボ

恰幅のよい Che Weeratne<vo> を擁する 4 人組バンドによる初音源のシングル。Bandcamp には「デビュー盤からの先行シングル」と謳われているが、肝心のフルアルバムは陽の目を見ていない模様だ。「Raw Groove Metal」を掲げているが、別にプリミティヴなサウンドを志向しているわけではない。むしろ 1990 年代から見られる荒々しいパワーグルーヴ路線で、中盤は激重のビートダウンで沈む。バンドは 2018 年 12 月、スリランカで初開催された W:O:A Metal Battle に参加したことがある。

Arra
Upheaval of Destructive Hate
Cavernous Records 2018 Black Metal
西部州コロンボ

コロンボで 2011 年から活動する 3 人組による初のフルアルバムで、イギリスの Cavernous Records にて配給された。2012 年の 1st デモ『Mass Sacrificial Rites』の頃から反キリスト思想を押し出したプリミティヴ・ブラックメタルをプレイしており、本作でもキリスト教における悪魔の名が楽曲名に銘打たれている。Darkthrone、Bathory などノルウェーの先人達からの影響が窺えるサウンドで、初期のデモ音源よりはプロダクションが多少マシになったものの、相変わらずノイジーで粗い音像だ。

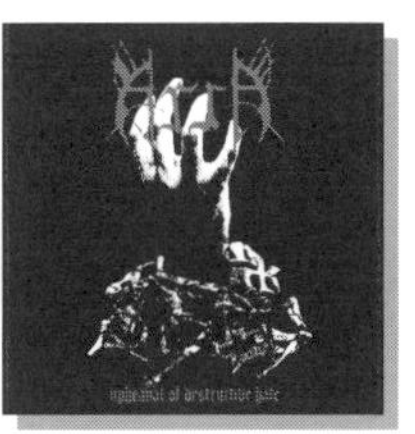

Accursed
The Rain
2014 Depressive Black Metal
Silentium in Foresta Records
西部州コロンボ

2014 年に発表された独り DSBM による唯一のアルバム。南米ではメキシコの Silentium in Foresta Records、欧州ではウクライナの Depressive Illusions Records によって流通された。Winter なる人物が全パートを独力でこなしている。アルバム序盤はメランコリックなギターを軸にした楽曲群が続くが、M3「Fades Away」からバッキングが幾分力強くなり、悲痛な絶叫が木霊する。締めの M5「Winter」ではノイジーなリフに混じって女性と思しき歌声が聞こえる。

Baphometh
Silver Sun
自主制作 2018 Black Metal
西部州デヒワラ・マウントラビニア

コロンボの南に隣接する都市デヒワラ・マウントラビニアで活動する、Abigor Windeal こと Wanasapura Arachchige Shanil Sirisen による独りブラックメタルの 2nd EP。Bandcamp には 1996 年 12 月生まれと記されていたので、Abigor はリリース時点で満 22 歳だった。バンド名は、言わずと知れた山羊頭の悪魔だ。Abigor が全パートを独力でこなした作品で、ギターの音色が著しくノイジーである。ボコボコとくぐもったドラミングはフィンランドの Archgoat を彷彿とさせる。

Blind Effect

Terror in the Mind

自主制作 2019 Experimental Death Metal

西部州パニピティヤ

コロンボ近郊の街パニピティヤで活動する 4 人組バンドによる 2nd シングル。「Experimental Death Metal」を標榜しており、確かに前シングル「Dorothy」(2016 年)は幾分アヴァンギャルドな作風だった。本作はイントロで読経のような怪しい SE が聞こえるが、どっしりとしたミドルチューン主体の作風で、Alex<vo> はピッグスクイールやスクリームなどを使い分けて健闘している。しかし音質は良好とは言いがたく、人質を取った IS の戦闘員をあしらったアートワークに楽曲が負けている印象を受ける。

Chain

Faith

自主制作 2016 Progressive Metal

西部州コロンボ／中部州キャンディ

グロウル担当の Dilshan Amarasinghe と、クリーン&ギター兼任の Shane Seneviratne を擁する 5 人組バンドによる 1st シングル。元々は地元ラジオ局主催のコンテスト出場を目的に結成されたバンドだが、2015 年の同コンテストで準優勝に輝いた後、パーマネントなバンドとなった。「Progressive」の謳い文句とは裏腹に、雑多な音楽ジャンルをつなぎ合わせている節があり、タイトルチューンの M1 は前半こそ Nickelback を想起させるが、中盤では突如としてハードコア風に様変わりする。

Bloodline

Unholy Villain

自主制作 2009 Technical Death Metal

ウバ州バンダーラウェラ

スリランカ中部の都市バンダーラウェラで、2008 年に結成された 5 人組バンドによるデビュー作。Cryptopsy、Nile、Decapitated などに影響を受けたデスメタルをプレイ。静かな緊張感を発散するインストの M1「Introduction」が明けると、激しいブラストとグロウルで襲いかかる。ギタリスト 2 人が派手なプレイを披露する一方で、Kamal Dileep のドラミングは非常に手数が多い。バンドは Manjula<b> 脱退後にシングル「Reborn」(2012) を発表したが、本稿執筆時は活動を休止している。

Constellation

Pillar of Light

自主制作 2018 Progressive Metal

西部州コロンボ

2014 年にデビューした、Djent 系バンドによる 4 枚目のシングル。この手のバンドでは珍しく、結成初期は Eshantha Perera がドラム兼ヴォーカルだったが、本稿執筆時はツインヴォーカル、ツインギターの 6 人組に再編され、Eshantha はクリーン専任となっている。全 6 楽章・10 分超の大作で、Periphery の影響が窺える音楽性。中盤でスペーシーなシンセを導入したかと思えば、流麗なギターソロを披露したりと曲展開は起伏に富み、最後まで飽きさせずに聴かせる。

Celepathy

Lost Silver Dream

自主制作 2022 Atmospheric Black/Post Metal

西部州コロンボ

コロンボ出身であること以外、素性を伏せているアトモスフェリック・ブラックメタルバンドによる 1st EP。全編インストであり、物悲しいアルペジオによる小曲の M1「Eternity」で幕を開けると、割と勇壮なミドルチューンの M2「Gaia's Veil」へと続くが、単調な曲構造である。M3「Nisachara」でブラックメタルらしいノイジーなリフを刻むが、これまたミドルテンポ主体の曲なので疾走感に乏しい。表題曲の M4 は、チリチリのリフにピアノが終始併走する DSBM 風のスローナンバーだ。

Cremetoria

The Human Legacy

自主制作 2013 Melodic Death Metal

中部州キャンディ

2009 年に結成された 4 人組メロディック・デスメタルバンドのデビュー EP。M2「Annihilator」や M5「Trauma」は疾走感に乏しく、クリーンとグロウルを使い分ける Rajitha Gammudali<vo> の歌唱も頼りない。M4「Past Shadows」ではドイツ×ルーマニア混成バンドの Agathodaimon を割と忠実にカヴァーしているが、M6「Swayanwindanaya」は土着臭を発散。2015 年に YouTube で MV を公開した新曲「Anduru Chethana」は一変して正統派のバラードだった。

Decaying Theory
Melodies from Seventh Feet
自主制作 2011 Depressive Black Metal
西部州デヒワラ・マウントラビニア

Hansaka Dananjaya なる人物による独り DSBM の5曲入りデモ音源。Encyclopaedia Metallum には、Hansaka は 1993 年生まれと記されているので、本作リリース当時は満 18 歳だった計算になる。全編インストで、アトモスフェリックな M1「Opus 1818」と M2「Journey Begins」が続くと、M3「Insane」と M4「Vacuole」でようやくノイジーなリフとブラストが鳴り響く。しかし、締めくくりの M5「Lament」で再びアトモスフェリックな世界観へ回帰する。

Forlorn Hope
Blessed Are the Helpless
Umc 2007 Black Metal
中部州キャンディ

Buddhika Karunasekara<vo> と TPKR<ds> を中心に 2002 年に結成されたブラックメタルバンドの 2nd シングル。前作『Wilted』(2004 年) はスリランカ最初期のブラックメタルと称され、元々はキーボード奏者を擁する 6 人編成だったが、本作から Wartek<g> が加入した一方でベース不在の 3 人組になった。劣悪音質のプリミティヴ・ブラックをプレイしており、中盤でアコギのアルペジオがほんのり聞こえるが、終盤はブラストで駆け抜ける。バンドは 2014 年のシングル「II」を最後に解散した模様。

Destroy and Discard
Inhuman
自主制作 2016 Brutal Death Metal
西部州コロンボ

2012 年に結成された 5 人組ブルータル・デスメタルバンドによる 2nd シングル。シンガーの Dilshan Amarasinghe は前述の Chain にも在籍している。前作「Eyes Wired Shut」(2013 年) では圧迫感のあるリフをズンズンと響かせる一方で、テクニカル・デスメタル風のアプローチを見せていた。かたや本作の場合、オールドスクールなデスメタルに先祖返りした感があり、すり潰しを効かせる局面が少ない。Venura Kariyawasam<b> は本作発表の 2 ヶ月前にわずか 23 歳で急死している。

Forsaken
Destiny
自主制作 2012 Thrash Metal
中部州キャンディ

キャンディで 2006 年に結成された 4 人組スラッシュメタルバンドによる現時点で唯一の EP。往年のスラッシュメタルの Big4 を影響源に挙げているものの、案外とメロディアスな側面を併せ持ち、M1「Stalking Reality」やタイトルチューンの M2 では正統派メタル風のフレーズを織り交ぜている。締めくくりの M3「Blackened」は、曲名こそ Metallica の『...And Justice for All』(1988 年) 収録曲と丸かぶりだが、実際のところは Nickelback を思わせるミドルテンポのバラードだ。

Fallen Grace
Rise and Assault
自主制作 2010 Melodic Death Metal
西部州コロンボ

2003 年に結成された 5 人組メロディック・デスメタルバンドによる初音源の 2 曲入りデモ。初期 In Flames、Dark Tranquillity、At the Gates などの影響下にある音楽性だが、全体的にプロダクションは良好とは言えない。ギタリスト 2 人は割と流麗なプレイを聞かせてくれるが、7 分近い長尺の M1「Preach Me Dark」はいささか冗長で中だるみ気味。M2「Putrid Remains」のベースラインは、どことなく Iron Maiden からの影響を感じさせる。

Infernum Mortuum
And from the Flames
自主制作 2013 Black Metal
中部州ヌワラエリヤ

スリランカ有数の紅茶の産地であるヌワラエリアで結成された 4 人組バンドによる唯一のアルバム。タイトルチューンの M1 はミステリアスなシンセ、M3「In Shades of Grey」はノイジーなリフを前面に押し出した楽曲群だが、どちらもスローテンポで DSBM バンドのような雰囲気を発散。バンドの中心人物である Lord Anator<vo, g> の唱法も、スクリームではなく不穏な囁き声が中心だ。M4「Infernal Crunchy」は幾分ブラックメタルらしくなるが、全体的にプロダクションは良好とは言いがたい。

Konflict
Subjugation I & II
War Vellum　2021　Black/Death Metal/Grindcore
西部州コロンボ

覆面姿の3人組ウォー・ブラッメタルバンドによる3rd EP。日本で同じように覆面姿で活動するReek of the Unzen Gas Fumesとスプリット盤を2015年に発表したこともあり、本作はカナダのレーベルWar Vellumにてカセット形態で流通された。前EP『Trigger Universal』(2018年)と同じく人間味を一切排除した音作りをしており、SF映画のワンシーンのようなナレーションが明けると、深いエフェクトの入ったヴォーカルと無機質なブラストビート、それにノイズが乱れ飛ぶ。

Local
Local
自主制作　2019　Hardrock
西部州コロンボ

2014年に始動した3人組バンドの1stアルバム。全6曲で20分台という小品だが、『デスメタルインドネシア』著者の小笠原和生氏により、BURRN!ONLINEの『2019年上半期ベストアルバム』の1枚に選出された。往年のクラシックロックへの憧憬を反映したM1「Sunakaya」で幕を開けるが、M2「Ratak Athi」ではグランジ風のリフを刻む。バラードのM4「Tharuke」とポップカントリー調のM5「Aluth Dawasak」は近年のBon Joviを彷彿とさせる。ただし本作は全編シンハラ語詞だ。

Luciferianometh
Reunion in the Mountain
自主制作　2021　Black Metal
西部州デヒワラ・マウントラビニア

独りブラックメタルのBaphomethが改名したプロジェクトによるEP。Baphometh時代と同じく、ヴォーカルも含めた全パートを独力でこなしており、著しくノイジーなギターと、ボコボコとくぐもったドラムの音色も変わらず。ただし本作の場合、明らかに打ち込みと思われるブラストや、チープな音色のシンセも用いた曲もある。2020年の1stアルバム『Summoning the Bloodline of Cernounnus』を皮切りに、フルアルバム3枚などを約1年半でリリースしてきたが、本作が最終作となる模様。

Manifestator
Doom over Live (Demo-Bootleg)
自主制作　2012　Black/Thrash Metal
西部州コロンボ

Funeral in HeavenとGenocide ShrinesのBlasphemousWargoatことKasun Nawarathnaが、ドラマーではなくギタリストとして在籍する4人組によるデモ音源。ただし音楽性は前掲の2組とはまるで異なり、Venom、Bathoryなどブラックメタル黎明期の先人達を手本にした節がある。生のライヴを一発録りしたと思われる粗い音質だが、生々しい初期衝動が伝わってくる。M4「Sacrifice/Darkness and Evil」はBathoryのカヴァーだ。

Mass Damnation
Turmoil
Ironwardrobe Records　2020　Technical Groove Metal/Metalcore
西部州コロンボ

2018年11月にBangalore Open Airへの出場権を争うコンテストを制した、5人組メタルコアバンドのシングル(Bandcampではアートワークが異なる)。デビューEP『Catalyst of Hate』(2012年)ではLamb of Godからの影響が窺えたが、前シングル「Beyond the Void」(2019年)はGojiraのようにプログレッシヴな要素があった。かたや本作は前掲のデビューEPの頃に立ち返った印象を受けるが、Ryan Johnson<vo>がピッグスクイールを繰り出す趣向がある。

Massacrament
Ehipassiko
Raavan Kommand　2017　Raw Black Metal
中部州キャンディ

Forlorn Hopeに在籍するWartek<g>とTPKR<ds>が立ち上げた、2ピースバンドによる初のデモ音源。アルバム名の本来の意味は、スリランカで信仰されている上座部仏教の経典の文言「来たれ、見よ」だが、アートワークには「Don't Just Believe」と添えられている。ノイジーかつ粗悪なプリミティヴ・ブラックメタルで、M1「Visionary Onslaught」は宗教色を帯びた独白で幕を開ける。M2「Apotheosis」のイントロでは民族打楽器が軽快に鳴り響くが、蓋を開けると超スローテンポだ。

Meningitis
Fatalities to the Flesh
自主制作　2019　Brutal Death Metal
西部州コロンボ

スリランカでは希少な4人組ブルータル・デスメタルバンドの2ndシングル。日本ではバンドのYouTubeチャンネルでのみ聴くことができる。Dying Fetusの影響が強い音楽性で、実際にバンドのYouTubeチャンネルにはDying Fetusのカヴァー演奏が複数公開されていた。デビューシングル「Docile Impurgance」(2014年)ではShalinda Perera<vo>の下水道ヴォイスに深いエコーが終始かかっていたが、本作はそれが全パートに及んでおり、プロダクションがさらに劣悪になった。

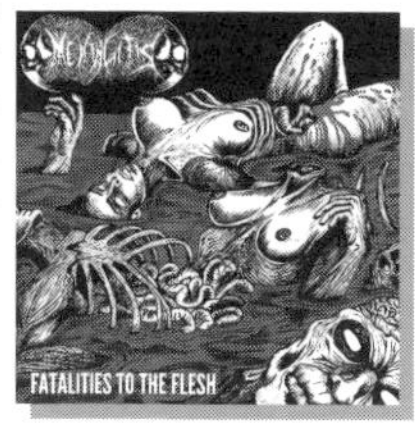

Merlock
Crimson Skies
自主制作　2007　Thrash/Power Metal
西部州コロンボ／コフワラ

Leech名義で2005年に結成後、バンド名を改称した4人組バンドによる唯一のEP。ただし収録曲は、M1「Crimson Skies」とM2「Disclosure」の2曲だけだ。バンドは自身の音楽性を「Thrash/Groove」と謳っており、両楽曲でDumidu Handakumbura<vo, g>が時折グロウルで咆哮する。しかし、全体としては正統派の範疇にとどまっている。Dumiduはクリーンヴォイスで歌うと非常にマイルドな声質で、元Royal HuntのJohn West<vo>を想起させる時がある。

Monastery
Spiritual Monarchism
2017
Reverence Records　Experimental/Progressive Death Metal
中部州キャンディ

スリランカのウバ・ウェラッサ国立大学で農業を学んでいるという、Lakshitha Ravenspell<vo, g>による独りプログレッシヴメタルのデビューEP。Opeth、Alcestなどを影響源に挙げており、M2「Despondency in Laity」とM3「Shiksha (The Path)」は6〜9分超の長尺。どちらもドゥーミーなリフを刻むスローな曲で、シンガーとしてのLakshithaはクリーンとグロウルの二刀流だが、クリーンだと非常にソフトな声質。しかし音質は良好とは言えず、ギターのノイズが耳障りだ。

Necrophiliac Orgasm
Schizophrenial Mass Homicide
自主制作　2019　Brutal Death Metal
西部州コロンボ

Blind Effectのメンバー3人が新たに立ち上げたバンドの1st EP。Blind EffectではベースSUB専任のInfectious Nekrophileが、このバンドではベースとドラムを兼務している。同郷のGenocide Shrinesのような出で立ちをしているが、音楽性はウォー・ブラックメタルというよりもブルータル・デスメタルの性向が色濃い。曲名が下品なM3「Anal Fist Fuck」とM4「Pedophilic Transmutation」では、ピッグスクイールや小幅なスラミングを披露。

Nefertem
Eucharistical Blasphemy
自主制作　2019　Melodic Black/Death Metal
中部州キャンディ／西部州コロンボ／南部州マータラ

2013年に始動した5人組メロディック・ブラックバンドが、1stアルバム『The Defiance』(2017年)に続いて発表したEP。全4曲入りだが、日本の配信ストアでは短い讃美歌のようなM1「Gospel of a Heretic」が割愛されている。DissectionおよびJon Nödtveidt<vo, g>を影響源に挙げているが、前掲の1stアルバムに比べると流麗なギタープレイが影を潜め、起伏に乏しくなった。6分超えのM3「Sanctimonious Sacrilege」も冗長かつ散漫な印象だ。

Neurocracy
Anatomy of Skin
自主制作　2016　Progressive/Melodic Death Metal
西部州コロンボ

中国の天津医科大学で学んだ現役医師でもある、Gayan Danthanarayana<g>を中心とする5人組バンドのシングル。「Progressive/Melodic Death Metal」の謳い文句どおり、長尺のメロディック・デスメタルを志向しており、初音源のデモ『Freedom Fighter』(2014年)は6分35分の楽曲だった。本作の尺はさらに長く7分36秒だ。その半面、スローテンポな曲調で起伏に乏しく、Gayanが泣きのギターで盛り上げようと奮闘しているが、空回りに終わっている感がある。

Nevi'im

Death of an Avatar

自主制作 2013 Progressive Metal

西部州コロンボ

元 Tantrum の Arjun Dhas<vo, g> と、元 Stigmata の Vije Dhas<b> が立ち上げたプロジェクトによる唯一の EP。タイトルチューンの M1 は内省的かつプログレッシヴな曲で、続く M2「Madness Speaks the Words of the Divine」は単調なインスト曲だが、M3「Failed Creation」からメタル色を強め、Arjun はグロウルを交えるように。M5「Walk on」は、VIMA Music Awards という東南アジアのインディー音楽賞で 2013 年にノミネートされた曲だ。

Old Castles Massacre

Matricide

自主制作 2007 Brutal Death Metal

西部州コロンボ

2002 年に結成された 4 人組（本作リリース時は 3 人組）バンドのデモ音源。スリランカでいち早く活動を始めたブルータル・デスメタルバンドと謳われているが、M1「Matricide」にはブラックメタルバンドのようにトレモロリフとブラストで駆け抜ける局面がある。M2「Deathklaat」は Six Feet Under の 6th アルバム（2005 年）のカヴァーだ。Ranga Syrus Hewa Bandula<ds> は 2019 年から、日本産ブルータル・デスメタルバンドの Gorevent でプレイしている。

Paranoid Earthling

Reign

自主制作 2022 Grunge/Stoner Rock

西部州コロンボ／中部州キャンディ

2001 年結成のベテラン 4 人組バンドによる通算 5 作目のシングル。デビュー EP『Rock'N Roll Is My Anarchy』（2005 年）にはもろに Nirvana のようなナンバーが収められていたが、実際は正攻法で骨太なオルタナティヴ・ハードロック志向である。本作も、Stone Temple Pilots、Velvet Revolver などの影響を感じさせる一方で、Mirshad Buckman<vo, b> の声質は Hardcore Superstar の Jocke Berg<vo> を想起させる。

Pariah Demise

Rise from Our Forefathers Ashes

自主制作 2011 Black Metal

中部州キャンディ

コープスペイントを施したメンバー 3 人に、ガスマスク姿の Hopeless こと Dinuka Sirisena<g> という 4 人組バンドによる初の EP。現地では 66 枚限定で流通されたという。スリランカでは神聖な動物とされる象が、人々を踏み潰すアートワークが意味深だ。北欧のブラックメタルの先人達からの影響が窺えるサウンドで、M3 のみ曲名がシンハラ語表記だが、英語直訳だと「Where Are you?」の意味らしい。M4「Antichrist」はブラックメタルの佇まいを残していた初期 Sepultura のカヴァーだ。

Plecto Aliquem Capite

Across Death... Through Pain

自主制作 2017 Black Metal

西部州コロンボ

Forlorn Hope や A Village in Despair のシンガーである Buddhika Karunasekara と、Funeral in Heaven、Genocide Shrines などに在籍する BlasphemousWarGoat こと Kasun Nawarathna<g, ds> を擁する 4 人組ノイズ・ブラックメタルバンドによる 5 枚目の EP。劣悪なギター音と悲痛な絶叫で 10 分超にわたり荒れ狂う 2 曲を収録。このうち M1「Rewards of Seeking Wisdom」は後半からオリエンタル色が強まる。

Raaksha

Sidhapathini

自主制作 2008 Experimental Black Metal

西部州コロンボ

DSBM バンドの Dhishti のギタリストである Deshapriya こと Ramindu Sanka Deshapriya が、過去にベーシストとして在籍したトリオ編成バンドによる唯一のデモ音源。バンド名の由来は、古代インドの叙事詩『ラーマーヤナ』に登場する鬼神ラークシャサだ（仏典では羅刹）。それゆえにスリランカで古来より伝わる悪魔祓いの儀式を再現したようなサウンドで、単調かつノイジーなリフを除くと土着臭が非常に強い。シンガーの Beelzebub は、ヤクベラヤと呼ばれる民族打楽器も兼務している。

Rathas
Born from Ashes
自主制作 2016 Black Metal
西部州ニタンブワ

コロンボから40kmほど北上した都市ニタンブワで2009年に始動した、5人組ブラックメタルバンドによる初のシングル。メンバーの中には、A Village in Despair の Sandun Hardcore<g> も混じっている。Nileのようにオリエンタル色を感じるパートを時折交えているが、Immortal、Behemothなどを思わせる勇壮で力強いナンバー。Funeral in Heaven、Genocide Shrines の BlasphemousWargoat こと Kasun Nawarathna がプロデュースした。

Sevexth
Butterfly Effect
自主制作 2016 Melodic Death/Groove Metal
西部州コロンボ

2012年に始動したメタルコアバンドの1stアルバム。元々は4人編成だったが、本作は女性メンバーの Senuri Pannipitya<g, key> を含む男女混成ラインナップで発表された。1990年代以後のグルーヴ志向が窺えるメタルコアで、M4「Eli」では小幅なビートダウンを披露。M5「Cannibal」では、Pranil Abeysinghe<vo> が唐突に甲高い奇声を上げるため不意を突かれる。本稿執筆時では Pranil だけが残留しており、紅一点の Senuri はオーストラリアのメルボルンに居を移している。

Sacrament
Ephialtes
自主制作 2019 Progressive Metal
西部州コロンボ

2012年に始動したツインギターの5人組バンドによる2ndシングル。前シングル「The Perfect Apocalypse」(2013年)の頃からプログレッシヴ志向を持ち合わせていたが、本作では Meshuggah、Veil of Maya などを想起させる音楽性に様変わり。プロダクションも向上した。物悲しいピアノをイントロに、浮遊感を醸し出すストリングスをアウトロにそれぞれ配して雰囲気作りを試みた末、9分超えの長尺曲になったが、リスナーによっては冗長に感じるかもしれない。

Shehara
Fountain of Memory
自主制作 2019 Heavy Metal/Melodic Death Metal
西部州コロンボ

Stigmata の Tennyson Napolean<g> の妻である Shehara のデビュー作。本来は全8曲入りだが、2020年のデジタル配信時に2曲カットされた。Arch Enemy の Alissa White-Gluz<vo> を意識したルックスだが、タイトルチューンのM4をはじめとする楽曲群はゴシックメタル風で、男声グロウルが要所で入るため Lacuna Coil を想起させる面がある。しかし、スリランカ初の女性シンガーによるメタルアルバムとの謳い文句に反し、Avril Lavigne のようなポップな曲もある。

Sapientia ov Atlantis
The Lips of Wisdom on Ears of Understanding
自主制作 2021 Black Metal
西部州コロンボ

Lord Cernunnos なる人物が立ち上げた独りブラックメタルの1st EP。バンド名に「Atlantis」と銘打っているとおり、各収録曲の歌詞には超古代文明のアトランティスのみならず、世界各地に実在する古代文明への関心が反映されている。しかし肝心の楽曲群は、Lord Cernunnos が単調なリフを刻みながら、サマになっていないグロウルでわめき立てる作風であり、打ち込みのドラムと演奏がズレていると思しき箇所が見受けられる。要所で飛び出すクリーンヴォイスとシンセの音色も、チープさに拍車をかけている。

Shokaagni
Andonaa
自主制作 2014 Black Metal
西部州コロンボ

Funeral in Heaven、Raaksha との共作スプリット盤『Rana Gosha』(2009年)に参加した、独りDSBMによる初の単独作。Ravulu なる人物が全パートを独力でこなしている。バンド名はシンハラ語で「悲しみの炎」を指すという。M1「Pashchaaththapaya」は単調で耳障りなリフを刻みつつ、Ravulu が延々と泣き叫ぶという作風の楽曲で、曲の体をなしていない。M2「Nisha Yamaya」は冒頭で闇雲にドラムが連打される一方で、亜熱帯のスリランカらしく虫の鳴き声が時折聞こえる。

Siblings of Hatred

Forest of Dark Emotions

自主制作　2014　Black/Thrash Metal

西部州コロンボ

スリランカの古参ブラックメタルと称される6人組が、苦節13年の末に発表した1st EP。Pinto Kasun<g>とShehan<key>は同じく古参のForlorn Hopeに在籍歴があり、スリランカシーンの先駆者であるWhirlwindのMisha Wickramanayakeがギタリストとして参加している。Michael<vo>はKind Diamondのように絶叫と低音を使い分けるタイプだ。案外と正統派メタル寄りの楽曲が収められており、時折ブラストが入る局面もあるが、流麗なギターソロを堪能できる。

Solitary Depression

Failed Attempts

自主制作　2021　Depressive Black Metal

西部州コロンボ

元Serpents AthirstのMahasonaことVinodh Pereraが立ち上げた、独りDSBMによる5作目のEP。前作『The Sacred End』（2020年）は全編インストだった。かたや本作の場合、表題曲は4楽章の組曲形式で、アンビエントなインスト曲で締めくくる構成だ。表題の組曲は単調かつ物悲しいフレーズを延々と反復しつつ、深いエコーの入ったグロウルが木霊する趣向である。各楽章で共通のフレーズを使い回しているかと思いきや、微妙にアレンジが異なり、最も尺の長い4楽章目ではテンポアップする。

Tantrum

Rebellion

自主制作　2012　Thrash Metal

西部州コロンボ

2002年結成の4人組スラッシュメタルバンドによる1stアルバム。初のEP『The Destruction Begins』（2006年）とは打って変わり、ToolやOpeth、あるいはChimairaに相通じる複雑な構成の楽曲群が並ぶ。表題曲のM1は10分長の大作だ。グロウルやツーバスの連打を要所で交えているが、典型的なスラッシュメタルとは趣が異なるので、リスナーによって好き嫌いが分かれるかもしれない。M3「Purgatory of Sinners」はシンセが隠し味で利いた曲だ。

The Herb & The Remedy

Live at Anarchy United

自主制作　2017　Stoner Metal

西部州コロンボ

2012年に始動した4人組による唯一の音源。タイトルが示すとおり、ライヴー発録りだ。Black Sabbathを源流に持つストーナーメタルを志向する希少なスリランカ産バンドで、1960～70年代のサイケデリックロックまで遡ろうとしている節がある。イントロでトリップ感覚を醸し出すM2「Stoned Bud Strong」では、Dinuk Periy<vo>がヒンドゥー教の破壊神シヴァを称えるマントラ（真言）を唱える局面がある。なお本作発表後、Dinukはオランダのアムステルダムに居を移している。

Unholy Sermon

The Benighted

自主制作　2011　Melodic Black/Thrash Metal

西部州コロンボ

Siblings of HatredのSithija Dilshan<ds>が元々在籍していた4人組バンドの2ndアルバムであり、最終作。オージーデスコアのThy Art Is Murderのデビュー盤（2010年）収録曲に酷似したバンド名だが、実際のところは欧州および北欧のメロディック・デスメタルやブラックメタルの影響下にあるサウンドを志向。ただし、ヒンドゥー教の火の神を曲名に冠したM1「Agni」ではオリエンタルな旋律を交えている。締めくくりのM8「Genocide Nations」は鍵盤を導入した7分超の慟哭ナンバー。

Viragha

Imperfect Automaton

自主制作　2012　Atmospheric Black/Doom Metal

西部州コロンボ

独りDSBMのDecaying Theoryとしてデモ音源を2011年に発表した、Hansaka Dananjayaの別プロジェクトによる初のEP。Decaying Theoryと同じくアトモスフェリックなM1「Atheethawarjana」で始まるが、中軸を成すM2「The Gospel of Despair」は19分超の大作だ。M2は陰鬱でスローテンポのリフに合わせ、深いエコーのかかった絶叫が響き渡るというDSBMの典型例と思いきや、中盤ではサックスとベースの音色が飛び出し、終盤は疾走感を増していく。

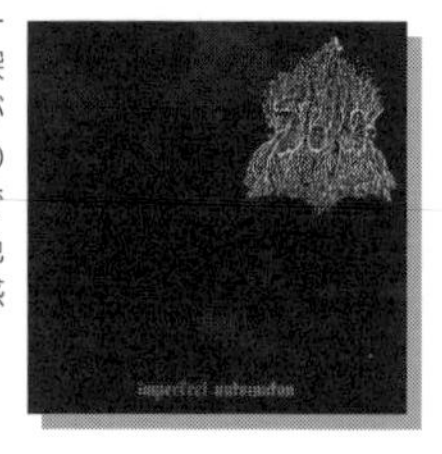

面白ミュージックビデオその２

Talaash ¦ Offical Video ¦ Moksh the Band Moksh の 1st アルバム『Tatva』（2018 年）収録曲の MV。ぬいぐるみを相手に、お医者さんごっこに興じていた少女が成長して医師になる。ところが、勤務終了後に髭面の男２人組に目をつけられ、乗合バスに無理矢理連れ込まれて凌辱された挙げ句、路上に打ち捨てられるという物語が、バンドの演奏動画と交互に描かれる。バンドの周囲を埋め尽くした新聞の量から、インドで蔓延する性犯罪の根深さが伝わる。

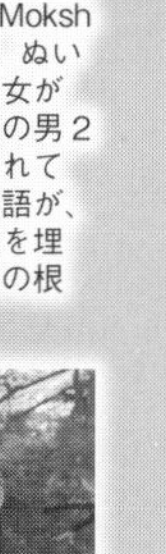

Warwan - Toofan Warwan の 1st アルバム『Chakra』（2019 年）収録曲の MV。きちんとした身なりのメンバー５人によるプレイは次第に熱を帯び、家族と思しき女性が床を拭き始めても、ドリンクを差し入れに来ても、５人は意に介さない。ビートダウンで落下するパートになると、女性はドアを叩いて叱りつけるが、Aditya Paul<vo> に追い出される。そこで女性は５人の演奏を止めるべく、軍服姿の男性を差し向けるが、この男性はさるぐつわを噛まされた上に捕縛されてしまう。

Arogya - Supernatural (Official Music Video) Arogya が 2022 年に発表したシングル「Desire」収録曲の MV。タイトルが示すとおり、自然界の法則を超えた神秘的な力をテーマにしている。Arogya のメンバーと俳優達がまとっている衣装は、アルナチャル・プラデーシュ州の女流デザイナーが手掛けたものだ。しかしトライバル感が非常に強く、洗練されたゴシック／インダストリアル調の楽曲とのギャップが激しい。

Ambush - 9 MM (Official video) Ambush が 2017 年に発表した MV。バンドが拠点とするアッサム州をはじめ、インド北東部の一部地域では AFSPA（国軍特別権限法）が効力を有している。元々この法律はインドからの分離独立を訴える過激派を鎮圧するためのものだが、インド陸軍に令状なしで住民を逮捕できる権限を与えているため、冤罪を生む要因となっている。それゆえに Risim Rongp<vo> が椅子に縛られて尋問を受ける場面がある。

Dymbur - Child Abuse (Offiical Video) Dymbur の通算３作目のシングル（2022 年）の MV。曲名が示すとおり、児童人身売買や児童虐待の撲滅を訴えた曲で、赤いサリー姿の少女が裕福な夫妻の使用人として売り飛ばされる。アルコール依存症気味の妻が昼間から酔い潰れているのを見計らい、夫は自分の娘を性欲のはけ口にしようとする。使用人になった少女はそれを察知して娘を逃がすが、自身の身は守りきれなかった。

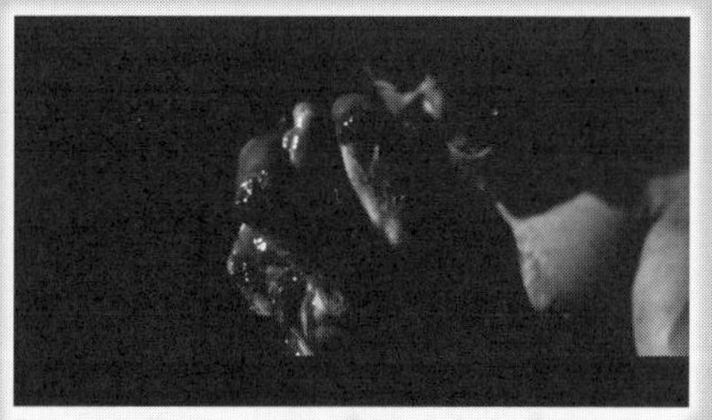

Demonic Resurrection - Narasimha - The Man-Lion (Official Video) Demonic Resurrection の 5th アルバム（2017 年）収録曲の MV。ヒラニヤカシプというアスラ（注：インド神話に登場する魔族の総称）の１人が苦行の末に、創造神ブラフマーから不死身の力を授かったと思いきや、秩序の維持神ヴィシュヌの化身で獅子頭の獣人ナラシンハに八つ裂きにされる、というインド神話を題材にしている。しかしヒラニヤカシプとナラシンハに扮した俳優は、どちらもマーベル・コミック映画のキャラクターに見える。

Coshish - Bhula Do Unhey 人間が解脱に至るまでの過程を題材にした、Coshishの1stアルバム（2013年）収録曲のMV。「偉大な事柄に運命づけられている」と予言者に告げられた主人公が立身出世を目指すも、物質的な豊かさはしょせん夢や幻のようなものにすぎないと悟るクライマックスの場面が描かれている。なおMVの中では楽曲の歌詞が便箋に綴られ、これが主人公の心中を表現する役目を担っている。

Indus Creed - Rock n Roll Renegade これは厳密には、Indus Creedが前身のRock Machine名義で発表した1stアルバム（1988年）のタイトルチューンのMV。メンバーの衣装とステージング、大がかりなセットなど、見るからにMTV全盛時代の1980年代に撮影されたMVである。Porcupine Treeの影響下にあるIndus Creedとは音楽性もまるで異なり、Journeyのようなメロディアス・ハードロック路線だ。

Kryptos - Full Throttle (2016) // Official Music Video Kryptosの4thアルバム（2016年）収録曲のMV。メンバー4人が路上でたむろしていると、ライヴハウスへ案内される。「本物のメタルヘッドのみ入場可」と書いてある貼り紙を前にすると、メンバー4人は革ジャンの下にMotörhead、Iron MaidenなどのTシャツを着用していることを示す。そしてステージに上がり、同じくメタルバンドTシャツ姿の観客の前でプレイする。

Against Evil - Stand Up and Fight! (Official Music Video) Against Evilの1stアルバム（2018年）収録曲のMV。売店の店主が傷ついて倒れた主人公を見つけて介抱するが、バイクに乗った半グレ集団に襲撃される。すると主人公は賭け金が動く非合法の格闘技会場に向かい、半グレ集団のリーダーと直接対決。激闘の末に勝利を収めると、ファイトマネーの全額を一宿一飯の恩義として売店の店主に与え、自らはバイクであてもなく走り去っていく。

Millennium- Only Be One Millenniumの1stEP（1993年）収録曲のMV。Vehrnon Ibrahim<vo>が西洋式の墓場で棺桶を掘り起こすと、美女が目を開けており、白煙が噴き上がる。Vehrnonが絶叫すると、棺桶の周囲で控えていた楽器隊が演奏を始める。1990年代初頭の作品だが、Black Sabbath、Mercyful Fate、Celtic Frostなどサタニックな大御所達への傾倒ぶりが窺える。

Final Surrender - Refresh (Official) Music Video Final Surrenderの1stアルバム（2013年）収録曲のMV。2人組の美女がインド舞踊を路上で披露しているが、彼女達の周囲にはMarshallのギターアンプとベースアンプ、ドラムセットが置いてある。やがてバンドのメンバー4人が静かに登場し、演奏を始める。すると、観客の一部がヘッドバンキングを始め、インド舞踊を踊る美女を取り囲むようにサークルピットを形成する。

ネパール連邦民主共和国

Federal Democratic Republic of Nepal

ネパールの国土面積は約14万7180k㎡で、バングラデシュ(14万7980k㎡)より若干狭い。しかし、低地の多いバングラデシュとは地形がまったく異なり、ネパールは国土の約77%が山岳および丘陵地帯で、標高世界一(8848m)のエベレストをはじめとするヒマラヤ山脈を擁する。その一方で天然資源に乏しく、海に面していない内陸国という悪条件ゆえにインフラ整備、産業振興が遅れている。このため、在ネパール日本大使館発行の『図説ネパール経済2022』によると、世界各地へ出稼ぎに行った588万人以上のネパール人が、GDPの22.5%(約72億ドル)を担っている。IMF(国際通貨基金)の2020年統計では、ネパールの1人当たり名目GDPは1196ドルである。現在のネパール政府は、2030年までに中所得国(注:1人当たりGDPが3000〜1万ドルまでの国)になろうと目指しているが、その道のりは険しいだろう。

首都カトマンズがある盆地では古くから大小さまざまな王朝が興亡したが、グルカー朝10代王のプリトゥビ・ナラヤン・シャハ(1722〜1775)がネパール全土を武力で平定し、2008年まで続くネパール王国の開祖となった。現在のネパールは宗教を国是とせず、全7州から成る連邦制国家へと移行済みである。それに当たり、ヒンドゥー教は2006年に国教の地位を失い、1769年のプリトゥビ・ナラヤン・シャハによる国家統一から遡って240年にわたり存続した君主制は2008年に廃止された。しかし、このように政治体制が変わるまでの過程で、ネパールでは2回の大規模な武力闘争(1950年と1996〜2006年)と、2回の民主化運動(1990年と2006年)が繰り広げられたのである。

2011年のネパール国勢調査によると、ネパールの全人口の8割方は農村に住まうが、本章に登場するメタルバンド43組の約78%(33組)が首都カトマンズに密集している。このうち、スラッシュメタルのX-Mantra、デスメタルのUgra Karmaは、ネパールが内戦中だった1990年代末に結成された古参だが、現在のネパールのシーンで傑出した存在は、2011年に結成されたメタルコアのUndersideである。何しろ彼らはキャリアの初期からヨーロッパ諸国や北欧、オセアニア地域へ頻繁に遠征しており、イギリスのDownload Festivalへの出演を含め、海外公演数は40本に及ぶのだ。また、バンドの総数という点では隣国のインドに遠く及ばないが、ネパールのメタルシーンは欧米諸国のトレンドに割と即しており、さまざまなサブジャンルに細分化されたバンドを輩出している。

民族　アーリア系のパルバテ・ヒンドゥー(山岳ヒンドゥー教徒の意)が多数派(約43%)で、マガル族(7%)、タルー族(5.2%)、ネワール族(5.4%)などのモンゴロイド諸部族が続く。ただし、ネパール国勢調査ではパルバテ・ヒンドゥーをカースト別に集計している。

言語　ネパール語(公用語)、その他多くの現地語。

宗教　2011年ネパール国勢調査ではヒンドゥー教徒(約81.3%)が圧倒的多数。仏教徒(約9%)、ムスリム(約4.3%)、クリスチャン(約1.4%)などは少数派。

本家本元の Download Festival に出演したネパール最強のメタルコア

Underside

(C) Dipit Photography

バグマティ・プラデーシュ州カトマンズ　2010 〜　Metalcore
（類似）Lamb of God、Bullet for My Valentine、Killswitch Engage、Slipknot、KoЯn　1291

2018 年 6 〜 7 月、イギリスの専門誌『Metal Hammer』恒例のファン投票企画、Heavy Metal World Cup で珍事が起きたのをご存じだろうか。同企画はサッカー W 杯の決勝トーナメントにあやかり、計 16 ヶ国のメタルバンドの中から最優秀バンドをファン投票で選出するもの。その際にブラジルの Sepultura、ドイツの Rammstein などを得票率で上回ったネパール産メタルコアバンドが勝ち上がり、日本の BABYMETAL との決選投票に臨んだのだ。彼らの名は Underside。最終的には BABYMETAL に惜敗したものの、2019 年 6 月にイギリスの Download Festival にネパール勢として史上初の出演を果たしたバンドだ。

スイス人脈と震災復興支援

スイスのジュネーヴで 11 年暮らした Bikrant Shrestha<g> が里帰りし、E.Quals なるバンドの Avishek K.C.<vo> と 2010 年に意気投合、新バンド結成を構想したところから Underside の歴史は始まる。E.Quals はロンドンで 2010 年に開催されたコンテスト、GBOB（The Global Battle of the Bands）に出場経験のある実力派で、Avishek や Bikash Bhujel<g> など 4 人が E.Quals の活動を兼務しながら Underside は始動した。

Underside としては 2011 年 10 月、ポーランドの Vader をヘッドライナーに据えた Silence Festival を主催。翌 2012 年にはクラウドファンディングで資金を調達し、E.Quals と Underside はスイスで 5 公演のクラブツアーを行った。当時、E.Quals のメンバーは平均年齢 23 歳で、最年少の Manil Shakya<b> は 18 歳だった。2014 年 1 月には Underside 名義での初の EP『Welcome to the Underside』をリリースし、2015 年 4 月にはスイスの Voice of Ruin と欧州 5 ヶ国を歴訪する（ロンドンではネパール系移民バンド Symbol of Orion とも邂逅）。

ところが同公演から 1 週間後の 2015 年 4 月 25 日、ネパール大地震が発生し、約

9000人の死者を出した。幸いにも被災を免れたバンドは、Voice of RuinのRandy Schaller<vo>が立ち上げたチャリティーイベント、Metal for Nepalと連携し、スイスとネパール合同の復興支援プロジェクトに乗り出す。

Metal for Nepalは、スイス各地で2015年に複数回開催されたイベントの収益を元出に、被災したネパールの貧困家庭のために仮設住宅を建てるというプロジェクトで、スイスに人脈を持つBikrantが参画するNGO団体、No Silence for Nepal Associationが受け皿になった（バンド側によると、仮設住宅306戸分の建設費用を調達できたとのこと）。

1stアルバムが『Metal Hammer』の付録に採用

バンドは2017年8月にオーストリア、ハンガリー、スペイン、イギリス、スイスで5公演をこなすと、2018年1月に満を持して1stアルバム『Satan in Your Stereo』をリリース。同作は、イギリスの『Metal Hammer』の付録としてもワールドワイドに頒布された。

その後、E.Quals時代から活動を共にしていたManilとBibek Tamang<ds>が同作を最後に脱退するが、バンドは正ベーシスト不在のまま、インドのUndying Inc.に当時在籍していたNishant Hagjer<ds>を迎え入れて活動を続行。2018年4月にはオーストラリアのTwelve Foot Ninjaと共にオーストラリアで3公演をこなし、翌月にはニュージーランドでもライヴを行う。

2018年8月にはイギリスのBloodstock Open Airに参加。バンドは同年11月のSilence Festivalでの共演をきっかけに、カナダのCancer Batsと親交を持ち、2019年1～3月にはCancer Batsのサポートとしてイギリス、ポーランド、デンマークなど欧州と北欧13ヶ国を歴訪。同年6月には、WhitechapelのロンドンTour公演でサポートアクトを務めた。

Underside
Welcome to the Underside
自主制作 2014
バグマティ・プラデーシュ州カトマンズ

現バンド名義での初音源となる7曲入りEP。E.Quals時代と同じく、Lamb of Godからの影響が窺えるハードエッジでグルーヴの効いたメタルコアを披露しているが、M4「Pride」ではラップを部分的に織り交ぜ、激重のビートダウンで落下する。Avishek K.C.<vo>の歌唱や楽器隊のプレイは実に強靭で、出身国を言われなければネパール産バンドだと気づかないだろう。BehemothやDecapitatedとの仕事で知られるポーランドのArkadiusz Malczewskiがマスタリングを担当。

Underside
Satan in Your Stereo
自主制作 2018
バグマティ・プラデーシュ州カトマンズ

イギリスの『Metal Hammer』の付録として3万枚プレスされたという1stアルバム。アメリカ発のメタルコアの作法に立脚しつつ、1990年代半ばから細分化されたメタルのサブジャンルの要素を雑多に取り込んだ。タイトルチューンのM2はメタルコア路線にもかかわらず、Slipknotを彷彿とさせるイントロで幕を開け、たまにDjent風のリフが飛び出す。続くM3「Enemy Within Me」はKoЯnのような曲調のナンバーだ。イギリスのSikThの元シンガーであるJustin Hillがエンジニアを務めた。

Underside
Gadhimai
自主制作 2019
バグマティ・プラデーシュ州カトマンズ

ネパール南部にあるヒンドゥー教寺院の名をタイトルに掲げた通算3作目のシングル。同寺院では18世紀から数十万頭もの動物を生贄に捧げる宗教行事が5年ごとに行われており、国際的に非難を浴びている。ゆえに本作は土着的な要素を交えつつ、大量の動物を屠殺して供物に捧げる因習に敢然と異を唱える曲に仕上がった。Avishek K.C.<vo>の歌唱も非常にアグレッシヴだ。公開からわずか1週間強で、再生回数35万回を超えたMVも必見である。スウェーデンのJens Borgenがミックスとマスタリングを担当。

Underside
Wild
自主制作 2019
バグマティ・プラデーシュ州カトマンズ

通算4作目のシングル。Avishek K.C.<vo>いわく「ネパールに蔓延する腐敗と抑圧をテーマにした曲」で、そのことは複数人の俳優を起用した大がかりなMVでも明確に描写されている。土着臭を発散した前シングル「Gadhimai」(2019年)とは打って変わり、音楽的には奇をてらわない正攻法のメタルコアで、Lamb of God、Killswitch Engageなどを想起させる。洋楽派のリスナーにも耳馴染みがよいはず。スウェーデンのJens Borgenがミックスとマスタリングを続投した。

Underside インタビュー

Undersideはキャリアの初期から欧米の著名フェスティバルを荒らし回り、ネパール産バンドとして突出した存在感を放つ一方で、ネパール特有の社会問題に積極的にコミットすることでも知られる。2015年4月に同国を襲った大地震からの復興支援に続き、Undersideはコロナ禍で困窮する人々に支援の手を直接差し伸べており、マネージャー氏を介して交渉を重ねたところ、Avishek K.C.<vo>が忙しい合間を縫ってインタビューに応じてくれた。Avishek K.C.はアクティビストのような佇まいを感じさせる一方で、日本のメタルシーンに予想以上に精通していた。

回答者：Avishek K.C.（ヴォーカル、2ページ前写真左から2人目）

——初めまして。まずUndersideの現メンバーは、Avishek K.C.<vo>、Bikash Bhujel<g>、Bikrant Shrestha<g>、Nishant Hagjer<ds>の4人で相違ないでしょうか？また、2018年にイギリスのBloodstock Open Airに出演した時のライヴ映像をYouTubeで観たら、日本のB'zのツアーメンバーに抜擢されたインドの女性ベーシストMohini Deyがあなた方をサポートしていましたが、現在はベーシスト不在なのですか？

Avishek K.C.（以下A）：まずは『デスメタルインディア』に俺達が載ることを光栄に思っている。ご指摘のとおり、現在のUndersideは正ベーシストがいなくてね。ライヴではベーストラックを同期で流すか、またはサポートベーシストを使っている。オリジナルメンバーのManil Shakya<b>が脱退して以来、複数人のベーシストにヘルプしてもらった。皆それぞれ優秀な技量の持ち主で、Mohini Deyのプレイも素晴らしかったよ。

——新型コロナウイルスのパンデミックにより、世界中のアーティストと音楽業界人が打撃を受けました。Undersideも本来なら2020年3月にSlipknot、Trivium、Amon AmarthをヘッドライナーIに据えたインドネシアのHammersonicに出演した後、4月には同じくインドネシアのハードコアバンドBurger Hillとのカップリング来日ツアーで東京と横浜を回る予定でしたが、すべて延期されました。私は東京でUndersideのライヴを観ようと思っていたので、非常に残念に思っています。今の心境を聞かせてもらえますか？

A：新型コロナウイルス問題がなければ、2020年は最高にエキサイティングな年になるはずだった。ネパールという第三世界の開発途上国で生まれ育った俺達が、Slipknot、Trivium、Amon Amarthのようなビッグネームと Hammersonic で共演できるなんて夢のようだったからね。個人的には、来日ツアーが流れてしまったのが残念でならない。幼かった頃は日本産アニメを観る機会が少なかったけど、俺は日本や日本文化を常にリスペクトしていて、来日ツアーをずっと心待ちにしていたんだ。世界中の誰もがパンデミックの影響を受けたけど、時が経てば収束するだろうと今は自分自身に言い聞かせている。

―― Underside は、結成間もなかった 2011年から Silence Festival を年1ペースで主催していることで知られています。Silence Festival の開催趣旨と、なぜメタルのイベントなのに Silence という言葉を掲げているのかを教えてもらえますか？

A：沈黙（Silence）は美徳であると共に、時にはとても重たく（Heavy）感じるものだ。もし君が沈黙に慣れていて、口論よりも雄弁に物語ることができれば、美しいことだと思うよ。Silence Festival の開催趣旨は、ネパールの人々が一度も観たことのないようなビッグネームを招聘することだ。俺達は、新世代が Silence Festival から刺激を受け、各自の音楽と夢を信じることを望んでいた。そのために最もふさわしい方法は、彼らにとってのヒーロー達をステージで観ることなんだ。また、Silence Festival は世界各地のバンドが出会う架け橋となり、アジアから西側社会へと連なる広大なコミュニティーを作ることを目指している。何よりも俺自身としては Silence Festival を通じて、ネパールという貧しい小国にもメタルシーンが確かに存在することが諸外国にも伝われば、と願っている。

――これまで Silence Festival では、ポーランドの Vader と Behemoth、オランダの Textures、イギリスの SikTh、アメリカの Testament などをヘッドライナーに据えていました。あなた方は一体どうやって欧米の有名バンドとコネクションを築き、出演を承諾させたのですか？　ビッグネームは招聘費用が高額でしょうから、ネゴシエーションは難しくなかったですか？

A：君が挙げた欧米のバンドは、俺達のマネージャーの Flower K.C. がすべてブッキングした。彼はネパールではなくイギリスのロンドンに移住していて、業界内のさまざまなコネクション作りが彼の仕事の一部を成している。ここ最近の Underside の躍進も、彼の尽力なしではありえなかったよ。欧米のバンド側は、ネパールのような一風変わった場所でライヴするというアイデアを気に入り、エキゾチックな気分を味わったんじゃないだろうか。俺達のオファーにも柔軟に対処してくれたと思うよ。とはいえ、毎年の開催費用は俺達の持ち出しだ。少数の地元スポンサーが支援してくれるが、Silence Festival を年1ペースで開催するのは財政面で非常にハードでね。損失は自分達で穴埋めしなければならないんだ。

――前述の Vader と Behemoth、Textures、SikTh、Testament などがネパールでライヴしたのは総じてキャリア初の出来事だったのでは？と思われます。彼らのような欧米の有名バンドは、ネパールの風景、会場、オーディエンスを見てどんな反応を示しましたか？ネパールと欧米諸国のビジネス慣行の違い、気質の違いなども教えてもらえると、なお幸いです。

A：Silence Festival に出演した欧米のバンドは総じて、何が起こるか予測できないことにスリルを感じていて、本番のステージに上がったら目の前の光景に衝撃を受けていたよ。彼らにとって、欧米諸国ほど技術が進んでいない環境でライヴすることは未知の経験であり、ネパール政府は常に俺達を目の敵にしている。つまり、ライヴイベントの進行

ネパール政府は常に俺達を目の敵にしている

プロセスが平準化された欧米諸国ではありえないような未知の要素と危険が、Silence Festival には伴うわけだ。開催初期の頃は、俺達のライヴ中に、警官がオーディエンスの暴徒化を恐れ、彼らをボコボコに殴打していたのを覚えているよ。あれはきわめて生々しい体験だった。2012 年 10 月にオランダの Textures がヘッドライナーを務めた時は、警官隊がどこからともなく現れて PA 卓に襲いかかり、イベントの強制終了を告げた。やむなく PA マンは帰宅したが、スピーカーはオンのままだった。警官隊がそれを破壊しようとしたので、俺は友人達と必死になって制したよ。2017 年 10 月にオーストラリアの Twelve Foot Ninja が出演した時も似たような状況が起こり、彼らはセットリストの終盤の 4 曲をプレイできなかった。それでも欧米のバンドはおしなべて、ネパールの観客、会場の雰囲気と熱量、俺達のホスピタリティー精神などを気に入り、誰もが Silence Festival にもう一度出演したがっているよ。

──ここからは、Underside をまだ知らない日本のメタルファンのために、Underside というバンドと音楽について尋ねたいと思います。Underside の結成前、あなたと Bikash の 2 人は E.Quals というバンドで活動していて、2010 年 4 月にイギリスで行われたコンテスト、GBOB（The Global Battle of the Bands）にネパール代表バンドとして出場したそうですね。当時はどのような音楽をプレイしていたのですか？

A：君の言うとおり、Underside の結成前も俺達はバンドを組んでいた。ネパール出身のメタルバンドとして海外のコンテストで欧米のバンドと競い合ったのは俺達が最初だろうね。かつての俺達は割とモダンなメタルをプレイしていて、各自それぞれの影響を採り入れていたが、あいにく短命に終わった。当時書き溜めていた 10 曲くらいのナンバーは、全部お蔵入りになったよ。それでも、当時はメタルバンドとして注目を浴びることができて楽しかったし、地元ではたくさんのギグをこなした。間違いなくそれらの経験が、Underside を結成した時の糧になっている。

―― 2014年のデビューEP『Welcome to Underside』は、先ほど名前の挙がったBehemothのアルバム群を手掛けたポーランド人エンジニアのArkadiusz Malczewskiがマスタリングを担当しました。また、2018年の1stアルバム『Satan in Your Stereo』は元SikThのJustin Hill<vo>がエンジニアを務めました。彼らと接点ができたきっかけを教えてもらえますか？

A：ポーランドのArkadiusz Malczewskiと出会ったのは、同じくポーランドのDecapitatedのネパール公演を俺達がサポートした時でね（注：2012年9月）。当時のArkadiuszは、DecapitatedのエンジニアやPAマンを務めていて、俺達の音楽を気に入ったというので、終演後に仲良くなった。2013年11月のSilence FestivalにBehemothが出演した際に、Arkadiuszはもう一度ネパールに来てくれたよ。
SikThに関しては、2014年10月のSilence Festivalに出演してくれて以来、俺はSikThの大ファンになり、お互いに仲良くしている。そんなわけで、『Satan In Your Stereo』のミックスとマスタリングをJustinは快く引き受けてくれた。ArkadiuszとJustinはクールな男達で、彼らとの仕事は楽しかったよ。

――『Satan In Your Stereo』リリースから約半年後、Undersideは『Metal Hammer』のファン投票企画、Heavy Metal World Cupに選出され、日本のBABYMETALとの決選投票に挑みましたが、残念ながら得票率59％vs 51％で破れました。さらに約1年後の2019年10月にリリースされたBABYMETALの3rdアルバム『Metal Galaxy』には、ヒンディーポップスに影響された「Shanti Shanti Shanti」という曲が収められましたが、ネパール人のあなた方はこの曲を聴いてどう思いますか？

A：決選投票まで進んだのは非常に心躍らされることだったし、楽しい企画だったよ。錚々たるビッグネームを差し置いて俺達が勝ち上がるとは想定外だった。それに俺はBABYMETALのいくつかの楽曲とコンセプトを気に入っていてね。当然ながらBABYMETALのほうが知名度で圧倒的に上回るが、日本とネパールというアジア勢同士で勝ち上がったのはきわめてクールな出来事だった。君が教えてくれたBABYMETALの曲も悪くないが、正直のところ初期の楽曲群のほうが好きだね。もう少し最近の曲だと「Karate」（2016年）も気に入っている。誰が何を言おうが、俺はBABYMETALが好きだし、とてもクールなグループだと思うよ。

――前掲のシングル「Gadhimai」と「Wild」はどちらもネパール特有の社会問題に焦点を当てた曲で、怒りがよりダイレクトに伝わってきました。MVも鮮烈な印象を残しました。「Gadhimai」と「Wild」でそれぞれ訴えたかったことを、日本人にも分かりやすいように教えてもらえますか？

A：君はすでにご承知だと思うが、「Gadhimai」のテーマは水牛や山羊などの動物を生贄に捧げるヒンドゥー教の犠牲祭だ。あれは文字どおりの大虐殺で、完全に人生の浪費であり、いかに人間が宗教を盲信しているかを浮き彫りにしている。俺達はクソみたいな世界に生きているが、世の中に本来必要とされるものは血の海でも生贄でもなく、愛と癒やし、それに慈悲の心なんだよ。つまり、「Gadhimai」は広い意味での動物虐待を告発すること以外に、次の世代にどんなメッセージを送り、彼らがどんな文化を選ぶのか、ネパールの文化のどの一面が病んでいるかを扱った曲でもある。俺達はこれ以上、政治や宗教などを盲信するわけにはいかないんだ。ところで、日本の和歌山県の太地いさな組合が、イルカやクジラを大量に捕らえて屠殺しているという記事を読んだよ。たいていは食用に供されていて、単なる娯楽や祭りのために殺したり、生贄に

捧げたりしているわけじゃないと信じているがね。ダライ・ラマ14世の「思いやりは現代の改革主義」という言葉を、日本の人々にはぜひ伝えたい。「Wild」は、ネパールに蔓延する腐敗と抑圧をテーマにした曲でね。つまり、ネパールという第三世界の開発途上国で生まれ育った俺達が見聞きしたことや、ネパールでは物事がどのように進むのかを題材にしているんだ。

── Undersideは2018～2019年、ネパール出身バンドとして史上初めてBloodstock Open AirとDownload Festivalに出演しましたね。この年のBloodstock Open AirとDownload Festivalには、日本のガールズメタルバンドLOVEBITESが出演しました。ネパール人のあなた方に、日本の女性ミュージシャンはどのように映りますか？

A：LOVEBITESと、どちらかのフェスの楽屋で会ったことを覚えている。彼女達としばし歓談し、記念写真も一緒に撮った。とてもいい子達だったよ。従来よりも女性ミュージシャンが積極的に活動している実情は好ましいことだと思っていて、このムーヴメントが成長することを願っている。実のところ、俺はとある非メタル系のバンドにギタリストとして参加していて、このバンドでは女性シンガーを据えているんだよ。パワーメタルにはあまり興味がないが、日本の女性ミュージシャンは素晴らしいいし、ルックスもサウンドも非常にクールだと思う。LOVEBITESとMary's Bloodの曲も好きで彼女達の動向もフォローしているが、Aldiousも好きだね。

──近年、日本で暮らすネパール人が非常に増えており、東京では2013年からネパール人の子供が通うエベレストインターナショナルスクールという学校が開校しています。日本政府の2022年6月の発表によると、日本在住の外国人252万3124人のうち、ネパール出身者は9万7026人（構成比3.4%）で、国別順位では（1）中国（構成比26.4%）、（2）ベトナム（構成比15.9%）、（3）韓国（構成比14.7%）、（4）フィリピン（構成比9.8%）、（5）ブラジル（構成比7.3%）に次いで6位を占めています。あなた方は日本と日本人に対してどのような印象を持っていますか？もし好きな日本人アーティスト、知っている日本人アーティストがいたら教えてもらえると、なお幸いです。

A：ネパールは貧しい国であるがゆえに、大勢の移民労働者を輩出している。たいていの若者は海外へ出稼ぎに行き、肉体労働や単純作業をしながら母国に残った家族を養っている。中東のサウジアラビア、アラブ首長国連邦などでは、劣悪な労働条件のせいで死者が連日出ているが、日本への出稼ぎはもっとマシな部類に入るんじゃないだろうか。言い換えると、世界各地に建っているスタジアムをはじめとする娯楽施設は、ネパールのような開発途上国の人々が家族を養うために流した血と汗と涙で建てられたんだ。Sigh、MAXIMUM THE HORMONE、Crossfaith、BABYMETAL、Aldious、LOVEBITES、coldrain、BLOOD STAIN CHILD、ONE OK ROCK、PALMなど、好きな日本人アーティストを挙げるとキリがないよ。これでも、できるだけ厳選したつもりだがね。

──冒頭で述べたように、日本の東京と横浜でのクラブツアーは延期されましたが、いつかUndersideが再び海外で精力的にライヴできる日が来ることを願います。最後に日本のリスナーにぜひメッセージをお願いします。

A：インタビューの機会を設けてくれてありがとう。君の質問の数々に答えるのは、とても楽しいひと時だったよ。これを機に、直接会って対話できる日が来るといいんだが。延期された来日ツアーがいつか実現することを願っている。ナマステ。

破壊神シヴァへの帰依心を表現した ヴェーディック・テクニカル・デスメタル

Dying out Flame

バグマティ・プラデーシュ州カトマンズ　2011～　Technical Death Metal
（影響）Cult of Fire、Rudra、Nile、Marduk、Hate Eternal　860

ヒンドゥー教徒の葬儀は一般的には火葬である。ゆえに火葬場で遺体を焼却する炎をバンド名に冠したデスメタルバンドいる。Dying out Flame のことだ。

カトマンズの音楽学校 Nepal Music Center に通っていた、Aabeg Gautam<vo, b> と Prachanda Amatya<ds> を中心に 2011 年に結成。元々はテクニカル・デスメタルバンドとして始動し、2012 年の Nepfest 3 というコンテストで好成績を収めたが、インド最古の宗教文献ヴェーダに根差したヴェーディックメタルをネパールで初めて採り入れ、2014 年 7 月に 1st アルバム『Shiva Rudrastakam』をリリース。同アルバムは翌月、スペインの首都マドリードのレーベル Xtreem Music によってワールドワイド配給され、イギリスの Web 媒体、Global Metal Apocalypse で 2014 年 の Best Asian Metal Album に選ばれた。

アルバムリリース時は Nakchu Gurung なる女性シンガーも在籍していたが、本稿執筆時のラインナップは男性 4 人組である。ただし、Aabeg は 2018 年 8 月よりフィンランドのデスメタル黎明期を支えた Purtenance に加入し、ヘルシンキ北部のヴァンターに移住した。Purtenance 加入後の彼は、日本産バンド Evil など 4 組カップリングで欧州 8 ヶ国をツアーした。

Dying out Flame
Shiva Rudrashtakam
Xtreem Music　2014
バグマティ・プラデーシュ州カトマンズ

ヒンドゥー教の破壊神シヴァへの帰依心を表現した 1st アルバム。額に第三の目があり、蛇で身を飾り立てたシヴァがアートワークにも描かれている。民族楽器をふんだんに使ったオリエンタルなデスメタルで、Aabeg Gautam<vo, b> のグロウルと、ヒンドゥー教のマントラ（真言）、さらには女性シンガーの Nakchu Gurung による民謡風のクリーンヴォイスが交錯。M6「Trinetra Dhari（Three Eyed One）」で、シタールとスラップ奏法のベースでユニゾンするパートは聴きごたえがある。

ツインベース体制で復活を遂げた ヒマラヤン・デスメタルの古豪

Ugra Karma

バグマティ・プラデーシュ州カトマンズ　1999～2002、2012～　Death Metal
（影響）Cannibal Corpse、Suffocation、Morbid Angel、Unleashed、Sepultura　195

「荒々しい行い」を意味するサンスクリット語をバンド名に掲げた、ネパール産デスメタルの古豪。Sunil Dev Pant<vo, b> を中心に結成後、2000 年にデモ音源『The Himalayan Metal of Death』を発表し、X-Mantra と共に『Music Isles』なるオムニバス盤に参加。当時のネパールでは自国産メタルバンドが少数派だったため、彼ら 2 組の存在は世間に衝撃を与えたという。

2001 年には、Prateek Raj Neupane<g> を迎えた編成で 1st アルバム『Blood Metal Initiation』を発表するが、翌年にあっけなく解散。バンド創設者の Sunil は渡米してモンタナ工科大学で学ぶ傍ら、アメリカ人に混じってバンド活動を行い、Prateek は母国にとどまって 72Hrs および Binaash でプレイしていた。

やがて Sunil の帰国を機に、バンドは約 10 年の沈黙を破って再結成。Bijay <b> と Bikram<ds> の Shrestha 兄弟を迎え入れ（Bikram は前出の X-Mantra や Binaash でもプレイしている）、この手のバンドでは珍しいツインベース体制に再編されると、2015 年に EP『Mountain Grinders』をリリース。2019 年 7 月にはチェコで行われるグラインドコア専門フェス、Obscene Extreme に参加し、フランスでも 4 公演をこなした。

Ugra Karma
Photonic Death
Gore-Kha Records　2022
バグマティ・プラデーシュ州カトマンズ

フルレンスとしては実に 21 年ぶりの 2nd アルバム。とはいえ、音楽性はキャリアの初期からさほど変わっておらず、初期 Sepultura や Possessed などのようにスラッシーに疾走する楽曲が多勢を占める。土着臭はことさら感じないが、チベットの鳥葬やククリと呼ばれるネパール伝統の短剣を題材にした曲がある。ゴアグラインド風の M12「Disorder Lust（Dang Dung Remaster）」は、『Ghalazat MMXIII』（2013 年）というスプリット盤に提供した曲をリマスターしたものだ。

MBA 取得者のギタリストを擁する
ネパールの古参スラッシュメタル

X-Mantra

バグマティ・プラデーシュ州カトマンズ　2000～　Heavy/Thrash Metal
（類似）Anthrax、Pantera、Sepultura、Crash（韓国）　61

ネパール語によるスラッシュメタルを史上初めて実践したとされるベテラン 4 人組。現ギタリストの Sandeep Tuladhar は、カトマンズの経営大学院 Ace Institute of Management で MBA を取得したインテリだ。

Rojesh Shrestha<vo> を中心に 2000 年に結成。当時のネパールでは王制打倒を掲げるネパール共産党毛沢東主義派（マオイスト）と政府軍が内戦を繰り広げ、2006 年の内戦終結までに約 1 万 3000 人もの死者を出した。また、2001 年 6 月にはネパール王宮で銃乱射事件が発生し、第 10 代ビレンドラ国王夫妻を含む王族 14 人が死傷するなど、国内は混乱の渦中にあった。その焦燥感をスラッシュメタルに託した 2003 年のデビュー盤『Crying for Peace』は地元シーンで反響を呼び、2004 年には 2nd アルバム『Kurshi』を発表。それ以来、メンバー交代を重ねながら、アルバム 5 枚をリリース済みである。

このうち 2007 年の 4th アルバム『Madhyantar』では、ヒンディーポップスやヒップホップとのクロスオーヴァーを試みた。2017 年 8 月には初の全編英語詞による新譜『War in My Head』をリリースする旨を発表し、同作への収録予定曲「Tranquility」のリリックビデオを公開したが、肝心のアルバムの完成には至っていない模様だ。

X-Mantra
Pralaya 2012
Rock Fever　2012
バグマティ・プラデーシュ州カトマンズ

Sandeep Tuladhar<g>、Bikram Shrestha<ds> を擁する現行の 4 人組による 5th アルバムで、本国より 1 年遅れてイギリスの King Slam Records によって Bandcamp でも配信された。ネパール語で「革命」を意味するインストの M1「Kranti」で幕を開けると、1990 年代からのグルーヴ志向が窺える楽曲群が続くが、疾走チューンが少なめで、速さよりも重さを意識した節が見られる。タイトルチューンの M7「Pralaya」の曲名は、「破滅・終末」などを指すサンスクリット語だ。

Amokkshan
Articulate
自主制作 2017 Metalcore
バグマティ・プラデーシュ州カトマンズ

2012 年に結成されたメタルコアバンドによる、7 曲入りのデビュー EP。元々は 5 人組だったが、本稿執筆時点は 4 人編成だ。シンガーの Aditya がクリーンヴォイスをあまり使用しないため、Unearth や Heaven Shall Burn を想起させるが、彼らほどメロディアスではない。ビートダウンで落下する代わりに、Pantera や Machine Head のようにグルーヴ感を押し出すパートを設けているが、音圧に欠ける感がある。M3「Hope in Vault」以後は叙情的なギターのフレーズを交えている。

Anhur
Bedlam
自主制作 2021 Deathcore
バグマティ・プラデーシュ州カトマンズ

女性シンガーを据えたメタルコアバンドの Deplore を率いる、Core Tamrakar<g> が新たに始動させた 5 人組デスコアバンドのシングル。妻の Kriti Shrestha<vo> は不参加で、メンバー 5 人は全員男性である。1st アルバム『Wail of Darkness』(2019 年) では Chelsea Grin に源流を持つダウンテンポ・デスコアの曲もプレイしていた。本作もその延長線上にあるが類型的である。むしろ、本作以前の「Tātah vināśa」(2019 年) などの楽曲群が土着色が濃厚で、耳を引きつけられる。

Animality
Animality Inherent
自主制作 2018 Death Metal
バグマティ・プラデーシュ州カトマンズ

2017 年に始動した 3 人組デスメタルバンドのデビュー EP。M1「Vile Beings」 や M2「Synthetic Salvation」で広がるサウンドは、Deicide や Dying Fetus といったアメリカのデスメタルバンドの系譜に連なるもの。Bijay Adhikari<vo, b> が野太い声で咆哮し、Darshan Angdembe Limbu<g, vo> が高音でスクリームする姿も前記の 2 組を想起させるが、M2 の冒頭ではネパール産バンドらしく、ヒンドゥー教の宗教儀式の前後に唱えられる聖なる音「Om／オーム」が聞こえる。

Antim Grahan
I Wish You Death
CG Entertainment 2012 Symphonic Black Metal
バグマティ・プラデーシュ州カトマンズ

2004 年結成の 5 人組バンドによる 5 枚目のフルアルバムであり、最終作。バンド名は、ネパール語で「究極の日食」を意味する。3rd アルバム『The Ruin of Immortals』(2009 年) と 4th アルバム『Putrefaction Eternity』(2010 年) は昔気質のデスメタルやグラインドコアに路線変更していた。本作はシンフォニック・ブラックメタルに原点回帰した一方で、スラッシーで勇壮なリフがたまに飛び出す。タイトルチューンの M3 は耽美なピアノやシンセをふんだんに導入した慟哭ナンバーだ。

Arachnids
काल भैरव (Kaal Bhairav)
自主制作 2008 Death Metal
バグマティ・プラデーシュ州カトマンズ

2006 年に始動した 5 人組デスメタルバンドによる唯一のアルバム。三つの目を大きく見開いた破壊神シヴァを描いたアートワークが印象的。アメリカのデスメタルバンドの影響下にある音楽性だが、タブラの叩音を導入している。歌詞はネパール語だが、シンガーの Prabin Shrestha の唱法は、Dying Fetus の John Gallagher<vo, g> を想起させる。M10「Nomad」 は Sepultura のカヴァーだ。バンドは本作発表後に活動停止していたが、公式 Facebook では最近の演奏動画を視聴できた。

Asphyxiate
Asphyxiate
自主制作 2017 Technical Death Metal/Deathcore
バグマティ・プラデーシュ州カトマンズ

インドネシアで同名のベテランバンドが活動しているが、こちらはカトマンズで 2012 年に結成された 4 人組テクニカル・デスメタルバンドによる 5 曲入り EP。総尺 15 分未満というコンパクトな内容だが、M1「Deceased Species」や M5「Virulent」などは変拍子を随所に交えたナンバーで、ブラストが尋常ではない速さに到達する局面もある。プログレッシヴ志向を持ち合わせたバンドでもあり、過去のライヴ映像ではフランスの Gojira のアルバム『Terra Incognita』(2001 年) 収録曲をカヴァーしていた。

Binaash
2072 B.S.
自主制作 2016 Brutal Death Metal/Grindcore
バグマティ・プラデーシュ州カトマンズ

元 Arachnids の Prabin Shrestha<vo>、72 Hrs の Prateek Raj Neupane<g> らが立ち上げた 5 人組バンドによる 2nd EP。バンド名の由来は「破壊」を意味するネパール語だ。ゴアグラインド路線だった 1st アルバム『Binaashkaari』(2017 年)とは異なり、本作は Obituary のようにスローなデスメタル曲で始まり、同楽曲にはバンド名そのものが掲げられている。作品全体を俯瞰してみてもグラインド要素は薄れ、音質が向上した半面、相変わらずアートワークはチープだ。

Carnal Engorement
Ammunition
自主制作 2021 Brutal Death Metal
バグマティ・プラデーシュ州カトマンズ

2012 年結成のブルータル・デスメタルバンドによる 1st シングル。バンドの公式 Facebook や YouTube にはメンバーの氏名や写真などが一切載っておらず、ラインナップも不明。もしかして宅録プロジェクトだろうか。ゴボゴボとした下水道ヴォイスに合わせてズンズンとしたリフを刻んだ後にスネアを連打するというパターンを繰り返すが、単調かつチープ。終盤で多少テンポダウンするが、スラミングと言えるほど激しい落差ではない。換言すると、2020 年の 2 曲入りデモ音源からまったく進化していない。

Breach Not Broken
Between the Guilt & Desires
Vehement Records 2015 Post Hardcore
バグマティ・プラデーシュ州カトマンズ

2012 年に始動した 5 人組ポスト・ハードコアバンドの 1st EP。叙情的なギターとビートダウンを要所に交えたプレイは安定しているが、Bisham Bista<vo> のグロウルが一本調子で抑揚に欠ける。彼は M5「No Wounded」と M6「Hope」でクリーンの歌唱も披露するが、これまた不安定で声量不足な印象を受ける。本稿執筆時点で、Saurav Tamrakar<g, vo> はフィンランドへ渡って Defiant なるバンドで活動しており、Esaak Pun<g> もアメリカのテキサス州に移住している。

Cecostomy
Cecostomy
Grinder Cirujano Records 2022 Brutal Death Metal
バグマティ・プラデーシュ州パタン

2017 年結成の 3 人組(本稿執筆時点は 4 人組)ブルータル・デスメタルバンドによるセルフタイトルの 1st EP。アルゼンチンの Grinder Cirujano Records で配給された。不穏でズンズンと響くリフに合わせて、Bijay Syangtan<vo> が下水道ヴォイスとピッグスクイールで歌い分ける。ただし、スラミングを標榜する割には高低差を強調するタイプではない。M5「Let It Gore」は、ロシア産バンドの Visceral Disorder の 1st アルバム(2014 年)収録曲をカヴァーしたものだ。

Broken Hymen
Shrouded by Death
自主制作 2013 Death Metal
バグマティ・プラデーシュ州カトマンズ

実働わずか 1 年という短命に終わったカトマンズの 4 人組デスメタルバンドによる唯一の EP。昔気質のデスメタルをプレイしており、Suffocation の Frank Mullen<vo> を思わせる低音グロウルと不穏なリフが交錯する。もちろん要所で高速ドラミングも飛び出すが、M2「Butchered Corpse Metamorphosis」は Obituary のようにドゥーミーな曲調である。土着的なイントロで幕を開ける M3「Dimensions of Obliteration」もスローテンポの曲だ。

Chakachak
Chakachak
自主制作 2019 Nu-Metal/Rapcore
バグマティ・プラデーシュ州カトマンズ

ベルギーで 1950 年代末から同名ラテン/ファンクグループが活動していたが、こちらはカトマンズで活動する 5 人組ミクスチャーバンドによる 1st アルバム。ただし、全 6 曲なので実質的には EP だ。Vital という芸名の DJ を擁する編成で、歌唱はたいていネパール語だと思われる。インドの Ambush と同じく、Rage Against the Machine、Limp Bizkit の影響が顕著だが、スロー〜ミドルテンポの曲が中心なので物足りなさも感じる。M6「Wake Up」は中盤で突如としてレゲエ調に様変わりする曲だ。

Cruentus

Asantusta Aatma

自主制作　2005　Black Metal

バグマティ・プラデーシュ州カトマンズ

2004 年に結成されたツインヴォーカル形態の 5 人組ブラックメタルバンドによる唯一のアルバム。ヒンドゥー教徒の火葬場の情景を思わせる SE で幕を開けると、ノイジーかつチリチリした音像が広がる。忙しないバスドラムの音は、スリッパを叩いてるかのようだ。しかし曲展開は案外と正統派メタル寄りで、Iron Maiden のようなフレーズのギターを披露したかと思えば、英語詞の M2「Beneath the Bleeding Moon」では勇壮なリフを刻む。タイトルチューンの M1 のみ母国語詞で、残り 6 曲はすべて英語詞だ。

Dead Mariners

Night of the Fallen Morbid

自主制作　2011　Symphonic Black Metal

バグマティ・プラデーシュ州パタン

2004 年から活動する 5 人組バンドによる、現時点で唯一のアルバム。Dimmu Borgir、Cradle of Filth などに影響を受けたバンドで、M1「Vengeance with My Love」は物悲しいピアノがヴォーカルに併走し、流麗なギターソロで中盤を盛り上げる。M5「Ishwori」と M7「Antim Yaachana」はネパール語詞の曲だが、土着的な要素は皆無に等しい。プロダクションは貧弱だが、鍵盤やシンセを多用したスタイルなので、日本人リスナーの耳に馴染みやすいだろう。

Deplore

Deplore EP

自主制作　2017　Metalcore

バグマティ・プラデーシュ州カトマンズ

ネパールでは希少な女性シンガーを据えたメタルコアバンドによる初の EP。紅一点の Kriti Shrestha<vo> と Core Tamrakar<g> は夫婦である。Periphery、After the Burial など Djent 系バンドに加え、ロシアの Fail Emotions を影響源に挙げており、バンド名を冠した M2 は EDM の要素を交えた曲。Kriti は M2 でラップ調の歌唱を繰り出すが、M5「Hate」では気だるくアンニュイな雰囲気を発散。バンドの YouTube ではシタールを用いた「Elixir」と題した曲も聴ける。

Discord

Blood, Sweat & Grind

Lower Class Kids Records　2020　Grindcore

バグマティ・プラデーシュ州バクタプル

ネパール東部のバクタプルで 2016 年に結成された 4 人組グラインドコアバンドによる 1st アルバム。ドイツの Lower Class Kids Records によって配給された。Napalm Death、Terrorizer のカヴァー曲を結成初期にプレイしていたという経歴どおりの音楽性。歌詞は全編ネパール語とのことだが、高低のツインヴォーカルとけたたましい轟音が交錯する様子は、まさに Napalm Death 直系だ。しかし終始ハイテンションに暴走するだけではなく、曲によっては重たいビートダウンを交えている。

Disorder

Corrupted Influence

自主制作　2016　Thrash Metal

バグマティ・プラデーシュ州パタン

パタンで活動する 4 人組スラッシュメタルバンドのデビュー作。フルレンスとの触れ込みだが収録曲数は 6 曲で、冒頭の 4 曲は英語詞だが、締めくくりの 2 曲は母国語詞。しかし歌詞がどの言語であれ、猪突猛進のスラッシュメタルを一貫してプレイしており、Slayer、Sodom、Kreator などの影響が垣間見える。M5 の曲名は、1854 年にネパールでカースト制度を成文法にした宰相ジャンガ・バハドゥル・ラナ（1816～1877）と関係あるのだろうか。

Epitaph

Barbaric Regulation

自主制作　2007　Death/Thrash Metal

バグマティ・プラデーシュ州カトマンズ

2004 年に結成された 5 人組スラッシュメタルバンドによる唯一のフルアルバム。基本的には 1980 年代のスラッシュメタルの大御所の影響下にある音楽性だが、M7「Propaganda Abuse」のギターのフレーズは心なしか Iron Maiden を彷彿とさせる。しかしプロダクションがひどく劣悪で、ドラムの音が終始くぐもって聞こえる。さらに、地の底から湧き上がるような不気味なヴォーカルも相まって、バンド側の思惑どおりなのかはさておき、結果としてブラックメタルのような佇まいを感じさせるのも事実だ。

False Brain Tumor
Demo 2020
自主制作 2020 Grindcore
バグマティ・プラデーシュ州パタン

2018年に結成され、翌年からライヴ活動を始めた4人組グラインドコアバンドのデモ音源。バンドの公式Facebookを見ると、日本産バンドS.O.Bのカヴァー曲をプレイしていた、本作は全3曲で総尺わずか4分台というコンパクトな1枚だが、ドス黒い瘴気をまき散らしながら爆走するスタイルで、ベルギーのAgathoclesを思わせる面がある。M3「Yuddha Aatanka」は、『5 Way International Grindcorona Split』(2020年)というスプリット盤でも聴くことができた。

Famous Last Wishes
Waves
自主制作 2021 Metalcore
バグマティ・プラデーシュ州パタン

2017年に結成された5人組バンドによる2ndシングル。前シングル「Deceiver」(2020年)のアートワークにガスマスク姿の男女が抱擁している姿が描かれていたため、ウォー・ブラックメタルと勘違いしそうだが、A Day to Remember、Parkway Drive、Miss May Iなどを影響源に挙げており、正攻法のメタルコア／ポストハードコアを披露している。Sanjay Tamang<vo>は前シングルではグロウル一辺倒だったが、叙情的なパートを交えた本作ではクリーンヴォイスを解禁している。

Fragments
Angst
自主制作 2016 Extreme Progressive Metal
バグマティ・プラデーシュ州カトマンズ

2013年に結成された5人組バンドによる初のアルバム。「Extreme Progressive Metal」なる勇ましい謳い文句を掲げている。端的に言うとPeripheryをはじめとするアメリカのDjent系バンドの影響下にある音楽性だが、それほど難解かつリズミカルに跳ね回るわけではない。また、シンガーのRegan Awaleが非力で、クリーンとグロウルを使い分けるM2「Finding Answers」で頼りなさを露呈。YouTubeで公開した同曲のMVは「低評価」が200件以上もついた後に削除された。

Gothica
Deification of the Saboteur
自主制作 2011 Symphonic/Melodic Death Metal
バグマティ・プラデーシュ州カトマンズ

ツインヴォーカル形態で7人組という大所帯ブラックメタルバンドが遺した唯一のEP。様式美メタル風のイントロで始まるM1「Cyborg Cataclysm」は、バンドの弁によると2001年6月に発生したネパール王宮での銃乱射事件に触発された曲。かたや、M2「2012」やM3「Salvation from Eternal Sorrow, Death」では、バンドが影響源に挙げているCradle of Filthのように耽美な雰囲気を発散。バンドはシンガー3人の8人編成で活動した時期もあるが、すでに解散した模様だ。

Jai Faak
Bhaihaalcha Nii
Wild Yak Records 2022 Sludge/Stoner Metal
バグマティ・プラデーシュ州カトマンズ

3人組スラッジ／ストーナーメタルバンドの1st EP。結成年は不明だが、バンドの公式Facebookは2019年に開設されていた。タイトルは、英語の「Off Course」「Sure」に相当するネパール語だ。Black Sabbathやグランジの先駆者と呼ばれるMudhoneyを影響源に挙げているが、Fu Manchu、Kyussなどアメリカのデザートロック勢を想起させる音楽性。英語詞の曲はM2「Unturned Stone」のみだが、ヴィンテージ感覚あふれる野太いファズギターの音色を全編にわたり味わえる。

Kaal
Dismembered
自主制作 2016 Brutal Death Metal
ガンダキ・プラデーシュ州ポカラ

2008年に結成された、5人組ブルータル・デスメタルバンドによる唯一の6曲入りEP。神秘的なシンセを導入したインストのM1「Intro」で期待を煽り、低音グロウルで咆哮するM2「Anga Bhanga」へと続く。バッキングの不穏なリフはブルータル・デスメタルの作法に一応則っており、落差は小幅ながらビートダウンする局面もあるが、体感速度はさほどでもない。テクニックが目指す音楽性に追いついていない感も受ける。ちなみに公式Facebookは利用不可だったので、バンドは解散したと思われる。

Kalodin
SARV
自主制作 2012 Symphonic Black/Death Metal
バグマティ・プラデーシュ州カトマンズ

2006 年結成のシンフォニック・ブラックメタルバンドによる EP。ただし本作発表時のラインナップは Davin Shakya<g, vo>、Omeo<g>、Bikash Rai<b> の 3 人のみで、残りのパートはサポートメンバーで賄っている。全体的に Marduk、Immortal などの影響が窺えるが、M4「Trishula」はヒンドゥー教の破壊神シヴァの武器である三叉槍を曲名に冠したナンバーで、シヴァに捧げるマントラ（真言）やシタールの音色が飛び出す。山羊頭の悪魔が結跏趺坐を組んだアートワークも異彩を放つ。

Maranatha
The End Is Coming
Vehement Records 2022 Death Metal/Grindcore
バグマティ・プラデーシュ州カトマンズ

2018 年に結成された 4 人組デスグラインドバンドの 1st EP。アー写ではメンバー 4 人のうち 2 人がマスク姿だが、ライヴ映像では全員素顔でプレイしていた。M1「Numbskulls」はクラシック音楽からサンプリングしたと思しきイントロで始まるが、基本的には不穏なリフを刻みながら忙しなく疾走するタイプである。Nimrodh Raii<vo> の歌唱は低音グロウルだが、各収録曲にシンガロングを誘うパートがあり、その部分だけを聴いているとAgnostic Front、Biohazard などの影響が見え隠れする。

Krur
Untitled
自主制作 2018 Death Metal
バグマティ・プラデーシュ州カトマンズ

2018 年に始動したデスメタルバンドによる、文字どおり無題のデモ音源。結成当初は女性シンガーの Aastha Nagarkoti をフロントに据えており、彼女を含む 4 人組で制作したものだと思われる。Cannibal Corpse、Suffocation などアメリカのデスメタルの先人達の影響が色濃く、甲高いスネアの連打に合わせて、紅一点の Aastha がグロウルで咆哮する。しかし全体的にプロダクションは劣悪であり、バンドは 2020 年から全員男性メンバーの 5 人組に再編された。

Narsamhaar
Genocide Euphoria
Alchemix Studio 2014 Death Metal
ガンダキ・プラデーシュ州ポカラ

Subash Rana<ds> が Kaal の解散後に始動させた、5 人組デスメタルバンドによる唯一のアルバム。幾分オリエンタルなフレーズを交えたインストナンバーで幕を開けると、オールドスクール然としたデスメタルを披露するが、緊張感に欠けた印象がある。M3「God Wants My Blood」のインストでは仏式の読経が聞こえるが、チベット系のメンバーが混じっているのだろうか。M7「Stuck in Homicidal Awe」では、マルタから Beheaded の Frank Calleja<vo> が客演。

Laash
Sambhog Ko Astitwa Laash
自主制作 2018 Technical Death Metal
バグマティ・プラデーシュ州カトマンズ

2012 年に始動した 3 人組デスメタルバンドによる 4 曲入りの初音源。元々は配信のみだったが、ウクライナの Vibrio Cholerae Records から後年カセットテープで流通された。Dying Fetus や Nile を影響源に挙げる一方で、Cryptopsy のような技巧派志向も併せ持つ。母国語詞の M2「Paap」と M3「Raktamya」では尋常ではない速さのブラストが飛び出し、M4「Petrification of Your Extinct Inner Self」では、Anan が派手なタッピングで弾きまくる。

Nude Terror
Personality Disorder
自主制作 2016 Grindcore
バグマティ・プラデーシュ州カトマンズ

2012 年より活動している 4 人組グラインドコアバンドのデビュー作。ドイツの Coxinha Records によって、カセットテープでも数量限定で販売された。バンドの弁によるとデスメタルやブルータル・デスメタル、ゴアグラインドなどの経験者で結成したそうだが、Napalm Death の影響が色濃い音楽性。シンガーの Bishal Pradhan は甲高い声で終始まくし立てるが、インストナンバーの M7「Don't Rape, Masturbate」では Anish Malla<b> がスラップ奏法を繰り出し、意外な懐の深さを見せる。

Paradigm Shift
Mirrorscape
自主制作 2022 Progressive Metal
バグマティ・プラデーシュ州パタン

インドのムンバイにも同名バンドが存在するが、こちらはカトマンズ出身の5人組バンドによる通算2作目のEP。メンバー全員が男性だった1st アルバム『Paradigm Shift I : Genesis』（2019年）はDjent、メタルコア、ポストグランジの要素を雑多に採り入れていた。かたや本作は女性シンガーのLazzu Shresthaを据えた1枚で、Evanescenceのような M1「Duke O' Death」で幕を開けるが、グロウルを交えた曲や男性のラッパーをゲストに起用した曲もある。

Screaming Marionette
Corrupt Society
自主制作 2018 Groove Metal/Metalcore
バグマティ・プラデーシュ州カトマンズ

カトマンズ経営大学の学生自治会主催のコンテスト、ICMC（Inter College Music Competition）を2017年に制した5人組のデビューEP。The ExorcistのNimesh Nakarmi<b>が掛け持ちしている。シンガーのNikesh Bhujelはハスキーな低音グロウルで咆哮するタイプだ。タイトルチューンのM2はLamb of Godからの影響が窺える攻撃的なナンバーだ が、M3「Math Sikney Neta?」以後は腰を低く落としたグルーヴ重視の曲が続く。

Shadow in Shade
With Vengeance
自主制作 2021 Deathcore
バグマティ・プラデーシュ州カトマンズ

2010年に始動した5人組デスコアバンドが、ネット上でMVを公開した楽曲。2nd EP『Dynasty of Evilution』（2017年）は、『BURRN!』で史上初めてレビューされたネパール産アルバムだった。同EPリリース後にシンガーとドラマーが交代している。ストリングスとクワイア、ブラストを織り交ぜた序盤はまるでブラックメタルのような佇まいだが、小幅なビートダウンを使う中盤からにわかにデスコアらしくなる。Whitechapel、Suicide Silenceなどを影響源に挙げている。

Shree 3
Rust in Dust
Wild Yak Records 2022 Alternative/Stoner Metal
バグマティ・プラデーシュ州カトマンズ

その名が示すとおり、2016年に始動したトリオ編成バンドによる2nd アルバム。Nude TerrorのRozet Gurung<b>が掛け持ち参加している。前作『Drabya Dharma』（2019年）はグランジ寄りの音楽性ながら、英語詞の曲とネパール語詞の曲を5曲ずつ収めていた。かたや本作はオール英語詞で、DownやCrowbarのように重量感あふれるスラッジ／ストーナーの要素が顕著になった。ただし、Sarad Shrestha<vo, g>のマイルドな声質を活かしたバラードも収められている。

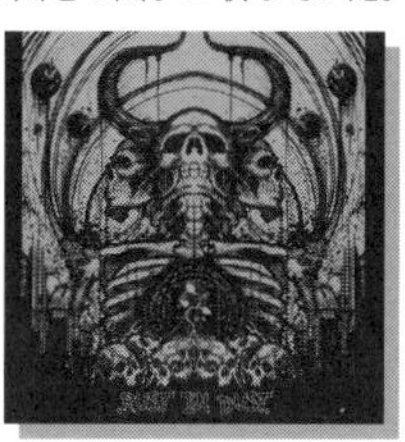

Strangle
Nation Failed
Vehement Records 2020 Thrash Metal/Crossover
バグマティ・プラデーシュ州パタン

2017年の1st アルバム『You're Next in Line』でデビューを飾った4人組バンドによる2nd アルバム。Encyclopaedia Metallumでは「Thrash Metal/Crossover」に分類されているが、実際には前掲の1st アルバムの頃からアメリカのハードコアの先人達の強い影響下にある。全曲1～2分台という尺の短さも前作同様だ。Terror、Biohazardなどを想起させるタフで武骨な音像であり、前のめりに突っ走る曲が目立つが、メタルよりもハードコアパンクのリスナー向けだ。

The Exorcist
Descendants of the Devil
自主制作 2017 Death Metal
バグマティ・プラデーシュ州カトマンズ

2010年に結成された5人組デスメタルバンドによるデビューEP。Cannibal Corpse、Bloodbathなど欧米の先人達を影響源に挙げているとおりの音楽性で、各曲の要所でテンポチェンジしたり疾走パートで盛り上げたりする。アルバム名と同様に、M1「Exorcism of Her」とM2「Necromancer」は歌詞もサタニックな内容だ。M4「The Axeman's Jazz」はドラムとベースによるグルーヴィーなイントロで始まるが、少々あっさりとフェードアウトして終わってしまう。

Third World Chaos
Inferno
自主制作 2003 Deathcore/Thrash Metal
バグマティ・プラデーシュ州カトマンズ

2001年に結成された5人組バンドによる唯一のデモ音源で、4曲入り。ブラジルのSepulturaの同名ライヴビデオ（1995年）からバンド名を拝借したのではと推察され、音楽性も彼らからの影響が窺えるが、全体的にプロダクションはチープだ。シンガーのParashはクリーンとグロウルの二刀流だが、クリーンで歌唱すると妙に気だるげな空気を発散。また、M1「Rant and Rave」のイントロは、Nirvanaの代表曲「Smells Like Teen Spirit」を彷彿とさせるため、意表を突かれる。

Vhumi
भुमी
自主制作 2008 Melodic Death Metal
バグマティ・プラデーシュ州カトマンズ

2004年結成のメロディック・デスメタルバンドによるデビュー作。バンド名の由来は、インド最古の宗教文献ヴェーダに出てくる地母神プリティヴィーの別名で、アートワークにはその名がデーヴァナーガリー文字で記されている。鍵盤を導入しているが、全体的に音質は劣悪。たまにIron Maiden風のリフを刻み、インストのM4「Bhariya」ではバイオリンを使用。締めくくりのM8「Atanka」はヒンディーポップスと化すので困惑させられる。バンドは2011年に活動を休止したが、2016年に6人編成で再始動した。

72 Hrs
Kunike
自主制作 2007 Thrash/Death Metal
バグマティ・プラデーシュ州カトマンズ

2006年からカトマンズで活動する5人組バンドのデビュー作。メンバー5人のうち、Prateek Raj Neupane<g>は大学教員として心理学を教えたり、俳優として映画に出演したりする才人である。Encyclopaedia Metallumでは「Thrash/Death Metal」と記載されていて、確かにSlayer、Sodomなどの影響が窺えるM1「War」やM4「Battle」が収められているが、表題曲のM6は突如メロディック・スピードメタルに様変わりする。YouTubeで視聴できる同曲のMVは必見だ。

Metal for Nepalというチャリティー活動

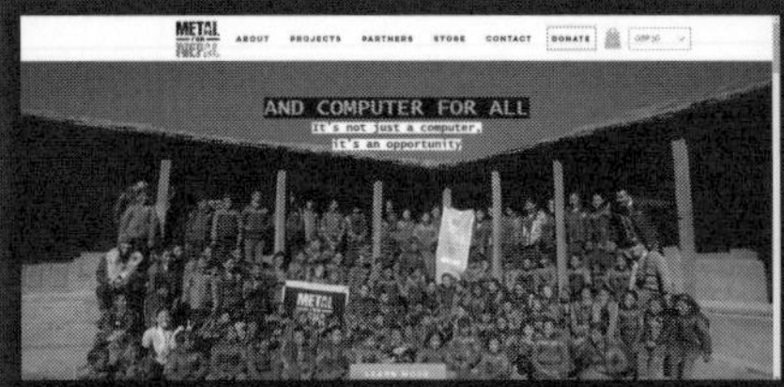

Metal for NepalのWebサイト。画面右上の「Donate」という黄色い枠で囲まれたボタンをクリックすると、クレジットカード決済で寄付することができる。ただし日本円ではなく、ドルまたはポンド建てである。

Undersideのバイオグラフィーでも述べたように、元々Metal for Nepalは2015年4月に発生したネパール大地震の復興支援を目的とするチャリティー活動だった。発起人は、スイスのメロディック・デスメタルバンドVoice of RuinのRandy Schaller<vo>で、UndersideのAvishek K..C.<vo>の弁によると、「ネパール大地震への関心を高め、義援金を集めるという要件さえ満たせば、あらゆるメタルバンドがMetal for Nepalという名義でチャリティーイベントを自由に開催することができた」という。実際に2015～2016年にかけて、Voice of Ruinが拠点とするスイスのみならず、アメリカとフランスでもMetal for Nepalを掲げたチャリティーイベントが開催された形跡があった。Undersideも2015年にインドのDemonic Resurrection、Undying Inc.らを地元カトマンズに招聘し、やはりMetal for Nepal名義でのイベントを実催済みである。

やがて新型コロナウイルスの第1波が押し寄せると、ネパール政府は2020年3月を皮切りに、厳格なロックダウン（移動制限）を複数回にわたり断行。その弊害として大勢の人々が仕事を失い、生活が立ち行かなくない状態に追いやられた。そこでUndesideはMetal for Nepalの旗印の下、仕事を失った日雇い労働者に温かい食事を提供したり、困窮家庭や障害者施設に1ヶ月～45日分の食料品を渡したり、あるいは標高3500m以上の高地に住まうネパール人向けに新型コロナウイルスワクチンの接種機会を作ったりもした。Avishek K.C.の弁によると「これらの活動は、内外のNGO団体とパートナーシップを組んで展開している」そうで、新型コロナウイルス関連以外では、ネパールの貧しい子供にパソコンを買い与え、識字率の向上とパソコンスキルの獲得を図る取り組みも進めている。

インド最古の宗教文献ヴェーダに立脚したヴェーディックメタル

ヒンドゥー教徒が多数派を占めるインドやネパールでは、ヴェーディックメタルというサブジャンルを志向するバンドが複数見受けられる。冒頭の用語集で述べたとおり、ヴェーディックメタルとはインド最古の宗教文献ヴェーダに立脚したサブジャンルだ。

紀元前2000～1500年前に中央アジアからインド亜大陸へ侵入したアーリア人の宗教（便宜上バラモン教と呼ばれることが多い）は、紀元後にヒンドゥー教へと変容するが、ヴェーダの権威はそのまま維持された。したがってヴェーディックメタルは、ヒンドゥー教の神々や叙事詩、インド哲学などをテーマにした土着的なエクストリームメタルとも解釈できる。

ヴェーディックメタルの始祖的存在は、シンガポールで1992年から活動するデス／ブラックメタルのRudraだ。Rudraというバンド名の由来はモンスーンを神格化した古代インドの暴風神で、これはヒンドゥー教の破壊神シヴァの前身と見なされている。インド南部にゆかりのあるメンバー4人で結成されたRudraは、1998年にアルバムデビューを飾った頃から、民族楽器やオリエンタルな旋律、サンスクリット語のマントラ（真言）などを採り入れたデス／ブラックメタルを一貫してプレイしている。また、古代インドの哲学書『ウパニシャッド』の詩句を各収録曲にちりばめたアルバムや、インドの叙事詩『マハーバーラタ』『ラーマーヤナ』を題材にしたコンセプト作を発表したこともある。そんなRudraに触発されて、インドやネパールの一部のバンドもヴェーディックメタルを打ち出すようになったわけだ。実際に、本章に登場したDying out Flameも過去のインタビューで影響源としてRudraを挙げている。

欧米に古くから伝わる民謡や民族楽器を採り入れたフォークメタル、ペイガンメタル、ヴァイキングメタルに比べると、ヴェーディックメタルは世界各地に広がっているとは言えない。それでも、ヨーロッパのバンドがヴェーディックメタルに接近しようとした事例はわずかながら見受けられる。たとえばロシアのデス／ブラックメタルバンドのKartikeyaは、前身バンド時代はVelialと名乗っていたが、2005年からヒンドゥー教の軍神スカンダの別名、すなわちKartikeyaにバンド名を改称。2022年に解散するまで、古代インドの宇宙論を題材にしたアルバム『Mahayuga』や、ヒンドゥー教の戦いの女神ドゥルガーを礼拝する行事をテーマにした楽曲「Durga Puja」（共に2011年）などを送り出していた。前掲のアルバム『Mahayuga』には、RudraのKathir<vo, g>がゲスト参加している。ちなみに岡田早由氏の『東欧ブラックメタルガイドブック』（2018年）には、チェコ出身のブラックメタルバンドなのに、アルバム名と曲名をすべてサンスクリット語で記し、ヒンドゥー教の読経や民族楽器を用いたCult of Fireが登場する。

Cult of Fireの2ndアルバム『संहार रक्त काली (Samhara Raktha Kali)』（2013年）。英題は『Ascetic Meditation of Death』で、「死の瞑想修行」を意味する。レビューは、岡田早由氏の『東欧ブラックメタルガイドブック』を参照願いたい。

お役立ちサイト集その１

本書の執筆に当たって、国内外の多数の Web サイトやブログ、SNS などを参照したが、その中でも特に役に立ったものを列挙する。英語ないし日本語で書かれたものばかりで、参照・閲覧時に特別な言語スキルは問われない。更新を停止したものも一部含んでいるが、いずれもインドとその周辺国のメタルシーンの実情を知る上で有益な基礎資料である。

Indian Bands Hub

https://indianbandshub.blogspot.com/

メタルを中心に、インドのさまざまなバンドの情報を収集しているサイト。Encyclopaedia Metallum 未登録のバンドも載っているが、画面設計はきわめてチープだ。

Indian Metal Scene

https://www.facebook.com/indianmetalscene

インド産メタルバンドのインタビュー、インドのメタルイベント情報、海外のメタルバンドのインド公演情報などを発信していたブログ。本稿執筆時点は Facebook のみ稼働中。ただし、更新頻度は少ない。

Indian Music Mug

https://indianmusicmug.com/

メタルに限らず、インドのインディーアーティスト全般を取り上げている Web 媒体。インド公演を行った欧米の有名バンドのインタビューも読める。2020 年以降は更新ペースが著しく落ちている。

Indian Rock N Metal Music Rulzz...

https://indianbands.wordpress.com/

インドのメタルバンドを 9 地域別に分類、掲載したブログ。10 点満点制のアルバム評、インタビュー、過去のイベント情報が閲覧できるが、2008 年 5 月以降は更新を停止している。

MetalIndia Magazine

https://www.metalindiamagazine.com/

インドとその周辺国のバンド情報を扱っていた Web 媒体。こちらもインド公演を行った欧米の有名バンドのインタビューが読める。2017 年 3 月で更新停止（Facebook は 2020 年 6 月に更新停止）。

SkillBox

https://www.skillboxes.com/

インドのさまざまなバンドがブッキング情報をもらうために、プロフィールや試聴用音源などをアップしているサイト。歌詞言語、活動拠点、ギャラの高低といった各種条件設定でバンドを絞り込める。

The Indian Music Diaries

https://theindianmusicdiaries.com/

これもメタルに限らず、インドのインディーアーティスト全般を取り上げている Web 媒体。プロモーション用資料の作り方、契約書の見方など、インドのバンドマン向けの実務的なハウツーも発信。

Trendcrusher

https://www.facebook.com/trendcrusher/

インド亜大陸のメタルバンドのアルバム評、メタルイベント情報などを発信する SNS アカウント。「Horns Up」というポッドキャスト番組も並行展開しており、欧米の大御所へのインタビューも聴ける。

Death Metal Nepal

http://deathmetalnepal.blogspot.com/

ネパール産メタルバンドの略歴、アルバム評、同国のバンドマンや関係者のインタビューなどを閲覧できるブログ。Facebook も並行展開していたが、2019 年以降は更新を停止。

パキスタン・イスラム共和国

Islamic Republic of Pakistan

パキスタンの国名はウルドゥー語で「清浄な国」を指すと同時に、現在のパキスタンを構成するパンジャブ州（Punjab）の「P」、ハイバル・パフトゥンハー州に集住するアフガン人（Afgan）の「A」、カシミール地方（Kashmir）の「K」、シンド州（Sindh）の「S」、そしてバルチスタン州（Balochistan）の「tan」の字を取り、それらを結合したものである（後から発音を考慮して「i」が加えられたとされる）。現在の国土面積（約79万6100㎢）と人口（約2億1656万人）は、どちらも日本の約2倍のスケールである。

軍事力で勝るインドの脅威に対抗すべく、パキスタンは中国とアメリカとの関係構築を重視してきた。中国に関して言えば、パキスタンは毛沢東（1893～1976）による1949年10月の建国宣言をいち早く承認した国で、中国が文化大革命を繰り広げていた1960～70年代も、中パ両国は緊密な関係を保っていた。つまり中国とパキスタンは、外的要因に左右されない「全天候型」の友好関係を築き上げているのだ。一方、パキスタンがアメリカの重要戦略拠点となった1979年は、奇しくも隣国のイランが革命によって親米から反米に転じ、後背地のアフガニスタンにソ連が侵攻した年でもあった。パキスタンはそれ以来、アフガニスタン紛争で米ソ対立の最前線を担い、同時多発テロ事件（2001）を発端とするアメリカの対テロ戦争にも全面協力したが、逆に国内外のイスラム過激派によるテロ事件が頻発。さらに、パキスタン領内に潜伏していたオサマ・ビン・ラディン（1957～2011）をアメリカ軍が予告なしで強襲したネプチューン・スピア作戦や、パキスタンの兵士24人が死亡したNATO（北大西洋条約機構）軍の誤爆事件（共に2011年）などが重なり、パキスタン当局は国内での反米感情の高まりに苦慮している。

2017年パキスタン国勢調査によるとパンジャブ州の州都ラホールの人口は約1112万人、シンド州の州都カラチの人口は約1605万人を誇る。したがって、本章に登場する全56組のバンドの過半数（32組）はこの2大都市のどちらかを拠点にしている。かたや首都イスラマバードの人口は200万人程度で、この地を拠点とするか、イスラマバード出身メンバーを擁するバンドは10組だけだ。パキスタンで四半世紀あまりの歴史を持つDuskが、Black Sabbathを源流に持つデス／ドゥームメタルを志向しているせいか、イギリスのThe Peaceville Threeタイプのバンドが多いのもパキスタンの特徴といえる。

民族　パンジャブ人、シンド人、パシュトゥーン人、バローチ人など。パキスタン国勢調査では民族別構成を発表していないが、パンジャブ人が人口（約2億1656万人）の半数方を占める。

言語　ウルドゥー語（国語）、英語（公用語）、その他の現地語（パンジャブ語、シンド語、パシュトー語、バローチー語、カシミール語など）※パンジャブ語はインドのパンジャブ州の州公用語でもあり、シンド語は1967年にインド憲法の第8付則によって使用促進が望まれる22の指定言語に加わった。

宗教　イスラム教（国教）。

Dusk

変化を恐れずに実験を重ねる パキスタンの准教授老舗 デス／ドゥームメタル

シンド州カラチ／シンガポール　1994～　（初期）Death/Doom Metal、（中期）Progressive Metal、Death/Thrash Metal、（後期）Death/Doom Metal　（影響）Black Sabbath、The Obsessed、Death、初期 Mayhem　※

Dusk はおよそ 30 年の歴史を誇るパキスタンのベテランバンドだ。唯一のオリジナルメンバーである Babar Sheikh（ヴォーカル、ギター、ベース、写真中央）はパキスタンの名門大学を卒業後、長年にわたり映像クリエイターとして活動する傍ら、大学の准教授としてメディア科学と映像制作を教えるインテリである。慢性的な政情不安を抱え、きわめて保守的なイスラム教国家と言われるパキスタンで、彼らはどうやってキャリアを積み重ねたのか。

売り込みはテープトレード

遡ること 1988 年 8 月、パキスタン第 6 代大統領ムハンマド・ジア＝ウル＝ハクが飛行機事故で死亡する。ジア＝ウル＝ハクは陸軍参謀長時代の 1977 年にクーデターで政権を奪取し、イスラム原理主義の先駆けといえる独裁政権を敷いた人物だった。しかし皮肉にも彼の事故死に伴い、パキスタンではそれまで抑圧されていたポピュラー音楽が萌芽する。

当時ティーンエージャーだった Babar はポピュラー音楽にとどまらず、欧米のヘヴィメタルにも多大な興味を示したが、1980 年代末のパキスタンで欧米のメタルシーンの情報を得ることは困難を極めた。彼はなけなしの金をはたき、週末の市場に出向いては英文の音楽雑誌を必死に探し集めたという。やがて Babar はいくつかのバンドを経て、Dusk を始動させる。結成初期のラインナップ　は、Babar、Sohail Russian<g>、Roger Faria<ds> というトリオ編成だったが、1995 年の初のデモ『Casketize』は Babar がほぼ独力で制作したもので、劣悪品質の 3 曲入りのカセットテープだった。それでも Babar は世界各地の媒体やコレクター筋、音楽ライターとテープトレードしながら、Dusk の存在を熱心に売り込んだ。

欧州のレーベルと契約する

バンドに転機が訪れたのは 1997 年、2 作目のデモ『DiverifiedSymfonikArt』と3作目のデモ『Where Dreams Bleed』の制作時である。パキスタン屈指の敏腕ミュージシャンであるFaraz Anwarが加入したのだ。

彼はアメリカのバークリー音楽大学からOutstanding Musical Achievementなる賞を授与された才人で、本来ならDuskのプロデューサーとして参画するはずだったが、前述のデモ2作ではギターとドラムの打ち込みを担当。バンドはこれを足がかりに、パキスタン勢として史上初めて、ポルトガルのHibernia Productionsよりデビュー盤『My Infinite Nature Alone』(1999年)と企画盤『Hearts of Darkness』(2002年)を発表する。

チェコのEpidemie Recordsでリリースされた2ndアルバム『Jahilia』(2003年)はBabarとFarazの2ピース編成で制作した作品であり、バンドは同アルバムを引っさげてチェコをツアーしたそうだが、Farazは元々ネオクラシカル～プログレッシヴ志向だったため、Babarとの音楽性の相違が表面化。Babarはこのため Farazと袂を分かつと、多くのゲストミュージシャンを起用して3rdアルバム『Contrary Beliefs』(2006年)を発表。この年には、インドのDemonic Resurrectionなど4組共作のスプリット盤『Rise of the Eastern Blood』にも参加した。

また、Babar個人としてはシンガポール産ブラックメタルバンドImpietyの5thアルバム『Formidonis Nex Cultus』(2007年)にベーシストとして参加。これがきっかけで、逆にImpietyのTremorことHalim Yusof(ドラムス、前ページ写真右)がDuskに加入するという副次効果が生じた。バンドは彼を迎えた編成で、シンガポールのDistrustとスプリット盤『Eastern Assault』(2010年)を共作し、この年の7月には『Metal Hammer』のドイツ語版に登場。その後のバンドは、EP『Through Corridors of Dead Centuries』(2014年)、シングル「Architect of the Fifth Dimension」(2016年)などをリリースしている。

Dusk
My Infinite Nature Alone
Hibernia Productions 1999
シンド州カラチ／シンガポール

Babar Sheikh<vo, b>とFaraz Anwar<g>が共同プロデュースした1stアルバム。初端のM1「Ars Moriendi」でFaraz AnwarはもろにYngwie Malmsteen風の速弾きを繰り出す。続くM2「Returning to Pathos」から、Babar Sheikhが怪しげな囁き声とグロウルを披露。後半にはSwallow the Sunのようなメランコリックドゥームメタル路線の曲もある。しかし全体としては、ネオクラシカル奏法を多用するFaraz Anwarが目立ちすぎで逆に浮いている。

Dusk
Jahilia
Epidemie Records 2003
シンド州カラチ／シンガポール

Babar Sheikhがヴォーカル専任となり、Faraz Anwarが全楽器パートを独占した2ndアルバム。本作でもBabar Sheikhの唱法は基本的にグロウルだが、Faraz AnwarがYngwie MalmsteenからDream Theaterへと傾倒する対象を変えた。その結果、全体としてはドゥームメタルと言うよりはプログレッシヴメタル路線の曲が多勢を占めている。換言すると、ネオクラシカル路線が薄れたとはいえ、Faraz Anwarの自己主張がBabar Sheikhのそれを上回った1枚である。

Dusk
Contrary Beliefs
Epidemie Records 2006
シンド州カラチ／シンガポール

前2枚のアルバムで楽器パートを担ったFaraz Anwarに代わり、さまざまな電子音を操るIsmail SumrooとBabar Sheikhが2ピースを形成した3rdアルバム。9分超えのM10「Strange Sleep Sequence」を除き、2～4分台のコンパクトな楽曲が多勢を占める。アトモスフェリックなエレクトロサウンドとインド亜大陸の伝統音楽を融合させた前衛的な作風であり、またもドゥームメタルとは程遠い音楽性。アヴァンギャルドである一方、奇妙なトリップ感を発散する曲も収められている。

Dusk
Dead Heart Dawning 2006
自主制作
シンド州カラチ／シンガポール

元 Mob Rulz の Aman Durrani<g>、 元 Mizraab の Akhtar Qayyum<ds> らを従えて制作された自主リリース EP。インドの Demonic Resurrection など 4 組共作のスプリット盤『Rise of the Eastern Blood』（2007 年）にも全楽曲が収められている。タイトルチューンの M1 で派手なギターソロが飛び出すが、全体としては Babar Sheikh が本来志向しているデス／ドゥームメタルへ回帰。オルガンやバイオリンを用いた一方で、タブラを使用した曲もある。

Dusk
Architect of the Fifth Dimension 2016
自主制作
シンド州カラチ／シンガポール

結成 20 年が過ぎた 2015 年暮れにレコーディングを行ったシングル。Omran Shafique が再びゲスト参加し、ギターとキーボートをプレイした。神秘的なシンセの音色で幕を開けると、Babar Sheikh<vo, b> が怪しい囁き声で訴えかける。その時はノイジーなリフが響くが、しばらくするとブラックメタルのような単音トレモロへ移行。さらにデス／ドゥームメタルらしい重苦しいリフとオルガンの音色、それにグロウルが交錯するという趣向の曲だが、起伏に乏しく、あっさりと終わってしまう印象を受ける。

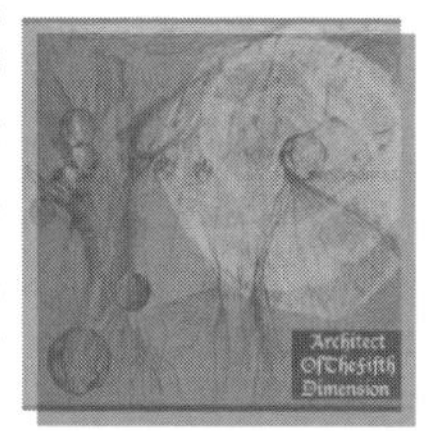

Dusk
Eastern Assault 2010
Gasmask Holocaust
シンド州カラチ／シンガポール

Tremor こと Halim Yusof<ds> が加入するきっかけとなった EP。彼が元々在籍していた Distrust なるシンガポール産クラストコアバンドとのスプリット盤としてリリースされた後、Dusk 提供の楽曲群のみ別途デジタル配信された（曲順はスプリット盤とは異なる）。前記に記した経緯が示すとおり、クラスト～グラインドコア色を帯びた疾走チューンが並び、Babar Sheikh<vo, g, b> が高音の金切り声を繰り出す局面もある。バンドとして最もアグレッシヴな作風だが、流麗なギターソロも聴ける。

Dusk
Black Moon Tapes - Lost Recordings 2010 2020
L.A. Riot Survivor Records
シンド州カラチ／シンガポール

タイトルが示すとおり、2010 年の EP『Eastern Assault』（2010 年）のレコーディング完了後にスタジオで録ったセッションの音源が発掘され、公式流通されたもの。ただし権利関係上、Killing Joke のカヴァー曲は未収録で、本作で聴けるのは M1「Soul Sabotage」、M2「Age of Intellect」の 2 曲のみだ。どちらも前掲の EP の収録曲と似たようなテイストで、クラスト～グラインドコア色が顕著だが、M2 のほうは、案外と正統派メタル風の勇壮なイントロで幕を開ける。

Dusk
Through Corridors of Dead Centuries 2014
Cyclopean Eye Productions
シンド州カラチ／シンガポール

Babar Sheikh<vo, g, b> と Tremor こと Halim Yusof<ds>、Omran Shafique<g> という編成による EP。インドの Dying Embrace とのスプリット盤としても装いを新たに再発された。物悲しいインスト曲の M1「The Light of Thy Countenance」でヒスノイズと思しき音が聞こえるが、それ以外はスローで沈鬱なリフを刻むデス／ドゥームメタルらしいナンバーが並ぶ。ある意味で最も Dusk らしい作風だが、Motörhead のカヴァー曲の M5「Bomber」だけは終始爆走する。

Dusk
Imaginary Dead 2022
Cyclopean Eye Productions
シンド州カラチ／シンガポール

『Contrary Beliefs』（2006 年）以来、実に 16 年ぶりの 4th アルバム。Paradise Lost、My Dying Bride などを思わせるデス／ドゥームメタルを基盤に、曲によっては派手なギターソロやエキゾチックなコーラス、電子音などを交えており、アヴァンギャルドな側面もある。メロディック・デスメタル風のイントロで始まる M2「Inanimate Reflection」は意表を突かれる。諸外国からゲストを迎えた 1 枚で、シンガポール出身の Mikael Bloodcurse こと MikaelLoh がベースを担当。

Dusk
インタビュー

パキスタン最大の都市カラチで1994年に結成されたDuskは、同国出身のバンドとして史上初めてヨーロッパのレーベルとディールを結び、チェコでツアーを行った実績を持つ。本稿執筆時のラインナップはBabar Sheikh<vo, g, b>と、シンガポール出身のTremor ことHalim Yousuf <ds>の2ピースなので、多国籍バンドと見なすこともできる。強面の風貌とは裏腹に、バンド創設者のBabarは大学准教授という肩書きを持つインテリで、日本贔屓でもある。彼は雄弁であり、発言の内容も示唆に富んでいた。

回答者：Babar Sheikh<vo, g, b>、Halim Yousuf<ds>

——初めまして。まずDuskの現ラインナップと、各メンバーが影響を受けたアーティスト、お気に入りのバンドを教えてもらえますか？

Babar Sheikh:俺がギター、ベース、ヴォーカルの三役を兼ね、Tremor ことHalim Yousufがドラムを叩くという編成はこの10年あまり一貫している。これまでの俺達の作品群には国内外を問わず多くのゲストミュージシャンが参加しているが、2007年に俺とHalimとジャムセッションして以来、バンドの中核は常に俺とHalimなんだ。気に入っているバンドを簡潔にまとめるのは非常に難しい。Duskとしてのキャリアの大半における影響源はBlack Sabbathで、The Obsessed、Sonic Youthなども気に入っているが、フロリダのデスメタルシーンの黎明期に活動していたバンドも作曲アプローチに多大な影響を及ぼした。特にDeathの『Human』（1991年）を初めて聴いた時は衝撃的だったよ。世界中のメタルヘッズと同じく、Bathory、Venomなどにも大きく感化された。ブラックメタルに関して言えば、初期のMayhem、初期のBethlehem、Darkthrone、Absuが好きだね。俺はさまざまなミュージシャンとDusk以外のプロジェクトで共演を重ねたので、広範なジャンルのサウンドを体験してきた。Brian Eno、Kate Bush、The CureのようなUKロック／ポップスも聴くし、インダストリアルグループのEinstürzende Neubautenも好きだ。ミュージシャン仲間の知人に勧められてThe Bandを聴いた時には、彼らが第一線で活躍していた1960～1970年代の時代背景に思いを馳せた。また、Duskにはプログレッシヴな要素もあるので、昔懐かしのプログレッシヴロックもよく聴いている。その中でもCamelが一番のお気に入りだ。

Halim Yousuf：大勢のドラマーが長年にわたり、俺のプレイスタイルに影響を及ぼした。Cozy Powel、Bill Ward（元Black Sabbath）のような正統派の大御所から、Pete Sandoval（Terrorizer）、

大好きなデス／ドゥームメタルをプレイすべきだ

『Eastern Assault』（2010 年）制作時のラインナップ。左から同作発表後に脱退した Yusri Maha Durjana<vo>、Babar Sheikh<vo, g, b>、Halim Yousuf<ds>。

Derek Roddy（ 元 Hate Eternal ～ Nile）、Frost（1349）、Hellhammer（Mayhem）のようなブラックメタル、デスメタル、グラインドコアのドラマーに至るまで、数え切れないほどだよ。そうした影響源の重要なポイントを集めて、現在の俺のドラミングが成立しているんだ。

――たいへん失礼ですが、曲作りやアルバム制作をしていない時、Dusk のメンバーは普段どんな仕事をしているのですか？

Babar Sheikh：別に失礼な質問ではないよ。相手がどんな仕事をしているのか興味を抱くのは、きわめて普通のことだ。俺は、パキスタンで約 20 年にわたりアートに携わってきた。他のアジア諸国にも共通することかもしれないが、大卒の肩書の有無がその後の人生を左右するんじゃないだろうか。幸いにも俺はさほどアートシーンから離れることなく、Communication Design（コミュニケーションデザイン）の学位を大学で修めたがね。その後は広告業界で数年間働き、映像クリエイターに転身した。社会人としてのキャリアの大半を占めているのは映像関連の仕事だ。さらに付け加えると、**俺はメディア科学と映像制作を教える大学の准教授**であり、インスタレーション作品（注：インストールから派生した造語。室内や屋外にオブジェや装置を文字どおりに設置＝インストールし、場所や空間そのものを作品として観客に体験させる芸術作品のこと）の制作を通じて、地元のアートシーンにできるだけ関与するように努めている。

Halim Yousuf：**俺はシンガポール出身**で、現在もシンガポール在住なんだ。かつてはドラム教室を地元で営みつつ、ドラムシェルとヘッドのカスタムモデルを制作するクラフトマンとして活動していた。現在は楽器や PA 機材のレンタル会社で働いている。仕事として音楽に関わっていられるから、楽しくて居心地のよさを感じるよ。好きなバンドのドラマー達がシンガポールでライヴする際には、俺がたいていの場合、ドラムテクニシャンとして帯同している。これも喜びが得られる仕事だ。

―― Babarは過去に、シンガポールのブラックメタルバンドImpietyにベーシストとして在籍したことがありますね。同じくImpietyのドラマーだったHalimが2007年からDuskに加入した経緯を教えてもらえますか？

Babar Sheikh：シンガポールのメタルシーンは俺にとって第二の故郷と言える。俺は1990年代からシンガポールとつながりを持っていて、エクストリームメタルがシンガポールでサブカルチャーとして定着していく様子をリアルタイムで目の当たりにしたよ。それからしばらく経って、Duskの2006年のEP『Dead Heart Dawning』をパキスタンで制作していた際にいろいろなトラブルが発生してね。長いこと親交を保っていたシンガポールの信頼できる仲間達に助太刀を頼むことになったんだ。すると、ありがたいことにシンガポールで有名なRudraのShivaことShivanand Palanisamy<ds>が全収録曲のドラムパートを仕上げてくれて、同じくシンガポールのCardiac NecropsyのYuz Jahanam<vo>もサポートシンガーとして参加してくれた。Truth Be Knownというシンガポールのデスメタルバンドのメンバー達も、制作工程のすべてをサポートしてくれたよ。ImpietyのShyaithanことMuhammad Ariffeen Deen<vo>は、かつてシンガポールのダウンタウンでレコード店を営んでいて、そこは大勢のメタルヘッズのたまり場でもあった。俺は本業の映像クリエイターとしてもシンガポールに頻繁に出張していたから、Duskの活動を続けるヒントを得るため、Ariffeenのレコード店を訪ねて音楽的ルーツを再発見したり、彼と濃いコーヒーを一緒に飲みながらメタル談義を交わしたりした。Ariffeenはすでに世界中に名の知れた存在だったから、印象深いひと時だったよ。すると程なくして、Impietyのアルバム（注：2007年の5th『Formidonis Nex Cultus』だと思われる）に参加しないかというオファーが舞い込み、俺は喜んで承諾した。Halimと知り合ったのもちょうど同じ頃でね。彼も同時期に**Impietyのドラマーとして加入**したんだよ。俺達は1980年代の南米のエクストリームメタル、ベスチャルブラックメタルに関する話をよく交わしていたから、HalimがDuskでもプレイするようになったのは自然な成り行きだった。あいにく俺自身は本業との兼ね合いもあって、正味1年ほどしかImpietyには在籍できなかったが、Halimは2010年頃までImpietyでもドラムをプレイしていた。

Halim Yousuf：俺の記憶が正しければ、Babarと初めて音を合わせたのは、Impiety加入時にスタジオでリハーサルした時だったと思う。俺とBabarはその頃から、曲間の隙間を埋めるようなパートやリフを一緒に作って実験していたんだ。当時のBabalは頻繁にシンガポールを訪れていて、俺は割と時間に融通が利くほうだった。それに俺達2人は、Impietyの2007年のヨーロッパツアー（注：2007年10月のWatainとのカップリングツアーだと思われる）への帯同要請を丁重に辞退したので、逆にそのぶん2人での実験が自然と行われるようになった。当時の俺はImpiety以外にも複数のバンドを掛け持ちしていた。そのうちの1つがDistrustというクラストコアバンドで、俺のDusk加入第1弾だった『Eastern Assault』（2010年）は、そもそもはDuskとDistrustでスプリット盤をリリースするというプロジェクトでもあったんだ。俺達はこのスプリット盤の音楽性を「Fuck off Metal」と冗談めかして呼んでいて、生々しいアグレッションを楽曲群に注ぎ込んだ。最終的にはデス／ドゥームメタルを長らくプレイしているがね。

―― 1981年11月、日本初のヘヴィメタルバンドと見なされるLoudnessがアルバムデ

ギタリストのFaraz Anwar（写真左）と、ベースをプレイするBabar Sheikh（写真左）の２ピース時代のライヴ。ドラムセットは無人なので、同期音源を使っていたのだろう。

ビューして、1984年9月には日本初のヘヴィメタル／ハードロック専門誌『BURRN!』が創刊しました。私は1972年12月生まれなので、Loudnessのデビュー当時は10歳で、『BURRN!』創刊当時は13歳でした。しかし当時のパキスタンはクーデターで政権を奪取した第6代大統領ムハンマド・ジア＝ウル＝ハク（1924～1988）の在任中で、窮屈な時代だったと思います。ヘヴィメタル／ハードロックを聴いたり、音楽雑誌でヘヴィメタル／ハードロックの情報を入手したりできたのですか？

Babar Sheikh：かつてのパキスタンの文化的背景を遡って調べれば、1960年代と1970年代では様子がまるで違っていたことが分かるだろう。世間の通説とは異なり、1960年のパキスタンは表現の自由という点ではるかに寛容な国で、音楽シーンも栄えていた。言い換えると、教育、文化、芸術に対する抑圧が始まったのは、パキスタンの政局がきな臭くなった1970年代だった。芸術やアーティストに対する敬意が、パキスタンの社会に欠けていることは昔から変わらないがね。君のような海外の人々は1980年代のパキスタンでは文化、芸術が抑圧されていたと見なすだろうが、当時の音楽やアートを振り返ってみると、正直なところ不思議な新鮮さと一筋の光、それに瑞々しさも感じられる。パキスタンのハードロックの第一世代は、1980年代に活動したThe Barbarians、The Final Cut、Breaking Curfewsといったバンド群でね。興味深いことに、彼らのバンド名は1970年代のカラチの大部分に外出禁止令が宣布されたことにちなむんだ（注：たとえばBreaking Curfewsを直訳すると「外出禁止違反」になる）。俺達の音楽に関する知識のほとんどは、英語で書かれたメタルとロックの専門誌を探し集めた結果として培われた。一昔前のパキスタンのレコード店では欧米のロックやメタルも手に入ったし、現地の雑誌や新聞には音楽関連のコラム記事が今でもたいてい載っている。俺自身もエクストリームメタルに関する読み物を地元誌で書いたことがあるよ。日本のLoudnessに関して言えば、1980年代の頃からロックを好むパキスタンのエリート層の間でカルト的な人気を得ていた。

――日本のドゥームメタルといえば人間椅子が1987年から活動していて、1995年に結成されたChurch of Miseryは、イギリスのCathedralのLee Dorrian<vo>が主宰するRise Above Recordsに現在所属しています。また、2002年に結成されたAnatomiaは、2015年10月にインドのベンガルールでライヴしたことがあります。これらの日本産ドゥームメタル、あるいはエクストリームメタルを聴いたことがありますか？

Babar Sheikh：日本のエクストリームメタルは昔から大好きなんだ。日本人バンドが奏でるメタルはどことなく美しくてミステリアスだからね。1990年代初頭はSighのアルバム群を

聴いていた。1990年代末にちょっと遠ざかっていたが、2001年にリリースされたSighの5枚目のアルバム『Imaginary Sonicscape』は衝撃的だった。控えめに言っても、あれはエクストリームメタルの世界で最もイマジネーション豊かな1枚だろう。インドのベンガルール在住のSandesh Shenoyはよい友人であると共に、Duskの現所属レーベルのオーナーで、Sighのミライ・カワシマ <vo> と親しい間柄でもある。Sandesh経由で耳にしたSighのエピソードにはおおいに刺激を受けた。ただし、アジアのエクストリームメタルを語る上で欠かせない存在はSabbatだよ。あいにくSabbatのGezol<vo, b>と直接の接点はないが、共通の知り合いは大勢いるし、Sabbatが文字どおり大量の作品群をリリースし続けていることに多大な敬意を抱いている。俺達は日本人バンドと一緒にコンピレーション盤や企画盤に参加したこともあってね。たとえば、L.A. Riot Survivor Records（注：社名にL.A.と記されているが、イタリアのローマで創業したレーベル）が企画したトリビュート盤『International Motörhead Tribute - All Göne to Hell』（2013年）には俺達だけじゃなく、日本のAbigailも参加していたんだ。Anatoimiaのメンバーとは数年前に、Duskとのスプリット盤を制作できないだろうかとやり取りを交わしたことがある。残念ながらまだ実現に至っていないがね。人間椅子には興味があまり湧かないが、Church of Miseryに関しては、Scott Carlsonn（Repulsion ～ Cathedral他）がゲストシンガーを務めたと知り（注：Church of Miseryの2016年の6thアルバム『And Then There Were None』のこと）、非常に興味をそそられた。ドゥームメタルやエクストリームメタル以外だと、Borisのような日本のヘヴィロックはここ数年のお気に入りで、ポストロックのMonoも大好きだよ。

―― BabarはDusk結成前の1993～1994年、Human Ashというバンドに在籍していたそうですが、Human Ashではヴォーカル、ギター、ベースのどれを担当したのですか？また、Human Ash時代も、Duskと同じようなデス／ドゥームメタルをプレイしていたのですか？

Babar Sheikh：俺はいちファンだった頃から、他人の曲をカヴァーするのが不得手だった。音楽の心得のある友人達はきわめて自然にカヴァー演奏をしていたが、俺にとっては苦痛でしかなかった。言い換えると、既存の曲から得たインスピレーションを自分自身のオリジナル曲に投影させるほうが性に合っていたんだよ。一方、1990年代初頭のパキスタンでは音楽シーンが活況を呈していた。この頃にレコードデビューしたJunoonという4人組バンド（注：イスラム教の宗教歌謡とロックを折衷した楽曲をプレイするパキスタンの大御所バンド。全世界3000万枚以上のアルバムセールスを誇る）は、後続バンドの登場を触発した存在と言えるだろう。すでに当時の俺はメタルにハマっていて、最初に話したように一番のインスピレーション源はBlack Sabbathだが、あえてメタルとは距離を置き、Mustafaという腕の立つギタリストの友人と商業路線の曲を書いたことがある。これがHuman Ashで、その音楽性はブルースとポップスを折衷した奇妙なものだったと思う。あいにく鳴かず飛ばずだったがね。そこで俺はある日の夜、「中途半端な商業路線は捨て去り、やはり大好きなデス／ドゥームメタルをプレイすべきだ」とMustafaに電話越しに告げたんだ。確か1993～1994年のことじゃないだろうか。その結果、バンド名もHuman AshからCarcinogenic（注：発がん性を意味する）に変わり、最終的にはスウェーデンのEntombedの曲（注：1992年のEP『Stranger Aemons』収録曲）から拝借したDuskというバンド名に落ち着いた。

Duskの最初のデモ音源『Casketize』（1995年）に収めた「Await Thy Doom」のイントロのリフは、Mustafaが作ったものだよ。

――初期のアルバム2枚（1999年の1stアルバム『My Infinite Nature Alone』と2003年の2ndアルバム『Jahilia』）を発表した当時のDuskには、技巧派ギタリストのFaraz Anwarが在籍していました。Faraz Anwarが加入したきっかけを教えてもらえますか？

Babar Sheikh：ロックブームが訪れた1990年代初頭のパキスタンには、Paul Gilbert（Racer X～Mr.Big）やJason Becker（Cacophony～David Lee Roth Band）など欧米の速弾きギタリストに触発された連中がいてね。不思議なことに、そうしたギタープレイヤーの大半が、カラチの特定エリアに固まって住んでいたんだ。Faraz Anwarはその中でも抜群のテクニックの持ち主で、1990年代初頭～中盤にかけて強い存在感を発揮していた。彼は、さっき話したThe Final Cutのようなハードロック第一世代と共演したり、TVで露出されたりしていた。Duskの最初のデモ音源を作るに当たり、同じ志を持ったミュージシャンを探すことが課題だった。当時のMustafaは医大生で、学業とバンド活動の両立に悩んでいたし、デスメタルやスラッシュメタルを聴いているような人物は、文字どおり周囲には皆無だった。そんな時、Yngwie Malmsteenに傾倒しているというギタリストと知り合った。彼はSohail Russianといって、偶然にもFarazからギターの手ほどきを受けていた。そんなわけで、当時ティーンエイジャーだった俺は同じ年のSohailと行動を共にするようになり、Farazともおのずと面識ができた。Farazとはよい友人になったよ。Duskの最初のデモ音源は1995年に出来上がったが、俺は次のデモ音源をもっとしっかりしたレコーディング環境で録りたかった。特に課題となったのはドラム録りだったが、Farazはドラム音源のプログラミングも得意だからデモ制作を手伝ってくれるのでは？とSohailから提案された。これがFarazと組むようになった始まりで、正式加入を要請したのは1997年のことだった。Duskの3rdデモ『Where Dreams Bleed』（1998年）リリース後、俺とFarazは1stアルバムの制作に向けて動き出したが、Sohailとは疎遠になってしまった。それでも、Duskの2ndデモ『DiverifiedSymfonikArt』（1998年）や1stアルバム『My Infinite Nature Alone』（1999年）に収めた楽曲のいくつかには、Sohailも貢献してくれたがね。ちなみに、現在の

Mustafaはアメリカで心臓外科医として働いている。

俺は2003年7月にアメリカのミシガン州デトロイトに出向いて、OpethとPorcupine Treeのカップリング公演をMustafaと一緒に観に行ったことがあるが、それ以降はMustafaと疎遠になってしまった。

――チェコのEpidemie Recordsで2ndアルバム『Jahilia』が配給されたので、Duskは2004年にチェコでツアーしたことがあるそうですね。チェコの人々はパキスタン人のメタルバンドのライヴを観て、当時どんな反応を示しましたか？　また、チェコ以外のヨーロッパの国々との関わりはありますか？

Babar Sheikh：俺は2002年に、チェコのアンダーグラウンドシーンで活動していたPavel Tušlという男（注：日本のSabbatのアルバム群をチェコで配給していたView Beyond Recordsのオーナー）と知り合い、彼の計らいでEpidemie Recordsとディールを結んだ。Epidemie Recordsは、さまざまなエクスペリメンタルメタルバンドを抱えているユニークなレーベルだった。確かに振り返ってみると、Epidemie Recordsと契約したからこそ、君が指摘したチェコツアーが実現したんだと思うよ。チェコでツアーしたのは、Duskの2ndアルバム『Jahilia』

リリースの翌年だったが、当時のDuskの正式メンバーは俺とFarazの2人しかおらず、さほど積極的にライヴしていなかった。にもかかわらず、大胆不敵にも海外遠征したわけだが、ヨーロッパ行きのビザを取得することが難題だった。当初はドイツ、チェコ、スロヴァキアの3ヶ国ツアーを目指していたんだが、諸般の事情でドイツ公演は実現に至らず、チェコのビザは自力で取得できたものの、俺達は繁雑な手続きに疲れ果ててスロヴァキアのビザまで手配する余力を失った。そもそも、当時これらの国々にはパキスタン領事館など存在しなかっただろうからね（注：本稿執筆時点で、ドイツとチェコにはパキスタン大使館があり、ドイツのフランクフルトには領事館も別途存在するが、スロヴァキアにはパキスタン大使館と領事館はいまだ設置されていない）。この結果、かろうじてチェコツアーだけ催行できたわけだが、とても素晴らしい体験だったし、現地のさまざまなバンドとの人脈作りにも役立った。チェコのある小さな町でライヴしたら、次の日の地元紙には「パキスタンの悪魔がやって来た」という見出しが躍っていたよ。チェコの人々との交流や、快適なŠkoda（注：チェコの自動車ブランド。本稿執筆時点はドイツのフォルクスワーゲン傘下に収まっている）での移動などは、いい思い出として残っている。チェコツアーでは、ノルウェーのMortiis、オランダのTextures、オーストラリアのAlchemistなどに加え、Coward、F.O.B.、それに俺達と同じEpidemie Records所属だったDying Passionといったチェコ人のバンドと共演した。こうしたバンドやオーディエンスからもらったプレゼントやグッズは、今でも大事に保管している。

――Duskは2006年に、インドのDemonic Resurrection、バングラデシュのSevere Dementia、それにシンガポールのHelmskeyとスプリット盤『Rise of the Eastern Blood』を共作しました。それから8年後の2014年にも、やはりインドのDying Embraceとのスプリット盤『Through Corridors of Dead Centuries』を発表しました。インドとパキスタン、バングラデシュの3国は宗教、民族、外交などさまざまな対立関係を抱えていますが、メタルミュージシャン同士の関係は割と良好なのですか？

Babar Sheikh：南アジアのバンド間の結びつきは強い。それは競争心や敵意ではなく、深い愛情とリスペクトの精神に根差したものなんだ。俺が覚えている限り、インド最古参のメタルバンドはベンガルールのMillenniumで、1992年にMTVでオンエアされた彼らのMVは衝撃的だったよ。俺は1990年代半ばにテープトレーディングにハマっていたので、Duskはヨーロッパのファンジン、専門誌などで複数回取り上げられ、シンガポールやマレーシアのバンドとも親しくなった。ただし、インドのDying Embrace、ネパールのUgra Kamraといった近隣国のエクストリームメタルバンドを意識するようになったのはもう少し後で、1990年代半ば～後半のことだった。最初に話したCyclopean Eye Productionsのオーナーであるsandeshと知り合ったのも、ちょうどこの頃でね。Duskは2011年から彼のレーベルに所属しているんだ。君の言うとおり、俺達はこれまでにシンガポール、インド、バングラデシュなどのバンドとスプリット盤を共作したことがある。南アジアのエクストリームメタル界は活気に満ちていて、そこに属する各バンドは互いを尊重している。国家間の政治的緊張はつきもので、先行きが不透明な現在はなおさらだが、音楽とアートへの愛情に根差した人的交流は決して止められないんだ。

――同じく2006年に放った3rdアルバム『Contrary Beliefs』（2006年）は、プログレッシヴ志向のFaraz Anwarと決別した代わりに、パキスタンの伝統音楽やアンビエント・テクノの要素を大胆に採り入れた作品でした。一体どういう心境の変化があったのですか？

Babar Sheikh：Faraz の加入後、Dusk の音楽性は当初よりプログレッシヴかつ前衛的なものに様変わりした。俺はそれも表現の一形態だと受け入れ、歩調を合わせていたが、2004 年のチェコツアーに出る頃には自分の感情をダイレクトに伝えられないことにフラストレーションを感じ、テクニック至上主義の楽曲で常にヴォーカルを取らなければならないことが苦痛になっていった。このため俺は鈍重で破滅的なデス／ドゥームメタルの原点に立ち返ろうと決意し、Faraz と袂を分かつことにした。かねてからお互いの音楽性の違いと誤解が積み重なっていた上に、Faraz が掛け持ちしていた別のバンドをめぐり、少々裏切られたような気持ちも味わったからだ。俺は 2004 年の暮れに、Dusk の次回作の構想を練るため、カラチのミュージシャン仲間や友人達とセッションした。そのうち、Ismail Sumroo という男はブラックメタルにハマっていたが、イギリス留学をきっかけにエレクトロニカにも手を伸ばしていて、ノルウェーの Ulver の大ファンでもあった。俺の当初のアイデアは、Ismail と一緒にアトモスフェリックなエレクトロサウンドで短いフレーズを作り、それを正統派のメタルソングに採り入れるというものだった。ところが、Ismail のノートパソコンで一緒に作業してみたら、まったく違う結末が待ち受けていたんだ。俺はインダストリアルやシンセサウンドを採り入れた曲も好きで、ドイツの Einstürzende Neubauten やイギリスの Killing Joke なども気に入っていた。また、本職の映像業界で接点のある南アジアの伝統音楽のシンガー、ナレーターにもアルバムにゲスト参加してもらいたかった。つまり、『Contrary Beliefs』はきわめて自然な成り行きで出来上がったアルバムでもあるんだ。俺はチェコの Epidemie Records に、「実験精神あふれるがメタルではないアルバムになった」と告げた。彼らは快く OK と返事してくれたが、実際に音源を聴いてみたら想定外のユニークなサウンドだったと言われた。それでもリリースにこぎ着けてくれたのは彼らの功績だと思うがね。振り返ってみると、『Contrary Beliefs』は Dusk のアルバムにしては凝りすぎだったかもしれず、別のプロジェクト名義でリリースすべき作品だったかもしれない。しかしその一方で、音楽性を大胆に変えたことは間違っていないと思う部分もある。

―― Babar は 2007 年に Northern Alliance というブラックメタルバンドでも、『Death Anthems for a World of Shit』というアルバムを発表しました。このアルバムのコンセプトと裏話を教えてもらえますか？

Babar Sheikh：Dusk は初期のアルバムの頃からブラックメタルに触発されたスクリームやサンプリングを使っていた一方で、楽曲のリズム構成が複雑に絡み合っていたので、ライヴできちんと再現できるドラマーが自国に見つからなかった。言い換えると、このような問題に直面せずに済むバンドを自国で組んでみたかったんだ。2000 年代初頭、いくつかの地元のヘヴィメタル／ハードロックバンドとセッションしたところ、Chaos Law こと Zeeshan Hayat というドラマーを見つけた。彼はローカルバンドでプレイしていた人物だが、驚くほどブラストビートが巧みだった。そこで俺は、Zeeshan や友人達と共に作業して、オリジナル曲とカヴァー曲を織り交ぜたライヴ用のセットリストを作った。バンドとしてはブラックメタルを基盤にしつつ、パンクロッカーと同じような DIY 精神も兼ね備えていた。つまり、初期の Repulsion をはじめとするクラスト／ハードコアのレジェンドが奏でていた粗くて生々しいサウンドを目指していたんだ。フランス拠点の Legion of Death Records からワンショット（単発）契約を持ちかけられ、俺達はレコーディングに応じた。こうして Northern Alliance 名義での唯一のア

ルバム『Death Anthems for a World of Shit』は陽の目を見たんだ。

── Dusk の結成20年記念シングル「Architect of the Fifth Dimension」(2015年)には、土着色の強いフォークロックバンド Chand Tara Orchestra の Omran Shafique<g> がゲスト参加しました。一方で、Chand Tara Orchestra の 1st アルバム『Vol. 1』(2018 年)には Babar が正式メンバーとして名を連ねています。Dusk と Chand Tara Orchestra の関係を教えてもらえますか?

Babar Sheikh:俺は 2007 年にスペイン北東部のレリダへ赴き、Trans Orient Express という多国籍プロジェクトの一員として 1 度だけプレイした。これは、ANIMAC(カタロニア国際アニメーション映画祭)の公式行事用に立ち上げられた単発のプロジェクトで、往年のスペイン産アニメの映像に合わせて即興でプレイするというものだった。俺はこの経験をパキスタンに持ち帰り、ユニークかつ刺激的なことを始めようと思い立ち、長年の友人でマルチプレイヤーの Rizwan Ullah Khan と作業した。元々の構想は、土着的なポエトリー・リーディングをフィーチュアした即興演奏バンドを作ることだった。これが Chand Tara Orchestra の始まりでね。実のところ、Omran は 2000 年代初頭からの知り合いだが、彼は Chand Tara Orchestra のオリジナルメンバーじゃないんだ。Chand Tara Orchestra は 2012 年 3 月に、Vice Media(注:カナダのモントリオールで創刊したフリーペーパーを母体に持つネットニュースサイト)がカラチで企画した無料イベントに出演したことがあるが、Omran はそのイベントに観客として来場していた。そして終演後に、Chand Tara Orchestra のサウンドが気に入ったから協業したいと自ら申し出たんだよ。彼は献身的な人物で、アメリカのテキサス州でバンド活動していたことがある。スラッシュメタルやデスメタルにも精通していて、Dusk の EP『Through Corridors of Dead Centuries』(2014 年)や、君が指摘した結成 20 年記念シングルにもゲスト参加してくれた。あいにく、Omran は最近またアメリカに戻ったようだが、俺達がコラボレートした音源は他にもいくつかあってね。それらがいつか陽の目を見るとよいのだが。

──ところで、日本の有名レスラーだったアントニオ猪木氏が 1976 年 12 月にパキスタンのカラチへ遠征し、パキスタン人レスラーの Akram Pahalwan を 7 万人の観衆の前で破りました。それから 3 年後の 1979 年 6 月、Akram の甥に当たる Jhara Pahalwan が猪木と戦い、引き分けました。Pahalwan 一族と戦った日本人レスラーとして、猪木氏はパキスタンで有名人になったそうですが、Babar は猪木氏をご存知でしょうか?

Babar Sheikh:ああ、イノキがパキスタンのレスラー達と対戦したのは知っている。俺の親父に聞いたところ、イノキはフェアプレー精神と真剣な試合態度により、パキスタンのスポーツ界では常に尊敬を集めているらしい。君が指摘した 1976 年 12 月の試合でパキスタンのレスラーは敗れたが、イノキはパキスタンで伝説的存在となった。イノキの 2 度目のパキスタン遠征について、まことしやかに囁かれる噂があってね。イノキは 1979 年 6 月に Jhara Pahalwan と引き分けた後、彼とその親族、ならびにパキスタンのアスリート達を日本へ連れて行き、レスラー修行させると提案したらしい。結局その後どうなったのかは定かではないがね(注:Jhara Pahalwan の甥に当たる Haroon Abid が 2013 年 10 月にアントニオ猪木氏と対面後、日体大柏高校への留学を経て、日本体育大学レスリング部に所属した)。ちなみにイノキがムスリムであることもよく知られているよ(注:アントニオ猪木氏は参議院議員時代の 1991 年に、イラクのシーア派の聖地カルバラにてイスラム教に入信した)。

── 2016年8月、パキスタンのドキュメンタリー映画『ソング・オブ・ラホール』が日本で劇場公開されました。同映画は、1990年代にイスラム原理主義組織のタリバンに迫害されたラホールの伝統音楽家達がジャズミュージシャンに転向し、アメリカの有名トランペット奏者Wynton Marsalisの招聘でキャリア初のアメリカ公演を行うという内容でしたが、ご覧になりましたか？

Babar Sheikh：俺も『ソング・オブ・ラホール』は観た。面白い映画だったよ。最初に話したように、音楽をはじめとするアートに不寛容な強硬論者は、1970年代からパキスタンの社会で影響力を行使していた。当時は俺の地元のカラチでも、家族経営だった古典舞踊教室が閉鎖を余儀なくされたらしい。これは少なくとも、タリバンと呼ばれる勢力が台頭してイスラム原理主義に根差したマドラサ（注：イスラム学校のこと）を各地に設置する40年以上も前の出来事だ。では、市井の人々を不寛容にさせるものは何だろうか。インドやバングラデシュでは若い世代が芸術活動に励むことは奨励されているだろうが、俺が暮らすパキスタンはそうでもない。アーティストに敬意がちっとも払われないため、芸術活動に携わるパキスタン人は生計を立てるのに必死だ。『ソング・オブ・ラホール』は非常にハートフルな映画だったので共感を覚えたが、あの映画に出演したミュージシャン達が苦労を余儀なくされた要因は、必ずしもタリバンの存在だけじゃない。つまり、ミュージシャンやアーティストに対する共感と思いやりの欠如が問題なんだ。

── 2022年1月に発表したDuskの4thアルバム『Imaginary Dead』には、ベネズエラのフュージョンメタルバンドAghoraを率いるSantiago Dobles<g>が参加しました。その経緯を教えてもらえますか？

Babar Sheikh：初期のDuskは派手なギタープレイを押し出していた。あれはFaraz Anwarが残した功績であって、俺自身は彼に取って代わろうと思ったことは一度もないし、後任のギタリスト達にも彼を凌駕できるほどの演奏テクニックを求めていなかった。それでも、速弾きのギターソロは長年にわたりDuskのトレードマークと化していたので、そのイメージを復活させようと思い立った。すると、ベネズエラのSantiagoと接点ができてね。最初に知り合った時、彼はオランダのPestilenceの一員として『Hadeon』（2018年）のレコーディングをしていた。Santiagoは非凡なギタリストで、彼が元々結成したAghoraはプログレッシヴ／エクスペリメンタルメタルの分野では傑出した存在感を放っている。俺は友人としてSantiagoに出会えたことを嬉しく思っているが、それ以上に彼のギターテクニックが大好きなんだ。Santiagoは穏やかな性格の持ち主で、Duskの14年ぶりのアルバムのためにディスカッションを始めた時は、凄く自然な感じがしたよ。彼はアメリカのフロリダ州在住で、ギターパートを自前のホームスタジオで仕上げてくれた。彼のような伝説的アーティストと一緒に仕事できるのは喜ばしいことだよ。

──最後にぜひメッセージをお願いします。

Babar Sheikh：俺は日本文化が好きでね。クロサワ（注：黒澤明のこと）の映画を何本も観ていて、現代の日本についてもっと知りたかったんだ。あいにく読書タイムを作る暇がなくて、ムラカミ（注：村上春樹のこと）、カズオ・イシグロ（注：1983年にイギリス国籍を取得した日本人作家。2017年にノーベル文学賞を受賞）などの小説を読んだことはないが、日本産ドラマ「深夜食堂─Tokyo Stories─」をNetflixで知って、とても楽しく鑑賞した。君の質問は詳細にわたっていて、非常に面白かったよ。どうもありがとう。

バークリー音楽大学から賞を授与されたテクニカルギタリスト

Faraz Anwar

シンド州カラチ　1990～　Progressive Metal, Shred
（影響）Allan Holdsworth、Yngwie Malmsteen、Paul Gilbert、Steve Morse、Steve Vai　1250

Master of Progressive Rock の異名を誇るカラチ出身のギタリスト。1976 年 7 月 15 日生まれ。Allan Holdsworth、Paul Gilbert、Steve Vai などの技巧派ギタリストに傾倒し、1996 年にボストンのバークリー音楽大学にデモ音源を送るが、アメリカ留学は叶わなかった。その代わりに、本来なら同大学の在校生を対象にした Outstanding Musical Achievement Award を特別に授与される。

その後は、Babar Sheikh<vo, g, b> 率いる Dusk のギタリストとしてアルバム 2 枚（1999 年の『My Infinite Nature Alone』と、2003 年の『Jahilia』）に参加した他、プログレッシヴメタルバンドの Mizraab の一員としてもフルアルバム 2 枚などを発表。全編インストの 1st ソロアルバム『Abstract Point of View』（2001 年）は、自身が敬愛する Allan Holdsworth が主宰する Gnarly Geezer Records で配給された。

2009 年に、ギターの腕前をネット上で競う Guitar Idol というコンテストでファイナリストに進出したが、イギリスで行われる本選への出場はビザの都合で断念した。

この他、2nd ソロアルバム『Ishq Ki Subah』（2020 年）と 3rd ソロアルバム『Tale of the Lunatics』（2022 年）をリリースしている。

Faraz Anwar
Tale of the Lunatics
Off Axis Records　2022
シンド州カラチ

通算 3 枚目のソロアルバム。前作『Ishq Ki Subah』（2020 年）は英語詞の曲が 2 曲だけで、近年の Bon Jovi のようなカントリー風の曲をウルドゥー語でプレイした一方で、メタルコア寄りの曲もあった。かたや本作は全編英語で、アートワークが示すとおり、人類に裁きを加えるべく天使が降臨するというコンセプチュアルな内容である。基本的には Dream Theater のようなプログレッシヴメタルで、Faraz Anwar が派手に弾きまくるが、シンフォニックな曲もある。M11「Lap lost」は 14 分超の大作。

クリケットのパキスタン代表チームに応援ソングを提供したプログレッシヴメタル

Mizraab

シンド州カラチ　1997 ～　Progressive Metal/Rock
（影響）Rush、Kansas、Seventh Key、Yes　814

Dusk のギタリストおよびソロとして名を馳せた、Faraz Anwar 率いるプログレッシヴメタルバンド。バンド名の由来は、シタール奏者が右手人差し指に装着する金属製の爪（ピックの一種）だ。

1997 年に結成され、2000 年の『Panchi』でアルバムデビューを飾る。しかし、これは Faraz の同意なしにリリースされた作品で、いささか不本意な形のデビューだった。Faraz はその後、元々トリオ編成だったバンドを 4 人組に再編し、2002 年に「Insaan」と「Meri Terhan」というシングル 2 枚をリリース。2003 年のシングル「Izhar」は、ICC（国際クリケット評議会）が主催するクリケット・ワールドカップに出場したパキスタン代表チームの応援ソングに起用された。これらの楽曲群を収めた 2004 年の 2nd アルバム『Maazi、Haal、Mustaqbil』は、現地で 3 万枚以上のセールスを記録したという。

しかし 2006 ～ 2007 年頃に完成したという 3rd アルバムは陽の目を見ず、2009 年には Faraz がイギリスの Guitar Idol というコンテストの本選出場を断念する事態に。バンドはその後メンバー交代を重ねつつ、MTV パキスタンで収録したライヴテイクを集めた『Live & Rare』（2010 年 ）、『Unplugged』（2012 年）などを発表している。

Mizraab
Mazi Haal Mustaqbil
Sadaf Stereo　2004
シンド州カラチ

Faraz<vo, g> を中心に、Khalid Khan<b>、Jamal Mustafa<g>、Irfan Charlie<ds> が脇を固めた 4 人編成での 2nd アルバム。Dream Theater のようなプログレッシヴメタルだが、インストの M3「Worldtene」以外の楽曲群の歌詞はすべてウルドゥー語。ゆえにエキゾチックな雰囲気が強く、Myrath に相通ずる面もある。プロダクションが弱いのが気になるが、本作のほうが Myrath のデビュー盤『Hope』（2007 年 ）より 3 年早くリリースされた点は注目に値する。

大阪を訪れたことがあるバルチスタンの厭世的フューネラル・ブラックメタル

Taarma

バルチスタン州ゾーブ　2003～　Black Metal
（影響）Xasthur、Bethlehem、Abyssic Hate、Shining、Leviathan　2817

全曲 Xasthur のカヴァー曲を収めた EP『Reflecting Hateful Energy (Tribute to Xasthur)』（2010 年）が日本で発売されたことのある独りブラックメタル。同作のリリース元が大阪の Sabbathid Records だったせいか、田村直昭氏の『プリミティヴ・ブラックメタル・ガイドブック』（2020 年）によると、過去に大阪を訪れたことがあるそうだ。Taarma という名の由来はペルシャ系の遊牧民であるバローチ族の古語で、英語の「Darkness」に当たる。彼の生年月日は不明だが、少年時代からメタルに親しみ、15 歳頃にデスメタルバンドを組もうと考えたものの、音楽性の合うバンドマンとめぐり会えず、全パートを独力でこなすことを決意。1999 年に初めての宅録にチャレンジする。

前掲の田村直昭氏の著書によると「当初はドゥームメタルとブラックメタルがクロスしたような音」だったそうだが、やがて「厭世的なフューネラル・ブラックメタル」と自ら形容する作品を送り出すことに注力。2005～2006 年にかけて 4 作のデモ音源をリリース後、フランスの Legion of Death Records から初の EP『In Death I Submerge』を 2006 年暮れに発表。その後は 3 枚のフルアルバム、4 枚の EP などを発表した一方で、ライヴを一切やらないというポリシーを貫いている。

Taarma
Bleak Midwinter
Vintage Cult Records　2018
バルチスタン州ゾーブ

デモやスプリット盤などを除くと通算 8 作目の EP で、タイの Vintage Cult Records にてカセットテープとしても数量限定で配給された。前 EP『Bleak Midwinter Rehearsals』（2017 年）とほぼ同一内容だが、アレンジの異なる楽曲もある。Burzum に源流を持つ荒涼としたアンビエント・ブラックメタルをキャリアの初期から志向しており、土着臭は本作でも皆無。M8「Abysmal Depths Are Flooded」は、Xasthur の 3rd アルバム（2004 年）収録曲のカヴァーだ。

シンガー 2 人にドラム 2 台という 変則 Djent/ プログレッシヴメタル

Takatak

パンジャブ州ラホール　2010～　Groove Metal/Metalcore
（影響）Periphery、Meshuggah、Animals as Leaders、TesseracT、Veil of Maya　5228

2010 年から活動している 7 人組 Djent ／プログレッシヴメタルバンド。シンガー 2 人にツインギター、さらに Yusuf と Daud の Ramay 兄弟がツインドラムをプレイする変則的な大所帯バンドである。バンド名の由来は羊の肉や内臓を細切れにして鉄板で焼くパキスタン料理で、バンドの弁によると名付け親は Ramay 兄弟の父である。

Brain Masala なるバンドを組んでいた Zain Peerzada<g, b> と Yusuf を中心に 2010 年に結成。2013 年 5 月に「Breakdown」「Walls, They Collapse」「Depraved」という楽曲群をネット上に公開。その後はメンバー交代を重ねつつ、2018 年 4 月に『Out of Something』と題した 3 曲入り EP をデジタルリリースした。

現行の 7 人編成となったバンドは、Skyharbor の Keshav Dhar<g> をミキシングエンジニアに、Cynic、Devin Townsend Project、Haken などのアルバム群を手掛けたボスニア・ヘルツェゴビナ出身の Ermin Hamidovic をマスタリングエンジニアにそれぞれ起用し、初のフルアルバム『Acrophase』（2020 年）をリリース。同アルバムは、アメリカの Web 媒体、Metal Injection の読者投票で 2020 年の「Best Debut LP」に選ばれた。

Takatak
Backseat
自主制作　2021
パンジャブ州ラホール

Zain Peerzada<g, b> と Luke Azariah<g> というメンバー 2 人が共同でプロデュースした通算 6 作目のシングル。結成初期はメタルコア志向だったが、メンバー交代とキャリアを重ねるにつれ、Periphery、TesseracT、Veil of Maya などの影響が窺える Djent 路線へと移行。その路線が確立した 1st アルバム『Acrophase』（2020 年）の延長線上にあるナンバーである。前掲の 1st アルバムと同様にツインドラムの動きが完全にシンクロして 1 台のドラムに聞こえるほどだ。

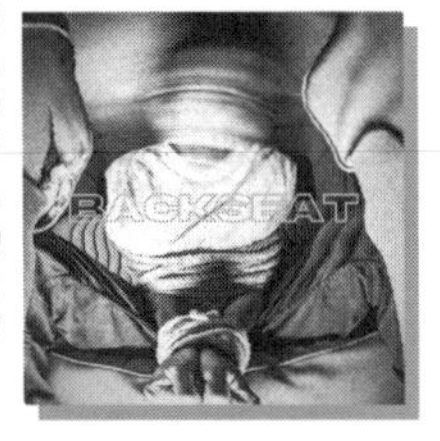

Abyssed

Bejaan

自主制作 2008 Atmospheric Black Metal

パンジャブ州ラーワルピンディー

Wernahul こと Abbas Haider なる人物による独りブラックメタルの 1st デモ。彼はリリース当時わずか 16 歳だった。物悲しいピアノとシンセによるインストの M1「Shuruaat」で幕を開けると、初期 Burzum のようなタイトルチューンの M2 へ続くが、ギターやシンセは打ち込みだと思われる。M4「Ruined... A Dream」と M5「Keher Aur Afsurdagi」は 10 ～ 11 分台の長尺。フランスの 2 人組バンド Helldawn とのスプリット盤（2009 年）でも本作収録曲をすべて聴ける。

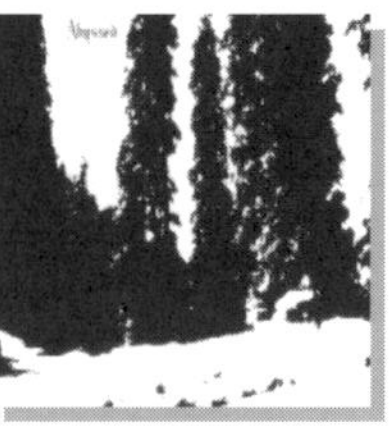

Azaab

Summoning the Cataclysm

Satanath Records 2022

イスラマバード Death Metal

2016 年に始動した 5 人組バンドの 1st アルバム。ただしドラムは全編にわたり、『デスメタルインドネシア』に登場した Siksakubur の Adhitya Perkasa がプレイしている。ブルータル・デスメタルの Siksakubur とは音楽性が異なり、よりオールドスクールなデスメタルに立脚した印象。Death や Gorguts を思わせる M5「Preachers of Hate」で元 Death の Bobby Koelble<g> が客演した一方で、Decapitated の 3rd アルバム（2004 年）収録曲を M8 でカヴァーしている。

Badnaam

Ali Maula Ali

Hi-Tech Music Ltd 2020 Folk Metal

パンジャブ州ラホール

ペプシが冠スポンサーを務めた 2017 年のオーディション番組「Pepsi Battle of the Bands」で準優勝に輝いた、3 人組フォークメタルバンドのシングル。日本の演歌のようにコブシの利いた Ahmed Jilani<vo, g> の唱法は、イスラム教の宗教歌謡であるカッワーリーに根差したもの。デビュー作「Alif Allah」（2013 年）はあからさまに Nirvana を意識したイントロで始まるナンバーだったが、本作ではブルースやファンクの要素を採り入れ、グルーヴ重視の音楽性に様変わりした。

Berserker

Altars of Putrification

自主制作 2009 Death/Black/Thrash Metal

シンド州カラチ

Sanctity of Faith and Oblivion なる名義で活動していたバンドが、改名して発表した 2 枚目のデモ音源。元々は 2 ピースだったが、本作はオーソドックスな 4 人編成で制作された。前作『Altars of Putrification』には Cannibal Corpse からの影響が窺える楽曲が収められていたが、本作では Behemoth のようにサタニックなデスメタルをプレイしている。要所でブラストを交えているもののプロダクションは劣悪で、締めくくりはなぜかフュージョン寄りに様変わりする。

Blackhour

Sins Remain

Transcending Obscurity India 2016 Heavy Metal

イスラマバード

Hashim<g> と Daim<ds> の Mehmood 兄弟を中心に結成された 5 人組バンドによる 2nd アルバム。インドのレーベル Transcending Obscurity India で配給された。M1「Losing Life」は幾分グランジ／オルタナティヴ路線の曲だが、続く M2「Wind of Change」やタイトルチューンの M5 で聴けるギターは、Iron Maiden からの影響が顕著だ。現行の 4 人編成で放った 3rd アルバム『Woh Jahan』（2021 年）は全編ウルドゥー語で、メタル色も薄れていた。

Black Warrant

The Black Warrant

自主制作 2021 Industrial/Thrash Metal

パンジャブ州ファイサラバード

結成は 1995 年に遡る 5 人組バンドによるセルフタイトルの EP。オリジナルスタジオ盤としては通算 6 作目。アメリカ人シンガーの William Gregory を起用した一方で、前任シンガーの Raafae Khan がサイドギタリストに転向している。幾分ドゥーミーで勇壮なメタルを披露しようと試みており、強いて挙げれば Candlemass のような音楽性である。しかし、William のクセのない声質はこの手の楽曲をプレイするにはインパクト不足。派手なギターソロも聴けるが、プロダクションは貧弱で取っ散らかった印象だ。

Burzukh
Dive
自主制作　2017　Avant-garde/Black Metal
イスラマバード

2001年から活動しているSyed Suleiman Aliなる人物による独りブラックメタルのEPで、通算7作目。前作『Time and Space』（2013年）をはじめとする過去のアルバム群は、Nine Inch Nailsのようにインダストリアル色を帯びた前衛的な作風だった。かたや本作の場合、締めくくりのM5「The South Will Rise Again」以外は打ち込みのドラムで疾走する作風で、タイトルチューンのM1などのリズム感はSlipknotを想起させるが、全体的にチープなプロダクションだ。

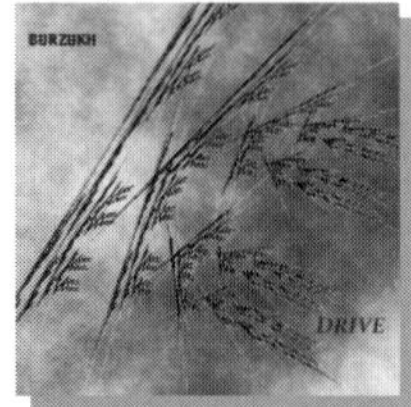

Cardinal Sin
Genocide Feast
自主制作　2009　Death Metal
シンド州カラチ

2007年に始動した5人組デスメタルバンドによる唯一のデモ音源。『Heartwork』（1993年）発表時のCarcassを想起させる面があり、Rizwan Hussain<vo>の唱法もBill Steerを意識した節があるが、本家にはとうてい及ばない出来映えだ。タイトルチューンのM1は変拍子を織り交ぜた曲。M2「Of War and Redemption」の冒頭で、Rizwanは怪しい囁き声を繰り出す。バンドは活動休止期間を挟んで2016年に再始動したようだが、近況を窺い知ることはできなかった。

Cauldron Born
Blood Crusade
自主制作　2009　Death/Thrash Metal
パンジャブ州ラーワルピンディー

2007年に結成されたデス／スラッシュメタルバンドが遺した唯一のデモ音源。アー写ではトリオ編成だが、YouTubeに残存するタイトルチューンのM1のMVでは4人組だ。Taureg Tariq<vo, g>の低音グロウルとWaqar Ghayas<b, vo>のスクリームが交錯する形態のバンドで、スラッシュメタルの佇まいを残しているものの、どこかBehemothを想起させる面もある。前記のM1はオリエンタルなギターの旋律が隠し味で、M2「Exit Wounds」はメロウなパートを中盤に配した7分超の長尺曲だ。

Communal Grave
Solace in Violencia
Enforcer Records　2016　Melodic Death/Thrash Metal
シンド州カラチ

2006年に結成された4人組メロディック・デスメタルバンドが、4年間のブランクを挟んで2016年に発表した初のフルアルバムであり最終作。Nabeel Imam<g>はCardinal Sinにも在籍歴がある。Carcassの『Heartwork』（1993年）収録曲の一節からバンド名を拝借したそうだが、実際のところはメタルコア寄りのサウンドで、要所でビートダウンを挟んだ楽曲群が目立つ。M2「The Frightener」は7分超えの長尺ナンバーで起伏のある展開を見せるが、劇的な盛り上がりに欠ける。

Dionysus
A Hymn to the Dying
Kingslam Records　2012
パンジャブ州ラホール　Black/Death/Doom Metal

Sheraz<g, ds>とUmair<g>のAhmed兄弟を擁し、2010年に結成された4人組デス／ドゥームメタルバンドによる唯一のEP。スウェーデンのSalute Recordsでアートワークを変更したヴァージョンも発売された。Katatonia、Anathemaなどを影響源に挙げているが、Waleed Ahmed<vo, g, b>が主に絶叫調で歌うため、M4「Bathing in Unholy Blood」などの曲はブラックメタルのように聞こえる。M2「Valor of the Phoenix」は9分超の長尺だ。

DissBelief
Table for Five
自主制作　2015　Alternative
イスラマバード

Lux Style Awardsというパキスタンで恒例のアワードで、2014年にBest Emerging Talentとしてノミネートされたバンドによる初のEP。ジャケ写では3人のメンバーしか見えないが、実際はツインギター編成の5人組。北米のメインストリームであるDaughtry、Shinedownなどの影響が窺えるサウンドだが、ミドルテンポの曲ばかり収められているので、疾走感やアグレッションを求めるリスナーには刺激が足りないかもしれない。M4「Memory Lane」は女性ヴォーカルを迎えたバラードだ。

Downfall Humanity
Annihilation of Reality
自主制作　2010　Death/Thrash Metal
パンジャブ州ラーワルピンディー

Cauldron Born でも活動した Taureg Tariq<vo, g> と、Waqar Ghayas<b> を擁する 4 人組スラッシュメタルバンドによる唯一のデモ音源。Slayer、Kreator などの影響が窺えるが、M1 Revolution」のイントロで聞こえる Taureg のシャウトは迫力不足。加えて、本来は 2 曲だった曲を無理につなぎ合わせて長尺にまとめた節がある。バンドは 2010 年夏に『Project: Annihilation』と題したフルアルバムを発表するはずだったが、陽の目を見ずに解散した模様。

Eleventh Hour
Lunging Snakes
自主制作　2007　Thrash Metal
パンジャブ州ラーワルピンディー

2005 年に結成された 4 人組スラッシュメタルバンドによる初のデモ音源。1980 年代のスラッシュメタル Big4 からの影響が窺えるサウンドだが、Jonathan Jones<g> による派手な速弾きプレイをフィーチュアしているのが特徴。タイトルチューンの M3 では、Big4 の中でも Metallica への傾倒ぶりがいっそう顕著になる。バンドは 2 作目のデモ『Time for Murder』（2008 年）発表後に、Venom Vault へ改名して心機一転を図ったものの、あえなく解散した模様だ。

Faceless Mother
The Thing That Lurks
自主制作　2018　Melodic Death/Doom Metal
シンド州カラチ

元 Communal Grave の Jamail Rafi<vo, b> と Asas Arif<ds> が、Sohail Ali Farooqui<g> を迎えて結成した 3 人組バンドによる初の EP。Bandcamp の紹介文には「メロディックデスメタルに、デスメタルやブラッケンドデスメタルの要素を折衷した」と記されている。確かに M1「Beholder」とタイトルチューンの M3 はそういう意図が窺い知れるナンバーで、少々ドゥーミーな M2「The Baying of Crows」もある。しかし全体的には方向性が定まっていない印象だ。

Farrukh Kabir
Eternal Chaos
自主制作　2021
シンド州カラチ　Heavy Metal/Shred with Thrash Metal

2003 ～ 2009 年にかけて複数のバンドを渡り歩いた後、ソロ活動に転じたギタリストによる 2nd アルバム。前作『Ten Whips of Darkness』（2018 年）と同じく全編インストゥルメンタル作品だ。速弾きプレイを随所で繰り出す一方で、いわゆる様式美メタルとは音像が異なり、ダウンチューニングされたギターで重厚かつスラッシーなリフを刻むのが特徴。初のソロ EP『Horns up for Metal』（2016 年）の頃からプロダクションは良好とは言いがたく、聴き手によってはリフがノイジーに感じるかもしれない。

Foreskin
THVG
自主制作　2013　Thrash Metal/Crossover
パンジャブ州ラホール

2009 年に結成された 4 人組バンドが、4 作のデモ音源を経てリリースしたシングルであり、最終作。タイトルチューンである M1 の曲名はヒンディー語由来のスラングで、ヒップホップ界で浸透した「Thug ／悪党の意」のスペルを変えたものだろう。Nuclear Assault の影響下にあるクロスオーヴァー・スラッシュを披露しているが、M2「Anti KVLT」では流麗なギターソロを聴ける。ネパール産バンドの Maowali とのスプリットシングル（2014 年）を最後に、バンドは解散した模様だ。

Hell Dormant
Mass Grave
Outcry　2003　Death Metal/Grindcore
シンド州カラチ

2001 年に結成されたトリオ編成デスメタルバンドによる唯一のアルバム（同一内容のデモ音源もあり）。アルバムといっても全 6 曲、総尺 26 分台のコンパクトな内容だ。Dusk に短期間在籍したことのある Coffin Feeder<ds, vo> が深いエコーのかかった低音グロウルで咆哮する。M2「Twisted」は割合スラッシーな疾走チューン。オリエンタルな要素を交えたタイトルチューンの M3 はドゥームメタル調に様変わりするかと思いきや、後半で堰を切ったように疾走するパートがある。ただし、全体的にプロダクションは劣悪だ。

Inferner
Aeon of Horus
自主制作 2015 Black Metal
イスラマバード

元 Downfall Humanity の Faisal Imtiaz<g> を擁する 3 人組バンドが 2015 年に発表した 1st EP。パキスタン産バンドにもかかわらず、隼の頭をした古代エジプトの天空神ホルスをアートワークとアルバム名に掲げているが、Nile のように楽曲にも古代エジプトの要素を加えているわけではない。どちらかと言うとデス／ブラックメタルの範疇に入る音楽性だが、ミドルチューン主体で単調である。バンドは本作発表後に、Ron "Bumblefoot"Thal<g> のイスラマバード公演をサポートした。

Irritum
Treading the Lands Unknown
自主制作 2014 Funeral Doom Metal
パンジャブ州ラホール

Dionysus でギターチームを形成した、Sheraz と Umair の Ahmed 兄弟による新バンドのシングル。フルアルバム発表に先駆けて配信したとの謳い文句だが、肝心のアルバムは陽の目を見ていない。Sheraz はギター、ベース、ドラムの 3 役を兼務している（ライヴではサポートドラマーを起用）。Dionysus よりもドゥームメタル志向が顕著。M1「Crossing the Gates」は女性シンガーが客演した耽美なナンバーで、M2「Voice in the Night はオリエンタルな旋律を織り交ぜている。

Jehangir Aziz Hayat
Read Between the Lines
自主制作 2009 Grunge
ハイバル・パフトゥンハー州ペシャワール

1989 年 6 月生まれのソロアーティストによる 1st アルバム。Stone Temple Pilots の影響下にあるグランジ／オルタナティヴ路線で、表題曲の M9 は Nickelback を想起させる。その一方で、割合アップテンポな M2「Frozen Waters」や M5「Penny Eyes」ではグロウルが飛び出す。締めくくりの M12「See You Soon」は Nine Inch Nails のようなインダストリアル寄りの長尺曲だ。2nd アルバム『Above the Fray』（2014 年）以後はメタル色が薄れている。

Jangli Jaggas
X Phantasy
自主制作 2001 Symphonic Gothic Metal
イスラマバード／フィンランド

ラーワルピンディー出身の Nasir Tajuddin<vo, g, key, ds> が、フィンランド人の Rickard Slotte<g,b,key,ds> とネット上で意気投合して結成した 2 ピースバンドによる 1st アルバム。日本産アニメやゲーム音楽の影響が強く、ほぼ全編がインストナンバー。シンフォニックメタルを謳うには貧弱なプロダクションだ。M11 は Nasir、M12 は Rickard の自己紹介の MC。バンドは 2001 ～ 2002 年に、コナミのゲーム『悪魔城ドラキュラ』シリーズに触発されたアルバムを 3 枚発表している。

Kaan Phaard
Sicness
Prognostic Records 2021 Nu-Metal
シンド州カラチ

カラチ大学経営学研究所のメセナ事業として 2015 年に初開催されたコンテスト、IBA Music Olympiad を制した 5 人組ミクスチャーバンドのシングル。キャリアの初期はツインヴォーカル形態だったが、本稿執筆時点では髭面の Ali Khan Niazi のみがヴォーカルを担っている。彼の速射砲のようなラップと Djent の要素を折衷させたサウンドであり、イギリスの Hyperdialect を想起させる面がある。次作の「Happy New Year」(2022 年）はラップと電子音だけの楽曲である。

Karachi Butcher Clan
Rise from Chaos
自主制作 2016 Death Metal
シンド州カラチ

その名が示すとおり、カラチで活動していた 5 人組バンドによる唯一の EP。Dusk で短期間ドラマーを務めた Kamran Farooq がシンガーとして在籍していた。彼の深いグロウルを軸に、昔気質のデスメタルを披露。表題曲の M4 をはじめ、ミドルチューン主体の楽曲ばかりだが、そつのないプレイを聴かせる。M1「Meat Cleaver Romance」のイントロでインダストリアル系バンドのように電子音を用いたり、M2「Blunt Force Trauma」で高音のスクリームをコーラスで被せたりする趣向が見られる。

Keeray Makoray

Keeray Makoray

自主制作　2014　Progressive Rock

パンジャブ州ラホール

2011 年に始動した 4 人組バンドによるデビュー EP。M1「Dirty Blues」は 1960 ～ 1970 年代に先祖返りしたような泥臭いブルースソングだが、突如として終盤で Iron Maiden 風に様変わりする。M2「Gods of the Sun」と M3「Lead the Way」は、ブルースの佇まいを残していた初期 Judas Priest を彷彿とさせるナンバーだ。しかし次作の『Island in the City』（2018 年）では、ホークセクションを導入したソウル／ファンクに宗旨替えしている。

Khorne

We Begin

自主制作　2013　Black/Doom Metal

シンド州カラチ

2013 年に結成されたトリオ編成バンドによる現時点での唯一の EP。地元の先輩格である Dusk の系譜に連なる、激遅のドゥーム／スラッジメタルで、Crowbar や Eyehategod などを想起させる。Faiq Ahmed<g> と Daniyal Buksh Soomro<b> の 2 人がドラマーとしてもクレジットされているが、曲によって交代でドラムをプレイしたのだろうか。バンドの拠点を曲名に冠した M5「Karachi」は、同地での自爆テロ事件を報じるニュース音声を用いた曲で、余計に陰鬱な気分になる。

KW & The Facedown Movement

Facedown

自主制作　2019　Post Grunge/Heavy Metal

イスラマバード

元 Qayaas の Khurram Waqar<g> が新たに結成した 4 人組バンドの 1st EP。全編ウルドゥー語だった Qayaas とは異なり、本作はオール英語詞だ。タイトルチューンの M1 は Qayaas と同じくポストグランジ／オルタナティヴ路線の楽曲で、M2「Painted Grey」と M3「Into the Light」は牧歌的なバラード。しかし、M4「Bend It」から一変して重苦しいスローテンポの曲が続く。次作のシングル「Take Me Higher」は（2020 年）はメタル色の乏しいバラードだった。

Lohikarma

Dreaming Skies

Visionaire Records　2013　Post Black Metal

不明

Dionysus などに在籍した Waleed Ahmed が全パートを独力でこなしたプロジェクトによる唯一の EP。デス／ドゥームメタル路線の Dionysus とは異なり、このプロジェクトはポスト・ブラックメタル志向だ。物悲しいピアノによる短いインストの M1「Death of Lamina」と、アコギによるインストの M2「Echoes of the Lost...」が明けると、メランコリックで浮遊感を発散する楽曲群が続く。ブラックメタルらしい絶叫や単音トレモロが時折聞こえるが、全体的にスローテンポの曲が多い。

Marg

Haqeeqat

自主制作　2013　Grunge

ハイバル・パフトゥンハー州ペシャワール／イスラマバード

パキスタンとアフガニスタンの国境をまたいで暮らすパシュトゥン人による 4 人組バンドのデビューシングル。バンド名の由来はパシュトー語で「死」を意味する単語だ。バンドは影響源として Alice in Chains を挙げているが、案外とパンキッシュな印象。それでいて中盤では派手なギターソロを繰り出す。Safyan Kakakhel<vo, g> の気だるげな歌唱は、パシュトー語の歌詞も相まってエキゾチックな雰囲気を発散する。バンドの SoundCloud では、この他に 6 曲（デモやインストも含む）を試聴可能だ。

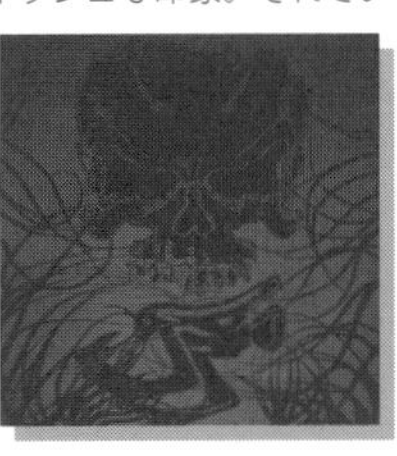

Marwolaeth

Demo '12

自主制作　2013　Death Metal

パンジャブ州ラホール

Dionysus や Irritum で活動した Sheraz Ahmed が全楽器パートを手掛けた、2 人組デスメタルバンドによる唯一のデモ音源。同じく Dionysus に在籍した Waleed Ahmed がシンガーを務めた。北欧のデスメタルの先人達を主な影響源に挙げており、確かに M1「Placental Error」では Dismember のようなリフを刻む。ただし、Waleed のヴォーカルは深いエコーに終始包まれ、ブラックメタルのような印象を与える。M2「Death Lives On」は勇壮なミドルテンポの曲だ。

Messiah
Scriptures of Sorrow
自主制作 2003 Heavy/Thrash Metal
シンド州カラチ

2000年に結成された、ツインギターの5人組バンドによる唯一のアルバム。バンドは本作のリリースに先駆け、ペプシの冠スポンサードで2002年に初開催されたオーディション番組「Pepsi Battle of the Bands」でファイナリストに選ばれたことがある。1970～1980年代の欧米のビッグネームから受けた影響を雑多に取り入れている印象だが、全体的にプロダクションが劣悪。Gibran Nasir<vo>の歌唱もレンジが狭くて一本調子だ。タイトルチューンのM8は物悲しいアコギによる短いインストだ。

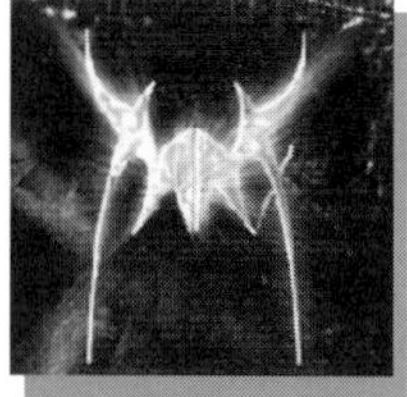

Munkar
An'al Haq
自主制作 2014 Black/Doom Metal
不明

2014年にBandcampのみで配信されたドゥーム／スラッジメタルのデビューシングルで、2曲入り。イスラム教の聖典クルアーンに登場する天使2体の片割れの名をバンド名に冠している。その一方で、結成時期やメンバーの氏名、人数などのデータは皆目不明だ。秘密主義を貫いているのだろうか。肝心の音楽性は、幾分オリエンタルな旋律を交えたドゥーム／スラッジメタル。地の底から響き渡るようなグロウルと重苦しいサウンドとは裏腹に、Bandcampで閲覧できる歌詞は2曲ともスピリチュアルな要素が色濃い。

Mob Rulz
Rait Kay Musafir
自主制作 2007
シンド州カラチ （初期）Heavy/Speed Metal、（後期）Death/Thrash Metal

1997年もしくは2000年に結成され、ウルドゥー語によるヘヴィメタルをいち早く実践したと謳われる4人組のデビューシングル。正統派メタルの範疇に含まれる音楽性で、濁声でまくし立てるヴォーカルの合間に、ウルドゥー語による説法のような語りが随所に入り込む。ギターソロは案外と派手で、パキスタンの砂漠地帯で撮影したと思しきMVは一見の価値がある。バンドは2009年の2ndシングル「Demo-Lition」で英語詞の曲にチャレンジ。Slayerのようなサウンドへ方向転換を図ったが、それが最終作となった。

Myosis
Myosis
自主制作 2011 Sludge/Doom Metal
シンド州カラチ

Berserkerのドラマーである Asadullah Qureshi が全パートを自力でこなした、独りドゥームメタルによる初のデモ音源。終始ヴォーカルが深いエコーで包まれているため、フューネラル・ドゥームメタルと見なしてよいかもしれないが、後半からヴォーカルパートが英語とウルドゥー語によるニュース音声に突然切り替わる狙いは果たして何なのだろうか。インドとパキスタンのバンド4組によるスプリット盤『Imperial Assault - Volume 1』（2012年）を最後に、活動を停止した模様。

Multinational Corporations
Jamat-al-Maut
自主制作 2014
パンジャブ州ラホール Death Metal/Grindcore/Hardcore Punk

ForeskinでシンガーをI務めたHassan Umer Aminと、DionysusやIrritumで活動したSheraz Ahmedが全楽器パートを手掛けた2人組バンドによる初のEP。Napalm Deathのデビュー盤『Scum』（1987年）収録曲からバンド名を拝借しているとおり、基本的な音楽性はグラインドコアだが、M8「Penniless Pride」だけは寂寞感の漂うスローテンポな曲で異彩を放つ。スウェーデンのSalute Recordsでアートワークを変更したヴァージョンも発売された。

Necktarium
Tangelinia
Khrysanthoney 2014 Black Metal/Ambient
パンジャブ州ラーワルピンディー

WernahulことAbbas Haiderが、独りブラックメタルのAbyssedの次に立ち上げたアンビエント・ブラックメタルによる初のEP。初音源のデモ『Dreamblur』（2010年）はDSBM風だったが、本作ではシューゲイザー路線に様変わり。タイトルチューンであるM1のヴォーカルはリヴァーブに終始包まれている。M2「The Moon is a Pearl」とM3「Floating Petals」はどちらもインスト。M3ではスペーシーなシンセを用いている。しかし、作品全体を俯瞰した出来映えはチープだ。

Northern Alliance

Death Anthems for a World of Shit

Legion of Death Records　2007　Black/Thrash Metal

シンド州カラチ

Dusk を率いる Babar Sheikh が、The Loser の変名でヴォーカル兼ギターを務めた 3 人組バンドの唯一の EP。フランスの Legion of Death Records にて数量限定で販売された。バンド名を直訳すると、アフガニスタンの反タリバン勢力「北部同盟」になるが、このバンド名を選んだ意図は何だろうか。肝心の音楽性は Dusk と異なり、Babar の唱法も絶叫調に様変わり。粗いプロダクションはブラックメタル寄りで、テープの逆回転を使用したと思われる箇所もあるが、終始ブラストで疾走するわけではない。

Odyssey

Crossroads to Oblivion

自主制作　2011　Progressive/Power Metal

パンジャブ州ラホール

Orion でギターチームを形成した Hussam Raza と Waqas Ahmed が、新たに結成した 5 人組バンドによる 2nd アルバム。スラッシュメタル志向の Orion とは打って変わり、Dream Theater や Symphony X のような高水準のプログレッシヴメタルを披露。シンガーの Raja Nabeel は鍵盤もプレイできるため、彼のピアノをフィーチュアした楽曲が複数収められている。パワーメタル寄りの M6「Dawn of Damnation」や、タブラを用いた M7「Swansong」もある。

Orion

Angel of Dust

自主制作　2007　Thrash Metal

パンジャブ州ラホール

Hussam Raza<g> と Bilal Nadeem<ds> を中心に 2006 年に結成された 5 人組バンドが遺した唯一のフルアルバム。Metallica、Megadeth といったスラッシュメタルの大御所からの影響が窺えるが、M7「Kaleidoscope of Lies」はもろに Iron Maiden を彷彿とさせる曲で、M9「Alpha Orionis」はネオクラシカル風のインストナンバーだ。タブラを導入した M8「Bloodshrine」では、Ameer Hamza<vo> が全編グロウルで咆哮する。

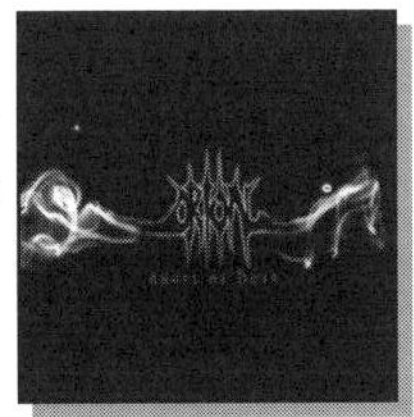

Qayaas

Uss Paar

BIY Records　2011　Alternative/Post-Grunge

イスラマバード

2008 年結成の 5 人組バンドによる 1st アルバム。バンド名はウルドゥー語で「討議・審議」などを意味する。アルバム名は「Over There」に当たるウルドゥー語だ。1990 年代半ば～後半のポストグランジ／オルタナティヴ路線の楽曲群を、全編ウルドゥー語でプレイしている。しかし譜割りの工夫ゆえか、Umair Jaswal<vo> の唱法ゆえか、言葉の響きにさほど違和感はない。換言するとメジャー感があって大衆受けする音楽性だが、中盤からメロウなバラードが続くため、激しさを求めるリスナーは中だるみを感じるかもしれない。

Realm Unseen

The Origin

CD Run　2015　Groove Metal

イスラマバード／パンジャブ州ラーワルピンディー

2015 年にリリースされた 4 人組バンドによる 7 曲入りデビュー EP。ただし日本の iTunes、Spotify ではインストの M1「Intro」と M2「IRK」（英語で「ムカつく」を意味する俗語）が 1 曲にまとめられ、6 曲仕様になっている。種々雑多なジャンルの先人達を影響源に挙げているが、実際のところは Slipknot の影響が顕著。誤解を恐れずに言えば、貧弱なプロダクションで Slipknot をカヴァーしたような印象だ。M6「Smolder and Paralyze」の中盤ではクラシックのワルツのリズムを用いている。

Reckoning Storm

The Storm Engine

自主制作　2010　Progressive Metal

シンド州カラチ

Communal Grave に短期間在籍した Saad Akhter Ali<g> によるソロプロジェクトの 2nd アルバム。Firewind の Gus G、Arch Enemy の Jeff Loomis といった欧米のギターヒーローの影響が窺えるインストアルバム。Saad は相応に流麗なプレイを披露するが、際だって技巧に秀でているわけではない。プロダクションも良好とは言えず、シャープさに欠ける音質が余計にマイナスに働いている。ちなみに Saad は、シンセを用いた雑多な BGM 集を SoundCloud で公開している。

Reincarnated

Holocene Extinction

自主制作　2014　Groove Metal

シンド州カラチ

Joshua<vo> と Moses<g> の Joseph 兄弟により Prophecy なる名義で始動後、バンド名を改めた 5 人組による 1st EP。バンドの公式サイトや SNS には「Death Metal」と記されているものの、実際のところは Lamb of God、Trivium などの影響下にあるメタルコア／グルーヴメタルであり、謳い文句と音楽性の隔たりが大きい。個々の楽曲も一本調子で変化に乏しい。バンドの SNS は 2016 年以後は更新を停止しており、その当時に制作中だと謳われていた 2nd アルバムも陽の目を見ていない。

ReVolt

Seasons of Oblivion

Animatix Records　2011　Death Metal

パンジャブ州ラーワルピンディー

2009 年に結成された 4 人組バンドによる 2nd アルバム。Encyclopaedia Metallum では「Death Metal」とカテゴライズされており、確かにシンガーとしての Saiban Khaliq<vo, g> は基本的にグロウルで咆哮する。しかし、実際のところはプログレッシヴな要素もありバンド自身も影響源として Opeth を挙げている。M6「Social Instructions」や M8「My Conscience」もイントロこそ勇壮なメロディック・デスメタル路線だが、蓋を開けてみると 7 ～ 11 分超の長尺ナンバーだ。

Semideus

We Are Heirs to an Ageless Wisdom

自主制作　2009　Black Metal

シンド州カラチ

こちらも、Berserker のドラマーである Asadullah Qureshi が全パートを独力でこなしたプロジェクトの 1st EP。ドゥームメタル志向の Myosis とは異なり、本作ではプリミティヴ・ブラックに挑んでいる。劣悪音質のノイジーなギターに打ち込みのドラム、それに狂気じみた絶叫ヴォーカルが融合したサウンドは、紛れもないプリミティヴ・ブラックメタルだ。しかし同年リリースの次作『As the Unbounded Takes Shape』からは、Burzum のようなアンビエント路線に様変わりしていた。

Slither

Masters of Death

自主制作　2020　Death Metal

シンド州カラチ

Faceless Mother の Jamail Rafi<vo, b> と Asas Arif<ds> が、元 Communal Grave のギタリスト 2 人と 2019 年に立ち上げたデスメタルバンドの 1st EP。Bolt Thrower、Benediction などの影響が窺える音楽性で、4 曲すべてにおいて鈍重なスローパートと疾走パートを交錯させている。Jamail の声質が元 Bolt Thrower の Karl Willetts を想起させる一方で、勢いよく 2 ビートで駆け抜けるパートは Emtombed のようにも聞こえる。

Sorr Makhaam

Promo 2010

自主制作　2010　Ambient Black

イスラマバード

2009 年に結成された、2 人組アンビエント・ブラックメタルバンドによる唯一のデモ音源。M1「Veraan」は短いインストだが、本作の中軸を成す M2「Sombre Evening & Infinite Wounds」は 9 分の長尺曲で、悲痛な絶叫と疾走ドラミングが交錯したかと思いきや、途中からテンポダウンして単調なフレーズをギターで反復したり、メランコリックなピアノの調べが飛び出したりする。しかし、全体を俯瞰するとアルバムとしての体を成しているとは言いがたい。

Tabahi

Run for Your Life

自主制作　2022　Thrash Metal

シンド州カラチ

2008 年結成の 3 人組スラッシュメタルバンドによる通算 5 作目のシングル。メンバー 3 人はいずれもドゥームメタルの Khorne で活動したことがある。しかし、ウルドゥー語で「Destruction」に当たるバンド名が示すとおり、セルフタイトルの 1st アルバム（2014 年）の頃から Sodom や Kreator などのジャーマンスラッシュ路線のサウンドを打ち出している。本作もこの音楽性を堅持した疾走チューンで、Daniyal Buksh Soomro<vo, b> がヒステリックな金切り声でわめき立てる。

Taimur Tajik
An Unusual Tolerance for Pain
自主制作　2020　Hard Rock / Heavy Metal
シンド州カラチ

イギリスのニューハンプシャー大学とロンドン大学ゴールドスミスカレッジで学んだ、国際派ソロアーティストによる3rd アルバム。2013 年の前作『Order for Disorder』は Black Label Society のようにサザンテイストを帯びた作風だったが、本作は Alter Bridge、Creed のように骨太かつメジャー感のあるハードロックを披露している。ちなみに本職での Taimur は、パキスタンでトヨタ車を生産する Indus Motor Company など大手企業の広告を手がける才人。

Witchspawn
Preacher of Darkness
自主制作　2016　Death Metal
不明

Communal Grave で活動した Jamail Rafi が全パートを独力でこなしたデスメタルによる、唯一の 3 曲入り EP。バンドの公式 Facebook には、同じく Communal Grave の最終作『Solace in Violencia』(2016 年）に参加した Ali Najeeb もメンバーだと記されている。しかし、M1「The Crimson Witch」で聞こえるギターのバッキングは打ち込み音源によるものだと思われる。このため典型的なデスメタルと音像が少々異なるが、筆者の再生環境のせいだろうか。

Zanskar
Demo
自主制作　2007　Melodic Death Metal
アザド・カシミール特別州

インドとパキスタン、そして中国がそれぞれ領有権を主張し、1947 年と 1965 年の印パ戦争の火種となったカシミール地方で結成されたメロディック・デスメタルバンドによる唯一のデモ。バンド名の由来は、インドの実効支配地域（ジャンムー・カシミール）の秘境だ。結成時期、メンバーの氏名、人数などのデータは皆目不明だが、Michael Amott<g>在籍時の Carcass、初期 Arch Enemy などからの影響が窺える。相応のセンスは感じるが、文字どおり完成途上の粗いデモ音源どまりで、ヴォーカル・トラックは皆無だ。

面白ミュージックビデオその 3

R.A.I.D_Alpha [Official Lyric Video] R.A.I.D, の 3rd アルバム（2022 年）収録曲の MV。織田信長をモチーフにしたと思しき武将や、戦国時代の合戦、鎧武者と忍者のバトル、侍同士の果たし合いなどが描かれている。これらは、アメリカ拠点なのに日本産アニメのような作画をする、Team Ayakashi というアニメ制作集団が手掛けたもの。ただし、手塚治虫原作のアニメ番組『どろろ』（1969 年）の一場面もチラッと引用している。

Dhishti- Neecha Paapa Official Music Video Dhishti が 2011 年に発表したシングルの MV。楽曲名は英語の「Abhorrent Sin ／忌まわしい罪」に当たるシンハラ語だ。DSBM バンドなのにコープスペイント姿の Dhishti の演奏に合わせて、独房の中にいる上半身裸の男が頭をかきむしったり、独房の外の景色を見ようともがいたり、慟哭の叫びを上げる。しかし楽曲が終盤を迎えると、男は体育座りの状態でうずくまる。

Underside - Gadhimai! (Official Music Video) Underside の通算 3 作目のシングル（2019 年）の MV。赤い布で目隠しをされた美女が、同じく赤い布で目隠しをしたヒンドゥー教の行者によって生贄にされる（バンドのメンバーも赤い布で目隠しをして出演している）。やがて行者は美女を押し倒して命を奪おうとするが、逆に石で殴打されて死亡する。絶命した行者の鮮血で美女が赤い布と自らの体をひたすと、大勢の男達が平伏して着用していた目隠しを外す。

インド亜大陸ではエリート達がメタルバンドに在籍

本章に登場した Dusk の Babar Sheikh<vo, g, b> には大学准教授という横顔があり、ソロで活動する Taimur Tajik はイギリス留学を経てパキスタンでトヨタ車の広告を制作している。振り返ってみると、インドの Bloodywood を率いる Karan Katiyar<g, flute> も弁護士資格を持ち、元々は一般企業の法務部で働きながら YouTube で音源を公開していた。同じくインドの Gutslit の Gurdip Singh Narang<b> は、地元ムンバイでホテルを経営している。インド亜大陸で、こうした

高学歴かつ高給取りのエリートがメタルバンドを組んでいる傾向が見受けられるのはなぜだろうか。

察するにそれは、インドやパキスタンなど所得格差の大きな国々でバンド活動するには、安定収入が欠かせないからだと思われる。換言すると、生活基盤が整っているからこそバンド活動を継続できるのであって、機材を買い揃える余裕のない低所得のミュージシャン志望者は、マイク 1 本で活動できるヒップホップなどの他ジャンルへ流れていくのだろう。

ここでは本書掲載バンドの中から、エリートのメンバーを列挙してみた。

- Artcell と Metal Maze の Kazi Faisal Ahmed<g> 広告会社の社長
- Atmosfear の Bruce Mckoy<vo, g> 人材コンサル会社で働く MBA 取得者
- Binaash、Ugra Karma、72 Hrs の Prateek Raj Neupane<g> 大学の助教であり俳優
- Blood Meridian の Miku Baruah<vo> フィットネスクラブの経営者
- Bloodkill の Yash Wadkar<g> 銀行の投資アドバイザー
- Bloodkill の Shubham Khare<g> 医療機器メーカーのエンジニア
- Brahma の Devraj Sanyal<vo> ユニバーサルミュージックのインド法人社長
- Cross Legacy の Amith Ramos<violin, key> 医科大学の准教授
- Dhwesha の Somesha Sridhara<g> オーストラリア移住後はデロイトのコンサルタントを経て IT 企業の SE
- Dormant Inferno の Gautam Shankar<vo> 渡米後はゲノム研究者
- Inner Sanctum の Chintan Chinnappa<g>　弁護士
- Inner Sanctum の Gaurav Basu<vo> グラフィックデザイナー
- Neurocracy の Gayan Danthanarayana<g> 医師
- Scribe の Vishwesh Krishnamoorthy<vo>TV ドラマや映画の演出家、脚本家
- Shrapnel の Varun Madhusudhan<g> デロイトのインド法人の管理職
- Spasmodia と Soara の Akhilesh Rao<g, b> 渡米後は Apple 本社のハードウェアエンジニア
- Xector の Charan Reddy<vo>　アクセンチュアと IBM のインド法人でアナリストを歴任
- Xector の Suhas Nagendra<g>　オラクルのインド法人のクラウド戦略コンサルタント
- 元 Millennium の Riounniz Golsorkhi<g> 外科医
- 元 Unholy Grudge の Runita Shirdhankar<b> ドイツ移住後は神経科学の研究者

Kazi Faisal Ahmed

Miku Baruah

Yash Wadkar

Devraj Sanyal

Somesha Sridhara

Chintan Chinnappa

Gaurav Basu

Vishwesh Krishnamoorthy

Varun Madhusudhan

Akhilesh Rao

Riounniz Golsorkhi

Runita Shirdhankar

バングラデシュ人民共和国
People's Republic of Bangladesh

バングラデシュはインド洋北東部のベンガル湾に面したムスリム多住国だ。ベンガル語で「ベンガル人の国」を意味する国名で分かるとおり、住民の大半（約98%）はベンガル人なので、ムスリムのベンガル人が集住する国ともいえる。国土面積（14万7980k㎡）は日本の約47%にすぎないが、世界銀行の調べによると人口（約1億6135万人）は日本のおよそ1.3倍である。

バングラデシュは1947年の印パ分離独立当初、パキスタンの「飛び地」である東ベンガル州（1955年に東パキスタンと改称）として独立した。ところが印パ分離独立は、東ベンガルのムスリムの期待に大きく反するものであり、政治や経済の主導権を常にパキスタンに握られ、東パキスタンは苦汁を飲まされていた。やがて1970年暮れ、東パキスタンの完全自治を訴えたシェイク・ムジブル・ラーマン（1920～1975）率いるAL（アワミ連盟）が総選挙で大勝すると、パキスタン中央政府は翌年から武力行使に乗り出す。これにゲリラ戦で対抗した東パキスタンの独立戦争は、インドの軍事介入によって第三次印パ戦争に発展。東パキスタンは1971年12月、新生国家バングラデシュとして再スタートを切ったのである。

1975～1990年までのバングラデシュでは軍人が政権を事実上担っていたが、1990年暮れに民主化を成し遂げてからは総選挙による政権交代が定着。2010年以降は6%台のGDP成長率を維持しており、2018年3月にはラオス、ミャンマーと共に、（1）1人当たりGNI（国民総所得）が3年平均で1230ドル以上、（2）HAI（人的資源指標）66ポイント以上、（3）EVI（経済脆弱性指数）32ポイント以下という3条件を満たし、LDC（後発開発途上国）の脱却要件を満たした。近年はアパレルの輸出業が盛んで、WTO（世界貿易機関）の2022年統計では、中国（1760億ドル）、EU（1510億ドル）に次いで、バングラデシュの輸出額は3位（340億ドル）だった。

本章に登場するメタルバンド86組の9割近く（74組）は首都ダッカ拠点、またはダッカ出身メンバーを擁する。このうち、最もキャリアの長いWarfazeとরক্স্ট্রাটা（RockStrata）は軍事政権期の1984年に結成された第一世代だが、バングラデシュのシーンが多様化の兆しを見せたのはプログレッシヴメタルのArtcellなどが結成された1990年代に入ってからであり、2000年以後はスラッシュメタルのPowerserge、デスメタルのSevere Dementiaなども登場した。しかし隣国のインドとは異なり、いわゆるDjent系やミクスチャー系のバンドは少ない。

民族　ベンガル人、その他少数民族（チャクマ族、マルマ族、ムル族など）。バングラデシュ国勢調査では民族別構成を発表していないが、住民の大半（約98%）はベンガル人である。

言語　ベンガル語（国語）。

宗教　憲法上はイスラム教が国教。2017年バングラデシュ国勢調査によると、ムスリム（88.4%）が圧倒的多数。ヒンドゥー教、仏教、キリスト教などの信徒数は合わせて11.6%にすぎない。

結成 20 周年ライヴで 8000 人を動員したプログレッシヴメタルのベテラン

Artcell

ダッカ／オーストラリア・ニューサウスウェールズ州グレイステーンズ　1999 ～　Progressive Metal
（影響）Metallica、Dream Theater、Symphony X、Pink Floyd　3058

Dream Theater の 2nd アルバム『Image & Words』（1992 年）はプログレッシヴメタルの雛形を確立した名盤と誉れ高い。この傑作に触発された Dream Theater のフォロワーは世界各地に出現したが、バングラデシュにもプログレッシヴメタルというサブジャンルを広く一般層に浸透させ、高い知名度を誇るベテランがいる。1999 年に結成された Artcell のことだ。

芸術を生み出す細胞

Artcell のオリジナルメンバーは George Lincoln D'Costa<vo, g>、Ershad Zaman<g>、Saef Al Nazi Cezanne<b>、Kazi Sazzadul Asheqeen Shaju<ds> で、彼ら 4 人は高校時代から友人同士だった。結成初期の彼らは Metallica のカヴァーで基礎を磨いた後、オリジナルソングを書くようになった。ただし、メタルバンドにありがちな猛々しいバンド名を避け、Art（芸術）と Cell（細胞）の 2 単語を結合したバンド名を掲げた。このエピソードだけを見ても、結成当初から Artcell はアーティスティックなプログレッシヴ志向を備えていたことが分かる。

バンドは 2001 年に「অদেখা স্বর্গ（Odekha Shorgo）」と題した曲を、同郷の Cryptic Fate、Metal Maze など 12 組参加のオムニバス盤『ছাড়পত্র（Chharpotro）』に提供する。同オムニバス盤の制作に携わった Isha Khan Duray は、ダッカの衛星放送局 ETV（Ekushey Television）の音楽番組「Ekushey Music Lab」のプロデューサーでもあった。バングラデシュのシーンでこのアルバムが反響を呼んだのを機に、同国では多種多様なオムニバス盤が制作、発売され、それらに楽曲提供することが当時の新鋭バンドにとっての登竜門となった。このためバンドは 2002 年にも、やはり Isha Khan Duray が携わった 6 組参加のオムニバス盤『Anushilon』に、「দুঃখ বিলাস（Dukkho Bilash）」と「অপ্সরী（Opshori）」という 2 曲を提供する（同アルバムには Cryptic Fate、Metal Maze に加え、Isha Khan Duray 自身も曲提供した)。

Artcell の 1st アルバム『অন্যসময় (Onno Shomoy)』は同じく 2002 年にリリースされ、過去 2 枚のオムニバス盤に続き、Isha Khan Duray がエンジニアとして関与した。同作でバンドは好リアクションを得た一方で、楽曲制作のパートナーと死別するという悲しみも味わった。作詞に協力していた Torikul Islam Rupok が、1st アルバムの制作中に脳性マラリアで急死したのである。

鉄壁のラインナップに亀裂

複数枚のオムニバス盤に参加した後、2006 年に 2nd アルバム『অনিকেত প্রান্তর (Oniket Prantor)』をリリース。2009 年 10 月には母国の 5 つ星ホテルである Dhaka Sheraton Hotel(現 Inter Continental Dhaka)で結成 10 周年ライヴを行い、翌年の正月明けはシドニーで初のオーストラリア公演を敢行する。そしてバンドは 2012 年 1 月、3rd アルバムの制作に着手する旨をアナウンスしたが、鉄壁のラインナップに亀裂が生じる。その発端は、リズム隊の Saef と Kazi がオーストラリアのシドニーに居を移したことだった。

距離を隔てた状態でもバンドは曲作りを進めたが、ダッカに残留していた Ershad のモチベーションは下がってしまった。そこでバンドは 2016 年 5 月、3rd アルバムの収録候補曲だった「অবিমৃষ্যতা (Obimrishshota)」の MV を公開するが、Ershad は 2017 年にバンドをついに離脱。このため、元 Warfaze の Iqbal Asif Jewel、Metal Maze の Kazi Faisal Ahmed というギタリスト 2 人を迎え入れたバンドは、長いキャリアを通じて初となる 5 人編成で 3rd アルバム『অতৃতীয় (Otrito)』を 2023 年に発表した。バンドはその前年に、『The Platform Live: Artcell (Season 1,Vol.1)』というライヴアルバムもリリースしている。

Artcell
অন্যসময়(Onno Shomoy)
G-Series　2002
ダッカ/オーストラリア・ニューサウスウェールズ州グレイステーンズ

2002 年発表の 1st アルバムで、アルバム名を英訳すると「Other Time」の意味になる。Dream Theater の流れを汲むプログレッシヴメタルを聴かせるが、プロダクションは頼りない。M2「ভুল জন্ম (Bhul Jonmo)」のイントロは、Nirvana の「Smells Like Teen Spirit」のように聞こえる。M4「রূপক (Rupok)」は、作詞に協力した Torikul Islam Rupok の死を悼んだバラード。強面の風貌とは裏腹に、George Lincoln D' Costa<vo> はマイルドな声質だ。

Artcell
অনিকেত প্রান্তর(Oniket Prantor)
G-Series　2006
ダッカ/オーストラリア・ニューサウスウェールズ州グレイステーンズ

母国で好セールスを記録したという 2nd アルバム。アルバム名を英訳すると「No Man's Land」の意味になる。アルバム序盤には叙情的なバラードや物悲しいアコギ主体の曲が配されているが、アルバム中盤の M4「পাথর বাগান (Pathor Bagan)」以後は前作同様の音楽性に立ち返る。M9「গন্তব্যহীন (Gontobbohi)」は案外と正統派メタル風の曲で、M7「ঘুনে খাওয়া রোদ (Ghune Khawa Rodh)」は出だしこそキャッチーだが、後半から Dream Theater 風に様変わりする。表題曲の M10 は 16 分超えの大作だ。

Artcell
অভয়(Obhoy)
G-Series　2019
ダッカ/オーストラリア・ニューサウスウェールズ州グレイステーンズ

バングラデシュの青少年が暴力過激主義に染まらないよう、バングラデシュとアメリカの両政府機関ならびに NGO が進める教育プログラム「Obirodh - Road to Tolerance」を広めるべく書き下ろした啓発ソング。現地では、本作を対象としたカヴァー演奏コンテストも行われた。新加入の Kazi Faisal Ahmed<g> による派手なギターソロと長い間奏がもろに Dream Theater のような空気感を放つ。とはいえ、ことさら技巧を押し出した曲ではなく、ベンガル語によるヴァースは案外と朴訥である。

1980年代のメタルブーム全盛期に始動したバングラデシュ最古参バンド

Warfaze

ダッカ　1984～　Heavy Metal/Hard Rock
（類似）復活（Boohwal）、黒豹（Black Panther）、Journey　5610

バングラデシュ最古参バンドの1つと言われるWarfazeが結成されたのは1984年。軍人出身の大統領フセイン・ムハマド・エルシャド（1930～2019）が強権を発動していた頃である。キャリアの初期から一貫して在籍しているのはIbrahim Ahmed Kamalm<g>とTipuことSheikh Monirul Alam<ds>の2人のみで、メンバー交代が頻発している。

相次ぐメンバー交代劇

結成初期のWarfazeは洋楽メタルのカヴァーバンドにすぎなかったが、1980年代のバングラデシュでは歪んだギター音を響かせるバンド自体がレアな存在だった。結成から7年後の1991年に発表したデビューアルバムは、全編ベンガル語詞によるヘヴィメタル／ハードロックを史上初めて収録した作品と称される。1994年に2ndアルバム『অবাক ভালবাসা(Obak Bhalobasha)』（英語だと「Astonishing Love」の意）のリリースには少々困難を伴った。IbrahimとRussel Ali<g, key>の2人がアメリカへ揃って留学しており、彼らが休暇を利用して里帰りした時しか、曲作りやレコーディングを進められなかったからだ。幸いにも2ndアルバムでバンドは好リアクションを獲得したが、Russelはさらなるキャリアを求めてアメリカに根を下ろす。

このためバンドは後任にFuad Ibne Rabbi<g, key>を迎え、1997年に3rdアルバム『জীবন ধারা(Jibondhara)』（英語だと「Living System」の意）をリリースする。翌1998年には、後にAurthohinを率いるBassbaba Sumon<vo, b>を含む6人組で4thアルバム『অসামাজিক（Oshamajik)』（英語だと「Antisocial」の意）を発表するが、このラインナップも長続きしなかった。Bassbabaのみならず、1991年のアルバムデビュー時から在籍したSunjoy Kamran Rahman<vo>がバンドを去ったのである。

バンドは2001年、Mizan Rahman Miza<vo>らを擁する編成で、2001年に

5th アルバム『অসামাজিক(Aalo)』（英語だと「Light」の意）を制作。同作より Shams Mansoor Ghani<key> らが加入するが、Ibrahim が家庭の事情でバンドを一時的に離れたため、代役のギタリストを迎えてツアーに出ることになった。2002 年に入ると Mizan もソロ転向のためバンドを離脱。このため、2003 年の 6th アルバム『মহারাজ(Moharaj)』（英語だと「The King」の意）は Ibrahim が復帰した一方で、当時のサイドギタリストだった Balam がシンガーも兼務し、Artcell の Saef Al Nazi Cezanne<b> をサポートに迎えて放たれた。

新旧メンバーの再会

ソロキャリア追求のためバンドを脱退した Balam に代わり、Mizan がバンドに復帰。さらに元 Vibe の Oni Hasan<g> らを迎えた編成で、バンドは既発曲の再録ヴァージョンを多数収めた企画盤『পথচলা（Pathchala)』（英語だと「Walking the Path」の意）を携え、携帯電話会社の Nokia がスポンサードした 2008 年 4 月のイベント、Baishakhi Music Mela に出演。同年 10 月には、結成 25 周年に先駆けて新旧メンバーのリユニオンイベントを挙行する。会場は、母国の 5 つ星ホテルである Dhaka Sheraton Hotel（現 Inter Continental Dhaka）だった。

Oni はその後、イギリスのキール大学へ留学するため渡英するが、バンドは彼が一時帰国した合間を縫って 7th アルバム『সত্য（Shotto)』を制作。2015 年 1 月には、再び新旧のメンバーが集う結成 30 周年イベントをダッカのボシュンドラ国際コンベンションシティで開催。ところが翌 2016 年 4 月、Mizan の 2 度目の脱退が発表。バンドは後任シンガーとして Palash Noor を迎えたが、2017 年末に Ibrahim が健康上の理由でライヴ活動の一時休止を宣言。彼の代役は、Powersurge/Severe Dementia の Samir Hafiz Khan<g> が務めた。

Warfaze

Warfaze

Sargam　1991

ダッカ

元々はカセットテープで発売された 1st アルバム。正統派メタル志向が窺える曲は M4「স্বাধীকার（Shadhikar)」と M7「রাত্রি（Ratri)」くらい。残りの楽曲群は AOR 風の曲や牧歌的なバラード、果てはサーフミュージック調だったりするので、アルバム全体を俯瞰すると一貫性に欠ける。Ibrahim Ahmed Kamalm<g> が要所で流麗なソロを繰り出すが、Sunjoy Kamran Rahman<vo> の歌唱は線が細くて頼りない。プロダクションも貧弱で、アナクロ感が漂う。

Warfaze

অবাক ভালবাসা(Obak Bhalobasha)

Sargam　1994

ダッカ

前作と同じく、当初はカセットテープで発売された 2nd アルバム。バラードの M1「অন্ধ জীবন（Ondho Jibon)」で始まる上に、M2「অনন্য ভুবন（Onno Bhubon)」のイントロで Sunjoy Kamran Rahman<vo> が調子外れのロングトーンを繰り出すので、非常に戸惑う。この M2 は Ibrahim Ahmed Kamalm<g> が派手に弾きまくるパートがあるが、ドラムの拍がズレて聞こえる。表題曲の M3 はバングラデシュでは最初期のプログレッシヴロック曲と見なされている長尺曲だが、緩くて間延びしている。

Warfaze

জীবন ধারা(Jibondhara)

Soundtek　1997

ダッカ

これまた元々はカセットテープで発売された 3rd アルバム。表題曲の M1 や M5「ক্রমশঃ（Kromosho)」で Sunjoy Kamran Rahman<vo> が高音を張り上げ、Ibrahim Ahmed Kamalm<g> が流麗なプレイを聴かせる。しかし全体的にメタル色は乏しく、昭和の懐メロソング風のナンバーが目立つ。後半には、Russel Ali の後釜として加わった Fuad Ibne Rabbi のキーボードソロをフィーチュアした曲や、ピアノとストリングを用いたナンバーもある。

Warfaze

অসামাজিক(Oshamajik)

G-Series 1998

ダッカ

Iqbal Asif Jewel<g> と Bassbaba Sumon<b> が 加わって6人編成となった一方で、Sunjoy Kamran Rahman<vo> の在籍最終作となった 4th アルバム（ジャケットはリイシュー後のもの）。英語で「Antisocial」を意味するアルバム名とは裏腹に、全体的にアグレッションに乏しい。表題曲の M1 や M5「বন্ধু（Bondhu）」は贔屓目に見ればメロディアス・ハードロック調だが、垢抜けない印象を受ける。本作のみの参加に終わった Bassbaba Sumon は要所でスラップ奏法を繰り出す。

Warfaze

অসামাজিক(Aalo)

Soundtek 2001

ダッカ

Mizan Rahman Miza<vo>、Biju<b> らが加わった布陣による 5th アルバム。プログレッシヴメタルの De-Illumination を後に立ち上げる Shams Mansoor Ghani<key> も参加したせいか、キーボードソロを交えた 8 分台の M1「বাওয়ারিশ（Baywarish）」で始まる。この他にも 6 ～ 7 分台の長尺ナンバーがあるが、プログレッシヴメタルと称するには緊張感に欠け、朴訥な印象を受ける。表題曲の M7 も朴訥なバラードだ。Mizan Rahman Miza の声質は、前任者と同じく線の細いタイプ。

Warfaze

মহারাজ(Moharaj)

Ektaar Music 2003

ダッカ

Mizan Rahman Miza<vo> に代わり、前作でサイドギタリストを務めた Balam こと Kazi Md Ali Jahangir がヴォーカルも兼ねた 6th アルバム。Artcell の Saef Al Nazi が全編でベースをプレイした。表題曲の M6 をはじめ、シンセを用いたメロディアス・ハードロック風のナンバーが目立ち、従前のアルバム群よりもコーラスワークを意識した節が見えるが、相変わらず垢抜けない印象。Balam こと Kazi Md Ali Jahangir は前任者 2 人よりも声量は豊かだが、一本調子だ。

Warfaze

পথচলা(Pathchala)

G-Series 2008

ダッカ

Mizan Rahman Miza<vo> が復帰した一方で、Oni Hasan<g> と Naim Haque Roger<b> を迎えた編成で放った企画盤。1st ～ 5th アルバムから厳選した楽曲群の再録ヴァージョンと、新規に書き下ろしたバラードとプログレッシヴメタル風のナンバーをコンパイルしている。しかし、日本の配信ストアでは収録曲が変更されている上に、前掲の新規書き下ろし曲を聴くことができない。M1「বসে আছি（Boshe Achhi）」はギターとキーボードの応酬によりオリジナルリリース時よりも長尺になった。

Warfaze

সত্য(Shotto)

Deadline Music 2012

ダッカ

前作の企画盤『পথচলা（Pathchala）』（2008 年）と同一ラインナップで発表した 7th アルバム。Mizan Rahman Miza<vo> の声質は割と線が細いが、序盤のナンバーはグランジ風のリフで始まるためミスマッチな印象を受ける。表題曲の M6 はピアノを用いたバラードで、M7「প্রজন্ম ২০১২（Projonmo 2012）」と M8「জনস্রোত（Jonoshrot）」はプログレッシヴ路線のナンバー。日本の配信ストアではインストナンバーの M10「Banglalink Tune」が割愛され、アルバムの曲順も現地盤とは異なる。

Warfaze インタビュー

筆者がインタビューを試みたインド亜大陸のバンドの中で、バングラデシュの Warfaze は最も長いキャリアを誇る。何しろ、彼らのアルバムデビューは 1991 年だが、結成そのものは 1984 年まで遡る。つまり彼らは、日本の Dead End や ZIGGY、アメリカの Soundgarden、ドイツの Helloween、ブラジルの Sepultura などと同等のキャリアを誇るバンドなのだ。そんな大ベテランにいささか不躾ながらもインタビューを申し出たところ、バンドのボトムを支える Sheikh Monirul Alam Tipu <ds> が快く応じてくれた。彼は、35 年を超えるバンドの歴史とバングラデシュ特有の音楽事情について忌憚なく語ってくれた。

回答者：Sheikh Monirul Alam Tipu（ドラムス、3 ページ前左から 3 人目）

――初めまして。まず Warfaze の現メンバーは、Palash Noor<vo>、Ibrahim Ahmed Kamal<g>、Samir Hafiz<g>、Naim Haque Roger<b>、Shams Mansoor Ghani<key>、Sheikh Monirul Alam Tipu<ds> の 6 人で相違ないでしょうか？　各メンバーが影響を受けたアーティスト、お気に入りのバンドを教えてもらえますか？

Sheikh Monirul Alam Tipu（以下 T）現シンガーの Palash は、バングラデシュ国内のバンドだと Ark と Love Runs Blind（注：どちらも 1990 年代初頭から活動している非メタル系バンド）が好きで、海外バンドだと Skid Row、Dream Theater、White Snake だね。ギタリストの Ibrahim の場合は、地元アーティストだと Niloy Das（注：1970 年代に活躍したブルース系ギタリスト）と Foad Nasser Babu（注：1970 年代にデビューしたマルチプレイヤーで、後述の Feedback の創設者）と Romel Ali（注：Warfaze の元キーボード奏者）で、海外バンドでは Pink Floyd、Black Sabbath、Iron Maiden がお気に入りだ。もう 1 人のギタリストの Samir Hafiz は地元バンドだと Aurthohin（注：1990 年代末から活動している非メタル系バンド）と Artcell、海外バンドでは Metallica、Dream Theater、Alter Bridge が好きだ。ベーシストの Naim Haque Roger のお気に入りバンドはバングラデシュ国内だと রক্স্ট্রাটা (RockStrata)、**Love Runs Blind、Miles（注：1970 年代末初頭に結成された非メタル系バンド）で、彼も Dream Theater、Metallica、Iron Maiden が好きだね。キーボーディストの Shams Mansoor Ghani は地元バンドだと Miles、Souls、Feedback（注：いずれも 1970 年代に結成された活動している非メタル系バンド）、海外バンドでは Pink Floyd、Deep Purple、Nightwish がお気に入りだ。私はといえば、地元アーティストだと Feedback と Manam Ahmed（注：前掲の Miles のキーボード奏者）、Shayan Chowdhury Arnob（注：（注：バングラデシュの人気シンガーソングライター）、海外バンドでは Pink Floyd、Black Sabbath、Rush、それに Led Zeppelin が好きだね。**

―― Warfaze は 1984 年の結成以来、何度もメンバー交代を重ねていますが、結成初期からバンドの中軸を担い続けているのは Ibrahim Ahmed Kamal<g> とあなたの 2 人では？と思われます。ということは、Ibrahim とあなたがバンド創設者と見なして相違ないでしょうか？　Warfaze の結成のきっかけも教えてもらえますか？

T：ああ、Ibrahim がバンド創設者で、私をそれに準ずる存在と見なして差し支えないだろう。結成初期からメンバーの入れ替わりが激しかったので、Warfaze はたえず困難を強いられた。Warfaze が結成されたのは 1984 年 6 月のことでね。当時の私達は Black Sabbath、Iron Maiden、Deep Purple、Led Zeppelin、Metallica、それに Scorpions などを愛聴していた。私達はこれらの先人達から影響を受けてバンドを組み、お気に入りの洋楽のカヴァー曲をステージでプレイしていた。結成初期の Ibrahim はギタリストではなくベーシストで、彼以外には Bappy<vo>、Mir<g>、Naimuland<g>、Helal<ds> というメンバーがいた。しかし、Bappy、Mir、Helal の 3 人はさまざまな理由で 1985

お気入りの洋楽のカヴァー曲をステージでプレイしていた

～1986年にかけてバンドを脱退して海外へ旅立った。私が1986年初頭からWarfazeに加入した一方で、Naimulandも1987年にバンドを去ってしまった。1987年にはReshad<vo>、Babna Karim <b>の2人が合流すると、Ibrahimはギタリストに転向し、セカンドギタリストとしてIn DhakaというバンドのMashuk Rahmanにヘルプしてもらった。1990年になると、Reshadの後任シンガーとしてSunjoyが加わり、キーボーディストのRussel Aliも1991年に加わった。私達はこの頃から、自国の人々のためにベンガル語によるロックソングを作ろうと決心していた。Sargam Recordから1991年6月にリリースされた私達のデビュー作は、全編ベンガル語のアルバムとして史上初めて商業リリースされたロックアルバムでね。私達は、母国語でヘヴィメタル／ハードロックのオリジナル曲を書いたバングラデシュの第一世代なんだ。

――ギタリストのIbrahimをはじめ、Babna Karim<b>、Russel Ali<key>など、Warfazeの歴代メンバーの中にはアメリカ留学経験者がいます。遡ること1981年には、西ドイツのフランクフルトに留学していたIftekhar Sikder<g, vo>がWavesを結成した例があり、Warfazeと同時期に結成されたরক্স্ট্রাটা（RockStrata）のMainul Islam<g>、Imran Hossain<g>、Mahbubur Rashid<ds>もアルバムデビュー後に渡米しています。言い換えると、バングラデシュのヘヴィメタル／ハードロックのパイオニア達は、一般水準よりも経済的に裕福な人々だったのでしょうか？

T：Warfazeのデビュー作が1991年に史上初の全編ベンガル語のアルバムとして商業リリースされたといえ、当時はベンガル語のロックが経済面で成功したとはいえなかった。ロックを生業としてキャリアを築くこともできなかったよ。それでも私達にはヴィジョンがあり、若い世代の間ではベンガル語のロックが流行するだろ

うという自信を持っていた。私が思うに、現在のバングラデシュのロックシーンでは立派なキャリアを形成することができるし、経済的に平均水準より裕福なミュージシャンがいる可能性もある。でも、結局のところは個々のミュージシャンやバンドの知名度と楽曲の内容次第じゃないだろうか。

—— バングラデシュでは1987年からBAMBA（バングラデシュミュージカルバンド協会）が活動していて、あなた方以外にも Artcell、Cryptic Fate、Metal Maze、Powersurge といったメタルバンドが同協会に加盟しています。同協会が設立されたきっかけと活動内容について、簡単に教えてもらえますか？

T：バングラデシュが1987年に大水害に見舞われた時のことだよ（注：1987年7～10月に発生。推定死者数は1400人、被災者は2500万人に達したとされる）。海外から訪れた有志とバングラデシュのミュージシャンが連携して、Dhaka Sheraton Hotel（現 Inter Continental Dhaka）で3日間にわたりチャリティーライヴを開催して、水害に遭った人々に贈る義援金を集めたんだ。BAMBAはこれがきっかけで非営利団体として発足した。バングラデシュではその後も、アシッドアタック（注：硫酸、塩酸などの劇物を浴びせ、女性の顔や身体を火傷させること。中東やインド亜大陸で問題視されている）の被害者、性犯罪の被害者、腎臓病を抱えた人々などを支援するためのチャリティーイベントが何度となく開催されているよ。BAMBAの構成メンバーは、バングラデシュ国内で知名度のあるベテランミュージシャン達でね。さまざまなバンドやミュージシャンの間で利害の対立が生じたら、BAMBAはその仲裁に一役買っている。最初に話したように、社会的弱者を救済するためのチャリティーイベント開催にも注力する一方で、「D Rockstars」という勝ち抜きオーディション番組の企画にも協力し、新人バンドの発掘に貢献したことがある。たとえば、スラッシュメタルのPowersurgeはこの番組を経て、今なお活動しているバンドだ。最近のBAMBAは、アーティストやミュージシャンの知的財産権保護にも取り組んでいるよ。

—— Warfazeがこれまで発表したアルバム群は、セルフタイトルのデビューアルバムを含め、ベンガル語の曲ばかり収めています。言い換えると、Warfazeは英語詞の曲を一度も収録したことがないですよね？　それはバングラデシュでは英語詞の曲よりもベンガル語詞の曲の需要が高く、売れ行きがよいからですか？

T：さっきも話したように、アルバムデビュー前のWarfazeは、当時流行していた洋楽メタル／ハードロックをカヴァー演奏していた。しかしデビューアルバムがバングラデシュで好評を博すと、ベンガル語の曲を引き続きプレイしてほしいという強い要望がファンから寄せられてね。過去には英語詞の楽曲をいくつか作ろうと試みたが、バンドメンバーが何度となく交代したため、完成に至らなかった。将来的には、ベンガル語の曲と英語詞の曲を両方収録してリリースしようかと考えているがね。

—— 2008年10月、Warfazeは結成25周年に先駆けて、Dhaka Sheraton Hotelで結成10周年ライヴを行ったそうですね。バングラデシュと同じく、イスラム教を国教にしているアラブ首長国連邦のドバイではMajestic Hotelというホテル内に2017年までナイトクラブが営業していて、元Judas PriestのTim "Ripper" Owens<vo>、Mr.BigのEric Martin<vo>、アメリカのNile、それにインドのDevoid、スリランカのStigmataがこの会場でライヴしました。バングラデシュでも、ホテル内のナイトクラブで公演するバンドが多いのですか？

T：バングラデシュにはそういうナイトクラブは存在しないね。ダッチクラブやアメリカンクラブ、ブリティッシュクラブのような高級会員制クラブに、何組かの有名バンドが

バングラデシュのロックシーンでは立派なキャリアを形成

ブッキングされてライヴを披露したことはあるがね。反対に、バングラデシュ国内の5つ星の高級ホテルでは数多くのバンドがライヴしたことがあるよ。

―― 2009年発表の『পথচলা（Pathchala）』のフィジカルCDは、配給元のG-Seriesのロゴの他に、フィンランドの有名携帯電話Nokiaのロゴがジャケットに表示されていたので驚きました。Nokiaは一体どんなやり方で、Warfazeのアルバムの制作、流通を支援したのですか？

T：君が指摘したপথচলা（Pathchala）は、私達の過去の代表曲だけでなく、新規書き下ろし曲も2曲収録したコンピレーション盤でね。Nokiaのバングラデシュ法人は2008年に、コンピレーション盤と新規書き下ろしの2曲の制作費をスポンサードしてくれたんだ。リリースから3ヶ月間、『পথচলা（Pathchala）』に収録された楽曲群は、Nokia1100という新興国市場向けの携帯電話にプリインストールされていて、この携帯電話でのみ聴くことができた。Nokiaのスポンサード契約には、この携帯電話の所有者向けの4都市、5公演のライヴも含まれていて、素晴らしい限りだったよ。リリースから3ヶ月間という縛りが過ぎると、私達はG-Seriesというバングラデシュの大手レーベルから、Nokiaのロゴ入りのフィジカルCDとしてコンピレーション盤をリリースしたんだ。

―― Warfazeは2015年1月、ダッカのボシュンドラ国際コンベンションシティで結成30周年ライヴを行いました。その翌年、現シンガーのPalash NoorがWarfazeに加入しましたが、彼の来歴と、加入のきっかけを教えてもらえますか？　また、アルバムデビュー以来、シンガーを務めてきたSunjoy Kamran Rahman、Mizan Rahmanの2人と比べて、Palash Noorの優れている点や特徴が有れば教えてもらえますか？

T：Palashと最初に接点ができたのは、さっき話した「D Rockstars」という勝ち抜きオーディション番組でね。当時の彼はRadioactiveというバンドの一員として出演し、Warfazeの楽曲群を番組内でカヴァーしてくれたので、私達の目を引いた。

彼のバンドは「D Rockstars」で2位入選し、Palash は Best Vocal Award に輝いたよ。やがて、前任の Mizan が個人的な事情でバンドを離れると、Palash はゲストシンガーとして Warfaze に参加した。Mizan にバンドに戻る意思がないことが分かると、私達は Palash に Warfaze への正式加入を要請した。Palash はそれ以来、パーマネントメンバーとして在籍している。Warfaze の歴代シンガーには各自のよさがあるので、相互比較することはできない。時代ごとに求められた音楽性に従い、それぞれ異なる歌声でバンドに貢献してくれた。3人とも最高の人材だと思うよ。ちなみに Palash に関して言うと、彼はギターやドラム、キーボード、フルートを操れるマルチプレイヤーで、作詞作曲もこなせるんだ。

――ギタリストの Ibrahim は長年にわたり肩と指を酷使したため、2017 年 12 月から一時的に休養していたそうですね。どこの国のギタリストも腱鞘炎で悩まされることが多いですが、もう完治したのですか？

T：ああ、彼は 2017 年～ 2018 年夏まで休養に努めた後、バンドに復帰した。現在はライヴパフォーマンスに支障はないが、完治には至っていないんだ。

――インドでは 2011 年から Wacken Open Air への出場権を賭けたコンテスト、W:O:A Metal Battle が開かれており、近年はスリランカ、ネパール、バングラデシュでも予選が開催されるようになりました。その結果、2019 年 8 月にバングラデシュのバンド Trainwreck がインド亜大陸の代表バンドとして Wacken の大舞台に上がりました。Warfaze も 2018 年 9 月に Artcell とのカップリング形式でオーストラリア公演を行いましたが、バングラデシュのバンドの海外進出は今後もっと活発になると思いますか？

T：より厳密には、Warfaze は 2016 年 10 月と 2018 年 12 月にオーストラリア公演を 2 回やったんだ。Artcell もオーストラリアに計 2 回遠征したことがある。バングラデシュのメタルバンドに海外公演のオファーが来たら、誰であれ喜ぶと思うよ。

――バングラデシュの音楽配信アプリ、Gaan は日本でも使用可能なので、バングラデシュのバンドの作品群を聴く時にとても助かりました。アメリカの iTunes や Apple Music、スウェーデンの Spotify などは、再生回数に応じた収益がアーティスト側に還元される仕組みになっていますが、Gaan も同じような仕組みになっているのですか？

T：ああ、私達の既発アルバムを Gaan で配信したら、先方は今まで一定額のロイヤリティを支払ってくれた。Gaan のプレミアム機能の需要とユーザー数によっては、もっと新しい楽曲も Gaan で配信しようかと検討している。バングラデシュの場合、少なくとも直近の5～6年間はフィジカル CD があまり流通していない。むしろ、バングラデシュのリスナーはストリーミング配信やデジタルダウンロードで音楽を聴いている。現代人にはそのほうが簡便かつ利便性が高いんだ。

―― 2012 月 1 月、日本のブラックメタルバンド Abigail がインドのベンガルール、バングラデシュのダッカで公演しましたが、それ以前に日本のメタルバンドがバングラデシュで公演した事例はご存じですか？　また、2016 ～ 2017 年にかけて、欧米のメタルバンドのバングラデシュ公演が相次いで中止されました。中止された公演は、スイスの Eluveitie のダッカ公演（2016 年 5 月）、ブラジルの Krisiun と NervoChaos のダッカ公演（2017 年 5 月）、それにアメリカの Miss May I のダッカ公演（2017 年 12 月）です。これらが中止になった原因と、BAMBA 加盟バンドとして改善策をご存じならば教えてもらえますか？

T：私が知る限り、2012 年の Abigail より前にバングラデシュでライヴした日本人バンドはいないね。君が指摘したようなライヴは通常、自営業者のイベンターやイベント企画会社が主催している。海外アーティストを

コンサート開催に当たっては政府
が発令を出さなければならない

招聘してライヴイベントを開催する場合、バングラデシュでは文化省、内務省、外務省、国家安全保障情報局、国家歳入庁、およびダッカ首都圏警察の許可を得る必要があり、あらゆるコンサート開催に当たっては政府が発令を出さなければならない。もし治安上の問題が生じたら、ダッカ首都圏警察はいつでも許可を取り消せる権限を持っている。たとえば、2016年7月にダッカでレストラン襲撃人質テロ事件が発生した時は、多数のイベントがそのあおりでキャンセルを余儀なくされた。その中には、アメリカのMiss May Iのダッカ公演も含まれる。ただし、私の知る限り、スイスのEluveitieの場合はプロモーターに問題があってね。招聘元のプロモーターがライヴ開催における遵守義務にちっとも従わなかったので、Eluveitieのダッカ公演は中止になった。ブラジルのKrisiunとNervoChaosの場合、両バンドがバングラデシュに到着したにもかかわらず、政府当局がプロモーターに日程変更を要請したため、公演キャンセルになったんだ。あいにくBAMBAはここに挙がったライヴイベントとはまったく無関係で、公演を主催あるいは中止したわけでもないがね。

——ところで、バングラデシュ初代大統領ムジブル・ラーマン（1920～1975）は、日本の日の丸を参考にしてバングラデシュの国旗を考案したと言われていますが、それは事実でしょうか？日本と日本人に対する印象や、もし好きな日本人アーティスタがいたら教えてもらえると、なお幸いです。

T：参考までに、バングラデシュの国旗は、1971年のバングラデシュ独立戦争の歴史から着想を得たものなんだ。緑地は自然の豊かな国土、日輪のように見える赤丸は独立戦争で流された人々の血を象徴している。私個人は、日本と日本人に対して多大な敬意と愛情を抱いている。日本人はきわめて穏やかで、知的で、品がよく、他人に礼儀正しく接することを知っている。日本は、世界でも稀に見るほどイノベーティブな国だと思うし、私は日本と日本人が大好きだよ。日本人バンドに関して言えば、和楽器バンドとSiam Shadeが好きだね。

——セルフタイトルのデビューアルバムをはじめ、Warfazeがこれまで発表したアルバムはiTunes、Apple Music、Spotifyなどで日本でも試聴可能です。最後に日本のリスナーにぜひメッセージをお願いします。

T：バングラデシュは日本と日本の人々にとっての友好国なので、日本と日本国民がバングラデシュとそこで暮らす人々を変わらず支援してくれることを願っている。日本のリスナーがバングラデシュの音楽を聴き続けてくれたら嬉しいし、私達Warfazeもいつか来日公演ができれば幸いだ。どうもありがとう。

思い出の会場で22年ぶりの復活劇を披露したバングラデシュの古豪バンド

রক্‌স্‌ট্‌রাটা(RockStrata)

ダッカ　1985～1992、2012～　Heavy Metal
（影響）Led Zepplin、Iron Maiden、Black Sabbath、Pink Floyd　134

রক্‌স্‌ট্‌রাটা(RockStrata)は、バングラデシュでWarfazeに比肩するキャリアを誇る大ベテランバンドだ。彼ら2組が、同国のメタルシーンの黎明期を盛り上げた立役者と言っても大袈裟ではないだろう。

校長に演奏を制止される

রক্‌স্‌ট্‌রাটা(RockStrata)の歴史は1984年、同じハイスクールに通っていたMainul IslamとImran Hussainというギタリスト2人が意気投合し、ハイスクールの仲間たちと卒業ライヴを校内で開いたところから始まる。ダッカのノートルダム大学（注：アメリカの同名校とは無関係）に進んだMainulとImranは翌年、初代シンガーのAsif Alam、Arshad Amin<b, vo>、Mahbubur Ra shid<ds>などとキャンパスで知り合い、パーマネントなバンド結成を思い立つ。とはいえ、彼らも活動初期は洋楽メタルのカヴァーバンドにすぎず、主にBlack Sabbath、Iron Maidenの楽曲群をプレイしていた。

バンドは1986年6月、ノートルダム大学のイベントでステージに上がるが、ヘヴィメタルの爆音に免疫のない校長Joseph S.Peixottoに演奏を制止される。それもそのはずで、彼はバングラデシュ聖十字会の神父でもあった。このため、バンドは正式なお披露目ライヴを校外で行う必要に迫られるが、幸いにもエンジニアであるMainulの父の便宜でIEB（バングラデシュ技術者協会）の講堂を押さえることができた。

1987年に入ると、バンドはAsifの後任シンガーとしてShoaib Rahmanを迎え入れる。ヘヴィメタルというジャンルの性格上、当時のバンドは練習場所を探すのにも一苦労していたが、Shoaibが自宅の一室に応急の防音措置を施す。こうしてバンドは練習に打ち込み、同時期に結成されたWarfaze、In Dhakaらと地元ダッカでしのぎを削った。まさにこれがバングラデシュのメタルシーンの幕開けといえる。

思い出の会場でカムバック

ヘヴィメタルに難色を示す音楽業界人がいる一方で、1980年代末のバングラデシュにはアンダーグラウンドのメタルシーンに関心を注ぐ者もいた。折しも1987年には、BAMBA（バングラデシュミュージカルバンド協会）が発足。その創設者であるMac HaqueことMaqsudul Haque（本人も1970年代からミュージシャン活動をしていた）に目をかけられ、バンドはBAMBA主催のイベントにレギュラー出演するようになる。

さらに1990年12月に入ると、軍人出身の大統領フセイン・ムハマド・エルシャドが民主化運動によって退陣に追い込まれた。BAMBAはダッカ大学でこれを祝うイベントを主催し、রক্‌স্ট্রাটা（RockStrata）、Warfaze、In Dhakaらもブッキングされたが、彼らはある問題に直面する。同イベントに出演する全アーティストは、ベンガル語のオリジナルソングをプレイしなければならなかったのだ。

図らずもこれが引き金となり、バンドはShoaibの後任シンガーとしてMushfiq Ahmedを迎え、1992年にセルフタイトルの1stアルバムを発表。ところが、MainulとImran、Mahbuburの3人が相次いで渡米し、長いブランクに入る（Mainulは今でもカリフォルニア州フラートンに在住）。

やがて2009年に入ると、新旧メンバーを集めて結成25周年イベントを開いたWarfazeに刺激され、রক্‌স্ট্রাটা（RockStrata）も復活の狼煙を上げる。アメリカとバングラデシュの2ヶ国をまたいで制作した2ndアルバム『নতুন স্বাদের খোঁজে（Notun Shader Khoje）』を引っ下げ、若かりし頃にライヴを行ったIEBの講堂で22年ぶりのカムバックを果たしたのだ。翌2015年1月には、Artcell、Powersurge、Warfazeのメンバー達をゲストに迎えたライヴ映像を収録。その模様をDVDソフトとしてリリースした。

রক্‌স্ট্রাটা (RockStrata)
রক্‌স্টারটা(RockStrata)
Sargam　1992
ダッカ

Warfazeのデビュー作（1991年）の1年後にリリースされた1stアルバム。オリジナルリリースはカセットテープ形態だった。M1「রক্তে ভেজা মাটি（Rokte Bheja Mati）」のイントロが1960年代のサーフロックを想起させるため非常に戸惑う。Mushfiq Ahmed<vo>の不安定な歌唱にも困惑させられる。よく耳を凝らすと、曲によってはIron Maidenからの影響が窺えるフレーズが聞こえてくる。しかしひどく劣悪なプロダクションで、ギターが音割れしたり、ドラムがくぐもって聞こえたりする。

রক্‌স্ট্রাটা (RockStrata)
নতুন স্বাদের খোঁজে(Notun Shader Khoje)
G-Series　2014
ダッカ

前作から22年ぶりに発表された2ndアルバム。アルバム名を英訳すると「Finding New Tastes」の意味になる。確かに言われてみれば、21世紀の時流に合わせたフレージング、ダウンチューニングされたリフの音色などを導入した形跡がある。その半面、ミドル〜スローテンポの楽曲群が多く、疾走チューンは皆無になった。ギターとドラムをアメリカで録音したのにプロダクションは劣悪で、22年前と変わらないMushfiq Ahmed<vo>の声質と唱法が、辺境地特有の垢抜けなさを強調する。

রক্‌স্ট্রাটা (RockStrata)
One Last Live
G-Series　2018
ダッカ

2015年1月のダッカでのライヴを収録したDVDだが、Mushfiq Ahmed<vo>は不参加。このため、同郷のArtcell、Powersurge、Cryptic Fate、Warfazeなどのメンバー6人が客演し、ヴォーカル不在の穴を埋めた。特にCryptic FateのChowdhury Fazle Shakib<vo, b>と、PowersurgeのJamshed Chowdhury<vo>は、রক্‌স্ট্রাটা（RockStrata）の既発表曲をオリジナルよりパワフルに歌っている。洋楽メタルの定番曲もカヴァーしている。

YouTube の再生回数 133 万回を突破したフォーキッシュな 5 人組

Bay of Bengal

ダッカ／チッタゴン　2012 ～　Experimental Bengal Rock/Metal
（影響）Nightwish、Within Temptation、Kalmah、Symphony X、Opeth　405

バングラデシュ南部に広がるベンガル湾は、風水害や高潮災害を引き起こすサイクロンが季節の変わり目に発生するが、雨季（6 ～ 10 月）には国中に恵みの雨をもたらす。その名を冠した Bay of Bengal は、同国第二の都市チッタゴンで活動するフォーキッシュな 5 人組。「Experimental Bengal Rock/Metal」を標榜しており、バングラデシュのシーン期待のバンドと目されている。

元々は Tanim こと Wahid Altaher<g> を含むラインナップで始動。Bakhtiar Hossain<vo, g> がフルートも吹けるため、結成初期のライヴ映像を見ると Megadeth に加え、フォークメタルの Eluveitie の曲をカヴァーしていた。『Rockoholic』（2013 年）と『Riotous14』（2015 年）というオムニバス盤 2 枚に曲を提供した後、2016 年に 1st アルバム『নীরব দুর্ভিক্ষ(Nirob Durbhikkho)』をリリース、同アルバム収録曲「যেই শহরে আমি নেই（Jei Shohore Ami Nei）」の MV の再生回数は 133 万回を突破した。

2019 年 3 月には、1971 年のバングラデシュ独立宣言を称えるイベントにブッキングされ、Artcell、Cryptic Fate などと共にキャパ 1 万 5000 人のアーミースタジアムの大舞台に上がった。その後、Wahid の後任として Rakibul Nipu<g> が加入している。

Bay of Bengal

আজকরে দনি) (Ajker Din)
TINT　2022
ダッカ／チッタゴン

単独では通算 4 作目のシングル。乾期に干上がった河川の写真をアートワークに使っている。前シングル「স্বপ্নঘুম（Shopnoghum）」（2020 年）は朴訥なバラードだったが、本作は 1st アルバム『নীরব দুর্ভিক্ষ（Nirob Durbhikkho）』（2016 年）の頃に原点回帰。中華圏のバンドが奏でるようなメロディーラインと、Rakibul Nipu による泣きのギターソロで哀感や郷愁を誘う。MV を見ると、結成初期からずっと短髪だった Bakhtiar Hossain<vo, g, flute> がメタルミュージシャンらしく長髪に様変わりしていた。

『デスノート』『進撃の巨人』関連の楽曲をカヴァー演奏した独りアンビエント・ブラック

Mourning Hours

ダッカ　2011～　Ambient/Atmospheric Black Metal
（影響）Katatonia、Saturnus、Alcest、Swallow the Sun、Mar De Grises　269

ダッカ出身の Rubayet Hussain によるワンマンプロジェクト。バングラデシュ初の DSBM およびアンビエント・ブラックメタルと称される。

元々は Iron Maiden をはじめとする正統派バンドを愛聴していたが、高校を卒業する前から北欧のブラックメタルに傾倒し、さらに Katatonia、Agalloch、Forgotten Tomb などへ興味の幅を広げる。2011 年から曲作りをはじめ、2012 年にデモ音源「Us & Despair」を発表。同年リリースの初の EP『A Journey from Here to Nothingness』はイギリスの Three Rooks Records にてリマスター再発される。2013 年には、イギリスの Miseria Visage、Koboloris と共作したスプリット盤『Tribune of Shadow』を発表し、この年には 1st アルバム『Selfless Within』をリリース。2015 年には 2nd アルバム『May We Never Forget Her Face』を発表した。

前記の 2012 年の EP では『デスノート』サントラ盤収録曲「L のテーマ」をカヴァーしており、2013 年には『進撃の巨人』の OP テーマ曲「紅蓮の弓矢」を日本語詞のままでカヴァーした音源をネット上で公開したことがある。

なお本稿執筆時点で、Rubayet はドイツのシュトゥットガルトに移住している。

Mourning Hours
Romancer of the Funeral
自主制作　2017
ダッカ

デモやスプリット盤を除くと、通算 5 作目の EP。M2「The Holy Night Sky」は Immortal のように勇壮なナンバーだが、M3「Somber Dance」は活動初期から志向している耽美でメランコリックな曲。M1「Bangladesh」は 1971 年 8 月にバングラデシュ難民救済ライヴを開いた故 George Harrison のカヴァー。この曲ではオルガンを導入して大胆なアレンジを加えているが、M4「When the Smoke Is Going Down」は Scorpions の原曲に忠実だ。

バンド解散後にベーシストがファンタジー小説家へ転向したデスメタル

Orator

ダッカ　2003 ～ 2008、2008 ～ 2016、2016 ～ 2018
Death/Thrash Metal　（影響）Merciless、Possessed、Terrorizer　912

Skullbearer こと Amitav Sanyal<vo, g> と、Vritra Ahi<b> が在籍した Barzak を母体に 2008 年に結成。前身の Barzak とは打って変わり、土着的な要素を織り交ぜたデビュー EP『Dominion of Avyaktam』を 2010 年 2 月に発表し、同年秋にタイのバンコクで日本の Abigail と共演する。

2011 年 3 月にはインドのベンガルールで開催された Trend Slaughter Fest にヘッドライナーとして迎えられ、Dying Embrace などと共演。同年 6 月にはライヴテイクを収めたデモ音源『Live Crematorations』が、ボリビアの Eternal Transmigration Records にてカセットテープ形態で流通される。

2013 年 2 月に、キャリア初のフルアルバム『Kapalgnosis』を発表。同年 5 月にマレーシアのクアラルンプールへ遠征し、その際の模様を収めたライヴ盤『Gnosis Stained Khadga - Live in Kuala Lumpur』もリリースした。

2014 年 9 月にシンガポール公演を行った後、2015 年にはインドの Bangalore Open Air に初参加するが、バンドは 2018 年 12 月に解散を表明した。

その後、Vritra Ahi は本名の Sejan Rahman 名義で、『Blind Dreams』と題したファンタジー小説を 2019 年 1 月に発表している。

Orator
Kapalgnosis　2013
Armée de la Mort Records
ダッカ

フランスの Armée de la Mort Records で配給された唯一のフルアルバム。ライヴテイクを集めた前作のデモ音源『Live Crematorations』（2011 年）では、Merciless や Terrorizer のカヴァーをプレイしていた。本作も彼らのような爆走ナンバーを収録しており、演奏力やプロダクションは欧米の同系バンドに引けを取らないが、やや一本調子な印象も受ける。換言すると東洋情緒を発散する曲は、インストの M7「Devoid of Dharma（Aghorey Bhyo）」だけだ。

ダッカの中高でもライヴを行い、Facebook「いいね」13万超えのスラッシュ

Powersurge

ダッカ　2006～　Thrash/Groove Metal
（影響）Metallica、初期 Sepultura、Kreator、Slayer、Overkill、Exodus　※

Jamshed Chowdhury<vo>、Saimum Hasan Nahian<g>、Samiul Islam<ds>を中心に2006年に始動した5人組スラッシュメタルバンド。15組参加のオムニバス盤『Underground』（2006年）に楽曲を提供。その傍ら、地元ダッカで精力的にギグを行う。2007年にはバングラデシュの携帯キャリア大手GrameenPhoneの冠スポンサードで初開催されたオーディション番組「D Rockstars」にエントリー。ジャンルに関係なく集った600組以上の競争相手を退け、オーディエンスのSMS（ショートメール）投票で最優秀バンドに輝く。ダッカ出身で、本稿執筆時点ではシドニー大学の博士候補生であるShams Quaderの論文によると、この大番狂わせは後続のバンドを大きく刺激したようで、バングラデシュに多数のスラッシュメタルバンドが登場する呼び水になったとも言える。

しかし1stアルバム『অপ্রস্তুত যুদ্ধ(Aprostut Juddho)』（2008年）発表後はメンバー交代が相次ぎ、新譜のリリースも長らく滞っているが、現地での知名度はいまだに高い。何しろバンドの公式Facebookの「いいね」数は13万以上で、各種イベントやTV出演のみならず、ダッカの中学校や高校のキャンパスでもライヴを行っているのだ。

Powersurge
অপ্রস্তুত যুদ্ধ(Aprostut Juddho)
G-Series　2008
ダッカ

本稿執筆時点では唯一のフルアルバムで、アルバム名を英訳すると「Unprepared Warfare」の意味になる。表題曲のM2ではワルツ風のフレーズを採り入れたり、M4「স্বাধীনতার বার্তা (Shadhinotar Barta)」やバンド名を冠したM7ではストリングスを導入したりする工夫が見られるが、基本的な音楽性は1980年代のスラッシュメタルBig4の流れを汲むもの。特にMetallicaからの影響が顕著だが、プロダクションは良好とは言えない。アコギを押し出したメロウなバラードもある。

ベンガル太守がイギリス軍に負けたプラッシーの戦いを歌ったデスメタルのパイオニア

Severe Dementia

ダッカ　2004～　Death Metal
（影響）Nile、Behemoth、Cannibal Corpse、Morbid Angel、Death　858

Powersurge を率いる Saimum Hasan Nahian がギターを兼務する 5 人組バンド。バングラデシュ最初期のデスメタルバンドと称され、Samir Hafiz Khan<g> も Powersurge と Warfaze での活動を掛け持ちしている。

2004 年に Ahmed Shawk<vo> と Saimum が 666 なる前身バンドを結成。その後、インドの Demonic Resurrection、パキスタンの Dusk、シンガポールの Helmskey と共にスプリット盤『Rise of the Eastern Blood』に参加。同スプリット盤に提供した楽曲群は、フランスの後ろ盾を得たベンガル太守（ムガル帝国の地方領主）シラージュ・ウッダウの軍勢がイギリス軍に敗れ、イギリスによるインド統治が本格化したプラッシーの戦い（1757 年）を題材にしたものだった。

2007 年には、それらの楽曲群をコンパイルした初の単独作『Epitaph of Plassey』を発表。バンドはこれ以降、母国のみならずインド、ネパールでもライヴを行うが、シンガーの Ahmed がバンドを脱退。このため、2016 年からスラッシュメタルバンドの Surtur にも在籍する Riasat Azmi を迎えて活動しており、2017 年 7 月にはインドで開催された Kolkata Deathfest 3 に参加して日本産デスメタルバンドの Desecravity と共演した。

Severe Dementia
Epitaph of Plassey
Demonstealer Records　2007
ダッカ

史実を描いたコンセプト作なので、M1「Entombment of the Traitor」は重厚なストリングスを SE 代わりに用いているが、全体に通底するサウンドは Morbid Angel、Death などの影響が顕著。実際にバンドの過去のライヴ映像を見ると、Death の「Scavenger of Human Sorrow」（1998 年）をカヴァーしていた。たまにオリエンタルな旋律を交える一方で、M2「Credence of Fort William」の終盤ではスパニッシュ・ギター風のフレーズが突如飛び出す。

Qabar PR　共同オーナー／Primitive Invocation Syed Zoheb Mahmud 氏インタビュー

どんなに優れた音源をリリースしても、情報発信しなければ世間に周知されることは難しい。そこでバンドやレーベルによっては、情報発信とメディアへの売り込み能力に長けたパブリシスト、PR エージェンシーを雇うケースがある。Qabar PR はまさにそのような業務を手掛ける PR エージェンシーで、バングラデシュ人とパキスタン人の２人組によって創業された。彼らの事業範囲はインド亜大陸にとどまらず、世界各地のバンドやレーベルの情報発信と露出拡大に貢献している。共同オーナーの１人である Syed Zoheb Mahmud 氏はバングラデシュの首都ダッカ出身で、筆者は 2018 年から親交を結んでいる。Zoheb 氏は筆者のインタビュー依頼を実にスムーズに承諾してくれた一方で、抜け目のないビジネスマンのような佇まいを発散していた。

――いつも御社のニュースレターや試聴用音源を定期的に配信してくださり、ありがとうございます。まずは Qabar PR の設立時期、事業内容、規模などについて簡単に教えてもらえますか？

Syed Zoheb Mahmud 氏（以下 Z）：まずは俺達のクライアントの新譜リリース情報を、君が日本で拡散してくれていることに感謝したい。Qabar PR は、俺と Hassan Umer Amin が 2015 年７月に共同で設立した。相棒の Hassan はパキスタン出身で、元々は Foreskin、Multinational Corporation などのバンドでシンガーを務めていた。創業当初はエクストリームメタルとハードコアパンクに特化した PR エージェンシーを目指していたが、対象ジャンルの幅を広げた結果、世界各地のメタル、パンク、ゴシック、アンビエント、さらに実験音楽を手掛けるアーティスト／レーベルをクライアントに抱え、これまでに 200 件を超えるプロジェクトをこなした。ほとんどはアルバムと EP のパブリシティ代行だが、シングルや MV、ライヴ情報、あるいは音楽を題材にしたドキュメンタリー作品なども宣伝対象に含まれる。主な業務内容はメディアへの売り込み代行でね。ディスクレビューやインタビュー、楽曲オンエアの機会を獲得したり、ストリーミング配信サービスのプレイリストに入ったりするように、クライアントに成り代わって紙媒体、Web 媒体、ラジオやポッドキャスト番組に売り込みをかけるわけだ。宣伝効果を高め、より多くのセールスにつながるための施策も定期的に講じている。インディーズバンドや小さなレーベルもこうしたサービスを利用できるように、俺達は良心的な価格設定をしているよ。

―― Qabar PR を立ち上げる前、あなたはバングラデシュの首都ダッカで Venustas Diabolicus というブラックメタルに特化した Web 媒体を運営していたそうですね。音楽業界でキャリアを始めたきっかけや、影響を受けたアーティストを教えてもらえますか？

Z：元々 Venustas Diabolicus は、Asif Abrar（注：Eternal Armageddon のシンガー兼ベーシスト）が、ブラックメタル

のオンラインコミュニティーとして2011年にFacebook上に開設したんだ。彼はそのコミュニティーを足がかりに、紙媒体、ライヴイベント、ディストロなどにも手を広げようとしていた。程なくして、俺もその輪に加わったよ。さらに、ZakiとSafwanという友人2人も加わり、Venustas Diabolicusは2013年にWeb媒体として正式にオープンした。それから俺は3～4年ほど、彼らと共にアルバムレビュー、インタビュー、各種特集やニュース記事を定期的に配信した。他にもバングラデシュ内外の外部ライターが何人か協力してくれたよ。Venustas Diabolicusはすでに更新を停止してしまったがね。俺はこの媒体に加わった時、音楽を生業にしようとはまったく考えていなかった。地元シーンでイベンターとして活動することについても同様でね。俺だけでなく、Venustas Diabolicusの執筆陣は誰一人として商売っ気がまるでなかった。しかし、この媒体に参加したことで、ミュージシャンやライター、インディーズで活動する業界人とのつながりができたし、他のパブリシストやレーベルがどうやってプロモーション活動を行うのかを観察することもできた。つまり、Venustas Diabolicusは、俺がパブリシストとしてQabar PRを開業するきっかけを与えてくれた媒体と言えるだろう。音楽に対する情熱があるからこそ、俺はパブリシストとして業界に身を置いているが、特定のバンドやアーティストに感化されてキャリアを始めたわけではないんだ。言い換えると、これまでパブリシティに携わってきた全アーティスト、全バンドのおかげだよ。俺は創業前に、バングラデシュのバンド2組が作ったデモ音源を宣伝したことがあってね。この経験で、Qabar PRを創業する自信がついた。もう1つ付け加えると、Qabar PRの創業に当たり、俺は家族の経済負担を減らすために、何らかのビジネスをやる必要に迫られていた。つまり、今まで築いた人脈と、音楽の宣伝と媒体運営のノウハウを有効活用すれば、些少なりとも現金収入が得られて、学費の足しにできるんじゃないかと思ったんだ。

――その一方で、もう1人の共同オーナーのHassan Umer Amin氏はパキスタンの大都市ラホール出身ですが、今はドイツ在住だそうですね。彼はドイツのどのエリアに済んでいるのですか？　また、あなたとHassan Umer Amin氏は一体どうやって国境を越えて知り合い、Qabar PRを立ち上げることにしたのですか？

Z：彼はドイツ北西部のノルトライン＝ヴェストファーレン州（注：州都はデュッセルドルフ。西ドイツの首都だったボンも州内に擁する）に住んでいてね。いまだに直接会ったことがないけど、2012年からオンライン上で固い絆を保っている。PRエージェンシーを立ち上げるには、他にも仲間が必要だったが、率直に言ってバングラデシュには適任者が皆無だったね。音楽のPRにふさわしい知識と関心のある人は誰も見当たらなかったよ。それで、国外の人物と協業しようと思い至ったんだ。過去にHassanは自分が在籍したバンドの記事をメディアに露出させたことがあって、Eternal Abhorrenceというメタルとパンクを扱うWeb媒体を運営した経験もあった。彼とは気が合うばかりか、音楽の興味や物の考え方が似ていたので、俺はチームを組もうと提案した。Hassanがすぐに同意すると、俺達は2015年にQabar Extreme Music PRという屋号をひらめいた。後にエクストリームメタルとハードコアパンク以外のジャンルも手掛けるようになったので、現在はQabar PRに屋号を短縮しているがね。

――バングラデシュにもG-Series、Mushroom Entertainmentなどのレーベルが数社存在しますが、エクストリームメタル専門レーベルは見かけません。そんな状況下、あなた方がエクストリームメタル専門レーベルを立ち上げるのではなく、PRエージェンシーおよびイベンター業を始めたのはなぜですか？

Z：実際のところ、バングラデシュにもエクストリームメタル専門レーベルがいくつかあったが、それらはオーナーが自分自身や友人達のバンドの音源をリリースするために設立したものにすぎなかった。俺の目からすると、どれもまともに機能していなかったよ。今なお、そうしたレーベルが存続しているのかは定かではないがね。さっき話したように、イベンターとしての活動は収益を得ることが目的ではなかったし、バングラデシュでレーベルを立ち上げるには障壁が多くてチャンスは皆無に等しかった。特に難題といえるのは、バングラデシュではPayPalが利用できないことと、政府当局が情報漏洩を口実にCDやカセットテープの海外発送を禁じていることだ。後者は実に不合理だが、バングラデシュの郵便局関係者はそう言っていたよ。PayPalが使えなければ、海外のリスナーに音源やマーチャンダイズを送れないし、何よりもバングラデシュ政府に海外発送を禁じられたら、合法的にCDを届けることすら不可能だ。言い換えると、もしバングラデシュでレーベルを立ち上げたら、自国のマーケットだけに頼らざるをえない。そんな環境でレーベルを運営することには、ちっとも好奇心をそそられなかったね。エクストリームメタルやハードコアパンク、実験音楽などを、自国のリスナーに対してのみリリースするなんて、あまりにも経済的に割に合わないよ。これに対し、PRエージェンシーという仕事は、自国のマーケットに頼る必要がない。バングラデシュで年間を通じてリリースされるメタルのアルバムはそれほど多くないから、俺達は最初から国外のバンド／アーティストと仕事することを目指していた。創業初期のクライアントもIdolatryというカナダのブラックメタルバンドでね。バングラデシュのバンドとは、せいぜい7～8組くらいしか一緒に仕事したことがないんだ。

――たいへん失礼ですが、Qabar PRの開業資金はどれくらいで、誰がどうやってお金を集めたのですか？　インド亜大陸には、あなた方のようなPRエージェンシーは他にも存在するのでしょうか？

Z：開業資金はゼロだよ。有り金を突っ込むのではなく、メディアとの交渉術、コミュニケーション能力、音楽業界での知識、宣伝のノウハウ、Web媒体で培った経験という俺達の知的資本を注ぎ込んだ。インド亜大陸に、似たようなPRエージェンシーが存在するのかどうかは分からない。俺達が創業した当初は、インドにTranscending Obscurity Records系列のPRエージェンシーと、Proximity Productionsというイベンター兼PRエージェンシーがあったが、どちらも現在は活動していない。Transcending Obscurity RecordsはレーベルビジネスにI専念すべくPRエージェンシーを閉鎖したし、Proximity Productionsは廃業してしまった。

――現在のあなた方は世界各地のレーベル／バンドの新譜リリース情報を定期的に配信していますが、レーベル業やプロモーター業と比べて、PRエージェンシーのビジネスモデルは一般の音楽リスナーに分かりづらい印象を受けます。あなた方は顧客であるレーベルから宣伝広告費を徴収する代わりに、新譜リリース情報をニュースレターとして配信しているのですか？　それとも、新譜をリリースするバンドから対価をもらって、パブリシティを代行しているのですか？

Z：最初に話したとおり、俺達の主要業務はクライアントのバンドがリリースしたアルバム、シングル、MV、あるいはライヴ情報の露出機会を作ることだ。ニュース記事やアルバムレビュー、インタビュー、楽曲がオンエアされる可能性を見出すべく、君のような音楽ライターやインフルエンサー達（ブロガー、ディスクジョッキー、YouTuber、Instagrammer、ストリーミング配信サービスのキュレーターなど）に、ニュースレターや試聴用音源を一斉配信するん

だ。その代わりに、俺達はバンドまたはレーベルから報酬をもらっている。クライアントはバンド自身という場合もあれば、レーベルという場合もある。

――あなた方のクライアントの中には、日本のWeird Truth Productions、カナダのArtoffact Records、イタリアのElectric Valley Records、フランスのKrucyator Productionsなどがいて、こうしたレーベルの新譜リリース情報を定期的に配信しています。その結果、あなた自身はかつてブラックメタルに特化したWeb媒体を運営していましたが、Qabar PRとしては必ずしもブラックメタルに限定せず、広範に細分化されたサブジャンルの新譜リリース情報を配信しています。ブラックメタル以外のジャンルに対する知識をどうやって蓄え、日々の業務で活用しているのですか？

Z：厳密には、カナダのArtoffact Recordsとは仕事したことがなくてね。このレーベルに所属するÖtziというカリフォルニア州オークランド拠点の女性ポスト・パンクバンドから直接PRを依頼されたんだよ。俺達は過去にもÖtziのパブリシティを手掛けたことがあって、彼女達が3rdアルバム『Storm』(2020年)のプロモーションに当たり、再び俺達を起用してくれたんだ。それはさておき、俺はさまざまなジャンルの音楽を長いこと聴いてきた。つまり、ブラックメタルしか聴かないから、ブラックメタルのWeb媒体で活動していたというタイプではないんだ。相棒のHassanも好みの音楽の振り幅が広いほうでね。俺達はいつでもコンフォートゾーン（快適空間）から離れて、新しい音楽を探究する心構えができている。インターネットやブログ、個人的な知り合い、SNSなどのおかげで、多岐にわたる音楽に出会うことができたし、俺は常日頃から音楽業界人とのつながりを保っている。こうしたネットワークが、音楽の知識を培う上で重要な役割を果たしてきた。PRエージェンシーという今の仕事は、まさにそうした知識とネットワーク、コミュニケーション能力、それに少しばかりの文章力が融合したものなんだよ。

――あなた方のクライアントの中にはインドのCyclopean Eye Productionsもいて、スリランカのGenocide ShrinesとSerpents Athirstなど4組が参加したスプリット盤『Scorn Coalescence』(2019年)、バングラデシュのEternal Armageddonの1stアルバム『In Light in Dark in Hate』(2010年)などのリリース情報もあなた方のニュースレターで知りました。しかし全体的に見ると、あなた方がインド亜大陸のバンドの新譜リリース情報を配信する頻度はさほど多くない印象を受けます。それはなぜでしょうか？

Z：インド亜大陸はメタルのアルバムのリリース枚数が少ないし、バンド側も音楽をプロモーションするための手がかりを知らない。パブリシティとは何かを知っているミュージシャンでさえ、俺達みたいなPRエージェントを雇うことの重要性をちっとも考慮に入れていないよ。

――あなた方のニュースレターは、アメリカのミネソタ州拠点のHaulixという業務用ファイル共有サービスを使って配信しています。私がニュースレターを購読している諸外国のレーベル、PRエージェンシーもHaulixをよく使用していますが、日本ではあまり定着していないサービスなので、Haulixの特徴やメリットを簡単に教えてもらえますか？

Z：Haulixを使えばメールキャンペーンを簡単に展開できるよ。Haulixには電子透かし機能が搭載されているので、インフルエンサー達が試聴用音源を入手した後、リリース前の楽曲やアルバムを部外者に流出させていないかどうかを追跡できる。情報がスムーズに入るため、インフルエンサーやメディアの人々もHaulix経由で各種資料や音源を受け取ることを好むのが分かったよ。使い方は至って簡単でね。試聴用音源や必要なファイル一式をHaulixにアップロードして、メールキャンペーンを作成する。次に、俺達

の連絡先リストに登録されているインフルエンサーやメディア宛にニュースレターを一斉送信する。連絡先リストはさまざまなグループ／カテゴリ別に分けることができるので、相手方の興味、関心に的を絞ったニュースレターを送ることができる。ニュースレターを受信した人々は、試聴用音源を各自でダウンロードしたりストリーミング再生したりできる仕組みだ。

――PRエージェンシーの目標は、単にニュースレターを配信して情報を拡散することではなく、クライアントであるレーベルやバンドの新譜情報がメディアで露出されることです。そのためには有名メディア、インフルエンサーとの良好な関係作りが欠かせませんが、たとえば『Decibel Magazine』のような欧米のメディアとはどうやって接点ができたのですか？

Z：『Decibel Magazine』の編集者に営業メールを送ったところ、俺達のクライアントのバンドに関するニュースレターに先方は興味を示してくれた。『Decibel Magazine』のライター、寄稿者達とはSNS経由でも接点ができた。彼ら以外のメディアに関しても同じことが言える。俺達はEメールで頻繁にやり取りを交わすが、SNSも活用している。電話営業は滅多にやらないが、必要が生じたら電話もかけるよ。

――ここからは、あなたのイベンターとしての側面に光を当てたいと思います。あなたはPrimitive Invocationという屋号のプロモーターの一員で、日本のAbigailのダッカ公演を2012年1月に主催したそうですね。AbigailのJero<g>によると、Abigailは日本勢として史上初めてバングラデシュでライヴしたそうですが、Abigailより前に海外バンドがバングラデシュでライヴした事例はありますか？

Z：Abigailのダッカ公演が行われた時、俺はまだPrimitive Invocationに関わっていなかった。あの時は単なるオーディエンスとしてAbigailのライヴを観ていた。Primitive Invocationに加わったのは、それから数ヶ月後のことだった。確かにAbigailはバングラデシュでライヴした数少ない海外バンドだが、Abigailの前にはフランスのManzer（2010年11月）とアルゼンチンのInfernal Curse(2011年1月）がダッカでライヴしたことがある。彼らを招聘したプロモーターが、まさにPrimitive Invocationだよ。

――私は韓国語がしゃべれるので、前著『デスメタルコリア』でDope Entertainmentという韓国のレーベル兼プロモーターのオーナーにインタビューしました。韓国では青少年保護の見地から、音楽の歌詞やポスター、MV、ライヴ鑑賞に対する政府の規制が厳しく、同社が招聘したCannibal Corpse、Behemothのソウル公演は未成年者にチケットを販売できず、CDもレコード店で陳列不可能だったそうです。バングラデシュでメタルのライヴを企画、宣伝する上で、困ったことや苦労したエピソードはありますか？

Z：韓国のDope Entertainmentのような状況に直面したことは一度もないが、俺達も好ましからざる煩わしさとは無縁とは言えない。海外アーティストを招聘する許可をもらうべく政府関連機関を訪ねると、担当官僚や職員がチップを求めてくるのが分かる。ここで言うチップとは「袖の下」だよ。その手の呼び水になるものがなければ、招聘許可を得ることは不可能なんだ。それでも、影響力のある政治家や高官と強いコネクションを保つことができれば、袖の下を渡すという儀式から逃れられるがね。日本のDesecravityをヘッドライナーに迎えた2017年7月のDhaka Metal Festは大変なトラブルに見舞われた。何者かが警察を焚きつけて、このイベントを中止に追いやろうとしたんだ。情報筋から聞いたところ、警察を焚きつけた連中はプロモーターで、海外バンド3組を招聘しようとしたことがあったが頓挫していた。その腹いせに、Desecravityのダッカ公演を妨害しよう

としたわけだ。奴らは明らかにそういう悪意を持っていて、脅迫電話もかかってきたので難しい状況に置かれた。でも、幸いにもイベント開催の許可が下りて、Desecravityは全力投球のプレイをステージで披露してくれた。Desecravityは凄まじいテクニカル・デスメタルの楽曲群で、ダッカのオーディエンスに鮮烈な体験を与えてくれた。まるでイベントを妨害してきた連中に、平手打ちを食らわせてやったかのようだった。

── Abigailのダッカ公演が行われたNational Library Auditoriumのキャパはどれくらいで、音響、照明の質はいかがでしょうか？　バングラデシュでは通常この会場でヘヴィメタルの公演が行われるのですか？

Z：National Library Auditoriumのキャパは300～350人だと思う。以前は定期的にメタルやロックのギグがNational Library Auditoriumで行われていたが、直近の数年間はこの手のイベント開催を許可していないらしい。

── Primitive InvocationはAbigailとDesecravityだけでなく、同じく日本からDefiled（2015年1月）、Riverge（2016年10月）のダッカ公演も招聘しました。バングラデシュはブラックメタルよりも、このようなスラッシュメタルやデスメタルを好むリスナーが多いのですか？　また、日本人バンドの演奏やステージングに対して、バングラデシュのオーディエンスはどんな反応を示しましたか？

Z：ああ、バングラデシュのオーディエンスはブラックメタルよりもスラッシュメタルとデスメタルのほうが好きだね。特にスラッシュメタルのファンが多いので、バングラデシュではエクストリームメタルや正統派メタル、その他のサブジャンルに属するバンドよりも、スラッシュメタルバンドの数が増えていると思うよ。君が挙げてくれた日本人バンドのライヴを、バングラデシュのオーディエンスは心底エンジョイしていた。地元のメタルファンに、彼らを再び招聘する可能性について尋ねられるほどだよ。

── 前述のAbigailにしろ、Defiled、Riverge、Desecravityにしろ、バングラデシュでのライヴは初の経験だったのでは？と思われます。彼らのような日本人バンドは、バングラデシュの風景、会場、オーディエンスを見てどんな反応を示しましたか？　日本人バンドとバングラデシュ人バンドのビジネス慣行の違い、気質の違いなども教えてもらえると、なお幸いです。

Z：確かに君の言うとおり、彼らは過去にバングラデシュでライヴしたことはなかった。Defiled、Riverge、Desecravityの3組はバングラデシュ公演をもう一度やりたがっている。Abigailのメンバーの意向は聞いていないがね。日本人バンドは総じて、バングラデシュのオーディエンスがヘッドバンギングしたり、モッシュやステージダイブをやったりする様子を気に入っていた。バングラデシュの食べ物もだよ。日本人バンドは勤勉で、地に足が付いている印象を受ける。それに多くの日本人バンドは海外でもよく知られている。バングラデシュのメタルは、ワールドワイドで評価されるだけの力を養えなかったがね。

── Primitive Invocationの過去の公演ポスターを見ると、Goethe-Institut（German Cultural Centre）、RCC（Russian Cultural Centre）といった会場名が記載されていました。つまりバングラデシュでは民間経営のライヴハウスやホールではなく、ヨーロッパ諸国の政府関連団体が所有する建物でメタルのライヴが行われるケースが多いのですか？そうした施設のホールレンタル料は高額ではありませんか？

Z：Goethe-Institutは、アルゼンチンのInfernal Curseのライヴが行われる数日前または数週間前に、会場の使用許可を取り消したんだ。先方は電子音楽のイベントだったら許可を出しただろうが、メタルのイベントは許可しなかった。先方にとってメタルは過激すぎたのかもしれない（笑）。その一方

で、RCC では過去 20 年間にわたり、アンダーグラウンドなロックとメタルのライヴが盛んに行われていた。ロシア以外の国の政府関連団体が管理する建物で、メタルのライヴが開催されたかどうかは覚えていないがね。Goethe-Institut のホールレンタル料金は知らないが、RCC の場合は 2018 年の時点で 1 万 8000 タカ（約 176 ドル）プラス保証金 5000 タカ（約 49 ドル）だった。ビデオプロジェクターを使う場合は、別途 2000 タカ（約 19 ドル）必要だった。あいにく 2018 年以後は RCC でイベントが開かれていないがね。

—— 2016 ～ 2017 年にかけて、欧米のメタルバンドのバングラデシュ公演が相次いでキャンセルされたとのニュース記事を見ました。中止された公演は、スイスの Eluveitie のダッカ公演（2016 年 5 月）、ブラジルの Krisiun と NervoChaos のダッカ公演（2017 年 5 月）、それにアメリカの Miss May I のダッカ公演（2017 年 12 月）です。これらの公演が中止になった原因は何でしょう？　現在のバングラデシュでは、日本や欧米のバンドのライヴを企画しにくい状況なのですか？

Z：プロモーターの説明によると、Eluveitie のダッカ公演はバングラデシュ政府当局によって治安上の問題を理由に中止になり、Krisiun と NervoChaos のカップリング公演は SB（バングラデシュ警察特別支部）の反対に遭った。この 3 組はバングラデシュに到着していたにもかかわらず、ライヴできなかったんだ。そんな不手際を起こしたプロモーターが、日本の Desecravity のダッカ公演を妨害しようとしたのは先に述べたとおりだ。Miss May I の場合は事情が少し異なっていて、ライヴ開催の数日前に公演がキャンセルされた。主催者がその理由をちゃんと説明したかどうかは覚えていないがね。

—— PR エージェンシーとして、またはイベンターとして活動してきて、最もよかったことと最も苦労した出来事があったら、それぞれ教えてもらえますか？

Z：バングラデシュという場所柄ゆえに、人脈を広げたり、多数の海外のバンドと一緒に仕事したりするのは容易ではなかった。経済的に恵まれているほうでもないから、ワールドワイドなフェスやイベントに自分から出向いたこともない。音楽業界の人々と知り合うことは大変なんだよ。先進国や欧米諸国の人々はたいていの場合、バングラデシュのような第三世界の開発途上国にいる俺達に見向きもしない。音楽業界だって例外ではないよ。にもかかわらず、俺は地理的に不利な条件下でも前進を止めずに、Qabar PR を成長させてきた。しかも俺はパブリシティという仕事を、兼業ではなく生業にしている。これまで稼いだ金は、家族の生活費や学費の足しになっている。そのことが実に印象深い。プロモーターとしては、日本の Desecravity を招聘した Dhaka Metal Fest が見舞われた災難と、それをどうやって乗り切ってみせたかを知らしめたいね。

——最後に今後の活動プランと、日本のヘヴィメタルファンへのメッセージをぜひお願いします。

Z：Qabar PR としての活動を続けつつ、事業の幅をもっと広げたいね。いつか日本に行ってみたいよ。個人的には大阪の True Thrash Fest と新日本プロレスの正月の東京ドーム大会に足を運びたいね。実は最近、日本の Begräbnis という 3 人組フューネラル・ドゥームメタルバンドの 1st アルバム『Izanaena』（2020 年）のパブリシティに携わったんだ。他にも多くの日本人バンドと一緒に仕事してみたい。もし日本のメタル、パンク、ゴシック、インダストリアル、アンビエント、あるいは実験音楽をやっているバンド／アーティストで、PR やパブリシティを必要としている人達がいたら、気軽に問い合わせてほしい。どうもありがとう。

Abigail Jero インタビュー

日本産ブラックメタルバンドの先駆者的存在として知られるAbigailは、30年以上にわたっておびただしい数の作品群をリリースし、世界各地でライヴを行ってきた。しかし、彼らが2012年1月、日本勢として史上初めてバングラデシュとインドでライヴしたのはご存じだろうか。日本人アーティストとして、実地で見てきたバングラデシュとインドのシーンは一体どのようなものだっただろう。Jero<g>にインタビューを申し込んだところ、忙しい合間を縫って快く承諾してくれた。強面なイメージとは裏腹に、Jeroは当時の一部始終を日記に残しており、細部も克明に覚えていた。

――まずは2012年1月、日本勢では初となるバングラデシュ・ダッカ公演とインド・ベンガルール公演が実現した経緯を教えてもらえますか？

Jero（以下J）：前置きすると、俺達は2005年11月と2010年11月にタイのバンコクでライヴしたことがあってね。このうち、2010年の2度目のタイ遠征では、バンコクで開かれたIn League with the Legion of Death!というイベントに出演した。そのオーガナイザーは、俺達とBarbatos（注：AbigailのYasuyuki Suzuki<vo, b>のソロプロジェクト）の音源をリリースしたLegion of Death Recordsだったが、ここは少々特殊なレーベルでね。オーナーはフランス産バンドManzerの Shaxulこと Frédéric Sescheboeuf<ds, vo>なんだが、彼は非英語圏出身のバンドのアルバム群を配給することに注力していた。このため、In League with the Legion of Death!には、タイのバンドだけでなく、スリランカのFuneral in Heaven、バングラデシュ

のOratorも出演していて、Cyclopean Eye Productionsを率いるSandesh Shenoyもインドのベンガルールからわざわざ観に来ていた。これを機会にインドとその近隣国でもツアーできればと思っていたところ、バングラデシュとインドで1公演ずつ、ライヴが決まったんだ。インド人やバングラデシュ人と第三国のタイで接点ができたというのは、今振り返ると妙な話だがね(笑)。

――バングラデシュとインド公演のオファーが来た時点で、両国のメタルシーンについて事前知識はどのくらいありましたか？

J：インドのDying Embraceはオファーが来る前段階から聴いていて、大のお気に入りだった。ベンガルールで彼らと共演できると分かった時は嬉しかったよ。バングラデシュに関しては、Legion of Death RecordsからEP『Violated Hejab』（2005年）をリリースしたことのあるWeaponと、さっき名前を挙げたOratorのことは知っていた。小笠原和生氏が運営するAsian Rock Risingで、俺はそれなりに辺境バンドについてチェックしているつもりだ。でも、ぶっちゃけ当時はこの3組くらいしか認識していなかったよ。

――バングラデシュとインドへ向かう移動手段はどうやって確保しましたか？

J：宿泊費、飲食費などを現地側に出してもらう代わりに、往復の航空券は俺達が自力で手配した。今でこそAbigailが海外ツアーをやる時は、往復の渡航費から宿泊費、飲食費に至るまで、各国のオーガナイザーがすべて面倒見てくれるがね。言い換えると、2012年のバングラデシュとインド公演は、渡航費が自腹だった最後の海外ライヴかもしれない。

――現地の食事は口に合いましたか？　移動中のエピソードも教えてもらえますか？

J：成田発のマレーシア航空でクアラルンプール空港に向かい、ダッカ行きの便に乗り換えたんだが、マレーシアはイスラム教が国教なので、ビールの機内販売がなかった。でも、なぜかワインやウイスキーは飲むことができたよ。ダッカ行きの便は、当然ながらバングラデシュ人の乗客ばかりだったが、機内がとにかく騒がしかった。バングラデシュもイスラム教が国教なので、彼らはアルコールをおおっぴらに飲めない。そのぶん、飛行機の中でハメを外してしまったんだろう。ダッカに着いたら、Oratorのメンバーやオーガナイザーの Primitive Invocationの連中が迎えに来て、あらかじめ予約してくれたホテルのレストランでもてなしてくれた。バングラデシュの料理は、ピラフみたいなもの（注：ビリヤニとプラオという２種類がある）と、小麦粉で固めたナンみたいなもの、それに激辛のあんかけ料理が多かった。一方、インド滞在中はぶっちゃけ３食カレーだったが、バリエーションが日本とは段違いに多く、味のクオリティも高かったよ。

2012年1月25日の深夜にバングラデシュへ降り立つと、ウェルカムパーティーでもてなされた。ただしビールは自国産ではなくシンガポール産のものだった。

AbigailがヘッドライナーTheで出演したMetal Barbarism 2012の公演ポスター。会場ではこれにサインをせがまれた。

――バングラデシュのダッカでは、Metal Barbarism 2012というイベントにヘッドライナー待遇で出演しました。失礼ですが、Abigailは現地でどのくらい認知されていたのですか？

J：当然ながら、俺達もそのことが気がかりだった。何しろ、俺達より先にバングラデシュとインドへ遠征した日本産メタルバンドはいなかったからね。ところが、いざ蓋を開けてみたら、海外ライヴでよくありがちな入り待ち、出待ちで歓待された（笑）。不思議なことに、日本と違って海外ではオーディエンスがサインと記念撮影をねだるんだよ。ただ、バングラデシュでは色紙のようなものは誰も持っていなくて、会場で無料配布していたイベントのポスターと、物販席で購入してくれた音源にサインしてくれとせがまれることが多かった。

2012年1月27日、飛行機トラブルに見舞われたAbigailのメンバーが急遽コルカタで投宿したホテル。

コルカタのホテルから足を踏み出した光景。ダッカと同じく、コルカタの夜も騒がしかった。

――バングラデシュ公演のオーディエンスはどの年代が多かったですか？

J：凄く若かった。ほとんど20代じゃないだろうか。欧米諸国に比べるとメタルシーン自体の歴史が浅いだろうからね。言い換えると、出演するバンドの中に40代のメンバーが混じっていたとしても、オーディエンスの大半は20代前半で、下手したらティーンエイジャーも観に来ていたかもしれない。インドのオーディエンスも若者が多くて、現地スタッフの中には17歳の少年もいたよ。

――バングラデシュからインドにはどうやって移動しましたか？

J：バングラデシュでのライヴ後、1日オフを挟んでインドへ向かったんだが、その際にハプニングが起きてね。インドへ行くための航空券を取っていたキングフィッシャー航空が、全便運行を停止してしまったんだ（注：経営破綻によるもの。2013年2月には運航免許停止）。このため急遽別の航空会社の便を予約したところ、本来ならダッカ発の飛行機でコルカタ空港を経由し、そのままベンガルールまで移動できるはずが、コルカタで1泊してからベンガルールへ行くことになってしまった。それが分かったのはダッカでのライヴ当日で、ハラハラさせられた。幸いにも、Oratorの連中や関係者が気を利かせてくれて、コルカタ空港を降りたら、現地のメタルヘッズがホテルを手配して俺達を送迎してくれたがね。そして翌朝、コルカタ発ベンガルール行きの飛行機に乗ろうとしたら、エコノミーからビジネスクラスの座席に変更されていたんだ。当然ながら差額を請求されたが、俺達は「まあいいか」と思って支払った。さすがにビジネスクラスは待遇がよくてね。飛行機で最前列の席に座ったのは、あの時が初めてだったよ。

――バングラデシュの国土面積（14万7980㎢）は日本の約47%にすぎませんが、インドの国土面積（約329万㎢）は日本のおよそ9倍に及びます。このため、インドで活動しているメタルバンドが自国内をツアーする際も、日本のように機材車ではなく、国内線で移動しているようです。

J：ああ、俺達がベンガルールで共演したバンドのメンバーも、「インドでツアーをやる

2012年1月28日、CauchemarのAnnick Giroux（写真左端）、François Patry（写真右端）とベンガルールで合流した。

のは凄く大変だ」と言っていた。日本の9倍近い広さなんて、想像もつかないね。そもそも、インドは交通インフラが整備されていないから、いざ車移動となると、とてつもなく大変らしい。

――Abigailはベンガルールでは Trendslaughter Fest IIというイベントに出演しました。同イベントにはインド人バンドだけでなく、カナダのモントリオールから男女混成ドゥームメタルバンドCauchemarも参加していました。その経緯を教えてもらえますか？

J：まず、Cauchemarの紅一点シンガーのAnnick Girouxはメタル業界ではちょっとした有名人で、顔も広い。彼女は、『Hellbent for Cooking』（2009年）というメタル料理本（注：世界中のメタルミュージシャンから募った料理レシピを実践、解説した書籍。本書掲載アーティストではパキスタンのDuskが登場した）の著者でもあるんだ。Annickはウチの Yasuyuki Suzukiとも親交があって、彼がBarbadosとしてカナダツアーに行った時、Annickがサポートベーシストを務めたこともあるんだ。また、Cauchemarのギタリストは Annickの旦那で、François Patryというんだが、彼らは夫婦揃ってプライベートでも日本をたまに訪れている。そんなわけで、「今度Abigailがインドでライヴするから、Cauchemarもインドに来て対バンしないか？」という流れに発展したんじゃないだろうか。いささかスケールの大きな話だがね。ちなみにインド公演から3ヶ月後、Cauchemarの2人とはドイツで再会したんだ。俺はMetaluciferのメンバーと共に、2011年4月のKeep It Trueに出演したんだが、2012年4月のKeep It TrueにはCauchemarが出ることになった。そこでドイツの会場にお忍びで行ったら、Cauchemarの2人は目を丸くして驚いていたよ。

――世界をまたにかけて活動するAbigailならではのエピソードですね。バングラデシュ・ダッカ公演の会場（National Library Auditorium）と、インド・ベンガルール公演の会場（Kyra Theater）はどんなところでしたか？

J：ダッカのNational Library Auditoriumは、そのものズバリ図書館だった。正確に言うと、煉瓦造りの図書館の地下に講堂みたいなスペースがあってね。そ

2012年1月29日、AbigailとCauchemarの両バンドはベンガルール公演を無事に終え、現地スタッフとの記念撮影に応じた。

こに地元のバンドやスタッフが各自の機材を持ち込み、DIY 感覚あふれるイベントを作っていたんだ。出演バンドのギタリスト達は自前のエフェクターさえ持っていなくて、Orator のメンバーが持ち込んだマルチエフェクターを皆で使い回していた。一方、ベンガルールの Kyra Theater は、昼間はレストランとして営業しているところで、館内は吹き抜けで広々としていてきれいだった。ちゃんとしたステージもあって、多分モニタースピーカーは備えつけのものだろう。プロジェクターも完備していて、各バンドの出番に合わせてロゴを壁に映し出すという趣向もあった。でも、日本のライヴ会場のようにスタックアンプが置いていなくて、自宅練習で使うような 50W のコンボアンプを借りるしかなかった。ぶっちゃけ音はそれほどよくなかったが、インドは電圧が高いから（注：日本は 100V だが、インドは 220 ～ 240V）、まったく問題なくライヴできたよ。

──ということは、日本から変圧器を持ち込んだのですか？

J：いや、変圧器はほとんど使わないね。Anatomia がドイツでライヴした時、変圧器を持ち込んだら、 エフェクターが火を噴いたらしいよ（注：ドイツの電圧は 230V）。バングラデシュとインドでのライヴでは、電池で動くエフェクターを使ったはずだ。どちらも初めてライヴする国だったから、電源トラブルを回避したかったんだ。海外ツアーでは、機材の選択で毎回悩まされるね。というのは、中国や台湾などのライヴハウスはアンプやドラムを常備しているが、他の国々のハコは機材が揃っていないことが多い。そうした場合は、イベントに出演するバンドが、ギターアンプやベースアンプ、ドラムなどを各自持ち寄るんだが、会場に着いてみないと、どういう機材があるのか分からないので、いつもハラハラさせられる。特にドラムは、タムやシンバルの数によってプレイが変わってくるので、Youhei<ds> は苦労している。

2012 年 1 月 26 日、Abigail が初のダッカ公演を行った、National Library Auditorium の外観。煉瓦造りでいかめしい。

National Library Auditorium のステージは演劇の舞台のような感じで、奥行（縦幅）が狭いものの、間口（横幅）が広くて動きやすかったという。

──言い換えると、インド亜大陸で機材を自前で持っていたり、ライヴやレコーディングの環境設備を整えたりしている人達は、ある程度裕福な社会階層にいるのでは？

J：そうだと思うよ。バングラデシュの Orator のメンバーは全員知的でソフトな物腰だったし、Primitive Invocation 代表の Iftekhar Faiaz Nafiz は、バングラデシュの軍医の息子だと言っていたからね。インドの Dying Embrace の Vikram Bhat<vo> も結構な富裕層で、彼の一家は地元ベンガルールでレストランを営んでいるんだ。ベンガルール公演の翌日に、Cauchemar の 2 人と共にそのレストランを訪ねたら、Vikram Bhat がウェイター

を顎で使っていたよ。

──バングラデシュとインドでの公演の模様は、それぞれライヴ盤『Alive in... Bangladesh』と『Alive in... India』（共に2012年）としてリリースされました。日本や欧米諸国で収録したライヴ盤との違いを感じましたか？　両国のオーディエンスの気質も教えてください。

J：日本や欧米諸国のライヴでも熱量は感じるが、バングラデシュのオーディエンスはとにかくプリミティヴなんだ（笑）。日本だときれいに人間の輪ができるが、バングラデシュで見たモッシュは喧嘩祭りのように、手加減抜きでぶつかり合うというものだった。思い切りぶつかるから危なっかしくて、「あれは喧嘩しているのか？　大丈夫か？」と思ったほどだよ。かたやインドのオーディエンスは洗練されていて、欧米のライヴ会場で見るオーディエンスと印象は変わらなかった。すでに2007年3月と2009年2月に、ベンガルールではIron Maidenをヘッドライナーに据えたイベントが行われ、数万人もの現地住人が観に行ったらしい。だから、ベンガルールの人々はメタルのライヴの楽しみ方を心得ていたんだ。そういう意味では、バングラデシュのほうが熱量は高くて、逆に新鮮だったね。あと、バングラデシュの会場では転換BGMが流れなくて、ギターを片手にステージに上がってセッティングしている間、オーディエンスがずっと俺達のことをじろじろ見つめているんだ。少々やりづらさを感じたので、「転換中にBGMとか流さないのか？」と現地スタッフに尋ねたが、「特にそういうことはしない」と言われてね。これまた新鮮な出来事だったよ。

── 2012年のAbigailのバングラデシュとインド公演後、Defiled（2015年1月）、Anatomia（2015年10月）、Sete Star Sept（2016年1月と2018年2月）、Riverge（2016年10月）、Corbata（2017年3月）、Desecravity（2017年7月）、兀突骨（2017年8月）、Rest in Gore（2020年3月）の計8組がインドもしくはその周辺国でライヴしました。Abigailが日本とインド亜大陸のメタル交流の礎を築いたという自負心はありますか？

J：その点については、SabbatのGezol御大 <vo, b> とよく話し合うんだ。今までどんな国々、地域でライヴしたことがあるかを競い合うかのようにね。そして「あの国はどうだった？」「飛行機会社はどうだった？」「客層はどうだった？」などというやり取りを交わすんだ。こうすることで情報交換ができるし、ちょっとしたライバル関係を築くこともできる。

──私が外から見ていると、スラッシュメタルやデスメタル、ブラックメタルをプレイする方々は、正統派バンドよりもフロンティア精神が旺盛で、中国、韓国、台湾にとどまらず、インド亜大陸や東南アジアにも積極的に遠征している印象を受けます。この点をどう受け止めていますか？

J：フロンティア精神という表現は気に入っているんだが、凄くいやらしい言い方をすると、誰も知らないようなバンドを発掘して誰かに教えたいという、アンダーグラウンドのメタルが好きな人間ならではの感性があるからだろう。どこの国であれ、アンダーグラウンドなメタルを聴いている連中だったら、そういうマニアックでいやらしい精神というものを持ち合わせていると思うよ。バンドマンだけじゃなく、通好みのバンドを好むコレクターも似たような気質を持っているんじゃないだろうか(笑)。そうじゃなきゃ、今時ヘヴィメタルを聴いていないだろうし。

──インド亜大陸のバンドや業界人に、本書の執筆に当たってインタビューしたところ、好きな日本産メタルバンドや知っている日本産メタルバンドを尋ねると、Sigh、Sabbat、Coffins、Anatomia、それにAbigailの名が挙がる頻度が多かったです。私の前書『デスメタルコリア』に登場した韓国人アーティストや業界人からは、それらの日本産メタルバンドの名前を滅多に聞かなかったです

ベンガルールの飲食店では、Beherit の T シャツを着た17 歳の少年が接客していた。Kingfisher のビールはインドで最大のシェアを誇る。

が、これはインド亜大陸のバンドや業界人のほうがマニアック気質ということですか？

J：政治情勢や宗教的な理由で、メインストリームで活動するバンドの情報が入ってこなかったからじゃないだろうか。インド亜大陸や東南アジアの中には、自由に音楽を楽しめない状況が続いていた国もあっただろうしね。そうしたエリアに、Loudness をはじめとするメインストリームのバンドではなく、Sigh や Sabbat、Metalucifer、それに俺達が、インターネットによって地下から染み出てきたわけだ。現地の人々にとっては、むしろそのほうが新鮮で、聴く機会も多かったんじゃないかと思うよ。アンダーグラウンドのメタル熱は中国でも数年前から盛んになっていて、2017 年に北京でライヴした時は、Sabbat や Sigh、俺達、Defiled などの人気が上がっているのを感じた。欧米諸国では、やはり Sabbat の名前が真っ先に挙がるが、2020 年 1 月にニューヨークへ行った時には、Evil の名前をしょっちゅう耳にした。彼らはアジアだけでなく、北欧でもツアーしているね。あと Church of Misery は、メジャーシーン、マイナーシーンに関係なく、存在感が大きくなっている。韓国に関して言うと、Butcher ABC が韓国人ギタリスト（注：Fecundation の Jeong Jong Ha のこと）を入れて、緊密な関係にあるようだね。俺達もタイミングさえ合えば韓国でライヴしてみたいんだが。

―― Abigail はバングラデシュとインドだけでなく、タイ（2005 年と 2010 年）、台湾（2009 年）、マレーシア（2017 年）、中国（2017 年）、フィリピン（2019 年）でもライヴ経験がありますが、アジアというマーケットをどれくらい重視していますか？

J：Abigail のことをサポートしてくれるアジアの人々は大勢いて、俺達のライヴを観たいというオファーにはなるべく応じたいと思っている。音源にしても、俺達はすでに 100 作品あまりをリリースしているが、個人経営の小規模レーベルからのオファーであれ、カセットテープ形態のリリースであれ、ほとんど拒まずに承諾している。カッコいい言い方をすると、基本的にファンありきでやらせてもらっているからね（笑）。その中でも、アジアのマーケットは Abigail にとって相当心強い後ろ盾で、特別な場所だと思っている。どの国を取っても、アジアでしか得られないカタルシスというものがあるんだ。たとえばバングラデシュの会場の熱量や、常夏のタイでのライヴは、実地に行かなければ体験することができない。それに、アジア諸国は貧富の差が激しいので、なけなしの金をはたいて買ったと思われるボロボロのメタル T シャツ姿のオーディエンスが会場に詰めかけてくる。タイでは、日差しが激しいのに MA-1 ジャケットやフードパーカー姿のオーディエンスを目にしたが、彼らからすればそうした衣類を着ていること自体が一種のステータスでもあるんだ。それゆえに、暑くても我慢して着ているんだろう。そういう連中が Abigail をサポートしてくれるのは本当に嬉しいことだよ。ヨーロッパと比べると

時差も少ないから、日本人バンドはどんどんアジアへ遠征すべきじゃないかと思う。

――インドのAmorphiaが2019～2020年に来日ツアーを行った際、Jeroさんがツアーマネージャーやローディーのように甲斐甲斐しく世話している姿が印象的でした。インド人やインドに対する印象を聞かせてもらえますか？

J：Amorphiaと最初に出会ったのは、彼らが2019年2月のTrue Thrash Festに出た時だ。あの時はベーシストが急に来日できなくなり、Amorphiaは2ピースだったんだが、True Thrash Festのオーガナイザーの松尾（幹稔）さんから、「Amorphiaが東京でもライヴをやりたがっている」と聞かされてね。そこで、同じくTrue Thrash Festに参加したフィンランドのBonehunterとのカップリングツアーを、俺が東京で2公演ブッキングしたんだ（注：2019年2月16～17日）。このうち、2日目の両国Sunrize公演は、掟ポルシェさんの独り打ち込みデスメタルのド・ロドロシテル（Do Rodoroshiteru）や、女性アイドルグループのNECRONOMIDOLにも出演してもらい、ちょっとしたカオティックな空間が出来上がったよ。2020年の再来日ツアーでは、Amorphiaの元ベーシストがヘルプという形で帯同していて、バンドは3人組の体裁を整えていた。とにかく彼らは、本当に気持ちのいい連中でね。ドラマーのVivek Prasadが一応リーダーなんだが、特にリーダー風を吹かすわけでもなく、仲良しの3人組が集まっているという感じで、ハメを外すような振る舞いもしなかった。Amorphiaは全然わがままを言わなかったし、日本滞在中の食事についても細かいリクエストは別になかったよ。ただ、母国で食べ飽きているせいか、「カレーだけはやめてくれ」と言われたがね。その一方で、Amorphiaは再来日ツアー中、吉野家に連日通い詰めていたんだ。「牛丼うまい」とか言って、毎日食べていたね。思わず俺が、「お前ら、牛を食べたらダメじゃないのか？」と聞いたところ、彼らは「シークレットだ」と答えたよ（笑）。

――母国ではなく海外でのツアーだから、インドではできないことをやりたかったんでしょうね。

J：そうだろうね。とはいえ、Amorphiaのメンバーは厳格なヒンドゥー教徒という雰囲気はしなかった。今時のインドの若い世代はそういう感じなんだろう。もちろん、皆が皆そうだとは断言できないがね。肝心のライヴについて言えば、Amorphiaは申し分のないプロフェッショナルだったよ。最近の欧米諸国では、ギターアンプのスピーカーから音を拾わずに、ラインでPA卓に直結して音を出すバンドが増えているが、Amorphiaもそういうセッティングをしていて、ちゃんとした機材を持ち込んでいた。インドのバンドが急速に欧米に近づいているという印象を受けたね。そういえば、Amorphiaのメンバーが再来日ツアーを終えて帰国した後、写真付きの近況メールが届いたんだ。「新型コロナウイルスの影響で2週間仕事できないから、皆で家に集まっている」と書いてあったんだが、添付された写真を見るとメンバー全員でプールに入っていたよ。プール付きの家に住んでいるということは、彼らも富裕層なんだろう。余計な突っ込みは入れなかったがね。

――日本の外務省が2019年11月に、18～69歳のインド人を対象に世論調査したところ、インド人男女2200名のうち65%（1430人）が「日印両国はとても友好関係にあり」、「今日の日本は信頼できる」と回答しました。しかし日本に住まう我々は、インドといえば貧困、性犯罪、不衛生といったネガティヴな事象を連想しがちです。このギャップを埋めるにはどうすべきでしょうか？

J：貧困、性犯罪などはインド一国だけの社会問題ではないのに、日本人はどうもインドのネガティヴな面ばかりを粗探しして

いるんじゃないかと思う。たぶんそれは、個性を重視するよりも平均的であることをよしとして、短所に目をつぶって長所を伸ばそうとしない日本特有の学校教育のせいだよ。Abigail の 2012 年のインド公演では、Cyclopean Eye Productions の Sandesh Shenoy しかり、Dying Embrace の Vikram Bhat しかり、皆が一生懸命にもてなしてくれた。だからこそ、俺達がインドの人々から受けた恩を返してあげたいと思っていて、Amorphia のような海外バンドが来日ツアーする時には、ほとんど躊躇せずにアテンドしている。日本の若い連中が、そういう俺の姿を真似して、いいところを掴んでくれればと願っているんだが。Dying Embrace も日本に呼んでみたいね。

——先ほども触れたように、Abigail はバングラデシュとインドだけでなく、多くの国・地域でライヴしましたが、ツアー先で何らかのトラブルに見舞われたことはありませんか？　何事にも表と裏、光と影があるとよく言いますが。

J：人づてに、いざ海外ツアーに出たものの、現地入りしたらポスター、フライヤーがろくに設置されていなかったというケースを耳にするが、俺自身は細かいことを気にしないタイプで、嫌なことがあってもすぐ忘れちゃうほうなんだ。でも、2012 年のインド公演を終えて帰国する際に、大きな痛手を被ってね。ギャラ、音源とグッズの売上があったから、俺達の手持ちの金はインド入国時よりも増えていた。ところが、帰りの空港の両替所で「インドの通貨（インドルピー）は国外持ち出しが禁止されている。入国時に持っていた金額より増えた分は両替できない」と告げられ、ギャラと売上を没収されてしまったんだ（注：2013 年 9 月より、1 万インドルピー〈約 122 ドル〉までは出国時に持ち出し可能となった）。

——それは災難でしたね。ところで、インド亜大陸の新鋭バンドの音楽は Amorphia 以外も聴いていますか？

J：最近の俺は音楽ライターとしても活動していて、ディスクレビューやライナー解説を書くために聴かなければいけない CD が山積みになっている。このため、知り合いのバンドマンからもらった音源を聴く時間もなかなか作れない。たまに、Cyclopean Eye Productions の Sandesh Shenoy が「これ聴いてくれ」と言って、若手バンドの試聴用音源の URL を送ってくるんだが、個人的にネット経由で聴くのは性に合わなくてね……。逆に、『デスメタルインディア』の中から、お勧めのバンドをピックアップして教えてもらえたら助かるよ。

——最後にお尋ねしますが、インドやバングラデシュでまたライヴしたいですか？ Primitive Invocation の一員で、Qabar PR 共同オーナーの Syed Zoheb Mahmud 氏にインタビューしたところ、「Abigail のメンバーの意向は聞いていないがね」と答えていましたが。

J：もちろん、オファーさえ来ればすぐにでも飛んでいきたいくらいだよ。

2012 年 1 月 30 日、インドを旅立つ前に Abigail と Cauchemar の両バンドが記念写真に収まる。中央の人物は Metal Farmer と名乗っていた。

Abominable Carnivore
Light Devours Our Lust
Dust and Guilt Records　2012　Black/Death Metal
ダッカ

2011 年に始動した 4 人組デス／ブラックメタルバンドによるデビュー EP。バンドは 1349、Behemoth、Belphegor など欧州～北欧の先人達を影響源に挙げているが、手数の多い Malphas<ds> が甲高いスネアの連打で疾駆するのが特徴。このため彼のドラミングだけに耳を澄ますと、ブルータルデスメタルのように聞こえる。バンドは本作リリース後に、ブラジルの Barrabás とのスプリット盤『Tyrants of Blasphemies』を発表したが、本稿執筆時は Impaler なるドラマーを迎えて活動している。

Absentia
Exit.Paradigm
自主制作　2015　Metalcore/Djent
ダッカ

Ekram Wasi<g> と Shahariar Ahamed<ds> を中心に 2011 年に結成された 5 人組メタルコアバンドによる初の EP。前作の 2nd シングル「Not Alone」(2014 年）の頃から Veil of Maya などの影響が顕著になっており、クリーンとグロウルを使い分ける。曲構造は割とシンプルだが、出来映えは欧米産バンドに比肩する。ところが、本作発表後に初代シンガーの Sameer Rahman が脱退し、後任の Hassan Munhamanna もバンドを離れたため、本稿執筆時はヴォーカル不在である。

Atavists
Hire for Suicide
Mushroom Entertainment　2021　Metalcore
ダッカ

2017 年に始動した 5 人組メタルコアバンドの 3rd アルバム。中心人物の Shahriman Shaan<ds> はアメリカのマサチューセッツ州のドラムブランド SJC のエンドーサーでもある。前シングル「Lohori」(2019 年）はクリーンヴォイスの比重の高いナンバーで、全編ベンガル語詞だった。かたや本作は英語詞のアグレッシヴな曲で、幾分 Djent 要素もある一方で、日本の叙情派ポストハードコアバンドのような佇まいを醸し出す。Shanil Arnab<vo> はクリーンとグロウルの二刀流だが、クリーンの歌唱がやや不安定。

Barzak
Barzak
Butchered Records　201　Black/Death Metal
ダッカ

Orator の結成前に、Skullbearer こと Amitav Sanyal<vo, g> と Vritra Ahi<b> が在籍していた 3 人組バンドによる最終作。デモ音源の『Opocheshta』(2005 年）と唯一のアルバム『Qabiluhu』(2006 年）をコンパイルしている。Cannibal Corpse や Nile の影響下にあるサウンドだが、全体的にプロダクションは劣悪。『Opocheshta』収録の 4 曲は音の抜けが悪くてモコモコしている。『Qabiluhu』収録曲もドラムがバタバタと忙しなく、金物も耳障りだ。

Black Stain
নব্রিবাসিত স্বাধীনতার পর (Nirbashito Shadhinotar Por)
Mushroom Entertainment　2017　Progressive Metal
ダッカ

2008 年に結成された、5 人組プログレッシヴメタルバンドによる 5 曲入りデビュー EP。バンドは 1980 ～ 1990 年代のさまざまな先人達を影響源に挙げているが、M1「Nirbashito Shoinik 2」などで広がるサウンドは、グランジ／オルタナティヴに接近してダークな色彩をまとっていた頃の Queensrÿche を想起させる。しかし、英語詞のバラードの M3「Meaningless Thoughts」を除くと似たようなテンポの曲ばかりで、特に技巧や緻密さを押し出しているわけでもないので、際立った個性に欠ける。

Brajangngana
Udaiyaal
自主制作　2020　Melodic Black Metal
ダッカ

Mourning Hours 名義で活動する、Rubayet Hussain が新たに始めたプロジェクトの 2nd EP。ロシアの GS Productions で流通された前作『Pratinibritta』(2014 年）は、物悲しいシンセにノイジーなギターを交えたアトモスフェリック・ブラックメタルと言える作風だった。ところが本作の場合、表題曲の M3 はアトモスフェリックな雰囲気重視のインストナンバーだが、M1「Craven's Snivel」と M2「Rani of Kittur」はブラストで駆け抜けるパートが目立つ。

Burial Dust

Oshubho Ahobaan

自主制作　2016　Black Metal
ダッカ

2013年に始動した4人組ブラックメタルバンドによる5曲入りのデビューEP。Mayhem、Bathory、Morbidなどを影響源として挙げているが、実際のサウンドはBehemoth、Nileなどを想起させる。タイトルチューンのM1はベンガル語詞による幾分ドゥーミーな曲だが、英語詞のM2「Where Is Your Rahmaa」以後は中近東風のメロディーを織り交ぜてた楽曲群が並ぶ。このうちM4「Sandshaded Mausoleum」は、古代エジプトの王ツタンカーメンの謎の死を描いた曲だ。

Chronicles

Chaos Cosmogony

Helldprod Records　2022　Death Metal
ダッカ

2015年結成の5人組デス／ブラックメタルバンドによる3作目のデモ音源。デビューEP『WarMachine』(2019年）ではNileのようにオリエンタルな旋律を採り入れていたが、2作目のデモ『Astōdān』（2020年）で路線変更を図り、Hellhammerの3rdアルバム『Satanic Rites』（1983年）収録曲のカヴァーに挑戦。本作ではその経験を糧に、邪悪で禍々しいリフを刻みながら忙しなく疾走するが、アコギによる物悲しいインストのM6「Rest into Moist」で幕を閉じる。

Creature of Judgement

Creature of Judgement

自主制作　2013　Melodic Black/Death Metal
ダッカ

前身のFadeからバンド名を改称した4人組バンドによる1stアルバム。Behemoth、Immortalなどを思わせる勇壮なデス／ブラックメタルをプレイしているが、M1「War」のイントロは正統派メタル寄り。ソプラノヴォイスの女性シンガーが客演したM2「Mrittu Porikroma」はシンフォニックなアレンジが施されており、M4「Suicide Note」にも女性シンガーが登場する。M3「Becoming a God (Kratos)」はアメリカのゲーム『ゴッド・オブ・ウォー』シリーズから着想を得た曲だろう。

Cryptic Fate

ভবঘুরে ২০২২ (Bhoboghure 2022)

Danob Records　2022
ダッカ　（初期）Heavy Metal、（現在）Progressive Metal

結成は1993年に遡る4人組バンドによるシングル。作品リリースを重ねるごとに音楽性を変えているバンドだが、本作はプログレッシヴ・メタルに路線変更する前の2ndアルバム『শ্রেষ্ঠ（Sreshtho）』（2002年）からメロディアス・ハードロック風の曲を選び、オリジナルリリースから20年ぶりに録り直したものだ。ベンガル語詞であることを差し引いて考えれば、Magnumのようにキャッチーな曲調だが、キーボードなしの編成なのでシンプルな音像である。当然ながら音質は20年前よりも格段に向上した。

De-Illumination

অনিবার্য(Onibarjo)

Deadline Music　2010　Symphonic Progressive Metal
ダッカ

2006年に5人組で始動したプログレッシヴメタルバンドの1stアルバム。洋式トイレの便座に人間の顔を描いたようなアートワークが目を引くが、アルバム名を英訳すると「Inevitable ／不可避」の意味になる。ストリングスをふんだんに織り交ぜているが、肝心のシンセの音色がチープだ。Sazzadul Arefeen<g>が流麗なプレイを随所で繰り出す一方で、ヴォーカルは全編ベンガル語なので、言葉の響きがエキゾチックな雰囲気を発散し、聞きようによってはMyrathのような印象も受ける。

Death Repentance

Decomposition

CD RUN　2019　Sluggish Thrash/Death Metal
シレット

シレットで2018年に4人組として始動したバンドのデビューEP。本稿執筆時点ではSohel Mahbub<vo, g>、Uzzal Uzu<b>、Arnob Dey<ds>のトリオで活動している。Children of Bodomの作品群を想起させるアートワークだが、実際のところは通称『Black Album』（1991年）以降のMetallica、Slayerなどスラッシュメタルの大御所の影響下にあることが窺える。しかし演奏レベルは著しく低く、曲構造も単調。刺激やアグレッションも不足している。

Deaths Wrath
Dominion Through Obscurity
自主制作 2016 Black Metal
ダッカ

2014年秋に結成され、翌年から本格始動したブラックメタルバンドのデビュー盤。北欧産ブラックメタルの作法に忠実なサウンドで、全体的に音質は粗い。Mayhem、Dissectionなど多くの先人達を影響源に挙げているが、意図的に単調なリフを刻んだり、時折ミドル〜スローパートを織り交ぜる手法はDarkthroneを想起させる。元々はツインギターの5人組だったが、本作発表後にOriuas<g>とRamesses Ceasaras<ds>が「宗教上の理由で」脱退し、本稿執筆時は4人編成で活動している。

Demonic Assault
Devastated Vitality
自主制作 2017
チッタゴン

ガタイのよいMohammad Imran Jahangir<g>を中心に結成された、5人組デスメタルバンドのデビューEP。Power of GroundのTanvir Ahamed Abid<vo>がここでもシンガーを務めている。ただし彼は本作では高音のスクリームやピッグスクイールを封印し、低音グロウルのみに徹している。そのせいか、どこかObituaryを想起させる音楽性だ。ちなみにMohammadは本稿執筆時点で、メタルTシャツやパッチなどを販売する「High Distortion」の店主を務めている。

Dissector
Local Maniac Syndrome
自主制作 2013 Thrash Metal
ダッカ

2011年の結成後、デスメタルからスラッシュメタルに宗旨替えしたバンドの5曲入りEP。本作リリース当初はツインギターの5人編成だったが、本稿執筆時はParvez Shetu<vo, b>を擁する4人組に再編されている。過去のライヴ映像を見ると、Slayerおよび往年のジャーマンスラッシュ三羽烏（Sodom、Kreator、Destruction）の楽曲群をカヴァーしていた。本作で広がるサウンドも、先に述べた大御所の強い影響下にある突貫型のスラッシュメタルで、ライヴ映えしそうな楽曲群が収められている。

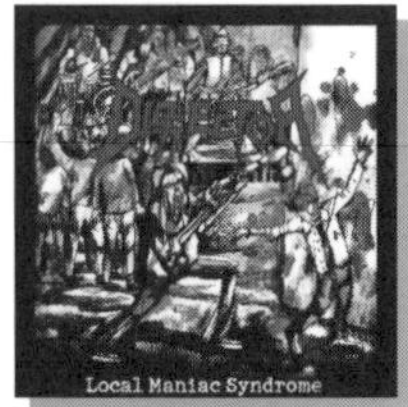

Dreadbrade
অশুভ সংকেত (Oshubho Shongket)
自主制作 2017 Old School Heavy Metal/Rock
ダッカ

2015年からダッカで活動する4人組バンドのデビューシングル。山羊をあしらったバンドロゴとは裏腹に、ブラックメタルではなく、「Old School Heavy Metal」を標榜しているバンドで、1970〜1990年代の雑多なジャンルの先人達を影響源に挙げている。しかし実際のところはBlack Sabbathに源流を持つドゥームメタル志向。ただし、Shahed Mo Rahman<vo, g>はよく伸びるハイトーンの持ち主なので、バンド側の狙いはさておき、Candlemassによく似た印象を受ける。

Ground-Force
Tree of Life
自主制作 2021 Heavy/Power Metal/Hard Rock
ダッカ

元Warfazeで、 現De-IlluminationのSazzadul Arefeen<g>を擁する5人組バンドの1stアルバム。映画『ターミネーター』シリーズのように機械と人類が戦う近未来を描いた3枚組のコンセプト作で、1枚目が英語詞ヴァージョン、2枚目がベンガル語ヴァージョン、3枚目がインストヴァージョンだ。Symphony X、Queensrÿcheなどを影響源に挙げているとおりのプログレッシヴメタル路線だが、表題曲のM1以外のナンバーは疾走感や力強さに乏しく、技巧を前面に押し出しているわけでもない。

Eclipse
Prithibir Prohor
自主制作 2016 Progressive Metal
ダッカ

キーボード奏者を含む5人組バンドが遺した唯一のアルバム。過去の映像を調べると2005年の時点でライヴ活動をしており、当時はIron MaidenやChildren of Bodomをカヴァーしていた。ところが、いざ蓋を開けてみるとDream Theater、Symphony Xに肉薄するプログレッシヴメタルで、特にM8「Qayam」でのギターと鍵盤の応酬は聴きごたえがある。バンドはすでに解散したと思われるが、ベンガル語による歌唱さえ気にならなければ、この手のジャンルを好むリスナーにお勧めしたい。

Eerbaruh

To Yearn the Sacrilegious

自主制作 2020 Black Metal

バングラデシュ・ラジシャヒ／マルタ・ピータ／アメリカ

Thy Ethos の Ayman Shimul<b> と、マルタの Saħħar こと Marton Saliba<g>、それにアメリカの Vox Abomino<vo> と D.<ds> という多国籍の 4 人組ブラックメタルバンドによるデビュー EP。アメリカ人メンバー 2 人の具体的な出身州は不明だ。北欧のブラックメタルの作法に忠実で、歌詞でも反キリスト教色を打ち出しているのかと思いきや、締めくくりの M4「Betower of Eternal Bliss」は血と殺戮を好むヒンドゥー教の女神カーリーを題材にした曲だった。

EF

মুখোশ (Mukhosh)

Mushroom Entertainment 2016 Heavy Metal

ダッカ

2011 年に結成された 4 人組バンドによる 1st アルバム。風変わりなバンド名は「Ending Face」の略記だ。1990 年代以降のニューメタルおよびモダンヘヴィネスを雑多に採り入れたサウンドで、重たいリフでグルーヴ感を発散する一方で、Linkin Park のようなキャッチーさも併せ持っている。Ankur Rahman<vo> は野太い声質だが、バラードでも優れた歌声を披露する。本稿執筆時点ではバンドの公式 Facebook は利用不可だったので、次作の『Ending Face』（2018 年）を最後に解散した模様。

Enmachined

Thrash Assault

Salute Records 2013 Thrash Metal

ダッカ

2011 年に始動したツインギターの 5 人組スラッシュメタルバンドのデモ音源だが、日本の輸入盤市場で流通されたことがある。過去のライヴ映像を見ると Overkill のカヴァー曲をプレイしており、タイトルチューンの M2 ではシンガーの Abir Mahmud<vo> が、まさに Overkill の Bobby"Blitz"Ellsworth のような金切り声を繰り出す。バンドの公式 Facebook や YouTube では、日本の自殺の名所である青木ヶ原樹海を題材にした未音源化曲「Entering No Exit」のライヴ映像を視聴できる。

Eternal Armageddon

In Light in Dark in Hate

自主制作 2020

ダッカ （初期）Melodic Black Metal、（現在）Black/Thrash Metal

2009 ～ 2013 年に活動後、1 年のブランクを経て 3 人組に再編されたバンドによる 1st アルバム。キャリアの初期はブラックメタル志向だったが、再始動後のデモ音源『Black Thrash Bastards』（2015 年）で初期 Sodom をカヴァーした点から分かるように、本作では邪悪で不穏なスラッシュメタルを採り入れた。タイトルチューンの M4 は、もろに Sodom のように 2 ビートで軽快にスタスタと疾走するナンバーだが、その他の楽曲群は Immortal のような勇壮なブラックメタルからの影響を感じさせる。

Exalter

Persecution Automated

Transcending Obscurity Asia 2017 Thrash Metal

ダッカ

2013 年から活動する 3 人組スラッシュメタルバンドによる初のフルアルバムで、前 EP『Obituary for the Living』（2016 年）と同じく隣国インドの Transcending Obscurity Asia にて配給された。バンドの公式 Facebook では 3 人組のスラッシュメタルが希少であるかのように記されているが、特筆するほど目新しくないと思うのは筆者だけではないだろう。肝心の音楽性は往年のベイエリアスラッシュの雛形によきも悪しきも忠実だが、前 EP よりも初期衝動や音圧が減退した印象を受ける。

Exenemy

The Choir of the Martyrs

Mushroom Entertainment 2016 Power Metal

ダッカ

2012 年に結成されたパワーメタルバンドによる初のフルアルバム。英語詞が 8 曲でベンガル語詞が 2 曲。リズム隊の Akib Sharif<b> と Sharyar Hassan<ds> は従兄弟同士だ。M1『MIA』や M2『Rusty Wings』はもろに DragonForce を彷彿とさせるが、勇壮なミドルチューンやバラードなどバラエティ豊かな楽曲群が収められている。しかし本作で見事なハイトーンを披露した Emran Hassan はバンドを脱退し、本稿執筆時点では Ahmed Souren<g> がシンガーを兼ねている。

Exothermic
Demonic Derision
自主制作 2021 Death Metal
ダッカ

2020年結成にもかかわらず、「Old School Death Metal」を標榜する5人組バンドの2ndシングル。前作「The Conspiracies of Mass Death」(2021年)ではアラブ諸国と対立するイスラエルを非難していた。本作では現代の独裁者達、具体的には北朝鮮の金正恩、ロシアのウラジミール・プーチン、シリアのバッシャール・アサドの3氏に非難の矛先を向けている。楽曲の方向性は前作と変わらず、イントロでは単音リフを刻みながら疾走するものの、重量感を伴ったミドルテンポ曲である

Green Army
Reborn of the Blackened Phenomenon
Tridroid Records 2013
ダッカ Thrash/Death Metal

Asif Adnan<vo>とManish Das Gupta<g>を中心に結成された4人組スラッシュメタルバンドのデビューEPで、アメリカのミネソタ州のTridroid Recordsにて配給された(オリジナルリリースはカセット形態)。元々Asifはベース兼任だったが、本稿執筆時はシンガーに専念し、Soumik Islamなるベーシストを新たに迎えている。初期Sepultura、Slayerなどを影響源に挙げているが、体感速度はそれほどでもなく音質も劣悪だ。M4「Insanity Syndrome」だけスネアの音が甲高くなるのはなぜだろう。

Funeral Anthem
অপ্রতিরোধ্য(Oprotiroddho)
Incursion Music 2012 Power Metal
ダッカ

2008年に始動したキーボード奏者を含む6人組バンドのデビュー盤で、アルバム名を英訳すると「Irresistible/圧倒的」という勇ましい単語になる。日本人リスナー好みの憂いを帯びたパワーメタルで、ギタリスト2人が派手なプレイを披露するが、プロダクションは頼りない。母国の名をそのまま冠したM2「Bangladesh」は転調で終盤を盛り上げる。歌詞は全編ベンガル語だが、Faiyaz Hossain<vo>はマイルドなハイトーンの持ち主。バンドの公式Facebookは2014年2月を最後に更新を停止している。

H2SO4
রাজসেনার কালো হুংকার(Rajshenar Kalo Hunkar)
自主制作 2022 Thrash/Death Metal
シレット

2011年結成の5人組スラッシュメタルバンドによる3作目のシングル。バンド名の由来は劇物の硫酸を表す化学式だ。デビューEP『British Bangla Testament』(2017年)はオール英語の歌詞を甲高い声でまくし立てる作風だったが、2作目のシングル「Operation Searchlight」(2018年)でShuvo<vo>は唱法を変え、ベンガル語の歌詞を朗々と歌い上げた。本作もベンガル語詞の作品だが、音楽性自体はデビューEPの頃から一貫してSlayer、Testamentなどの影響が窺える。

Gene-Split
সত্যাগ্রহ(Shottagroho)
G-Series 2009 Thrash Metal
ダッカ

Mahmud Hasan Rajib<vo>とSamiul Islam Mahi<g>を中心に、2004年から活動している5人組スラッシュメタルバンドによる1stアルバム。バングラデシュ産のスラッシュメタルバンドはSlayer、Sodom、Kreatorなどの流れを汲む突進型が多い印象を受けるが、このバンドの場合は疾走感よりも重さとグルーヴに軸足を置いており、幾分プログレッシヴ色も併せ持っている印象を受ける。本作の歌詞は全編ベンガル語だが、2ndアルバム『Triumvirate』(2012年)は全曲英語詞だった。

Hallucination
কৃত্রিম পৃথিবী(Krittim Prithibi)
Qinetic Music 2013
ダッカ Melodic Death Metal

2010年に結成された6人組メロディック・デスメタルバンドのデビュー盤で、ニュージーランドのSatanica Productionsでも配給された。ベンガル語のアルバム名を英訳すると「The Simulated World」の意味になる。Children of Bodomの影響が強いサウンドだが、アートワークもプロダクションも貧弱。M2「শেষ যুদ্ধ(Shesh Juddho)」に限っては、Wahid Uz Zaman Turjo<b>がスラップ奏法を繰り出し、Tanvir Faisal<vo>がクリーンヴォイスで歌うという工夫が見られる。

Homicide
Minotaur Unleashed
自主制作　2020　Technical Death Metal
ダッカ

インドネシアに同名のヒップホップグループが存在したが、こちらはダッカで 2008 年に結成された 4 人組デスメタルバンドによるキャリア初のフルアルバム。デビュー EP『Annihilation Pit』（2013 年）と同じく、古代ギリシャとローマの神話から着想を得た楽曲群を収めている。タイトルチューンの M3 は、牛頭人身の怪物ミノタウロスを題材にした曲だ。Nile を影響源に挙げているとおり、オリエンタルなフレーズを交えつつ、起伏に富んだ曲展開で攻め立ててくる。ただし、本作リリース後に弦楽器隊が交代した模様だ。

Ionic Bond
Sword of the Alchemist
自主制作　2021　Melodic Death Metal
チッタゴン

2008 年に始動した、ツインギターでキーボード奏者を含む 6 人組バンドによる 5 作目のシングル。デビューアルバム『Amavashya Lore』（2015 年）はメロディック・デスメタルにフォーキッシュな味わいを添加したり、EDM 風の要素を交えたりする創意工夫が見られた。本作は Children of Bodom のように疾走したかと思いきや、テンポを落としたパートでは Amorphis のようなフォーキッシュな雰囲気を発散。前掲のデビューアルバムの頃から一貫して洗練された音像で、北欧の先人達への傾倒ぶりが窺える。

In Dhaka
নিঃশব্দ কোলাহল(Nishshobdo Kolahol)
Sargam　1992　Heavy Metal, Psychedelic Rock
ダッカ

バングラデシュのシーン黎明期の 1990 年代に活動したツインギター、キーボード奏者を含む 6 人組バンドが唯一遺したアルバム。アルバム名を英訳すると「Silent Racket」の意味になる。タイトルチューンの M2 だけは NWOBHM の影響下にある曲だが、懐メロのような楽曲群が多勢を占めるので困惑してしまう。M5「প্রার্থনা কর（Prarthona Koro）」はロカビリー風のナンバーだ。時代背景や国柄はまったく異なるが、歌謡ロックから脱しきれなかった 1980 年代半ばの韓国産バンドを彷彿とさせる。

Jahiliyyah
Aiyyame Jahiliyyah
Glory Records　2011
ダッカ　Black/Death Metal

2009 年に結成された 4 人組デス／ブラックメタルバンドによる唯一のデモ。ボリビアの Eternal Transmigration Records にてカセットテープ形態で流通されたことがある。バンド名の由来は、イスラム教の成立前の「無知」「無明」だった時代を指す言葉だ。Behemoth や Belphegor などの影響下にあるサウンドで、実際に Behemoth の初期楽曲「...From the Pagan Vastlands」（1993 年）をカヴァーしたライヴ映像もあった。その一方で、中近東風のフレーズをたまに交えている。

Infidel
Swallow This
Sonic Station Records　2018　Groove Metal
ダッカ

Mustakim Al Mahdi<g> を中心に結成されたメタルコアバンドの 2nd シングル。結成当初は 5 人組だったが、本作は 4 人編成でリリースされた。前作「End of Disgrace」（2017 年）と同じく、Lamb of God の強い影響化にあるサウンドで、Sadman Rahman<vo> の唱法も Lamb of God の Randy Blythe を意識した節があるが、際立った個性に欠ける。バンドは本作を引っさげ、インドの Bangalore Open Air への出場権を争うコンテストに参加したが落選した。

Kaal Akuma
In the Mouth of Madness
Dunkelheit Produktionen　2021　Death Metal
ダッカ

Homicide の Akif Ahmed Khan<g> が掛け持ちしている 3 人組デスメタルバンドの 1st アルバム。インドの Kapala の作品群と同じく、ドイツの Dunkelheit Produktionen で配給された。確信犯的な劣悪音質でまとめている点も Kapala と似ているが、彼らほど暴虐な印象は受けない。その半面、終始ブラストで疾走するだけでなく、ドゥームメタルの性向も併せ持ち、深く沈み込むスローパートで緩急の差を際立たせる。締めくくりの M5「Yamantaka」は怪しげな土着臭を発散するインスト曲だ。

Mechanix

ম্লানচিত্র' (Mlanchitro)

Hi 5 Film Factory 2021 Melodic Heavy/Groove Metal/Hard Rock

シレット

2006年に結成された5人組バンドによる6作目のシングル。デビュー作『অপরাজেয় (Oporajeyo)』(2011年)ではオルタナティヴ路線のハードロック曲やメロウなバラードなどを雑多に収めていたが、5作目のシングルছিন্ন পৃষ্ঠা(Chinno Prishtha)(2019年)は一転してスラッシュメタル路線になった。本作も初端からスラッシーなリフを刻みながら駆け抜けるが、Metallicaの「Enter Sandman」(1991年)のようなスローパートもある。とはいえ、約8分という尺は冗長に感じる。

Minerva

Doitto

自主制作 2020 Thrash/Groove Metal

ダッカ

2013年のアルバム『Biday Shongbidhan』でデビューした5人組バンドによる、通算5作目のシングル。Encyclopaedia Metallumでは「Thrash/Groove Metal」に分類されているが、実際はAlter Bridge、Creedといったアメリカのポストグランジ／オルタナティヴ寄りの音楽性。本作はアートワークが示すとおり、人間の心に巣くう悪魔を題材にした曲だが、劇的な盛り上がりに欠ける。本稿執筆時点で、Ali Anubhab Rajat<b>はドイツのベルリンに移住している。

Messianic Era

Messianic Era

Messianic Records 2021 Progressive Metal/Rock

ダッカ

2011年に始動した4人組バンドが苦節10年の末に発表した、セルフタイトルの1stアルバム。初端のM1「The Arrival」はDjent風のインスト曲だが、同郷の大先輩のArtcellと同じく、Dream Theater直系のプログレッシヴメタルをベンガル語で披露している。ただしArtcellよりもテクニカルでモダンな音像である。M4「Joyotshob」はOpeth、Porcupine Treeのように陰りを帯びた静謐なナンバーで、唯一の英語詞曲のM5「Illusion」ではグロウルが飛び出す。

Mirrorblaze

Triumph of the Villain

Incursion Music 2012 Thrash Metal

ダッカ

Exalterのドラマーである Afif Sarker が元々在籍していた3人組スラッシュメタルバンドによる唯一のアルバム。本作でAfifはシンガーも兼務しており、過去のライヴ映像を見ると本当にドラムを叩きながら歌っていた。スラッシュメタルでドラム兼ヴォーカルを擁するバンド形態は目を引くが、基本的な音楽性はSlayer、Sepultura、Kreatorなどの影響が窺えるもので、前のめりにつんのめりながら休みなく疾走する。その一方で、タイトルチューンのM6などはAnthraxを想起させる側面がある。

Metal Maze

Metal Maze EP

G-Series 2014 Heavy Metal

ダッカ

1995年に始動した5人組の正統派バンドによるセルフタイトルのEPで、通算3作目。元々はキャッチーなアメリカン・ハードロック志向で、バングラデシュでは希少な存在のバンドだったが、本作ではAlter Bridgeを想起させるサウンドに様変わりした。SE代わりのM1「Intro」を除くと重心を落としたミドルテンポの曲が多いが、本作のみの参加に終わったShahriar Shabbir<vo>の歌唱は結構パワフルで、バンド創設者のKazi Faisal Ahmed<vo>も随所で派手なプレイを繰り出す。

Moonshiner

Moonshiner

自主制作 2017 Stoner/Doom Metal

シレット

Necrolepsyで活動したBephometh<vo>とMuttaki J. Shafayathによるサイドプロジェクトのデモ音源。本作ではMuttakiがギター以外の楽器パートも独力で手掛けている。Necrolepsyとは音楽性がまったく異なり、DownやCrowbarなどアメリカの土臭く埃っぽいストーナー／スラッジメタルを志向。Muttakiのギタープレイは Black Sabbath の Tony Iommi からの影響も窺えるが、Bephomethはあくまで下水道ヴォイスでの歌唱を押し通している。

Morbidity
Revealed from Ashes
Memento Mori　2014　Death Metal
ダッカ

2011年に結成された5人組デスメタルバンドの1stアルバムで、スペインのレーベルMemento Moriで配給された。ツインギターの片翼は、Nuclear Winterに在籍するSharif Amitが務めている。バンドは「Pure Old School Death Metal」を標榜しており、イギリスのWeb媒体、Global Metal Apocalypseの取材でもそう答えていたが、実際のところはスウェーデン産デスメタルの作法に忠実なサウンド。チリチリしたリフを刻みつつ、ブラストで猛然と襲いかかる。

Necrolepsy
Clot over Concrete
Mortuary Productions　2020　Brutal Death Metal
シレット

Bephometh<vo>とAsmodeusことMuttaki J. Shafayath<g, vo>の2人から成るバンドが、2枚目のEPリリースに先駆けてネット上で公開した楽曲。初の単独作『Exhibition of Mutilated Apparatus』(2014年)はゴアグラインドの性向が色濃かったが、本作ではObscuraのようなテクニカル・デスメタルに路線変更した。尺は3分未満だが、うねるようなベースラインが印象に残る。本稿執筆時点で、Asmodeusはカナダのトロントに居を移している。

Nafarmaan
Quayamat Lullaby
Salute Records　2014　Black/Death Metal
ダッカ

Agnee Azaab<g>とNohttzverことShekh Rezwan<ds>を中心に2008年に始動したデス/ブラックメタルバンドによる初のEP。元々は5人組だったが、Shekhは本作発表後にバンドを脱退。本稿執筆時は後任ドラマーのImpalerを含む4人編成だ。英語で「Blasphemer/冒涜者」を指すバンド名に違わず、各収録曲の歌詞もサタニックな内容だが、全体的にチープなプロダクション。タイトルチューンのM1の歌詞には、イスラム教の審判の日を告げる天使イスラーフィールが出てくる。

Nekrohowl
Epitome of Morbid
自主制作　2017　Death Metal
ダッカ

2016年に始動したデスメタルバンドによる5曲入りEP。初音源であるセルフタイトルのデモ音源(2016年)では4人組だったが、本稿執筆時はトリオ編成で活動しており、元HomicideのObliterato<g>がシンガーも兼務している。陰鬱なインストのM1「Summoning Darkness」で幕を開けると、SuffocationやImmolationなどへの憧憬を反映したサウンドを披露する。M3「Worship Thy Malevolence」の締めくくりに30秒弱の無音があるのはなぜだろうか。

Nawabs of Destruction
Divinity's Curse
Pathologically Explicit Recordings　2022
ダッカ　Technical/Melodic Death Metal

元JahiliyyahのSaad Anwar<vo>と、Taawkir Tajammul<g, vo, key>による2ピースバンドのシングル。ベースとドラムは打ち込みだと思われる。1stアルバム『Rising Vengeance』(2020年)はメロディック・デスメタルに軸足を置きつつ、Obscuraのように技巧を前面に押し出したり、Opethのように静謐なパートを設けたりしていた。かたや本作は、オルガンやストリングスで荘厳さを演出したり、ネオクラシカル風のギターを交えたりしているが、メロディック・デスメタルならではの叙情味は控えめだ。

Night Mare
শব্দ নিশ্বাস(Shobdo Nishshash)
KT Series　2002　Heavy Metal/Hard Rock
ダッカ

Nazmul Abedin<vo>とRezaul Hossain<b>を中心に1994年に結成された5人組による2ndアルバムであり、最終作。旧宗主国であるイギリスのIron Maidenの影響が顕著だが、ツインギターではなく、キーボード奏者を擁している。動きの多いベースライン、随所に配されたシンガロングパートはまさにIron Maidenだが、全体的にチープなプロダクションで、Nazmulの歌唱も頼りない。にもかかわらず、6～8分台の長尺曲が多勢を占め、懐メロ風のM3「Opeckkha」もあるので余計に困惑する。

Nuclear Winter
Warborne Assault
Wartorn Records 2013 Thrash Metal
ダッカ

2009 年に結成された 4 人組スラッシュメタルバンドによる初の 5 曲入り EP。M1「Nuke 'Em Back to the Stone Age」以外は 2 ～ 3 分台というコンパクトな内容。Venom や Slayer のように禍々しいリフを刻みながら終始疾走するが、M5「Not a Step Back（Order No. 227）」はソ連の軍歌と思しき SE で始まるので意表を突かれる。しかも曲名の由来は、第二次世界大戦中にスターリンがソ連兵に後退を禁じた命令だ。インドとソ連の支持を得てバングラデシュが独立したからだろうか。

Overlord
Resurgence of the Obstinate Kind
Mushroom Entertainment 2020 Melodic Death Metal
ダッカ

2010 年に始動したツインギター、キーボード奏者を含む 6 人組バンドによる 1st アルバム。バンド創設者である Zarif Chowdhury と Priyotosh Das というギタリスト 2 人が Arch Enemy に傾倒しているため、基本的な音楽性はメロディック・デスメタルの枠内に入ると言える。確かに流麗なギターとストリングスを随所に交えているが、よく聴くと Lamb of God、Machine Head のようなグルーヴ感を強調したアレンジが施されており、王道のメロディック・デスメタルとは趣が異なる。

Old Witch Cemetery
Zombie Shipyard
自主制作 2022 Doom Metal
ダッカ

2015 年結成のドゥームメタルバンドによる 6 作目のシングル。活動初期は Tanjis Salam<vo, g> のみのワンマンバンドだったが、本作では Tazwar Rikaz<b>、Rakib Mahmud Khan Ovee<ds> らを従えている。前シングル「Mistress Nightmare」（2020 年）で Tanjis はグロウルで吠えていたが、本作は結成当初に立ち返ってクリーンのみで歌い上げた。とはいえ、Black Sabbath、Pentagram などに深く傾倒した音楽性はキャリアの初期から変わらない。

Plasmic Knock
নরকিত পৃথিবী(Norokito Prithibi)
G-Series 2021 Heavy Metal/Metalcore
ダッカ

Dreamkell として 2007 年に始動後、現バンド名に改称した 5 人組バンドの 2nd アルバム。「Dead Civilization」を意味する前作『মৃত সভ্যতা（Mrito Shobvota）』（2015 年）は 1 曲だけ英語詞を用いていたが、本作は「Hellish World」を意味するアルバム名にしろ、各収録曲の歌詞にしろ、すべてベンガル語である。シンガーがクリーンとグロウルで歌い分けており、幾分メタルコア風でもあるが、中途半端で煮えきらない。朗々とした節回しによるクリーンのパートは、時としてベンガル民謡のように聞こえる。

Orobas
Resplendent Realms of the Mahatala
Slaughterhouse Records 2021 Blackened Death Metal
（初期）ダッカ／（現在）デンマーク・コリング

2015 年に 4 人組で始動したデス／ブラックメタルバンドの 2nd EP。前 EP『Arise in Impurity』（2016 年）はひどく単調な作風だったが、本作は中心人物である Hephaestus こと Ishtiack Mollick<ds> 以外のメンバーを刷新したことで演奏のタイトさが向上。序盤の M1「Hymn of the Severed」と M2「Chhinnamasta」はオリエンタルな旋律を交えた曲だ。本稿執筆時点で Ishtiack は移住先のデンマークでメンバー 2 人を補充。これによりバンドはトリオ編成になった。

Poizon Green
ফায়ারিং স্কোয়াড (Firing Squad)
G-Series 2014 Power/Thrash Metal
ダッカ

結成は 1999 年に遡るベテラン 5 人組による 2nd アルバム。バングラデシュ産スラッシュメタルバンドの先駆者と謳われているが、ロカビリー調の M1「Hurpori」で始まるので当惑させられる。M5「Bunohash」は打って変わってドゥームメタル風の曲と思いきや、後半から堰を切ったような疾走ドラミングに雪崩れ込む。表題曲の M7 は、Slayer の影響が窺える曲だ。M6「Preyoshi」の前半部は懐メロ調だが、これは 1980 年代にバングラデシュで活動した Sweet Venom なるポップバンドのカヴァーである。

Power of Ground

The Butcher

Salute Records　2014　Technical Brutal Death Metal
チッタゴン

2009 年の結成後、シングル「Feast for the Beast」（2013 年）でデビューを飾ったブルータル・デスメタルバンドの 4 曲入り EP。本稿執筆時点では 4 人編成で活動している。短髪の Tanvir Ahamed Abid は高音のスクリームから下水道ヴォイス、果てはピッグスクイールを器用に使い分けるシンガーで、楽器隊の技量も高い。スラミングほど落差は大きくないが、巧みなテンポチェンジを随所に交えて襲いかかる。ドイツやウクライナ、スウェーデンで配給された実績も納得できる出来映え。

Revolution

Embassy of Murderer

Putrid Production（Mushroom Entertainment）　2018
シレット　Death Metal

2012 年に始動した 4 人組デスメタルバンドのデビュー EP。イギリスの Web 媒体、Global Metal Apocalypse が国別に毎年選定する「Releases of the Year by Country」の 1 枚に名を連ねた。スラッシュとデスメタル双方の先人達を影響源に挙げているが、体感速度はそれほどでもなく、音質も粗い。アートワークと曲名が示すとおり、M2「Fatman Goes to Nagasaki」は日本の長崎県への原爆投下を題材にした反戦ソング。唯一の戦争被爆国である日本にシンパシーを抱いているのだろうか。

Prophecy of Sinners

অধর কিন্তু আলোকিত (Adhar Kintu Alokito)

自主制作　2018　Metalcore/Nu-Metal
ダッカ

Hasibuzzaman Raivy<g> を中心に、2016 年に結成された 5 人組バンドによるデビューシングル。1990 年代以降のニューメタルと、2000 年以降のメタルコアの双方から影響を受けたと公言しているが、実際には Djent 風のリフを刻む曲。キーボード奏者の Arafath Ahned Araf を含む編成なので、Bring Me the Horizon、Asking Alexandria なども影響源に挙げているが、煌びやかな要素は少なく、その代わりに小幅なビートダウンを織り交ぜている。

Revolutus

Gonotantrik Shikol

Mushroom Entertainment　2017
ダッカ　Progressive Metal / Power Metal

左利きの Farhan Ahmed<g> と、Shah Al Siam Chowdhury<g, b> を中心に始動した 6 人組のデビューアルバム。ただし Shah が本稿執筆時点ではオーストラリア在住のため（脱退はしていない模様）、直近のライヴは 5 人編成でこなしている。厳かなインストの M1「Sanctum of Solitude」で気分を高揚させせると、日本人リスナー好みのクサメロを撒き散らしながら疾走する。プロダクションは頼りないが演奏力は割と高く、アルバム後半にはプログレッシヴメタル風のナンバーも収められている。

Psychotron

Lethal Paralysis

Mortuary Productions　2016　Thrash Metal
シレット

日本産デスメタルバンドの Desecravity のダッカ公演をサポートしたことのある、5 人組スラッシュメタルバンドによる初の EP。Necrolepsy で活動した Muttaki J. Shafayath がツインギターの片翼を担っている。タイトルチューンの M1 や M2「Pothead」は、Anthrax のような縦ノリのグルーヴ感を発散するナンバーで、割と流麗なギターソロも聴ける。ただし、ニワトリを絞め殺すようなハイトーンを繰り出す Raziul Islam Abeer<vo> の声質は好き嫌いが分かれるかもしれない。

RipOff

Thorns of Hatred

Qinetic Music　2014　Metalcore
ダッカ　Metalcore

いささか不謹慎な単語「Rip off ／だまし取るの意」にちなむバンド名に掲げた 5 人組による唯一の EP。バングラデシュでいち早くメタルコアを実践したバンドと言われ、YouTube のライヴ映像を見ると As I Lay Dying、Lamb of God の曲をカヴァーしていた。本作で広がるサウンドも、まさにそうしたアメリカの大御所の影響下にあるものだが、オリジナリティに欠ける感が否めない。シンガーの Imtiaz Ahmed Anil は、スラッシュメタルバンドの Enmachined ではギタリストを務めている。

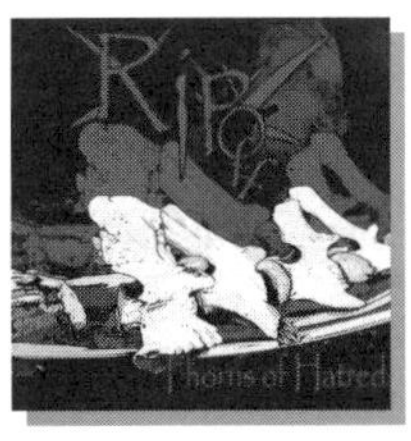

Roman Sacrifice
Bibhrom
Mushroom Entertainment　2022　Metalcore/Groove Metal
ダッカ

2010年結成の4人組メタルコアバンドが、デビューアルバム『Niyontron』(2016年)から6年ぶりに放った2作目のシングル。チープなアートワークだが、MVを観ると統合失調症の患者が目にする幻覚や妄想を題材にした楽曲だと分かる。前掲のデビューアルバムと同様に、As I Lay Dying、Lamb of Godなどの影響が窺える音楽性だが、イントロのリフは幾分Djent風でもある。Ryan Dio Sarwar<vo>の歌唱は基本的にはグロウルだが、時折クリーンで朗々とした歌唱も披露する。

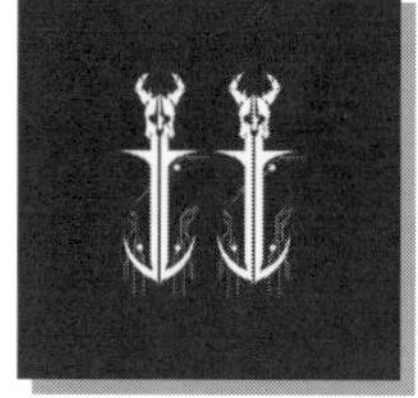

Scarecrow
বর্তমানতা(Bortomanota)
G-Series　2017　Heavy Metal
ダッカ

1999年に結成されたベテラン4人組バンドの2ndアルバム。前作『অপার্থিব(Oparthib)』(2006年)から実に11年ぶりだが、重さやグルーヴ感に力点を置いたサウンドは変わらず。ポストグランジ／オルタナティヴ風のリフを刻む一方で、M3「বিদ্রোহে(Bidrohe)」にはツーバスの連打で盛り上げる局面がある。4章仕立て、23分に及ぶ組曲のM4「নীলিন(Neelin)」以後の楽曲群は、GojiraやChimairaのようなプログレッシヴな佇まいを発散する。その組曲の第2章「Ghun」はエモーショナルなギターソロを堪能できる。

SaTaNic
The Messenger of Last Avatar
G-Series　2016　Black Metal
ダッカ

2001年に始動した5人組ブラックメタルバンドが、結成から15年という節目に発表した初のフルアルバム。キャリア初の英語詞の曲「Endured Nothingness」(2010年)からCradle of Filthからの影響が顕著となり、本作のサウンドもその延長線上にある。その一方で、バンドの中軸であるAshfaq Hossain Shawon<g>がYngwie Malmsteenをはじめとする速弾きギタリストに傾倒しているため、ネオクラシカルメタル風のフレーズを随所に交えている点が特徴である。

Serpent Spells
Mantras Within Ascending Fire
Godz Ov War Productions　2016　Blackened Death Metal
ダッカ

Burial Dustの元ベーシストであるKrypthothことAdeeb Rahematがヴォーカル兼ギターを務める3人組バンドのデビューEPで、ポーランドのGodz Ov War Productionsで配給された。バンドは「Blackened Death Metal」を標榜しているが、実際のサウンドはWatain、Mardukなど北欧産ブラックメタルの影響が色濃く、Burial Dustのようなオリエンタル色は控えめだ。ちなみにAdeebは本稿執筆時点でアメリカのコネチカット州に居を移している。

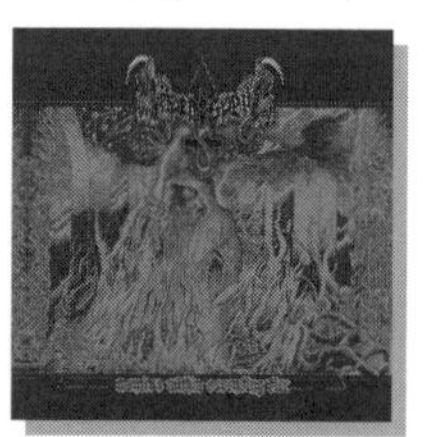

Sazzad Arefeen AngryMachine
Operation AngryMachine
Mushroom Entertainment　2016　Symphonic Power Metal/Rock
ダッカ

元Warfazeで、現De-IlluminationのSazzadul Arefeen<g>が放った初のソロアルバム。バングラデシュ初の本格的ギター・インストアルバムと謳われており、同国で初めてSchecterエンドーサーとなったSazzadulの縦横無尽なプレイを堪能できるが、プロダクションは頼りない。1971年のバングラデシュ独立戦争を描いたコンセプトアルバムで、当時のニュース音声が随所にサンプリングされている。しかしベンガル語が分からないと、各収録曲の情景をイメージすることは難しい。

Shadow of Doom
The Fall of Creations
Mushroom Entertainment　2018　Gothic/Doom Metal
ダッカ

バングラデシュで早くからブラックメタルを志向していた、Porosh Sharif<g, b, key>が主導するプロジェクトの3rdアルバム。前作『The 2nd Chapter』(2005年)から実に13年ぶり。本作は、Monwarul Hoque<g, vo>なる人物と初めて2ピースを形成した。キャリアの初期から一貫して耽美的かつゴシックな雰囲気を発散している。過度なゴージャスさを抑えた一方で、曲によっては勇壮さを醸し出したり、Swallow the Sunのようにメランコリックな側面を覗かせたりする。

Shock

যুদ্ধ গাঁথা(Juddho Gatha)

Incursion Music　2010　Heavy Metal/Hard Rock

ダッカ

結成は 1999 年に遡る正統派バンドによる唯一のアルバム。本稿執筆時の正式メンバーは Ashique Mahmood Fahim<g>、Saif Quadir<g, b, ds>、Emran Khan<key> の 3 人で、バンドの公式 SNS にはサポートシンガーを迎えた記述がある。1971 年のバングラデシュ独立戦争を題材にした作品だが、アートワークがひどく劣悪。バンドは影響源に Megadeth を挙げているが、スラッシュメタルの要素は皆無で、メロウなバラードもある。オルガンを導入した M9「কান（Kano）」は割と疾走感がある。

Thrash

A Lesson in Thrash

Incursion Music　2012　Thrash Metal

ダッカ

スラッシュというジャンル名そのものをバンド名に掲げた 4 人組のデビュー EP。バンドが公言しているとおり、1980 年代のスラッシュメタル Big4 や、ジャーマンスラッシュ三羽烏への憧憬を反映したサウンドだが、Sameer Azmi<vo, g> は割と甲高い声質なので、Overkill を思わせる面もある。M3「Indianization」は、隣の大国インドへの警戒心を示した曲だろうか。2019 年 3 月、Hamim Mujtaba<g> と Asif Mahmood<ds> が脱退したが、バンドは活動続行を表明した。

Stentorian

প্রতিমুহূর্তে (Protimuhurtey)

G-Series　2005　Heavy/Thrash Metal

ダッカ

2001 年から活動するベテラン 4 人組バンドの 1st アルバム。全体的にオルタナティヴ路線のサウンドだが、Ronnie James Dio<vo> 在籍時の Black Sabbath のようなメロディーラインの曲が目立つ。Dio のように声域は広くないが、Tanim Sufyani<vo> もコブシを効かせて熱唱するタイプだ。オーストラリアへ移住した元メンバーの Torsha Khan<vo> も全 12 曲のうち半数で歌唱を披露。新旧シンガー 2 人が交互に歌う M10「মিশ্রবোধ（Misrobodh）」の間奏部は突如パワーメタル風になる。

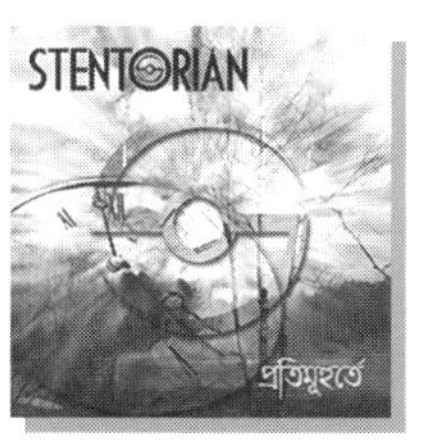

Thy Ethos

Destructive Wizard

自主制作　2022　Progressive Death Metal

ラジシャヒ

インドとの国境に近いラジシャヒで 2012 年に始動した、4 人組プログレッシヴ・デスメタルバンドによる 2 作目のシングル。アメリカ発のオンラインゲーム「Dota 2」（2013 年）のキャラクターから着想を得た作品でもある。ピアノの速弾きがイントロで鳴り響くと、激しいドラムの連打と共に勢いよく疾走。デビュー EP『Resurgence of Devastation』（2020 年）と同じく Obscura、Necrophagist などに傾倒した起伏の大きな作風で、約 6 分半という長尺だが、プレイは安定していて聴きごたえがある。

Surtur

Descendant of Time

Witches Brew　2015　Thrash Metal

ダッカ

小柄な Shadman Omee<g> を中心に結成された、4 人組スラッシュメタルバンドのデビュー EP。インストの M1「Prologue to Chaos」は第 4 期 Loudness を思わせる作風だが、M2「Descendant of Time」以後の楽曲群は Slayer、Sodom などの影響が窺える。ただし、シンガーの Riasat Azmi は甲高い声でまくし立てるタイプなので、Overkill を想起させる時もある。Riasat は本作発表後、デスメタルバンドの Severe Dementia でもヴォーカルも兼務している。

Torture Goregrinder

Fatal Gonorrhea Disfigurement

自主制作　2017　Goregrind/Brutal Death Metal

ダッカ

2012 年に結成されたブルータル・デスメタルバンドの 1st アルバム。本稿執筆時点では 4 人編成で、彼らもインドの Bangalore Open Air 出場権を争うコンテストに挑んだが、選に漏れている。バングラデシュでスラミングをいち早く採り入れたバンドと謳われ、ガテラルとスラミングでズンズンと沈むパートを随所に設けている。ブラストで疾走する局面もあるが、技巧を前面に押し出すタイプではない。いくつかの曲で琴のような音色が併走するが、これはドターラというベンガル地方の民族楽器によるものだと思われる。

Trainwreck
909
自主制作 2012 Hardcore / Thrash Metal
ダッカ

バングラデシュ勢として史上初めて W:O:A Metal Battle インド亜大陸の予選を制し、2019 年 8 月にドイツの本選に出場した 5 人組メタルコアバンドの曲。元々は同国のオムニバス盤『Play It Now』(2012 年)へ提供した曲だが、単独作としてはリリースしていない。日本では YouTube と Reverbnation でのみ試聴できる。肝心の音楽性は、Lamb of God の影響が顕著。キャリアが割と長いバンドなので (2009 年結成)、プレイは安定しているが、これといった特色に乏しいのも事実だ。

Warhound
Tyrants of the Trident
自主制作 2022 Death Metal
ダッカ

2006 年に Carnage として結成後、2012 年から現名義で活動する 4 人組バンドのシングル。デビュー EP『Ominous Death Carnage』(2013 年)の頃は Venom のような邪悪なスピードメタル路線だった。かたや、Carnage 時代のシンガーである Moshiur Rahman Auvee が復帰し、Ashish Papai<b> が新たに加わった本作には、Sodom のように軽快に疾走する M1「Rampage of Ashoka」と、尺が短いながらも起伏に富んだ表題曲の M2 が収められている。

Tyagra
Rehearsal Demo
自主制作 2015 Heavy Metal
ダッカ

元 Nafarmaan の Aniruddha Majumder<b> と、Burial Dust の Naamrood こと Shah Zawad Mahmood<ds> を擁する 4 人組による 4 曲入りデモ。ただし音楽性はデスメタルでもブラックメタルでもなく、1970 ～ 1980 年代回帰型だ。M3「Sign of the Wolf」が Pentagram のデビュー作 (1985 年) 収録曲のカヴァーである点からして、その志向は明確である。とはいえ、タイトルが示すようにリハーサル音源に等しい水準で、きわめてチープなプロダクションだ。

Warsite
বিদ্রোহী (Bidrohi)
自主制作 2021 Heavy Metal/Hard Rock
ダッカ

Syed Rayhan Kawsar<vo> と Akib Anjum<b> を中心に 2009 年に始動した 5 人組バンドによる 2 作目のシングル。各メンバーがチープなマスク姿で MV に出演しているのは Slipknot に傾倒しているからだろう。しかしデビューアルバム『Juddher Chorus』(2016 年)は Disturbed、Godsmack などの影響が窺える作風だった。本作もその延長線上にあるが、冒頭部分はベンガル語のラップである。次作「তবে তাই হোক (Tobey Tai Hok)」(2022 年)はメロウなバラードだ。

Vibe
চেনা জগৎ (Chena Jogot)
G-Series 2007 Heavy Metal
ダッカ

Shuddho Fuad Sadi<vo, g>、Mahjuj Jasim Sourav<key>、Sabbir Hossain Turjo<ds> らを中心に結成された 5 人組による唯一のアルバム。幾分オルタナティヴ路線のサウンドだが、プロダクションは貧弱。随所で流麗なギターソロを聴ける一方で、牧歌的なバラードの M5「Odhora」もある。バンドは本作で Citycell - Channel i Music Award の「Best Band」に輝いたが、実質解散状態で、Shuddho はアメリカのヴァージニア州に居を移している。

Xarkrinur
Dark Rituals
Psalm 88 2014 Black Metal
ダッカ

Xyklen なる人物が始動させた独りブラックメタルの 4 曲入り EP で、カリフォルニア州の Acephale Winter Production 傘下のレーベル Psalm 88 にてカセットテープ形態で流通された。リリース当時 15 歳だったという Xyklen は、自身の音楽性について「Raw Black Metal」と称しており、確かに劣悪音質である。タイトルチューンの M3 などで聞こえるギターやベースは打ち込みだろう。締めくくりの M4「Screams of Darkness」は、Burzum のようなアンビエント調の曲だ。

面白ミュージックビデオその 4

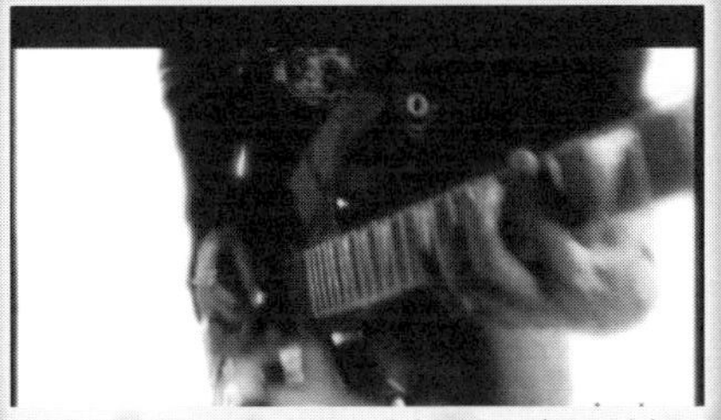

Kunike - 72hrs 72hrs のデビュー EP（2007 年）のタイトルチューンの MV。ただし、「2008」という年数のテロップが表示されるため、EP のリリース翌年に制作されたと思われる。正攻法のメロディック・スピードメタルだが、1996 ～ 2006 年にかけて繰り広げられたネパールの内戦のニュース映像が随所に挿入されており、死傷者を映した血生臭い映像も使用。締めくくりでは新聞紙でつなぎ合わせて作ったネパール地図が吹き飛ぶ。

Chakachak - Sabda [Official Video] Chakachak の 1st アルバム（2019 年）収録曲の MV。黒の T シャツにブラックジーンズ姿の美女が絵の具を使い、キャンバスに絵を描いている。ところが彼女は両腕を縄で縛られ、絵を描けなくなる。さらに彼女は突如として赤いサリー（インドとその周辺国の女性向けの民族衣装）姿に早変わりするが、顔は傷だらけである。彼女は泣き叫びながら、力ずくで両腕の縄をほどくが、放心したようにも見える。

Badnaam _ Alif Allah Badnaam のデビュー曲（2013 年）の MV。2 人の女性が向かい合わせで瞑想している。このうち 1 人の女性は頭から砂埃で覆われている状態で、きれいな身なりをしたもう 1 人の女性が砂埃を少しずつ払っていく。やがて砂埃で覆われていた女性の顔があらわになると、砂埃を払ってくれたほうの女性の手を取り、自らの胸に当てる。すると砂埃で覆われていた女性は跡形もなく消え去っていく。

Blackhour - Battle Cry (Official Music Video) Blackhour の 2nd アルバム（2016 年）収録曲の MV。ただし公開されたのは、前掲の 2nd アルバムのリリースから 2 年後の 2018 年である。野原に設営したステージでメンバーが演奏を始めると、そばにいる女性が奇妙な舞いを披露する。彼らの眼前では、賭け金が動く非合法の格闘技の試合が繰り広げられる。勝敗が決すると、勝者は祝福され、敗者は手荒に退場させられる。そして新たな選手が入場し、対戦が始まる。

Run For Your Life by Tabahi ¦ Official Music Video Tabahi の通算 5 作目のシングル（2022 年）の MV。パキスタン特有の派手なデコレーションを施したバスの車内で、パッチ G ジャン姿の Tabahi のメンバーが演奏を始める。同国の路地裏で撮影したシーンでは、金切り声を上げる Daniyal Buksh Soomro<vo, b> のことを子供達が物珍しそうに眺めているが、ギターソロに突入すると子供達はヘッドバンキングの真似を始める。

Bay of Bengal-Oparel (Official Video) Bay of Bengal の 1st アルバム（2016 年）収録曲の MV だが、同アルバムのリリース翌年に公開された。抗がん剤治療で頭髪が抜け落ちた女性を主人公に据えており、バンドのメンバーの Bakhtiar Hossain<vo, g, flute> もスキンヘッドで出演した。主人公の女性は頭髪があって健康体だった頃の写真を見て嘆き悲しんだ後に、死期を悟ったかのように、伝統衣装のサリーに身を包んで外へ出る。

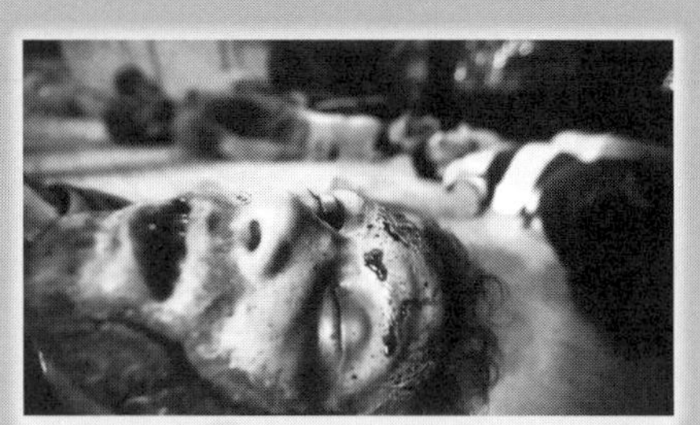

Cryptic Fate - Akromon Official Music Video 2013 Uncensored Cryptic Fate が 2013 年に発表したシングルの MV。スタジオで作業中のエンジニアの眼前にゾンビが現れるが、エンジニアは冷静に銃で反撃する。バンドの演奏が始まると、アメリカのホラー番組シリーズ『ウォーキング・デッド』（2010 年〜）のようにゾンビの集団が荒廃した街中を徘徊している。生き残った人間達は銃器や日本刀、鋲つきの金属バッドなどを手にして、ゾンビに立ち向かう。

Bhalobashi Tomay (ভালোবাসি তোমায়) **- Metal Maze (Official Music Video)** Metal Maze の 2nd アルバム（2009 年）収録曲の MV。教会で新郎新婦の挙式が行われるが、参列者の中には新婦の元彼がいた。かつて新婦はこの男性と相思相愛だったが、元彼は目に異常が見つかり、そのことで苦労をさせたくないと思い、自ら別れを切り出したのだった。やがて結婚指輪を交換する段になって、動揺した新婦は花道を引き返す。ところが、元彼は全盲の視覚障害者となっていた。

SaTaNiK - Infest (Official Music Video) SaTaNiK の 1st アルバム（2016 年）収録曲の MV。髭面の男が血まみれの部屋で目覚め、頭を抱えて苦悶したかと思いきや、身だしなみを整えて外出する。そして喫茶店で見かけた女性をナンパし、血まみれの自宅へ連れ込む。髭面の男は怯える女性をベッドに押し倒し、セックスに及んだ後、カミソリで女性の喉をかき切って殺害。髭面の男はその後、何食わぬ顔をして夜の町へと消えていく。

Warsite ¦ Bidrohi (বিদ্রোহী) **¦ Official Music Video** チープなマスクをかぶったバンドのメンバー４人が、廃工場と思しき場所でプレイしている。一方、ガスマスクと黄色い防護服を着用したスナイパー４人が、バンドのメンバーを捜索する。やがてバンドのメンバー４人とスナイパー４人が対峙し、両者が素顔をあらわにするが、互いの顔は瓜二つだ。彼らが合成でシンクロした間奏を経て、バンドのメンバー４人は素顔のままで演奏を続ける。

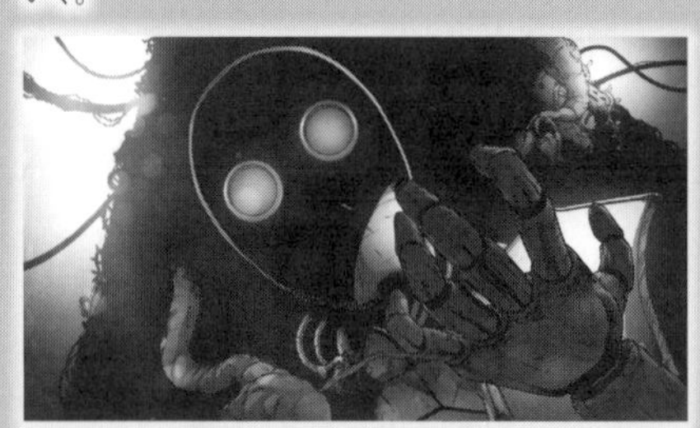

Nothnegal - Sins of Our Creations Official Video Nothnegal の 1st アルバム（2012 年）収録曲の MV。本作も全編アニメで描かれている。傷だらけの人間型ロボットが目覚めるが、周囲は木々が生い茂り荒れ果てていた。人間型ロボットはその後、破壊された別のロボットの頭部を発見。それを拾い上げて内部メモリーにアクセスすると、人間型ロボットは自らがどうやって作り出されたのかを知り、やがて朽ち果てた造物主と対面する。

Rudra - Hymns from the Blazing Chariot - Official (HD) Rudra の 5th アルバム（2009 年）収録曲の MV。『マハーバーラタ』で描写された、古代インドのバーラタ族の王位継承戦争を俳優を使って忠実に再現。王子アルジュナは同族相打つ戦争に身を投じることを躊躇するが、御者として従軍するクリシュナ（実は秩序の神であるヴィシュヌの化身）は結果に執着せず義務を果たすように説く。これで戦う決意を固めたアルジュナは弓矢を放ち、戦場へと赴く。

ブータン王国

Kingdom of Bhutan

ネパールの東側に位置するブータンはチベット仏教（ドゥク・カギュ派）を国教に奉じる世界唯一の国だ。国土面積（約3万8390k㎡）は日本の1割程度だが、国内地形の高低差が極端に大きい。何しろ、インドと国境を接する南側は海抜100～200m台だが、首都ティンプーは標高2334mの高地にあり、中国チベット自治区に面した北部には7000m級の山々がそびえ立つのだ。この起伏の大きさと豊富な水資源は水力発電に打ってつけで、ブータンの国家財政は水力発電の事業税収や売電収入に支えられている。IMF（国際通貨基金）の2020年統計によると、ブータンの1人当たり名目GDPは3359ドルで、最大の貿易相手国であるインド（1965ドル）を上回るが、ブータンの全人口（約76万3000人）の過半数は農業従事者である。

伝承によると、現在のブータンに当たる地域に仏教が伝来した時期は7～8世紀頃とされるが、1616年にチベットから入国したドゥク・カギュ派の高僧ガワン・ナムゲル（1594～1651）が宗教だけでなく行政制度の整備を行うと、自ら初代法王として政教一体の統治者となる。そしてドゥク・カギュ派を国教に奉じる「ドゥク・ユル（雷龍の国の意）」の建国を宣言した。これが統一国家としてのブータンの幕開けであり、現地に住まう人々は今でも自国のことを「ドゥク・ユル」、自分達のことを「ドゥクパ（雷龍を信仰する人々の意）」と称する。一方、日本をはじめとする諸外国で使われるブータンという呼称は、19世紀のイギリスとの接触をきっかけに使われるようになったもので、その由来はサンスクリット語の「Bhuttara／高地の意」、あるいは「Bhota-anta／チベットの端」と言われる。

本書の読者も承知のとおり、ブータンは1971年に国連に加盟するまで鎖国体制を敷いており、TVとインターネットが一般に解禁されたのは1999年のことだ。それゆえにロック文化が根づいたのも割と最近で、The BeatlesのフォロワーのようなThe Baby Boomersという4人組バンドが2012年になってようやく現れ、ブータンで英語詞のオリジナル曲を初めてプレイしたという。メタルシーンはきわめて小規模で、筆者が音源を聴くことができたメタルバンドはわずか8組にすぎなかった。

民族　ブータン西部には、王族を輩出したチベット系住民のガロンが住まう。東部には先住民のチャンラ、南部にはネパール系住民のローツァンパが居住する。その他にも少数民族が暮らしているが、正確な民族別構成比は非公表。

言語　ゾンカ語（国語）、英語、ネパール語、その他多くの現地語。

宗教　チベット仏教（国教はドゥク・カギュ派）、ヒンドゥー教など。

国王布告に従って民族衣装を公の場で着用するオルタナティヴ・ハードロック

North H

ティンプー　2014～　Hard Rock
（影響）Stone Temple Pilots、Nirvana、Alice in Chains、AC/DC、Guns'N Roses　※

North Hは、ブータンの首都ティンプーで活動する3人組オルタナティヴ系ハードロックバンド。「Bhutan's #1 Rock Band」を標榜し、インドとネパールという近隣国のみならず、タイと韓国でもライヴした経験を持つ。

オランダのNGO関連のレーベルでデビュー

North Hの中心人物であるUgyen Tenzin<vo, g>は留学先のインドでバンド活動を経験した後、2011年にブータンへ帰国すると2年がかりで機材を揃え、練習場所とメンバー探しを並行して進めた。2014年に入ると、Ugyenの弟であるKarma Dupchu<b>（注：一般的にブータン人にはファミリーネーム、すなわち苗字がないので、親兄弟でもまったく異なる名前というケースが多い）と、Rinzin Wangchuk<ds>の2人が加わり、North Hは始動する。

キャリアの初期はNirvana、Soundgarden、Stone Temple Pilots、Alice in Chains、Guns N' Roses、AC/DCといった大御所バンドのカヴァー曲をプレイしていたが、程なくしてKapil Chettriにドラマーが交代する。

North Hの1stシングルは「My Darling」（2015年）といい、同シングルはオランダのNGOであるElmundo Foundation運営のインターネットラジオでエアプレイされた。2016年2月には2ndシングル「Believe」を発表。同年10～11月にはネパールのカトマンズ、インド北東部のシッキム、インド東部のシリグリでもライヴを行う。同年末に発表した1stアルバム『Into the Night』は、前掲のNGO関連のElmundo Recordsで配給された他、ウクライナのDepressive Illusions Recordsによってカセットテープ形態でも流通された。

ただし1stアルバムしかり、それ以後にオンライン上で発表した楽曲群しかり、North Hは基本的に奇をてらわないオルタナティヴ・ハードロックを志向している。1989年の国王布告に従って民族衣装（国民服）を公の場で着用する点を除けば、ことさら土着性を強調しておらず、ポリティカルな楽曲をプレイしているわけでもない。それでも、オランダとウクライナのレーベルでアルバムが配給されたのは、ブータン出身のバンドという存在自体が目新しかったからだろう。

韓国のミュージシャンと交流を深める

North H は 2017 年 10 月にもネパールでライヴした後、翌月にはインド北東部のナガランド州で開催された Hornbill International Music Festival にブータン勢として唯一参加し、同じくインド北東部のシロンとグワハティでもライヴを行った。

2019 年 11 月には 2nd アルバムのリードチューンという触れ込みで「Even the Dream Hurts」と題した楽曲の MV を公開すると共に、タイのバンコクでショートツアーを行う。同地では、日本の男女混成メロディック・デスメタルバンド Cinq Element と共演を果たしている。

2020 年には North H のソウル公演が発表されたが、一連の新型コロナウイルス問題により延期に。しかしこのトラブルをきっかけに韓国のミュージシャンとの交流が逆に深まり、2020 年 6 ～ 7 月に Hammering、ABTB、Vincit という韓国産バンド 3 組との公開トーク動画を YouTube で配信。また、韓国の男女混成マスロックバンド Cotoba の DyoN Joo<vo, g> をゲストに迎え、Seether の 1st アルバム『Disclaimer』（2002 年）収録曲のカヴァーヴァージョンをネット上で披露した。2021 年 7 月には、ブータン初の配信イベントとされる Hidden Kingdom World Music Festival で、韓国のグランジ／オルタナティヴ系バンド Harry Big Button とオンライン上で共演した。

2022 年に入るとまたもドラマー交代劇が起こり、Kapil の後任として Rabi Kumar Ghalay が加入。North H は彼を擁するラインナップで 2022 年 10 月に晴れて韓国上陸を果たし、初のソウル公演を行った。

North H
Into the Night
El Mundo Records　2016
ティンプー

アメリカでミックスとマスタリングを行った 1st アルバム。バンドは Guns'N Roses、Stone Temple Pilots など 1980 ～ 1990 年代のアメリカの先人達を影響源に挙げており、中心人物の Ugyen Tenzin<vo, g> のややハスキーな声質も Stone Temple Pilots の今は亡き Scott Weiland を意識した節がある。ただ、ハードロック志向が垣間見える曲は M4「Unbreakable」と M8「Rock n' Roar」くらいで、その他の楽曲群は近年の Bon Jovi のようなポップカントリー路線だ。

North H
My Darling
自主制作　2021
ティンプー

2015 年の 1st シングルと同一名称だが、目下制作中という 2nd アルバムから先行配信したという触れ込みのヴァージョン。日本では Soundcloud でのみ聴くことができる。Ugyen Tenzin<vo, g> のややハスキーな歌声とメロウなギターで幕を開ける序盤は、Bon Jovi の「When We Were Beautiful」（2009 年）を想起させる。リズム隊が加わってから幾分テンポアップし、Ugyen は終盤でギターソロを繰り出して健闘するが、劇的な盛り上がりに乏しく、朴訥で垢抜けていない印象を受ける。

North H
Even the Dream Hurts
自主制作　2019
ティンプー

目下制作中という 2nd アルバムの収録予定曲のうち、MV が最初に配信された楽曲。やや陰りを帯びたミドルチューンで、Ugyen Tenzin<vo, g> が公言するとおり Stone Temple Pilots、Alice in Chains などの影響が窺える。しかし終盤のギターソロを除くと、際立った盛り上がりがないまま淡々と進行するナンバーで、YouTube のコメント欄に「リズム隊がエモーション皆無」という苦言を呈するユーザーがいた。約 5 分半という尺も冗長である。なおバンド T シャツ姿の女性は、MV の出演者だ。

North H

Won't Back Down

自主制作　2021　Hard Rock

ティンプー

こちらも目下制作中という 2nd アルバムから、MV を先行配信した楽曲。メンバーが影響源の 1 つに挙げている Soundgarden のようなスローな楽曲で、前掲の 3 作品も含め、ことさらブータンならではの特色を打ち出した印象は受けない。幾分ドゥーミーなリフを刻むパートと静的なパートが交錯し、中心人物の Ugyen Tenzin<vo, g> がフックでハイトーンを繰り出すが、これまた Soundgarden の今は亡き Chris Cornell を意識した節が見られる。Kapil Chettri のドラムが時々ズレて聞こえるが、筆者の再生環境の問題だろうか。

North H インタビュー

筆者は 2009 年頃、神奈川県の日本語学校に当時通っていたブータンの女性留学生と知り合ったが、同国でのヘヴィメタル／ハードロック事情について尋ねる機会を逸したまま、疎遠になってしまった。それから 10 年ほど経ち、筆者はついに東洋最後の秘境と呼ばれるブータン出身の 3 人組バンドとの接触に成功した。そのバンドの名は North H。彼らはヒマラヤ山脈の南麓に位置するブータンから、国境を接するインドとネパールのみならず、タイと韓国でもライヴを行ったことがあり、オランダのレーベルとディールを結んだ実績もある。中心人物の Ugyen Tenzin<vo, g> との一問一答をここに紹介する（注：回答作成の過程では 2 ページ前写真左端の Karma Dupchu<b>、脱退前の Kapil Chettri<ds> も関与したとのこと）。

回答者：Ugyen Tenzin（ヴォーカル兼ギター、2 ページ前ページ写真中央）

――初めまして。まず North H の現メンバーは、Ugyen Tenzin<vo, g>、Karma Dupchu<b>、Rabi Kumar Ghalay<ds> の 3 人で相違ないでしょうか？　バンド結成のきっかけと、各メンバーが影響を受けたアーティスト、お気に入りのバンドも教えてください。

Ugyen Tenzin（以下 U）North H は、フロントマンである僕の主導で 2014 年に結成された。僕はバイオテクノロジーを学ぶためにインドに留学したことがあってね。留学先の大学でバンドを組んでヴォーカルを担当していたけど、留学を終えたらブータンではおそらく初となる本格志向のバンドを組みたいと常々思っていた。それで 2011 年に帰国した後、まず機材を揃えるのに 2 年間を費やし、練習場所とメンバーを探すことを並行して進めた。ようやく 2014 年に入ると、親友の Rinzin Wangchuk がドラムを担当してくれることになり、彼と一緒に 3 ヶ月くらいハードに練習したけど、その時点ではベーシスト不在だった。情熱を持ってバンド活動に取り組んでくれるような、献身的なベーシストを探すのは非常に骨が折れることだった。でも幸いなことに、Karma はまったくの未経験者だったけど、僕と音楽的嗜好が似ていて、一生懸命に頑張ると約束してくれたよ。もしかしたら長いロックの歴史上で、バンドに入ってから楽器を習い始めた人物は Karma が初めてかもしれないね（笑）。2 代目ドラマーの Kapil とは、過去にたまたま一緒にジャムをしたことがあったんだ。Kapil はドラムに対する情熱だけでなく、人柄も素晴らしかったけど、残念ながら脱退してしまった。2022 年からは Kapil の後任として Rabi Kumar Ghalay が加わり、僕らはトリオとしていっそう楽しくプレイしているよ。影響を受けたアーティストやお気に入りのアーティストは、欧米のグランジ／オルタナティヴ路線のバンドだね。僕は Stone Temple Pilots、Soundgarden、Alice in Chains が好きで、弟の Karma は Muse、Alice in Chains、Biffy Clyro が好きだ。辞めてしまった Kapil は

Nirvana、Stone Temple Pilots、それにSoundgardenが好きだったね。

――インドでは、1972年10月にLed Zeppelinの Robert Plant<vo>、Jimmy Page<g>がムンバイのクラブでライヴして以来、日本を含む大勢の海外アーティストが公演しています。スリランカやバングラデシュ、ネパールでも2010年頃から海外のメタルバンドがたまに公演していますが、ブータンで海外のメタルバンドがライヴした事例はありますか？　このインタビューを申し込む前に私が調べた限り、そのような事例は見当たりませんでしたが。

U：ワールドワイドに名の知れたミュージシャンやバンドが、ブータンのイベントやフェスでプレイしたことは今まで一度もないね。ごくたまに、隣国のインドのバンドが公演することがあるけど。それから、韓国のK-POPアイドルが出演したイベントはブータンで規模が一番大きく、何千人もの動員があったよ（注：2017年6月にティンプーで開催されたブータンと韓国の国交樹立30周年記念イベントのこと。男性ヒップホップグループのFresh Boy、女性4人組グループのStellarなどが出演）。

――North Hのようなブータンのロックバンドやメタルバンドの情報を集めるのは非常に難しかったです。その理由としては、ブータンは1971年に国連に加盟するまで鎖国していて、1999年までTVとインターネットが一般に解禁されず、2003年まで携帯電話サービスも利用できなかったため、他の国よりロック文化が根づくのが遅かったからでは？と予想されますが、North Hより前から活動していたロックバンドやメタルバンドはブータンにいるのですか？　また、首都ティンプー以外のエリアで活動するロックバンドやメタルバンドも存在しますか？

U：僕らがバンドを組んだ2014年の時点では、他にも何組かのローカルバンドが活動していたけど、総じてうまくいかずに自然消滅してしまった。それゆえに僕らがブータン初のロックバンドと呼ばれている。ティンプー以外のエリアで活動しているバンドについては聞いたことがないね。

――ブータン第4代国王ジグミ・シンゲ・ワンチュク（1955～）は在位中、自国文化保護の見地から国民に民族衣装（国民服）の着用義務を課し、あらゆる建築物が伝統的建築様式を保つように法で定めました。しかしNorth HのFacebookやYouTubeを見ると、メンバーの3人が洋装をしている時もあるし、練習スタジオ、ライヴ会場の様子は、日本や欧米諸国とそれほど変わらない印象を受けます。実情はどうなっているのでしょう？

U：何よりもまず、僕らは自国の伝統を愛していて、国民服を着ることも好きだ。寺院のような神聖な場所、官公庁、学校などに行く時、ブータン人はいつでも国民服姿だ。でも、たいていのギグは夜間のパブで行われるので、そういう場所では私服でプレイする。私的な集まり、海外でのライヴも同様だ。動画に関しては、国民服姿で映っているものもあれば、そうでないものもある。国営放送のBBSC（Bhutan Broadcasting Service Corporation）の番組に出演する時は国民服姿だけど。僕らは第一にブータン人であり、ロッカーであることはその次だ。このため、いかなるジャンルの音楽をプレイしようが、いかなる音楽が僕らに影響を及ぼそうが、自国の豊かな文化と伝統を守ることが義務だと考えている。

――Elmundo FoundationというNGOはどういった活動をしていて、North Hとはいつ・どうやって関わりが出来たのかを教えてもらえますか？

U：僕らの支援者が、Elmundo Foundationのインターネットラジオの司会者と接点が偶然できてね。その司会者が僕らのシングル「My Darling」を試聴して気に入ってくれたので、エアプレイされたんだ。Elmundo Foundationは、ネパールの恵まれない人々を支援する組織をいくつかサポートしているらしいよ。

僕らがブータン初のロックバンドと呼ばれている

伝統的な景観を守るため、ブータンでは高層ビルの建築が許可されていない。したがって、これは2022年10月の韓国遠征中のオフショット。2ページ前の民族衣装（国民服）姿の写真も、韓国で撮影したものである。

――同年暮れの1stアルバム『Into the Night』は、前記のElmundo Foundation系列のレーベルではCDで、ウクライナのDepressive Illusions Recordsではカセットテープ形態でそれぞれ流通されました。特に後者のDepressive Illusions Recordsから打診が来た時は戸惑いませんでしたか？　なぜなら同社は、野蛮で背徳的かつ暴力的なブラックメタル、グラインドコアなどの作品を多数扱うレーベルだからです。

U：Depressive Illusions Recordsは、最初からリリース形態はカセットテープのみだと明確に条件提示してくれた。それに、僕らは幼い頃からカセットテープで好きなバンドの音楽を聴いて育ったので、このフォーマットで発売されるということに心躍らされた。したがって、戸惑いは感じなかったね。

――先に挙げたデビューシングル「My Darling」や、1stアルバム『Into the Night』収録曲の歌詞はすべて英語ですよね？　ブータンの国語のゾンカ語ではなく英語詞の曲を作ったのは、海外のファン獲得を意識したからですか？　ゾンカ語はロックやヘヴィメタルに合わないのでしょうか？

U：僕らは海外のファンを獲得したかった。世界各地のステージでプレイし、ライヴパフォーマンスを披露することは僕らの夢でもある。このため英語詞で曲を書いているけど、ゾンカ語もロックやヘヴィメタルに合うだろうね。すでに僕らはゾンカ語の曲をいくつか書き上げたよ。

――前出のデビューシングル「My Darling」や1stアルバム『Into the Night』の制作で使用した楽器、レコーディング機材、技術面での工夫について教えてもらえますか？

U：「My Darling」のレコーディングやミックス、マスタリングなどは、僕らのジャムセッション用の部屋で行った。現在この部屋は僕らのホームスタジオになっている。あの時は生音のドラムを録れなかったので、ドラム音源のプラグインを使った。1stアルバム『Into the Night』は僕らのホームスタジオでレコーディングしたけど、アメリカのインディアナ州にあるAlways Be Genius Recording Studioというところにミックスとマスタリングを外注した。『Into the Night』のドラムパートは、

そこの専属ドラマーを1人雇って録ったよ。でも正直なところ、僕らは1stアルバムの出来映えに満足していなくてね。あのアルバムの収録曲はライヴのセットリストに入れていないんだ。

—— North Hは国境を越えてインド北東部やネパール、それにタイでライヴしたことがあるそうですね。各地の印象や、母国ブータンとの差異などを教えてもらえますか？

U：音楽性はだいぶ違うけど、各地で場数を踏んでたくさんの教訓を得たよ。インド北東部やネパール、タイにはキャリア30年以上のミュージシャン達やバンドがいた。それに引き換え、僕らはブータンという小国のバンドで、まだキャリアは浅いけど、僕らは毎年一生懸命に頑張っている。今ではそうしたベテラン達と並び立っていると感じるようになったよ。

—— North Hは、首都ティンプーでDragon Rock Festivalという野外イベントをオーガナイズしているそうですね。海外のバンドも招聘しているのですか？　イベントの内容、規模なども教えてもらえますか？

U：Dragon Music Festivalはまだ初期段階で、規模を大きくするための中身がまだ不足している。現時点では、あくまでブータンのミュージシャンだけに焦点を絞って開催しているよ。

——もし好きな日本人アーティストがいたら教えてもらえますか？

U：昔はX JAPANが好きだったけど、ずいぶん長いこと聴いていないね。今はONE OK ROCKが気に入っていて、彼らの溌剌としたステージパフォーマンスを動画で楽しく観ている。彼らの作り出すサウンドも新鮮に聞こえるよ。

——実は私は韓国語をしゃべるので、韓国のメタルミュージシャンを大勢知っていて、2018年8月に韓国のヘヴィメタル／ハードロックバンド312組を網羅した『デスメタルコリア』という本を発表しました。同書に登場するメタルコアバンドHammeringを率いる廉明燮（Yeom Myung Sub）<g>が2022年10月に行われたNorth Hのソウル公演を企画したと知り、私は驚きました。なぜなら私は2016年4月、廉明燮の結婚式に招かれたほど親しい間柄だからです。North Hは一体どうやってHammeringの廉明燮と知り合ったのですか？

U：元々North Hは2020年に韓国へ行くはずだったけど、新型コロナウイルスのパンデミックの影響で2022年にやっと韓国でライヴすることができたんだ。Hammeringのギタリストである Yeom Myung SubとはSNSで知り合った。彼は優秀なミュージシャンで、No Mercy Festというイベントを韓国で主催している。君が韓国語をしゃべることができて、Yeom Myung Subの結婚式に招かれたことがあるとは素晴らしいことだ。僕らも韓国料理が好きだよ（笑）。

—— North Hの1stアルバム『Into the Night』はiTunes、Apple Music、Spotifyなどで日本でも試聴可能です。最後に、現在制作を進めている次回作について、差し支えなければ教えてもらえますか？

U：次回作となる2枚目のアルバムは、セルフタイトルを予定している。実際のバンドとしてのサウンドをそのまま定義しているように感じるので、セルフタイトルにしようと思ったんだ。デビューシングルの「My Darling」をはじめ、収録曲数は10曲になると思う。「My Darling」は僕らのファンのお気に入りの曲だけど、1stアルバムには未収録だったので、次回作に入れることにしたんだ。前作と同じく、僕らのホームスタジオで次回作をレコーディングして、ミックスやマスタリングも自分達で行うつもりだ。モダンであり、グランジ風で、かつプログレッシヴな要素もあるアルバムになると思うよ。どうもありがとう。

ジェツン・ペマ・ワンチュク王妃後援のイベントに出演したメタルコアバンド

Forsaken

ティンプー　2013～　Metal / Groove and Deathcore
（類似）Lamb of God、The Black Dahlia Murder　※

2013年に結成された5人組メタルコアバンド。地元ティンプーで2013年に開かれたBattle of Bandsなるコンテストに出場すべく、Ujwal Pradhan<g>がKinley Phyntso<vo>にバンド結成を持ちかけた後、Arpan Tamang<g>、Hemant Darjay<b>、Jagat Adhikari<ds>の3人が合流する形でバンドが始動。当初の目論みどおりにコンテスト優勝を果たす。

2014年11月には隣国インドの政府外郭団体であるICCR（インド文化交流評議会）が後援したThe South Bands Festivalというイベントにブータン勢として唯一ブッキングされ、ニューデリーへ遠征した。

2015年2月には、ブータン第5代王の妃であるジェツン･ペマ･ワンチュク王妃（1990～）が後援したBhutan International Festivalなるイベントに出演する。

2016年3月には『デスメタルアフリカ』（2015年）に登場したMetal Orizonらと共に、イギリスのWeb媒体、Global Metal Apocalypse企画のオムニバス盤『Global_Domination.Vol2』に楽曲を提供する。

2017年1月にはGlobal Metal ApocalypseのインタビューにKinleyが応じたが、かねてアナウンスしている5曲入りのデビューEPはいまだに陽の目を見ていない。

Forsaken
Event Horizon
自主制作　2015
ティンプー

2015年にSoundCloudで公開された書き下ろし曲。バンドのYouTubeでは、Judas Priestの8thアルバム『Screaming for Vengeance』（1982年）収録曲のカヴァー映像を試聴できるが、本作ではLamb of Godからの影響が窺えるメタルコアを志向している。中盤～後半にかけては小幅なビートダウンを導入しているが、急なカットアウトで終わる。Arpan Tamang<g>の親族が携わったというプロダクションは著しく貧弱で、バンド側が思い描く理想と現実のギャップは大きい。

Devil's Soul
Zandey Choe (Trial Version)
自主制作　2016　Metal/Alternative Rock/Soul
ティンプー／パロ

ティンプーで活動する5人組バンドがネット上に公開した楽曲。結成時期は不明だが、少なくとも2014年4月にはSoundCloudに非メタル系の音源をアップロードしていた。本作は正統派メタル風のギターリードで幕を開けるが、曲構造としてはグルーヴ重視型。ノイジーかつ劣悪なプロダクションで、Reverbnationには（Trial Version）という但し書きもあった。よって、まだデモの段階だと考えられるが、ブータンの国語であるゾンカ語と思われる歌唱を聴けるという点では資料的価値が高い。

Enceladus
Happiness
自主制作　2019
ティンプー

2018年暮れにティンプーで行われたDragon Music Festivalに出演した、4人組バンドの書き下ろし曲。YouTubeでMVが視聴可能だが音源化されていない。Biswajit Rai<vo, g>はVシェイプのギターを手にしていて、Novin sinchuri<g>の右腕にはタトゥーらしきものが見える。楽曲自体はBon Jovi、Mr Bigなどの影響が窺える半面、際立った特徴に欠ける。ただし、ブータンの法律で着用が義務化されている民族衣装（国民服）を着崩したMVは一見の価値あり。

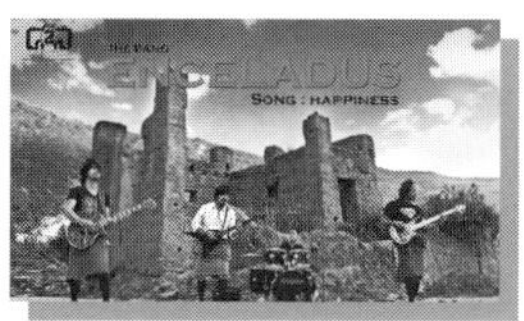

Flying Kik
Flying Kik
自主制作　2017　Reggae/Rock/Hip Hop
ティンプー

2017年の韓国＝ブータン国交樹立30周年記念イベントや、隣国インドのNew Wave Asia Festivalに出演した4人組バンドによる書き下ろし曲。SoundCloudでのみ試聴できる。シンガーのKinley Wangchukは割とイケメンだ。Rage Against the Machineの「Killing in the Name」のカヴァーをレパートリーにしているバンドだが、本作ではKinleyの素っ頓狂な叫び声と銅鑼の音が響いたかと思いきや、レゲエに様変わりするためメタル色は皆無である。

Metal Visage
Children Bodom
自主制作　不明　Alternative / Blues / Heavy Metal
ティンプー

2011年のティンプーでのイベントで、Panteraの5thアルバム『Cowboys from Hell』（1990年）表題曲をカヴァーしていた4人組バンドの書き下ろし曲。ReverbNationでのみ試聴可能だ。Helloweenの13thアルバム『7 Sinners』（2010年）のアートワークを無断拝借しているが、音楽性自体は曲名で分かるようにChildren of Bodomからの影響が顕著。流麗なギターソロとシンセが絡み合う半面、冒頭と締めくくりではPantera由来のグルーヴ志向が見え隠れする。

Shoes
MaNyen Guru
自主制作　2019　Cold Metal
ティンプー

2016年に結成されたUrban Frontなる前身バンドを母体に、現バンド名に改称した5人組の書き下ろし曲。YouTubeでMVが公開されているが、音源化されていない。ツインギターの片翼がSuffocationのTシャツを着ているが、デスメタルではなく「Cold Metal」なる謎のジャンルを掲げている。アコギでブルージーなプレイを披露しているにもかかわらず、Jim Wang<vo>がグロウルで咆哮する奇妙な曲だが、もしや彼らの標榜する「Cold Metal」とはネオフォークのことだろうか。

The Low Profile Sundays
Alone
自主制作　Power/Pop-Punk, Alternative Punk, Punk Hardcore
ティンプー　2012

ForsakenのArpan Tamang<g>が元々在籍していた5人組バンド。Ganesh Giri<b>の個人YouTubeでは洋画メタルの定番曲のカヴァー演奏を視聴できるが、Reverbnationにはオリジナルソング3曲を公開している。「Alone」はメロウで叙情派スクリーモといった佇まいの曲。「Now You're Dead」も同様の曲展開だが、エフェクトを加えたヴォーカルが逆に耳障り。「The Call」は打って変わってメロコア風のナンバーだ。総じてプロダクションは頼りない。

お役立ちサイト集その 2

Nepal Underground

https://nepalunderground.com/

ネパール産メタルバンドのアルバム評、ライヴリポート、インタビューなどを閲覧できる Web 媒体。2010 年に開設され、本稿執筆時点も更新を続けている。

Noodle

https://noodlerex.com.np/

メタルに限らず、ネパールのインディーアーティストの作品群をダウンロード販売しているサイト。Underside のシンガーが共同設立者として名を連ねる。各アーティストのバイオグラフィーも充実。

Patari

https://about.patari.pk/

パキスタン独自のストリーミング配信サービス。筆者が使い始めた 2019 年の時点ではブラウザ上で試聴可能だったが、本稿執筆時点ではスマートフォンにアプリをダウンロードして試聴する仕組みに移行。YouTube チャンネルもあり。

PkMetalhead

https://www.youtube.com/@PkMetalhead/

パキスタンのメタルバンド約 40 組のアルバム群を試聴できる YouTube チャンネル。欧米の配信ストアでは見つからない作品も聴けるが、本稿執筆時点の登録者数はわずか 455 人である。

Bangla CD Covers

https://banglacdcovers.blogspot.com/

バングラデシュの CD のアートワークを年代別に収集したブログ。掲載ジャンルは必ずしもメタルに限らないが、各作品をリリースしたアーティストのバイオグラフィーが充実している。2018 年 9 月で更新停止。

G-Series Bangla Natok

https://www.youtube.com/@GSeriesBanglaNatokTelefilm/

バングラデシュの大手レーベルの YouTube チャンネルで、本稿執筆時点の登録者数は約 873 万人。メタルに限らず、広範なジャンルの音源や MV などを楽しめるが、アルバムは複数のトラック別に分割されていない。

Desi Rock Metal

https://www.youtube.com/@DesiRockMetal/

主にインド、パキスタン、バングラデシュのロックやメタルの MV を収集した YouTube チャンネル。本稿執筆時点の総再生回数は約 1938 万回。2019 年以降は更新を停止している。

No Clean Singing

https://www.nocleansinging.com/

世界のエクストリームメタル情報を発信する、アメリカ発の Web 媒体。Transcending Obscurity Records と親交を持ったことで、インドとその周辺国のメタル情報も扱う。

Metal World

http://metalencyklopedia.blogspot.com/

本書編集人のハマザキカク氏お勧めのブログ。運営者はチェコ人だが、インド亜大陸の 7 ヶ国を含む、辺境のメタルバンドの情報発信に特化しているのが特徴。2016 年 4 月で更新停止。

アッチャー・インディア 読んだり聴いたり考えたり

http://achhaindia.blog.jp/

インド音楽ライターの軽刈田凡平氏が 2017 年 12 月に開設したブログ。メタルに限らず、インドのインディーアーティスト全般について日本語で情報発信する希少なブログである。

モルディヴ共和国

Republic of Maldives

モルディヴは「インド洋の首飾り」と形容される群島国家だ。国名の由来は、サンスクリット語の「Maladipa ／島々の花輪の意」といわれ、赤道を挟んで南北に点在する約 1200 の島々で成り立っている。国土面積（約 300 ㎢）は東京 23 区（約 627㎢）の半分未満で、鹿児島県の屋久島（約 504 ㎢）、種子島（約 445 ㎢）よりも小さい。

アジアと中東を結ぶ海上交通路（シーレーン）の要所に位置するモルディヴには、約 2000 年前にインドとスリランカからヒンドゥー教徒や上座部仏教徒が移住してきたとされるが、12 世紀に入ると、北アフリカのアラブ人航海者経由でモルディヴにイスラム教が伝来し、国家レベルで大規模な改宗が行われた。そして、スルタン（イスラム王朝の君主）が統治する世襲王朝が興亡し、戦前から戦後にかけてはイギリスの保護下で立憲君主制の施行（1932 年）、共和制の採用（1953 年）が試みられたが、程なくして立憲君主制に戻された。その後、1965 年に主権国家として完全独立を果たすと、3 年後に行われた国民投票で共和制が再び採用され、現在に至っている。

第二共和政の初代大統領イブラヒム・ナシル（1926 ～ 2008）が 1968 ～ 1978 年まで権威主義的な政権運営を 10 年にわたり行うと、後任のマウムーン・アブドル・ガユーム（1937 ～）は 1978 ～ 2008 年まで連続 6 期、30 年にわたり大統領を務めた。在任中のガユームは経済発展に努めた一方で、前任者同様の強権政治を踏襲したため、在任末期には民主化を要求する声が高まった。こうして 2004 年以降の民主化改革を経て、2008 年に民主的な新憲法が制定。同年の大統領選挙では民主化運動を主導したモハメド・ナシード（1967 ～）がガユームを破り、第 3 代大統領となったが、翌年 2 月に事実上のクーデターにより辞任。憲法の規定で副大統領だったモハメド・ワヒード・ハサン（1953 ～）が大統領職を引き継いだものの、1 年強の短命政権に終わり、政局は混迷。治安も一時悪化した。さらに、ガユームの異母弟に当たるアブドッラ・ヤーミン・アブドゥル・ガユーム（1959 ～）の在任中は中国への傾斜ぶりが顕著になったが、2018 年 9 月の大統領選挙では脱中国依存を訴えたイブラヒム・モハメド・ソーリフ（1964 ～）が勝利し、本稿執筆時も政権を運営している。

IMF（国際通貨基金）の 2020 年統計では、モルディヴの 1 人当たり名目 GDP は 9934 ドルで、本書で扱う 7 ヶ国では最も高いが、人口は最少である。何しろ、日本の 47 都道府県で人口が最少の鳥取県（約 56 万人）よりもモルディヴの人口は少ないのだ。それゆえにブータンと同じくメタルシーンはきわめて小規模で、本書に登場するメタルバンドは 8 組のみだ。

民族　モルディヴ人（スリランカのシンハラ人、インド系、アラブ系の混淆）。モルディヴ国勢調査では民族別構成を発表していない。

言語　ディベヒ語（国語）。

宗教　イスラム教（国教）。

Season of Mist に所属し、大統領に表彰された多国籍メロディック・デスメタル

Nothnegal

マレ　2006 ～　Melodic Death Metal
（影響）Fear Factory、Black Sabbath、Pantera、Megadeth、Metallica　2852

2006 年に始動した、ツインヴォーカル形態の 6 人組メロディック・デスメタルバンド。The Mortuary なるバンドに在籍していた、Hilarl<g> と Fufu<vo, g> の従兄弟同士を中心に結成。数度のメンバーチェンジを経て、2009 年に初音源の 4 曲入りデモ『Antidote of Realism』をネット上に公開。同作は元 Dying Fetus の Kevin Talley<ds>、元 Kalmah の Marco Sneck<key> が参加し（2 人は後に正式加入）、フィンランドのプロデューサー＆エンジニアの Anssi Kippo がミックスを手掛けたことで評判を集め、バンドは Rotting Christ、Finntroll など計 5 組カップリングによるツアーで 2010 年 11 ～ 12 月に欧州 10 ヶ国を歴訪する。

2011 年からクリーンヴォイス担当の Affan が加入し、フランスの Season of Mist とのディールを獲得。2012 年 4 月の 1st アルバム『Decadence』発表後は、インドやスリランカ、インドネシアでもライヴをこなし、同年 9 月にはモハメド・ワヒード・ハサン大統領（当時）から「National Youth Award」を授与された。

2013 ～ 2014 年には、英語と母国語の曲を両方収めたセルフタイトルの EP を携え、ドイツやスイス、アラブ首長国連邦でライヴを行った。

Nothnegal
Decadence
Season of Mist　2012
マレ

フランスの Season of Mist で配給された 1st アルバム。ツインヴォーカル形態とはいえ、全 8 曲のうち 6 曲は Fufu<vo, g> がグロウルで咆哮しており、Affan<vo> のクリーンヴォイスが聴ける曲は M7「Sins of Our Creations」と M8「Singularity」のみだ。シンセを多用したモダンなメロディック・デスメタルをプレイしているが、バンドが影響源に挙げている Fear Factory のようにインダストリアル色も感じさせる。その半面、同一テンポの曲ばかり並んでいて起伏に欠ける印象を受ける。

Machine Head の現ベーシストが一時在籍したモダンスラッシュ

Serenity Dies

マレ　2004 ～ 2011　Thrash Metal
（影響）Metallica、Megadeth、Slayer、Dream Theater、Lamb of God　523

2005 年に結成された 4 人組スラッシュメタルバンド。Megadeth、Metallica、Slayer などに触発されて活動を始め、2006 年にデビューアルバム『Murder』を発表。同作で好リアクションを得ると、2008 年には同郷の Nothnegal と共に、フィンランド産パワーメタルバンド Kiuas のモルディヴ公演をサポートする。

バンドは 2010 年に入ると、同じくフィンランドの Children of Bodom との仕事で知られる Anssi Kippo と組んだ 6 曲入り EP『Hacksawcracy』をリリース。同作には元 Anthrax の Rob Caggiano<g>、Kiuas の Mikko Salovaara<g> がゲスト参加したことで話題を集める。

ところが、Chuck<vo, b> と Xiao<g> がその直後に脱退。残された Chippe<g> と Fai<ds> は、同郷の Fasylive に在籍した Addo<b> と、アメリカの Sanctity のシンガー兼ギタリストだった Jared MacEachern を迎え入れる旨を発表する。

当時の Jared は、モルディヴ産バンドへの加入に前向きなコメントを発していたが、この新編成による音源がリリースされることはなく、バンドは 2011 年に解散。Jared は母国アメリカに戻り、2013 年より Machine Head のベーシストとして活躍している。

Serenity Dies
Hacksawcracy
自主制作　2010
マレ

Chuck<vo, b>、Xiao<g>、Chippe<g>、Fai<ds> というオリジナルメンバーの 4 人で発表した 6 曲入り EP。Trivium、Five Finger Death Punch といったアメリカ勢のようなモダンヘヴィネスを志向し、疾走感よりは重たさを強調した印象を受けるが、各曲のギターソロは割合に派手。M2「Psycho Ride」<g> には元 Anthrax の Rob Caggiano が、M6「Dystopian Law」には Kiuas の Mikko Salovaara<g> がゲスト参加している。

Fasylive
Vengeance
D.G　2007　Progressive/Power Metal
マレ

2005 年に結成され、イギリスで複数回ライヴしたことがある 3 人組の 2nd アルバム（オリジナルリリースはアートワークが異なる）。Encyclopaedia Metallum では「Progressive/Power Metal」にカテゴライズされており、確かに 6 ～ 7 分台の長尺曲も複数あるが、本作の音楽性はグランジ／オルタナティヴ寄りのハードロックだ。M10「Rock 'n' Roll Is a Blessing」のイントロのリフは、Ozzy Osbourne の「Crazy Train」と似ている気がする。

Sacred Legacy
Burning Echoes of a Fallen Empire
自主制作　2015　Thrash/Progressive Metal
マレ

Nothnegal と同じく 2006 年結成の 4 人組バンドによるシングル。3rd アルバム『The Legacy Begins』（2013 年）発表後に加入した Hoochi<vo, b> を含む編成での第 1 弾作品。既発アルバム 3 枚は Arch Enemy、Children of Bodom などの強い影響下にあったが、本作ではバンド創設者の Ahmed Shahyd<g> の派手なプレイと尋常ではない速さのブラストが交錯する。低い呻き声のような Hoochi の歌唱も相まって、デス／ブラックメタルに接近した印象を受ける。

Fini
Cold in Our Hearts
自主制作（Feral Age Records）　2021　Black Metal
マレ

後述する Hellbrewed のギタリストだった Tomas がヴォーカルとベースも兼務し、同じく元 Hellbrewed の Demonen Simak<ds> と組んだ 2 ピースバンドの 1st EP。結成当初のバンド名は Absa だったが、「Cold」に相当するディベヒ語の単語に改名して放たれた。Darkthrone、Burzum などの強い影響下にあるブラックメタルを披露。バンド名やアルバム名が示すとおり、寒々しく荒涼とした音像であり、事前知識がなければインド洋に浮かぶ常夏の島国モルディヴ出身のバンドとは分からないだろう。

Shahyd Legacy
Stasis
自主制作　2020　Neoclassical/Power Metal
マレ

Sacred Legacy を率いる Ahmed Shahyd<g> のソロプロジェクトで、本作は通算 6 作目のシングル。Sacred Legacy の 1st アルバム『Undying Heart』（2008 年）に収録されたギターインスト曲「Infinity Reloaded」をリメイクしたものだと思われる。Yngwie Malmsteen、Joe Satriani などを影響源に挙げているとおりの作風。2008 年のヴァージョンより若干テンポが速いが、バッキングの音が耳障りで、リードプレイと噛み合っていない感がある。

Hellbrewed
Hihsu
自主制作　2013　Blackened Death Metal
マレ

2010 年に結成された 4 人組デス／ブラックメタルバンドの 1st EP。自主制作盤だが、Nile を率いる Karl Sanders<vo, g> が M2「Ceremonial Sacrifice」でギターソロを披露している。結跏趺坐を組んだ人物をアートワークにあしらっているが、これは 12 世紀にイスラム教が伝来する前のモルディヴでは仏教が尊ばれ、同国には今なお多数の仏教遺跡が残っているからだろう。肝心の音楽性はバンドが影響源に挙げている Imortal、Behemoth などを想起させ、突進力と重量感はなかなかのものだ。

Tormenta
Tormented Souls
自主制作　2010　Thrash Metal
マレ

常にガスマスク姿でステージに上がる Dhai<ds> と Lai<g> を中心に結成された 5 人組スラッシュメタルバンドによる、現時点で唯一の EP。Metallica、Megadeth といったスラッシュメタルの大御所からの影響が窺える一方、1990 年代以降のグルーヴ志向も併せ持つサウンド。Lai と Mabi のギターチームは M3「Illumi-Nation」や M4「Defy」で流麗なプレイを聴かせてくれる。しかし、シンガーの Mu-K の非力さとプロダクションの弱さが災いし、アグレッションや疾走感に欠ける印象を受ける。

番外編　インド亜大陸出自のメタルバンド

2020年1月、大混戦となったアメリカ大統領選挙を制したジョー・バイデン（1942～）が、史上最高齢の78歳で第46代大統領に就任。と同時に、ジャマイカ出身の父とインドのタミル・ナードゥ州出身の母を持つカマラ・ハリス（1964～）が女性初のアメリカ副大統領となった。一方、前任のドナルド・トランプ（1946～）は在任中、反移民政策を打ち出していた印象が強いが、トランプ政権下で2017年1月～2018年10月までアメリカ国連大使を務めたニッキー・ヘイリー（1972～）は、実はインドのパンジャブ州出身の両親のもとで生まれ育った移民2世である。視点をヨーロッパに向けると、イギリス第79代首相のリシ・スナク（1980～）はインド系移民2世で、アイルランド第16代首相のレオ・バラッカー（1979～）の父親はインド人だ。イギリス元財務大臣のサジド・ジャヴィド（1969～）とロンドン市長のサディク・カーン（1970～）の2人はパキスタン系移民2世である。本稿では彼らのように、インド亜大陸にルーツを持つ海外拠点のバンドを取り上げる。

日本でかつて「印僑」と呼ばれた在外インド人を、インド政府は2グループに分けている。第一グループはPIO（Persons of Indian Originの略、インド出自者）と呼ばれる集団で、移住先の国籍、市民権を得たインド出身者とその配偶者、子孫を指す。第二グループはインドのパスポートを所持し、就労、事業経営、留学などの目的で不特定期間、海外に居住するインド国民であり、これを第二グループのNRI（Non-Resident Indians、非居住インド人）と呼んでいる。

在外インド人がどれほど大規模な集団か想像できるだろうか。日本の外務省南西アジア課は「最近のインド情勢と日インド関係」と題した2020年9月の公開文書で、在外インド人の人数を約1500万～2000万人と見積もっていた。言い換えると、全世界に住まうユダヤ人（約1470万人、Jewish Virtual Libraryに基づく）と同等または人数で上回る計算だ。一方、2018年暮れのインド外務省の公開文書によると、前述のPIOが1868万3645人で、NRIは1345万9195人だった。これを額面どおり信じると、PIOとNRIを合わせて3210万340人で、世界のユダヤ人人口の約2.2倍という人数になる。どちらにせよ、在外インド人のネットワークは世界中に拡散していると見なして相違ないだろう。

在外インド人のインテリの中には、財界や学術界で活躍する人々も多い。たとえば、本稿執筆時点でAdobe Systems、Google、Microsoft、IBM、Starbucks Coffeeの最高経営責任者はいずれもインド系だ。学術界ではインド系のノーベル賞受賞者が3人いる。天体物理学者のスブラマニアン・チャンドラセカール（1910～1995）、分子生物学者のハー・ゴビンド・コラナ（1922～2011）、構造生物学者のヴェンカトラマン・ラマクリシュナン（1952～）だ。では、インド系のメタルバンドで最も知名度が高いのは誰かと問われれば、やはりシンガポールのRudraが筆頭格に挙がるだろう。

インドとその近隣国であるネパール、パキスタン、バングラデシュにルーツがあるか、またはこれら4ヶ国出身者を擁するメタルバンドは、アメリカ、カナダ、イギリス、オーストラリアといった英語圏の国々だけでなく、中国、香港、ドイツ、フィンランド、アラブ首長国連邦でも確認することができた。スリランカに関して言えば、別表記載のとおり、同国出身シンガーのChitral "Chity" Somapalaが、ギリシャのGus G<g>率いるFirewindや、多国籍バンドのCivilization Oneなどを渡り歩いた。しかし、ブータンとモルディヴにルーツのあるメタルミュージシャンとバンドは見当たらなかった。

ヴェーディックメタルを世に知らしめたシンガポールの老舗デス／ブラックメタルバンド

Rudra

シンガポール　1992 ～　（初期）Thrash/Death Metal、（現在）Death/Black Metal with Folk influences
（影響）Slayer、Bathory、Death、Obituary、Sepultura、Kreator　8850

シンガポールの公用語は英語、中国語、マレー語、タミル語の 4 言語で、インド南部のタミル語圏にルーツを持つ移民が全人口（約 564 万人）の 9%を占めている。同国で 30 年あまりのキャリアを誇る Rudra はヴェーディックメタルの考案者といえる存在で、その名の由来はモンスーンを神格化した古代インドの暴風神だ。

ヴェーディックメタルの始祖

Rudra は 1992 年に、Kathir（ヴォーカル兼ベース、写真左から 2 人目）と Shiva（ドラムス、写真右端）を中心に結成された。シンガポールの国立高等専門学校で知り合った 2 人は、同校に通っていた Balasubramaniam<g> を加え、連日 6 ～ 8 時間という猛練習に明け暮れる。そして 1993 ～ 1994 年にかけて数作のオムニバス盤へ楽曲提供すると、初の単独作としてデモ音源『The Past』をレコーディングする。バンドは翌年から Pannir Selvam<g> を補充して 4 人編成になるが、Kathir の弁によると当時はバンドの方向性がまだ定まっていなかった。加えて、シンガポールには兵役に似たナショナル・サービス（国家奉仕）という制度があり、同国の男子は 18 歳になると 2 年間、軍事訓練を受けなければならない（警察、消防、救急に従事する選択肢もある）。これらの事情により、バンドは 2 年強のブランクを挟み、Balasubramaniam の後任として Alvin Chua を迎え入れ、1997 年にセルフタイトルの 2nd デモを発表。同作からバンド名の表記を「Rudhra」から現在の「Rudra」へと変更し、インド南部のカルナータカ音楽と同国最古の宗教文献であるヴェーダから着想を得た楽曲をプレイするようになる。これがヴェーディックメタルの誕生である。

バンドは翌年には同じくセルフタイトルの 1st アルバムをリリース。Selvam と Kannan という 2 人のギタリストを新たに迎えた 2nd アルバム『The Aryan Crusade』（2001 年）は、翌年の地元誌『Big O』で年間ベストアルバム 40 枚の中に名を連ねた。

シンガポールの大学の研究対象に

ヴェーディックメタルに開眼したバンドは、3rd アルバム『Kurukshetra』（2003 年）と、宇宙の根本原理であるブラフマン（梵）との合一をテーマにした 3 部作の第 1 弾『Brahmavidya：Primordial I』（2005 年）をリリース。2006 年にはインドのベンガルールで公演を行い、2007 年 1 月には初のアメリカツアー 3 公演をこなした。

前掲の 3 部作の第 2 弾『Brahmavidya: TranscendentalI』(2009年)のリリース後に、バンドは Vinod（ギター、前ページ写真左端）を迎え入れ、2010 年 8 月にはシンガポール産エクストリームメタルバンドとして史上初めて、同国の大規模フェス、Baybeats のヘッドライナーを務めた。バンドはこれに先駆け、同国の南洋理工大学の助教授 Eugene Dairianathan の研究対象となり、2009 年に Rudra を題材にした学術論文が発表された。

さらに Devan（ギター、前ページ右から 2 人目）が合流したバンドは、2011 年 3 月に 3 部作を締めくくる『Brahmavidya: Immortal I』を発表すると、バングラデシュ人メンバーを擁する Weapon と共にカナダで 6 公演をこなし、ベンガルールのイベント、Strawberry Fields 2011 にも出演。7th アルバム『Ṛta』（2013 年）から、バンドは Vinod と Simon Mariadoss というギタリスト 2 人を擁するラインナップとなり、オーストラリアの Load のシンガポール公演をサポートした。

2016 年 11 月には 8th アルバム『Enemy of Duality』を携えてスリランカとマレーシアで公演し、2017 年 8 月には日本の Abigail とマレーシアの Metalcamp というイベントで共演。2019 年 3 月には香港公演をこなした。2022 年 12 月の 10th アルバム『Eight Mahavidyas』は、Devan にとって 11 年ぶりのバンド復帰作となった。

Rudra
Rudra
自主制作
シンガポール
1998

民族楽器やオリエンタルな旋律を随所に採り入れ、ヴェーディックメタルとは何かを提示した 1st アルバム。各収録曲もヒンドゥー教に根差したものが多い。たとえば、初端の M1「Obeisance」は最も神聖なサンスクリット語のマントラ（真言）とされる「ガヤトリーマントラ」を連呼し、心身を浄化して各自の内なる神（アートマン）を見出すように訴えた曲。M5「The Ancient One」ではヒンドゥー教の破壊神シヴァ、戦いの女神ドゥルガーの名が飛び出す。アルバム全編にわたり濃厚な土着臭を発散する一方で、疾走チューンは少ない。

Rudra
The Aryan Crusade
Trishul Records
シンガポール
2001

ギターチームが Selvam と Kannan の 2 人に代わった 2nd アルバム。Shiva<ds> のスネアのチューニングが前作より高くなり、ブラックメタル寄りのチリチリした音像に様変わりした。そのせいか、反キリスト教思想が窺える M7「Amen」と M1「Sad but True」が収められている。その一方で、民族打楽器、サンスクリット語のマントラ（真言）に加え、締めくくりの M13「I」では中世インドの哲学者シャンカラ（700 年頃～750 年頃）の著作の一節を引用しており、唯一無比のヴェーディックメタルらしさを維持している。

Rudra
Kurukshetra
Trishul Records
シンガポール
2003

前作『The Aryan Crusade』（2002 年）と同一の布陣で放った 3rd アルバム。その名の由来はインドの叙事詩『マハーバーラタ』に登場する合戦場で、この地で繰り広げられた古代インドのバーラタ族の王位継承戦争を題材にしたコンセプトアルバムでもある。前作同様にブラックメタル寄りのチリチリした音像だが、同族相撃つ戦いをコンセプトにした作品ゆえに、高速のトレモロリフとブラストが乱れ飛ぶナンバーが目立つ。M6「Mithya」では『マハーバーラタ』の一部を成す『バカヴァッド・ギーター』の一節を引用している。

Rudra
Brahmavidya: Primordial I
Demonzend　2005
シンガポール

宇宙の根本原理であるブラフマン（梵）との合一を題材にした3部作の第1弾で、4th アルバム。全10曲の頭文字をつなげると、「TAT TVAM ASI」（梵我一如、汝はそれなり）となる（こうした言葉遊びは2001年の『The Aryan Crusade』から始まった）。本作でも民族楽器やサンスクリット語のマントラ（真言）に加え、ブラストを随所で用いているが、ブラックメタル寄りのチリチリした質感から脱却。粒立ちのよいクリアな音像になった。オリエンタルなデス／ブラックメタルという方向性は、本作で定まったと言える。

Rudra
Brahmavidya: Transcendental I
Trinity Music Hong Kong　2009
シンガポール

『Brahmavidya: Primordial I』（2005年）を端緒とする3部作の第2弾であり、5th アルバム。全14曲の頭文字をつなぐと「BRAHMA NIRVANA」（梵涅槃）になる。Behemoth や Immortal のようにブラストで容赦なく攻め立てる一方で、サンスクリット語のマントラ（真言）を随所に交えてミステリアスさを醸し出す。M4「Hymns from the Blazing Chariot」で、インドの叙事詩『マハーバーラタ』を再び扱っている。本作のリリース後に、Vinod<g> が新たに加入した。

Rudra
Brahmavidya: Immortal I
Sonic Blast Media　2011
シンガポール

『Brahmavidya: Primordial I』（2005年）から続いた3部作の最終章であり、6th アルバム。全11曲の頭文字をつなぐと「NIRVISHESHA」になり、これは古代インドの哲学書『ウパニシャッド』で描かれたブラフマン（梵）の本性、すなわち「性質的な特徴はない」ことを指す。音楽性は前2作の延長線上にあるが、前掲の『ウパニシャッド』に加え、古代インドの神話、伝説、説話などに由来する聖典文献プラーナ（古譚という意味）などの詩句を随所で引用。結果として英語詞ではないパートを有する楽曲が増えた。

Rudra
Ṛta
Sonic Blast Media　2013
シンガポール

Simon Mariadoss<g> を新たに迎えたラインナップによる 7th アルバム。インドの叙事詩『ラーマーヤナ』を題材にしたコンセプトアルバムという触れ込みだが、アルバムタイトルの由来は「天則（全宇宙の秩序を保つ原理）」を意味するサンスクリット語だ。サンスクリット語のマントラ（真言）や民族楽器の音色を随所で交えているが、全体的にスローテンポで思索的な楽曲群が目立ち、以前のアルバム群とは佇まいが異なる。バンド初の試みとして、10～12分台の M2「Heartbreak」と M6「Assault」を収録。

Rudra
Enemy of Duality
Transcending Obscurity Asia　2016
シンガポール

『Brahmavidya』3部作（2005～2011年）と同様に、梵我一如（汝はそれなり）をテーマにした哲学的な内容の楽曲群を収めた 8th アルバム。ラインナップは前作『Ṛta』（2013年）と同一だが、オリエンタルなデス／ブラックメタルとしての禍々しさと激しさを取り戻しており、随所でブラストが炸裂する。古代インドの哲学書『ウパニシャッド』の詩句を各収録曲の随所にちりばめており、締めくくりとなる9分超えの M8「Ancient Fourth」ではアボリジニが用いるディジュリドゥのような音色が飛び出す。

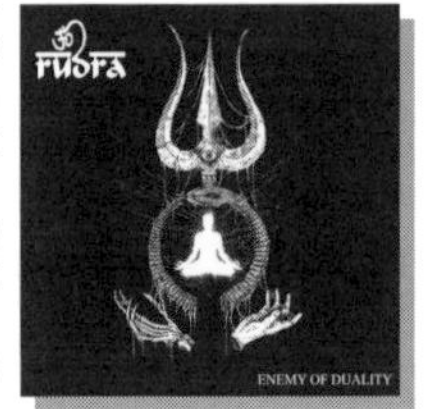

Rudra
The Blackisle Sessions
自主制作　2018
シンガポール

かつて愛用していたスタジオでのセッション音源を収めた企画盤。配信のみでリリースされた。1～10曲目までは、3rd アルバム『Kurukshetra』（2003年）全曲をプレイしたもの。オリジナルリリース時よりも音圧が高く、本作のヴァージョンのほうが聴きやすいかもしれない。11～16曲目は、2nd アルバム『The Aryan Crusade』（2001年）～4th アルバム『Brahmavidya: Primordial I』（2005年）収録曲のうち6曲を生演奏したものだが、一発録りしたものらしく、密度が薄くてスカスカである。

Rudra
Past Life Regression
自主制作 2018
シンガポール

1992～1995年の初期音源をコンパイルしたレアテイク集。これも配信のみでリリースされた。全14曲のうち一部は、初音源のデモ『The Past』（1994年）に元々収録されたものだと思われる。プリミティヴ・ブラックメタルのように著しく劣悪な音質で、Kathir <vo, b> の唱法も現在とは異なり、低音でがなり立てている。ドゥーミーなリフを執拗に反復したかと思えば、Sodomのように2ビートで疾走する芸風も現在とは似ても似つかない。予備知識なしで聴いたら別のバンドの作品だと勘違いするだろう。

Rudra
Invoking the Gods
Trishul Records 2019
シンガポール

バンドが影響源として挙げているSepultura、Slayer、Black Sabbath、Obituary、Death、Bathoryという6組のカヴァー曲と未発表曲を収めた9thアルバム。数量限定でプレスされた。Obituaryの「Killing Time」（1992年）のカヴァー曲には原曲にはない静的なパートを追加し、尺を延ばしている。その他のカヴァー曲は割とオリジナルに忠実だ。フィジカルCDでは全11曲だが、日本のiTunes、Spotifyなどでは6曲しか試聴できないのは、大人の事情ゆえだろうか。

Rudra
Eight Mahavidyas
Awakening Records 2022
シンガポール

6thアルバム『Brahmavidya: Immortal I』（2011年）に参加したDevanが11年ぶりに復帰し、Vinodとギターチームを形成した10thアルバム。にもかかわらず、タイトルに「Eight」と掲げているのは、インドの伝説上ないし実在の女性8人を題材にした8曲を収めたコンセプト作だからだ。しかし物語性はさほど感じず、7thアルバム『Ṛta』（2013年）のように思索的かつスローテンポの楽曲が目立つ。相変わらずサンスクリット語のマントラ（真言）を随所に交えているが、民族楽器は使っていない。

Rudra　インタビュー

Rudraはインドではなくシンガポール拠点のバンドだが、メンバー全員がインド系ミュージシャンであり、インド最古の宗教文献ヴェーダに立脚したヴェーディックメタルの始祖的存在でもある。インドやネパールには、Rudraに追随してヴェーディックメタルを打ち出すバンドが複数見受けられる。したがって、本書でインタビューを実施したバンド14組のうち、Rudraが最後に登場することに異論を挟む読者はいないだろう。節目の10thアルバム『Eight Mahavidyas』をリリースしたバンドにインタビューを申し出たところ、メンバー全員が快く応じてくれた。

回答者：Kathir<vo, b>、Vinod<g>、Devan<g>、Shiva<ds>

――初めまして。まず、現在のRudraのラインナップはKathir<vo, b>、Devan<g>、Vinod<g>、Shiva<ds>の4人で相違ないでしょうか？　各メンバーが影響を受けたアーティストも教えてください。

Shiva：（日本語で）コンニチワ。影響を受けたバンドやアーティストは大勢いて、数え切れないほどだが、あえて厳選するなら

（C）Steven Chew Photography

Slayerならびに、Slayerの元ドラマーのDave Lombardoだ。
Vinod：最初はLed Zeppelin、Black Sabbathなどを聴いていたが、自分もギターを弾いてみたいと思わせてくれるほど夢中になったバンドはMetallicaだった。それから程なくして、Megadeth、Deathならびに Chuck Schuldinerを聴くようになった。もちろんその他にも、Obituary、Carcass、Cacophonyなど、たくさんのバンドを聴いてきたが、俺にとってのベスト3はMetallica、Megadeth、Deathの3組だよ。
Devan：気に入っているバンドはSlayer、Emperor、Dimmu Borgir、Dismember、Napalm Deathだ。ソングライティング面では、SlayerとEmperorに大きな影響を受けたと言わざるをえないだろう。
Kathir：俺も数え切れないほどのバンドやアーティストから影響を受けたが、真っ先に挙げるべきはSlayer、Bathory、Death、Obituary、Sepultura、Kreatorだ。特にこうしたバンドの初期（1992年以前）の音楽性が、大きな影響源になっているんだ。
——Rudraはシンガポール拠点のバンドですが、メンバー4人は全員タミル語と英語を話すインド系ミュージシャンですよね？　つまり、あなた方はインドという各メンバーのルーツを探求するためのプロジェクトとして、1992年にRudraを結成したのですか？ヴェーディックメタルという独創的な音楽性を考案した経緯も教えてもらえると、なお幸いです。
Shiva：Kathirと俺の母語はタミル語だが、DevanとVinodの母語はマラヤーラム語なんだ。もちろん俺達は英語もしゃべれるがね（注：Rudraをはじめ、本書にインタビューを掲載したバンドや業界人とはすべて英語でやり取りを交わしている）。正直なところ、音楽を通じてインドという俺達のルーツについて深堀りするつもりはなかった。俺達の曲の歌詞にしても、インドそのものよりは、**古代のヴェーダの哲学に軸足を置いている**んだ。実際にKathirはとあるインタビューで、メタルと古代のインド哲学、それにインドの伝統音楽の様式を融合させようとして**ヴェーディックメタルを考えついた**、と答えていたよ。
——たいへん失礼な質問ですが、ヴェーディックメタルをプレイするためには、たとえばヴェーダとサンスクリット語の学習、瞑想やヨガ、あるいは菜食と禁酒を徹底するといった敬虔なヒンドゥー教徒らしい行動が必要になりますか？
Shiva：ハハハ。**ヴェーディックメタルは、宗教でもなければライフスタイルでもない**よ。確かにKathirはバンドの中で一番博学で、俺達にとってはグル（師）のような存在であり、**ヨガの先生でもある**。彼は曲作りに先立ち、各種文献も調べてくれるんだ。それに沿って、俺達は曲作りを進めていく。アルコールに関して言えば、メンバーの中には時々たしなむ者もいるが、節度と責任を持ってほどほどの量を飲んでいる。俺達全員が食べ物に細かくこだわるほうだが、ベジタリアンはKathirだけだね。
——過激なキリスト教原理主義者がヘヴィメタルバンドを悪魔崇拝者、反キリスト教主義者と見なすケースが見受けられますが、過激なヒンドゥー至上主義者がRudraとヴェーディックメタルをヒンドゥー教に対する冒涜だと見なしていないかどうか気がかりです。実際にそうした批判を受けたり、トラブルに巻き込まれたりしたことはありませんか？
Devan：俺の知る限り、過激なヒンドゥー教徒に冒涜的というレッテルを貼られたことはないね。俺達はいつでも、説法をするバンドではないというスタンスを保っている。**俺達の曲には古代のヴェーダ文献の哲学が盛り込まれてい**

るが、これはヒンドゥー教に関するものではない。あくまで哲学に関するものなんだ。

――初期のアルバム群のうち、2nd アルバム『The Aryan Crusade』（2001 年）には反キリスト教思想が窺える曲が収められています。ということは、あなた方はキリスト教を敵視しているのですか？　仏教やイスラム教、ユダヤ教といった諸宗教に対する印象も伺えると、なお幸いです。

Kathir：この質問には、長年にわたり作詞を担当してきた俺が答えよう。俺はあらゆる宗教を尊重していて、それらの創始者達に深い敬意を払っている。でも、ヒンドゥー教に限った話ではないが、極端に走った教団のドグマ（教義）と偏見、盲信ぶりにはいつも不快な気分になる。実際に楽曲の中で、俺達はそういう態度をつまびらかにしてきた。理想と正反対の状態に陥った人々に対して怒りをぶつけた曲もあってね。俺達のアルバムのどこかしらに、そうした曲が収録されているよ。

――Rudra の公式 YouTube には、インドで 2005 年にライヴした時の映像が残存しています。当時、ヴェーディックメタルを初めて聴いたインドの人々の反応を覚えていたら、教えてもらえますか？

Shiva：あれは規模の大きなイベントで、オーディエンスも素晴らしかったが、興奮した彼らが終演後にステージに上がり込んできたので、俺はドラムスティックを置きっ放しにして引き揚げなければならなかった。とはいえ、きわめて思い出深い出来事だったよ。より正確に言うと、インドで最初にライヴしたのは 2001 年のことだが、インドでのファンベースはそれ以来、着実に増えているんだ。

――初期の Rudra はブラックメタルバンドらしいチリチリした音作りをしていましたが、『Brahmavidya』3 部作（2005 ～ 2011 年）の頃からサウンドプロダクションが向上し、シャープでクリアな音になりました。ヨーロッパのバンドで例えるなら、Behemoth や Immortal も活動初期はスカスカでチープなプロダクションでしたが、現在は違います。あなた方の場合、どんな環境の変化があったのですか？

Vinod：『Brahmavidya』3 部作は、Blackisle Studios というスタジオでレコーディングした。たぶん当時のシンガポールで、ここは高音質のレコーディングとミックスのサービスを提供していた数少ないスタジオでね。ここを使えた俺達は運がよかったよ。あいにく、7 枚目のアルバム『Ṛta』（2013 年）の作業に取り掛かる前に閉鎖されてしまったがね。そんなわけで、『Ṛta』では楽器パートの一部（ギター、ベース、パーカッション）をホームレコーディングした。8 枚目の『Enemy of Duality』（2016 年）では、ドラム以外の全パートをホームレコーディングして、ミックスとマスタリングも自分達でこなした。10 枚目の『Eight Mahavidyas』（2022 年）は、Devan に部分的に手伝ってもらいつつ、俺がレコーディングとミックス、マスタリングの工程を仕切ったアルバムだ。俺は独学でレコーディング技術を身につけたんだが、機材とソフトウェアの品質は年月が経つにつれて飛躍的に進歩し、今では事実上、誰だって自宅でレコーディングとミックス、マスタリングができるようになったと言える。かつての宅録ミュージシャンには、そんなことはできなかっただろう。

――『Brahmavidya』は最初から 3 部作としてリリースする計画だったのですか？　それとも第 1 弾の『Brahmavidya: Primordial I』（2005 年）の反応がよかったから、第 2 弾の『Brahmavidya: Transcendental I』（2008 年）、第 3 弾の『Brahmavidya: Immortal I』（2011 年）も制作したのですか？　3 部作のコンセプトも教えてもらえるとなお幸いです。

Kathir：君の言うとおり、最初から 3 部作にするつもりだった。つまり、神の啓示である『リグ・ヴェーダ』をはじめとするシュルティ（天啓聖典）、そこから枝分かれした

聖人賢者の著作とされるスムリティ（聖伝文学）、そしてニヤーヤ（正理）という、ブラフマンを唯一の実在と見なすヴェーダーンタ哲学の3大要素が、『Brahmavidya』3部作を構成する3枚のアルバムに対応しているんだ。

——Rudraのアルバム群には暗号のような仕掛けが隠れていますね。たとえば、7thアルバム『Ṛta』の各収録曲の頭文字をつなぎ合わせると「DHARMA」（ダルマ、仏典では法）になります。誰がどうやって、このような仕掛けを始めようと思いついたのですか？

Kathir：これは2枚目のアルバム『The Aryan Crusade』の作業中に、俺がひらめいた仕掛けでね。セルフタイトルのデビューアルバム（1998年）を除き、俺達はすべてのアルバムにこの手の暗号を隠している。でも、残念ながらそのことを知っているファンは少ないんだ。

——8thアルバム『Enemy of Duality』の発表から1年後の2017年、RudraはマレーシアでI開催されたMetal Campというイベントで、日本のAbigailと共演したそうですね。Abigailの楽曲やライヴパフォーマンスにどんな印象を持ちましたか？　他に知っている日本人アーティスト、好きな日本人アーティストがいたら、教えてもらえるとなお幸いです。

Vinod：Metal Campは素晴らしいイベントだった。俺の記憶が正しければ、Abigailの出番は俺達の直後だった。つまり出番を終えた俺達は、ステージを引き揚げて撤収作業をしなければならなくて、Abigailのライヴは終わりのほうしか観ることができなかった。とはいえ、彼らのパフォーマンスは非常にエネルギッシュで、いい音を鳴らしていたよ。個人的に好きな日本人アーティストは、X JAPANかな。学生時代のクラスメイトが、まだメタルに目覚めていなかった頃の俺にX JAPANを教えてくれたんだ。このクラスメイトからX JAPANのライヴDVDを借りて、自宅で観たのを思い出したよ。何しろ当時はYouTubeが存在しなかったからね。

Kathir：俺はSabbatの大ファンで、彼らのフルアルバムは全部持っている。それからSighも好きだよ。

——9thアルバム『Invoking the Gods』ではSepultura、Slayerなどの曲をオリジナルに忠実にカヴァーしていましたが、Obituaryの「Killing Time」だけは大胆な解釈でカヴァーしていました。その経緯を教えてもらえますか？

Vinod：『Invoking the Gods』の制作プロセスは興味深いものだった。当時は結成30年という節目が近づいていたから、バンドがそもそもどんなふうに始まり、試行錯誤の末に自分達がどこまでたどり着いたのかを話し合っていた。俺達はその時、インスピレーションを与えてくれた先人達に敬意を表すアルバムを作ろうと決心したんだ。とはいっても、必ずしも原曲どおりにプレイしようとは思わなかった。オリジナルヴァージョンに忠実なものばかりアルバムに収録しても、誰も興味を示さないだろうからね。そんなわけでObituaryの「Killing Time」は、Rudraならではのスタイル、つまり「神々への賛辞」を表す音楽性にアレンジしてレコーディングしたんだ。

——2022年の締めくくりに、Rudraは10thアルバム『Eight Mahavidyas』をリリースしましたね。今回のリリース元は中国のAwakening Recordsで、レーベルオーナーの李萌（Li Meng）は、田辺寛氏の『デスメタルチャイナ』に登場したスラッシュメタルバンドAncestorのギタリストでもありますね。彼と接点ができた経緯を教えて もらえますか？

Kathir：Ancestorと俺達は、何年か前にシンガポールで行われたイベント（注：日本のRivergeも参加した2018年11月のMorbid Metal Festival 4だと思われる）で共演したことがあるんだが、イベントの最中はそれほど会話を交わさなかった。

古代のヴェーダの哲学に軸足を置いている

2021年11月、Rudraはインドの伝統芸能や現代アートを紹介するKalaa Utsavamというイベントに出演し、インドの伝統音楽をプレイするミュージシャン達とコラボレートした。同イベントはシンガポールで2002年からコンスタントに開催されている。

でも、それから数ヶ月後、俺は北京へ出張する用事ができてね。この時にようやくAncestorが北京を拠点にしているバンドだと気づき、北京滞在中にAncestorの誰かと会食できるかどうか、メールを送ってみた。俺はこうしてAncestorの李萌と再会し、意気投合した。李萌はダイハードなメタルヘッドでね。彼は会食中に、『Eight Mahavidyas』のリリースに合わせて、俺達の過去のアルバム群をリマスターして再発するというプランを持ちかけてきた。とても嬉しかったよ。あれほど情熱的で、勤勉かつ献身的なレーベルオーナーと出会うのは久々だったからね。

──10thアルバム『Eight Mahavidyas』の収録曲はそれぞれ、インドの女性8人をモチーフにしたそうですね。具体的にはどういう人達を題材にしたのですか？

Devan：ほとんどが伝説上の人物なんだが、たとえば2曲目の「Apprehending Through Negation」のモチーフになったのは、紀元前1000～500年頃に実在したとされる女流哲学者マイトレイだ。古代サンスクリット文学の世界では、ブラフマヴァーディン（注：ブラフマンを議論する者＝ヴェーダを開陳した者を指す）の1人と見なされ、彼女が神々に捧げた賛歌は『リグ・ヴェーダ』にも収録されている。4曲目の「Venerating Primordial Passion」では、女流哲学者ローパームドラーを取り上げた。やはり紀元前1000～500年頃に実在したとされる聖仙アガスティアの妻であると共に、彼女自身が神々に捧げた賛歌も『リグ・ヴェーダ』に収められ、ブラフマヴァーディンの1人と見なされている。7曲目の「Marching Against the Monarch」は、叙事詩『マハーバーラタ』の中で男女に本質的な違いはないことを論理的に立証し、ジャナカ王を論破したスラバーという尼僧を題材にした曲だ。実在の女性と言えるのは、アルバムを締めくくる8曲目の「Auspicious Widow」に出てくるア

日本の禅の哲学が瞑想を重視していることも気に入っている

2022年11月、インドのケララ州でライヴを行ったRudra。ギタ - チームのDevanとVinodは、ケララ州の州公用語であるマラヤーラム語が話せる。

ヴダイ・アッカルだね。曲名で分かるように、彼女は若くして未亡人になるんだが、ヴェーダーンタ哲学を学んだ末に聖人になったんだ。18世紀のタミル・ナードゥ州で生まれた女性の曲でもあるので、「Auspicious Widow」の歌詞の一部はタミル語なんだ。

——そもそもMahavidyas（マハーヴィディヤー）はインド神話に登場する十大女神の総称ですが、『Eight Mahavidyas』の収録曲は10曲ではなく8曲です。もう2曲、つまり2人の女性のストーリーを追加で書くというプランはなかったのですか？

Vinod：もちろん十大女神に合わせて10曲収録するかどうかをメンバー全員で話し合って検討した。でも、『Eight Mahavidyas』の題材は十大女神そのものではなく、社会にインパクトを与えたとされる女性達だ。たとえ数が合わなくても、そういう女性を8人取り上げたほうがリスナーの興味と好奇心をかき立てることができるんじゃないかと思ったんだよ。

——現在のRudraのギタリスト2人のうち、Vinodは2009年から在籍していますが、Devanは6thアルバム『Brahmavidya: Immortal I』（2011年）に参加した後、バンドを11年も離れていました。今回なぜDevanが復帰したのか、経緯を教えてもらえますか？

Shiva：バンド結成当初から、俺達は腕の立つギタリストに恵まれていた。歴代のギタリストはそれぞれのプレイスタイルで、Rudraというバンドの成長に貢献してくれたからね。7枚目のアルバム『Ṛta』から参加していたSimonが2021年に脱退したことで、Devanはバンドに復帰することになった。確かにDevanは『Brahmavidya: Immortal I』のリリース後にバンドを一度脱退したが、その当時と彼の人生の目標は変わったんだ。すでに彼は完全にバンドに馴染

んでいると思う。

——『Eight Mahavidyas』のリリースに合わせて、Awakening Records は Rudra の過去のアルバム 6 枚（1998 年のセルフタイトルの 1st アルバム～『Brahmavidya』3 部作まで）をリイシューしましたね。メンバー 4 人にとっても、過去のアルバム 6 枚は思い入れの深い作品なのですか？

Vinod：俺が最初に参加したアルバムは『Brahmavidya: Immortal I』なんだが、プライベートでは初期の Rudra のアルバムもよく聴いていた。どれも気に入っているが、俺はオーディオエンジニアリングにも関心があるから、サウンドプロダクションが改善されるといいのにと思っていた。すると Awakening Records は、『Eight Mahavidyas』のリリースだけでなく、過去のアルバムをリマスタリングして再発してくれたんだ。実に素晴らしいことだよ。

Shiva：どのアルバムも独自のスタイルとコンセプトがあって、アルバムをリリースするたびに感動を覚えるんだが、Awakening Records による再発盤のアートワーク、パッケージングは素晴らしかった。そのことに敬意を表したい。

Devan：再発された過去のアルバム 6 枚には、メンバー全員が愛着を持っている。現在の Rudra の音楽性を確立するのに貢献してくれたアルバムばかりだし、30 年以上にわたる俺達のキャリアの一部でもあるからだ。

Kathir：俺にとって、過去のアルバムは体の一部のようなものでね。そのうちの 6 枚が再発盤として新しく生まれ変わったわけだ。Awakening Records とオーナーの李萌は、6 枚のアルバムの再発に当たって、できる限り最善の対応をしてくれた。そのことにとても感謝している。彼らの仕事ぶりはまさにプロフェッショナルだったよ。

——Rudra は 30 年以上のキャリアを通じて、先に述べたインドとマレーシアに加え、インドネシア、タイ、アメリカ、カナダでもライヴしたことがあります。しかしまだ日本公演を一度も行ったことがありません。そこで最後にお尋ねしますが、ミュージシャンとして、もしくはプライベートで日本訪問したことがありますか？　日本と日本人に対する印象も聴かせてもらえると、なお幸いです。

Vinod：俺自身は日本へ一度も行ったことがないが、他のメンバーとはいつか日本でライヴしたいと長いこと話し合っている。俺は子供の頃から日本はいいところだと聞かされて育ち、日本人はみんな礼儀正しいという印象を持っている。日本のリスナーは、情熱を持って音楽に取り組むアーティストを熱心に応援しているそうだね。日本にはたくさんの楽器屋があることも知っているよ（笑）。ライヴのためであれ、休暇を楽しむのであれ、日本は絶対に訪れたい国の 1 つだ。いつか来日公演が実現することを願っているよ。

Devan：家族を連れて日本を観光旅行したことがある。日本は豊かな歴史と文化に恵まれていて、技術的にも非常に進んでいる印象を受けた。それに日本人はみんな礼儀正しくフレンドリーだ。最初の観光旅行でとても感動したので、家族を連れて日本へもう一度行きたいと思っている。日本のリスナーが、俺達のアルバムを楽しんで聴いてくれると嬉しいね。

Kathir：ワイフが出張で東京へ行った際に、俺は同行したことがある。短い滞在日数で、日本を訪れたのはその時だけだが、日本はシステマチックに組織化されていて、清潔さと秩序を重んじる国だと分かったよ。また、日本の禅の哲学が瞑想を重視していることも気に入っている。いつか日本のライヴ会場で、日本のメタルファンと会えることを楽しみにしているよ。

Shiva：2002 年に日本へ出張で行ったことがあるよ。日本人はとてもフレンドリーで愛情深く、礼儀正しいね。日本食も大好きだ。俺達のファンになってくれた日本人すべてに感謝している。いつか日本の大規模なフェスティバルに出演できる日が来ることを願っているよ（日本語で）サヨナラ。

ネパール系移民５人組がニューヨークで結成したグラインドコア

Chepang

（初期）ネパール・バグマティ・プラデーシュ州カトマンズ、ガンダキ州ポカラ／（現在）アメリカ・ニューヨーク州ニューヨーク　2016～　Grindcore　（類似）G.I.S.M.、Gauze、Genbaku Onanies、Bamseom Pirates　3512

遡ること 1854 年、グルカー朝の宰相ジャンガ・バハドゥル・ラナ（1816 ～ 1877）はネパール初の成文法「ムルキ・アイン」を制定し、同国にカースト制度を持ち込んだ。これにより、モンゴロイドの先住民であるチェパン族は下位カーストに位置づけられた。彼らは、1960 年代まで狩猟採集を生業にしていたため後進民族と見なされ、現在もネパールで貧困にあえいでいる。Chepang は、まさにその民族名を掲げたニューヨーク在住のネパール系移民 5 人によるグラインドコアバンドだ。

ツインヴォーカル、ギター、ツインドラムという変則的なバンドで、Surya Pun と Gobinda Senchury というドラマー 2 人は、過去にネパール産ブラックメタルバンドの Antim Grahan や Kalodin などで活動歴があり、バンドは自身の音楽性を「Immigrindcore」（移民を指す「Immigrant」と「Grindcore」の合成語）と称している。2016 年 8 月にデビュー EP『Lathi Charge』を発表。翌年 11 月の 1st アルバム『Dadhelo』発売に先駆け、Morbid Angel、Autopsy などと共にアメリカの Maryland Deathfest に出演した。2018 年 7 月には、日本の Butcher ABC、Self Deconstruction と共に、チェコの Obscene Extreme に参加したこともある。

Chepang

-भुईचालो! (Chatta)

Nerve Altar/Holy Goat Records　2020

（初期）ネパール・バグマティ・プラデーシュ州カトマンズ、ガンダキ州ポカラ／（現在）アメリカ・ニューヨーク州ニューヨーク

前作『Dadhelo』（2017 年）よりもノイズグラインドの性向が増した 2nd アルバム。M1「Pahilo Bhet」はアヴァンギャルドなサックスを合図代わりに、けたたましい金切り声とノイジーなギター、激しいブラストで襲いかかる。『Decibel Magazine』の取材に対し、Kshitiz Moktan<g> が Coalesce や Botch などマスコアの先人達に傾倒していると述べていたが、あまりそういう印象は受けず、異常にハイテンションな演奏で終始突っ走る。後半にはインダストリアル風にアレンジされた楽曲もある。

イギリス在住のネパール系移民が結成したスラッシュメタル

Symbol of Orion

イギリス・ロンドン　2009 ～　Forward-Thinking Metal/ Progressive/Spiritual
（影響）Voivod、Gojira、Darkthrone、Slayer、Metallica、Anthrax　86

在ネパール日本大使館の調べによると、ネパールは総人口およそ 2967 万人の約 19%（588 万人）が不在者人口であり、GDP の約 22.5%（約 72 億ドル）を海外就労者が支える「移民大国」である。まさにそうしたネパール系移民によって結成されたバンドが Symbol of Orion で、彼らはロンドンを拠点に活動している。2009 年に Saujan Rai<vo, g> を中心に結成され、2011 年 7 月には日本でも実施されているコンテスト、Emergenza ロンドン予選のファイナリストに食い込む。2012 年 9 月にデビュー EP『Divine Soil』をリリースすると、イギリスおよびアイルランドをツアーする。

前記のデビュー EP 発表時は、Voivod や Gojira などを思わせるプログレッシヴなスラッシュメタルに傾倒していたが、Cradle of Filth との仕事で知られるイギリス人プロデューサー／エンジニアの Scott Atkin（イギリスのストレートエッジ・ハードコアバンド Stampin' Ground の元ギタリストでもある）と組んだ初のフルアルバム『Unlamented』（2018 年）では民族楽器を導入したフォーキッシュな音楽性へと大変貌を遂げた。バンドは 2018 年 11 月に母国ネパールで凱旋ツアーを行い、同ツアーの一環でネパール最大級のメタルフェス、Silence Festival 出演を果たした。

Symbol of Orion
Human Combustion
自主制作　2020
イギリス・ロンドン

初のフルアルバム『Unlamented』（2018 年）では土着色を前面に押し出し、本作の約半年前のリリースしたシングル「Old Believers」（2020 年）もその延長線上にある長尺曲だった。ところが、通算 6 作目のこのシングルでは案外と奇をてらわないスラッシュメタルを披露。イントロは Slayer や Metallica 風だが、グルーヴメタル期の Sepultura、Machine Head などを思わせる面もある。反対に、キャリアの初期に傾倒していたという Voivod、Gojira などからの影響はあまり感じさせない。

商標登録でバンド名を守った バングラデシュ発のデス／ブラックメタル

Weapon

カナダ・アルバータ州カルガリー、エドモントン／バングラデシュ・ダッカ　2003 ～ 2013　Death/Black Metal
（影響）Deicide、Mayhem、Samael、Morbid Angel、Abhorer、Root、Armored Angel、Entombed　8006

バングラデシュのダッカ出身の Vetis Monarch<vo, g> を中心に 2003 年に始動したデス／ブラックメタルバンド。デビュー EP『Violated Hejab』（2005 年）をトリオ編成で発表後、Kapalyq こと Amitav Sanyal<b> は Orator に、Nohttzver こと Shekh Rezwan<ds> は Nafarmaan の立ち上げに参加して母国にとどまったが、Vetis は単身カナダに活路を求めた。そして、Rites of Thy Degringolade の Paulus Kressman<ds> らを迎え入れた Vetis は、Weapon として 2 枚のフルアルバムをリリースする。

2012 年 6 月には Marduk と 1349 のサポートアクトとしてチリ、プエルトリコ、アメリカ、カナダを歴訪。Vetis はその傍ら、Death の元マネージャーで弁護士でもあった Eric Greif の手を借り、英米とカナダでバンド名を商標登録した。

このため、バンド名義をめぐって争っていたイギリスの同名正統派バンドが Weapon UK 名義に変更。Vetis はバングラデシュ時代から掲げていた Weapon のバンド名を守り抜き、3rd アルバム『Embers and Revelations』（2012 年）のリリースにこぎ着けたが、翌年のベスト盤『Naga: Daemonum Praeteritum』（2013 年）発表をもって解散した。

Weapon

Embers and Revelations

Relapse Records　2012

カナダ・アルバータ州カルガリー、エドモントン／バングラデシュ・ダッカ

Death、Coffins などを輩出した Relapse Records でリリースされた 3rd アルバムで、日本でも配給された。バンドは影響源として Samael を挙げていたが、現在の Samael のようなシンフォニック色は皆無。したがって換言すると、Venom に源流を持つ最初期の Samael や Celtic Frost などの第一世代ブラックメタルの音を現代風にアップデートした感がある。メロディアスなギターソロは Rotting Christ に相通ずる面もあり、アルバム終盤ではオリエンタルなフレーズも見え隠れする。

AggronympH
Till Life Sets Us Apart
InternalChaos Studio　2016　Electronic Gothic Metal
中国・湖北省宜昌／バングラデシュ・ダッカ

前身の Biothroes として 2009 年に結成後、バンド名を改めた男女混成バンドの EP で、通算 4 作目。中心人物の Saad Al Sami Arnob<g, growl> が 2014 年から中国・湖北省の三峡大学に留学した関係上、中国人メンバーを加えて活動したこともあるが、本作は紅一点の Nureen Mahnoor<vo> を含め、全員バングラデシュ人メンバーで制作したと思われる。ゴシックメタルにエレクトロ要素をうっすらと加えた音楽をプレイしているが、劇的な盛り上がりに乏しい。Saad は本稿執筆時も中国に在住している。

Bidroha
Suffer till Death
自主制作　2013　Thrash Metal
香港／ネパール・バグマティ・プラデーシュ州カトマンズ

ネパール語で「革命」を指す Kayakairan 名義で 2010 年に結成後、バンド名を改称した 4 人組スラッシュメタルバンドの 1st アルバム。バンドは本作発表後に香港でツアーしたのを機に、本稿執筆時点も香港をベースに活動している。現バンド名はネパール語で「報復」を意味する。Slayer、Megadeth、Destruction などへの憧憬を素直に表現している。しかしアルバム全体を俯瞰すると、貧弱なプロダクションで音圧が欠けており、薄っぺらく聞こえるのが難点。全 8 曲のうち 2 曲はネパール語詞。

Archangel
Journey
Progressive Metal/Ambient　2018　Progressive Metal/Ambient
インド・ベンガルール／イギリス・ウェスト・ミッドランズ州ウルヴァーハンプトン

インド南部のベンガルール出身で、現在はイギリス中部のウルヴァーハンプトンに拠点を置く Srikumar Ravi Kumar<g> によるインストプロジェクトの 5th アルバム。Srikumar の個人 Facebook には、医療用白衣姿の写真があったので、本業は医療従事者だと思われる。キャリアの初期から一貫して、スペーシーなシンセに合わせて Djent 風のリフを刻む曲や、アンビエントな雰囲気を醸し出す曲をプレイしている。本作もその延長線上にあるが、派手にギターを弾きまくるわけではないので、物足りなさを覚えるかもしれない。

Carthus
Carthus
自主制作　2021　Folk/Groove Metal
オーストラリア・ヴィクトリア州メルボルン／インド・カルナータカ州ベンガルール

The Black Regiment のシンガーだった Abhi Jain が、オーストラリア人の楽器隊と組んだ 5 人組バンドによるセルフタイトルの 1st デモ。M1「The Swamp Monster」と M2「Warborne」はフォークメタルのリズム感を採り入れたナンバーだが、Abhi のディープなグロウルは親しみやすく陽気なフォークメタルと趣きが異なる。締めくくりの M3「Vindictive Retribution」は Lamb of God のようなメタルコア風の楽曲だ。全体的にプロダクションは良好とは言いがたい。

Ascendant
A Thousand Echoes
自主制作　2017　Power Metal
アラブ首長国連邦ドバイ／シリア・ダマスカス／アルメニア・エレバン／インド・カルナータカ州ベンガルール

Blood & Iron の Ashish Shetty<g> がドバイへ渡り、シリア出身の Youmni Abou Al Zahab<vo>、アルメニア出身の Aram Kalousdian<ds> らと結成した 5 人組パワーメタルバンドの 1st アルバム。序盤は Primal Fear のような楽曲が並ぶが、中盤からプログレッシヴな長尺志向が顕著に。M9「At the End of the World」は約 13 分の大作だ。Cradle of Filth の Lindsay Schoolcraft<vo, key> が客演した。

Defiant
Forever Gone
自主制作　2022　Hardcore/Metal
フィンランド・ヘルシンキ／ネパール・バグマティ・プラデーシュ州カトマンズ

ネパール産ポスト・ハードコアバンド Breach Not Broken の Saurav Tamrakar<g> が、フィンランドへ渡って結成した 4 人組バンドによる通算 5 作目のシングル。彼の脇を固めるメンバーは皆フィンランド人で、Katju Brelo<ds> は女性である。前掲の Breach Not Broken のような叙情性は皆無で、キャリアの初期から一貫して不穏かつ殺伐とした雰囲気を発散。中盤で単音リフから重苦しいビートダウンへと移行したかと思いきや、堰を切ったような疾走ドラミングで終盤は畳みかける。

Elephant Road
Elephant Road
G-Series 2004
アメリカ・ミネソタ州ミネアポリス／バングラデシュ・ダッカ

バングラデシュのシーンの黎明期を担った In Dhaka、রক্‌ স্ট্রাটা（RockStrata）などのメンバー 4 人が、渡米してバンドを組んで発表した唯一のアルバム。バンド名の由来は、バングラデシュの首都ダッカに実在する繁華街だろう。同国の Artcell のように、Dream Theater の影響下にあるプログレッシヴメタルを志向しているが、緩くて間延びした印象。アメリカでレコーディングしたとは思えないほど音質は劣悪だ。現地の人々にとってはスーパーバンドかもしれないが、曲を聴く限りではその価値を見出しにくい。

Intellectual Morons
Same Shit
自主制作 2018 Rap Metal Funkcore
香港／ネパール・バグマティ・プラデーシュ州カトマンズ

香港在住のネパール系移民が 2009 年に結成したミクスチャー系バンドの 4th シングル。Dipen Gurung<vo> をはじめとする現メンバー 4 人の顔立ちはモンゴロイドのそれである。インドの Ambush と同じく Rage Against the Machine への強い傾倒ぶりが窺え、Sokhin Ghale のギターソロも、Rage Against the Machine の Tom Morello を想起させる。ただ、初期の音源より硬質でヘヴィなサウンドを打ち出しており、KoЯn、Disturbed などからの影響も垣間見える。

Final Summon
Paralyzed Reality
自主制作 2022 Thrash/Death Metal
アメリカ・カリフォルニア州ロサンゼルス／インド・マハーラーシュトラ州ムンバイ

ムンバイ出身の Parth Shah<vo, g>、Yash Gokhale<g>、Aniket Shenoy<ds> の 3 人が渡米し、2018 年に結成したスラッシュメタルバンドの 1st アルバム。Morris Calderon というアメリカ人のサポートベーシストを加えてライヴ活動しているようだ。古代から現代に至るまでの為政者の興亡を描いたコンセプト作と謳われているものの、物語性は感じられない。音楽的には Slayer からの影響が窺えるが、MV が制作された M5「Usurper」には早口のラップのようなパートがある。

Last Known Surroundings
Pier 84
自主制作 2020 Post Rock/ Progressive Rock/Post Metal
インド・テランガナ州ハイデラバード／オーストラリア・ヴィクトリア州メルボルン

インド南部のハイデラバード出身で、オーストラリアのラ・トローブ大学で経営学の修士号を取得した Anantha Krishna<g> によるプロジェクトのシングル。Mogwai に代表されるインストのポストロック／メタルを志向しており、ギターとシンセ、タブラで織り成す静謐なパートと、ディストーションを利かせたギターを鳴らすパートを行き来する曲構造だが、Mogwai と比べると盛り上がりに乏しい。ちなみに Anantha は影響源として日本の Mono を挙げており、本稿執筆時はインドのチェンナイに居を移している。

FirstBourne
Pick Up the Torch
自主制作 2019 Melodic Heavy Metal/Rock
アメリカ・マサチューセッツ州ボストン／ブラジル・エスピリトサント州マンテノポリス／インド・タミル・ナードゥ州タンジャーヴル

元 Hostilian の Ven Thangaraj<b> が渡米し、アメリカを拠点とするブラジル人ギタリストの Mike Kerr と組んだバンドの 2nd アルバム。前作『Riot』（2016 年）は女性メンバーの Adrienne Cowan<vo, key> を含む 5 人編成で、シンフォニックメタル寄りの楽曲をプレイしていた。バンドはその後、男性シンガーの Keith Pittman を擁する 4 人組に刷新。本作ではメロディック・パワーメタル風の楽曲にも挑戦しているが、Keith の声質はマイルドである半面、力強さに欠ける。

Loud Shaft
Rebel
自主制作 2019 Rap Metal
香港／ネパール・ガンダキ州ポカラ

これも香港在住のネパール系移民 4 人組バンドの 1st アルバム。バンドは 2018 年に、カナダのケベック州の Envol et Macadam Festival という大型フェスに出演したことがある。初端の M1「Fight for Freedom」は香港の反政府デモに触発された曲だろう。楽器隊はポストグランジ／オルタナティヴ・ハードロックの骨太なサウンドを鳴らすが、Alter Limbu<vo> の甲高い声質や唱法は Zack de la Rocha（Rage Against the Machine）を彷彿とさせ、逆にチグハグな印象がある。

Mystica
Crimson Dream

自主制作 2007 Metal / Gothic / Alternative

イギリス・ロチェスター／パキスタン・シンド州カラチ

パキスタンの Hell Dormant などで活動した Black Tearz こと Wasi Raza<g> が渡英して結成したゴシックメタルバンドの 1st アルバム。Wasi 以外のメンバーはイギリス人ばかりだと思われる。Lacuna Coil、Anathema などの影響が窺える楽曲群が収められているが、全体的にプロダクションはチープ。紅一点シンガーの Erika Angius の歌唱も単調で抑揚に欠ける。バンドは『Flowers of Evil』と題した次作を準備していたそうだが、陽の目を見ぬまま解散した可能性がある。

Svengali
Sayonara

自主制作 2020 Industrial/Metalcore

アラブ首長国連邦ドバイ／レバノン・ベイルート／イラン・テヘラン／インド・マハーラーシュトラ州ムンバイ

2013 年に始動した 4 人組プログレッシヴ・メタルコアバンドの 2nd アルバム。Adnan Mryhij<vo> のグロウルを軸にした攻撃的なサウンドは、After the Burial、Veil of Maya などを想起させる。ただし、ムンバイ出身の Josh Saldanha はドラムのみならずクリーンヴォイスも兼務しており、彼が歌うパートになると Periphery のような浮遊感を醸し出す。表題曲の M6 は「This Is Sayonara」とシンガロングを誘うパートがあるが、日本贔屓のバンドなのだろうか。

Regus
Simulation Machine

自主制作 2022 Progressive Metal

アラブ首長国連邦ドバイ／パキスタン・パンジャブ州ラホール

パキスタン出身の Rayyan<vo, g> と Mustafa<ds> の Mir 兄弟と、ドバイ出身の Kyle Harry D'souza<g> という 3 人組プログレッシヴメタルバンドの 1st アルバム。ベースレスの編成だが、1st シングル「Unknown Skies」（2018 年）の頃から Djent 志向である。前掲のシングルはクリーンヴォイス一辺倒の内省的な作風だったが、Rayyan Mir が本作ではグロウルを解禁。スペーシーなシンセを交えつつ、曲によっては Meshuggah からの影響を感じさせるが、演奏はさほど難解ではない。

Vin Sinners
VS III

自主制作 2020 Hard Rock

（初期）インド・タミル・ナードゥ州チェンナイ／（現在）アラブ首長国連邦ドバイ

タミル・ナードゥ州チェンナイ出身の Big Daddy Vin こと Vin Nair<vo> が、ドバイへ渡って立ち上げたプロジェクトの 3rd アルバム。Vin の脇を固める楽器隊はインドとドイツの混成である。基本的には正統派ハードロックだが、初端の M1「To the Skies」ではコーラス部分でうっすらグロウルが重なり、続く M2「Nation 2.0」では異国情緒を感じさせるパートがある。中盤は鍵盤楽器を用いたバラード調の曲が多め。締めくくりの 2 曲は Iron Maiden からの影響が見え隠れする長尺曲だ。

Soara
Dharm

Soara LLP 2020 Indian Classical Metal

アメリカ・カリフォルニア州サンフランシスコ／インド・マハーラーシュトラ州ムンバイ

ムンバイからサンフランシスコへ移住した Akhilesh Rao<g> が、元 Necrophagist の Hannes Grossmann<ds> と組んだプロジェクトの 1st EP。チェンナイ出身の Karthik Ramasubraminan<vo> を起用した M1「Tezaab」と M2「Niram」はインド南部伝統のカルナータカ音楽に Djent を融合させた楽曲群で、特に前者は女性へのアシッドアタック（酸攻撃）を糾弾する内容で話題を集めた。Akhilesh がギターを派手に弾きまくるインストナンバーもある。

Waves
Purono Shrity

ইউসুক ইলেকট্রনিকস（Yusuk Electronics） 1995 Rock/Metal

西ドイツ・ヘッセン州フランクフルト／バングラデシュ・ダッカ

西ドイツのフランクフルト在住だった Iftekhar Sikder<g, vo> を中心に 1981 年に結成後、メンバー交代を重ねながら母国バングラデシュへの逆輸入を試みるも 1985 年に一時解散。それから 10 年後に再結成した古参バンドの唯一のアルバム。カセット形態で流通された。バングラデシュにヘヴィメタル／ハードロックを初めて持ち込んだバンドと謳われているが、実際にはブギーロック風の曲や、民謡をロック風にアレンジしたような曲もあり、ヘヴィメタル／ハードロック色は薄い。一発録りという点を割り引いても貧弱なプロダクションだ。

インド亜大陸にルーツのあるメタルミュージシャン一覧
List of Metal Musicians who Have Indian Subcontract Roots

地名	本文
Freddie Mercury（Queen）	インドにルーツがあるヘヴィメタル／ハードロック系アーティストとして、読者が真っ先に思い浮かべるのは Queen の Freddie Mercury<vo> だろう。彼は 1946 年 9 月 5 日生まれで、出生児の名前は Farrokh Bulsara という。空前の大ヒットを叩き出した伝記映画『ボヘミアン・ラプソディ』（2018 年）でも描かれたとおり、Freddie の両親はインド西部のグジャラート州出身のパルシー（ゾロアスター教徒）である。Freddie 自身も少年時代はムンバイ近郊の全寮制学校で暮らし、その頃にピアノの手ほどきを受け、ロックに目覚めた。両親や妹と共にイギリスへ移住したのは、Freddie が 17 歳の時である。ただし、Queen は Freddie の存命時を含めてインドでは一度もライヴしていない。
Paul Sabu	Paul Sabu はメロディアス・ハードロック畑で知られる人物で、1940 年代にアメリカ国籍を取得したインド人俳優を父に持つ。1957 年 1 月 2 日にロサンゼルスで生まれた Paul Sabu は、自身のバンド Kidd Glove や Only Child などで活動する傍ら、TV ドラマや映画のサントラの作曲、エンジニア業にも参入。W.A.S.P. と映画『グーリーズ II』（1987 年）のテーマ曲を共作し、Impellitteri の 2nd アルバム『Grin and Bear It』（1992 年）で共同エンジニアを務めた。1996 年には Bonfire の Angel Schleifer<g>、Joerg Deisinger<b> を従え、自らの姓を冠した Sabu 名義でアルバムを発表。2000 年以降も、『Strange Messiah』（2007 年）と『Bangkok Rules』（2012 年）というソロアルバムを出している。
Kim Thayil（Soungarden）	グランジ四天王の一角を成す Soundgarden の Kim Thayil<g> は 1960 年 9 月 4 日、ワシントン州シアトル生まれだが、インド南部のケララ州からアメリカへ移住した在外インド人 2 世である。承知のとおり、初期の Soundgarden には日系人の Hiro Yamamoto<b> が在籍していた。したがって、Soundgarden は日印両国にルーツのあるメンバーを擁したバンドとして、1985 年にデビューしたのである（ちなみに後任ベーシストの Ben Shepherd も、父親が在日米軍兵だったため沖縄で生まれた）。Soundgarden のキャリアと Chris Cornell<vo> の悲劇的な最期はあえて割愛するが、Soundgarden が一時解散中だった頃に、Kim Thayil は僚友の Matt Cameron<ds> と共に日本人女性シンガー亜矢のデビューアルバム『戦場の華』（2002 年）にゲスト参加したことがある。
Chitral "Chity" Somapala（Firewind ～ Civilization One 他）	ギリシャの技巧派ギタリスト Gus.G 率いる Firewind の初来日公演（2004 年 1 月）でシンガーを務めた Chitral "Chity" Somapala は、スリランカの大都市コロンボの出身だ。1966 年 11 月 4 日、音楽一家のもとで生まれた彼はいくつかのバンドを経て、ジャーマンメタルバンドの Avalon に加入して 1998 ～ 2000 年にかけて 2 枚のアルバムに参加。2003 年暮れに Firewind のシンガーに抜擢され、先述のとおり 2004 年 1 月に日本の地を踏んだ。Firewind 脱退後は、自らが立ち上げた多国籍バンド Civilization One や、ドイツの Red Circuit、イギリスの Power Quest などで熱い歌声を披露。2012 年 8 月にはキャリア初のソロアルバム『Photographic Breath』をリリースしたが、同作はニューエイジのインストアルバムなので、メタル色は皆無である。
Ian D'Sa（Billy Talent）	Billy Talent の Ian D'Sa<g> は、ロンドン屈指のインド人街であるサウソールで 1975 年 10 月 30 日に生まれた。彼の家族のルーツはインド西部のゴア州にあるという。Ian は 3 歳の時に家族と共にカナダへ移住後、Ben Kowalewicz<vo>、Jon Gallant<b> らと共に前身バンドの Pezz を 1993 年に結成。2003 年に現バンド名義で 1st アルバムをリリースし、2005 年の Summersonic で初来日を果たした。カナダのグラミー賞と呼ばれるジュノー賞に 2 度輝き、2010 年のバンクーバー冬季五輪の表彰式でライヴパフォーマンスを披露するなど、Billy Talent はカナダの国民的バンドに上り詰めたが、ドラマーの Aaron Solowoniuk が多発性硬化症のためバンドを離脱。このため 2016 年の Summersonic では、同郷の Alexisonfire の Jordan Hastings<ds> のサポートを仰いだ。
Dave Baksh（Sum 41）	南米のガイアナは人口 80 万人未満の小国だが、その 4 割方は同国がイギリス統治下にあった 19 世紀にインドから渡来した移民の子孫が占める。そのガイアナからカナダのトロントへ移住したインド系の両親のもとで生まれたのが、Sam 41 の Dave Brownsound こと Dave Baksh<vo, g> だ。彼は 1980 年 7 月 26 日生まれで、2000 年に Sam 41 の一員としてデビュー。2001 年の 1st アルバム『All Killer No Filler』は全世界 300 万枚以上のセールスを記録し、2003 ～ 2004 年には Summersonic に 2 年連続出演。2005 年の単独来日ツアーではさいたまスーパーアリーナの大舞台に上がったが、翌年に一時脱退して、従兄弟に当たる Vaughn Lal<b> らと Brown Brigade を結成する。しかし、2015 年夏から Sam 41 に復帰し、2019 年～ 2020 年にも来日を果たした。
Barney Ribeiro（Nervecell）	中東に目を向けると、アラブ首長国連邦の重鎮デスメタルバンド Nervecell の Barney Ribeiro<g> もインドにルーツを持つ。彼は 1983 年 6 月 5 日にドバイで生まれたが、インドとポルトガルのハーフだと複数のメディアに明かしている。承知のように、インド西部のゴア州は 1961 年までポルトガル領だったので、Barney の両親はゴア州にゆかりがあるかもしれない。Nervecell としては 2004 年にデビュー EP『Human Chaos』をリリース後、フルアルバム 3 枚を発表済み。2009 年に Wacken Open Air 出演を果たし、同年暮れには As I Lay Dying 初のスリランカ公演に帯同。2010 年にはインドで単独ツアーを行った。2011 年に再びスリランカとインドへ遠征した後、同年 10 月に Metallica 初のアブダビ公演をサポートした。バンドはその後もネパールとインドでライヴをこなしている。

Mallika Sundaramurthy（元 Abnormality～Nidorous 他）	脇田涼平氏の『ブルータルデスメタルガイドブック』は、女性シンガーを据えたブルータル・デスメタルバンド 10 組を特集していた。そのうち、マサチューセッツ州出身の Abnormality のシンガーだった Mallika Sundaramurthy はインドとアメリカのハーフで、父はインドのタミル・ナードゥ州チェンナイ出身で、母はニューハンプシャー州出身だ。Mallika は 1984 年 7 月 9 日生まれで、2005 年に Abnormality を結成後、フルアルバム 3 枚と EP1 枚をリリースしたが、2019 年の 3rd アルバム『Sociopathic Construct』が最終作となった。現在は、夫の Rhino こと Serge Gordeev<g, b> と共にチェコに在住。夫婦で Ultimate Massacre Productions なるレーベルを運営したり、Nidorous というブルータル・デスメタルバンドを組んだりしている。
Sameer Bhattacharya（Flyleaf）	Flyleaf はアメリカのテキサス州出身の 5 人組クリスチャンメタルバンドだが、ツインギターの片翼を担う Sameer Bhattacharya もインドにゆかりがある。彼の Instagram のアカウント名「@professorbombay」を見ればそのことは一目瞭然だ。彼は 1984 年 8 月 31 日生まれで、Flyleaf のセルフタイトルの 1st アルバム（2005 年）が全米でミリオンセラーを記録したのを受け、翌年 10 月には東京で初来日公演を行い、第 1 回目の Loud Park のステージにも上がった。Flyleaf のキャリアは前途洋々に思われたが、初代フロントウーマンの Lacey Sturm が 3rd アルバム『New Horizons』（2012 年）をもって脱退。後任者の Kristen May も 4th アルバム『Between the Stars』（2014 年）のみで脱退したため、活動を休止していたが、2022 年 11 月に Lacey の復帰が発表された。
Misha Mansoor（Periphery）	Periphery の中心人物、Misha Mansoor<g> もインドにルーツを持つ有名ミュージシャンだ。というのも、本人が Twitter で過去に明かしたとおり、彼の祖父はモーリシャスで暮らした在外インド人である（母方の祖父は同国の華僑）。なおかつ、父親の Ali Michael Mansoor 氏は同国の財務・経済開発大臣を務めた要人だが、Misha 自身は 1984 年 10 月 31 日にアメリカのメリーランド州で生まれた。2005 年に Periphery を結成してからはフルアルバム 6 枚などを発表し、2014 年 2 月の Scream Out Fest 2014 を皮切りに 3 度の来日公演を経験済み。インドのベンガルールで 2012 年 12 月に開かれた NH7 Weekender にも出演したことがある。ちなみに本稿執筆時点で Ali Michael Mansoor 氏は IMF（国際通貨基金）のアシスタントディレクター職に就いている。
Ravi Bhadriraju（元 Job for a Cowboy）	アメリカのアリゾナ州出身で、デスコアの元祖と称される Job for a Cowboy の創設メンバーだった Ravi Bhadriraju<vo> もインドにルーツを持つ。彼の祖父 Bhadriraju Krishnamurti はインド南部のアンドラ・プラデーシュ州出身の高名な言語学者で、1980 年代に日本の東京大学で客員教授を務めたことがあるという。その孫である Ravi は 1988 年 11 月 3 日生まれで、弱冠 15 歳で Job for a Cowboy の結成に加わると、2007 年の 1st アルバム『Genesis』で Billboard 総合チャート 54 位をマーク。2008 年 3 月には Arch Enemy、Shadows Fall との 3 組カップリングで初来日を果たした。バンドはその後も快進撃を続けるが、Ravi の姿はもうなかった。なぜなら歯科医に転身したからだ。本校執筆時点では、地元アリゾナ州の歯科医院で働いている。
Vishal “V” Khetia（Heart of a Coward ）	イギリスのミルトンキーンズ出身のプログレッシヴ・メタルコアバンド Heart of a Coward も、インド系ミュージシャンの Vishal “V” Khetia<b> を擁する。1989 年 8 月生まれの Vishal は、元 Sylosis の Jamie Graham<vo> らと共に、2nd アルバム『Severance』（2013 年）より Heart of a Coward に加入。同作リリースに先駆け、バンドはイギリス最大級の野外フェスである Download Festival の大舞台に上がり、2014 年は Thy Art Is Murder、Suicide Silence などの欧州ツアーをサポートした。2015 年の 3rd アルバム『Deliverance』を経て、バンドはニューシンガーの Kaan Tasan を迎え入れると、2019 年に Download Festival に再び出演。程なくして、4th アルバム『The Disconnect』も発表した。
Asim Searah（Wintersun）	Evoken de Valhall Production の招聘で初来日公演を行ったフィンランドの Wintersun には、2017 年春からパキスタンのラホール出身の Asim Searah<g> が在籍している。彼は 1989 年 10 月 28 日生まれで、2007 年からフィンランドの首都ヘルシンキで暮らしている。日本の『YOUNG GUITAR』の取材によると、Asim はフィンランドへ移住する前年に、ドイツ在住の叔父の計らいで Wacken Open Air に足を運び、Wintersun のライヴのみならずミート＆グリートにも参加したという。つまり、Asim は長年のファンだった Wintersun への加入を 10 年越しで叶えたのだ。Asim はフィンランドの Damnation Plan ではクリーンヴォイス担当シンガー、フィンランドの対岸に位置するエストニア産バンド Cantilena ではシンガー兼ギタリストとしても活動している。
Anup Sastry（元 Intervals～Skyharbor～Monuments 他）	Intervals、Monuments などを渡り歩いた Anup Sastry<ds> も、インド南部のベンガルールからアメリカへ移住した両親のもとで生まれた在外インド人 2 世だ。彼は 1990 年 5 月 21 日、ワシントン D.C. 出身。中学時代にドラムをたしなんだ後、Periphery の歴代ドラマーである Travis Orbin、Matt Halpern に師事した。Anup は Intervals のオリジナルドラマーである一方、同時期に始動した Skyharbor の立ち上げにも深く関与。2012 年 3～4 月に Jeff Loomis（現 Arch Enemy）のソロ公演に帯同した後、Skyharbor を率いる Keshav Dhar<g> と共に Marty Friedman（元 Megadeth）のソロ 12th アルバム『Inferno』（2014 年）に参加した。彼は 2013 年の『Ghost』を皮切りに、打ち込みのギターやベースを使ったソロアルバムを 2 枚、EP を 3 枚発表している。

索引

参考文献一覧

本書は学術研究書ではなく、必ずしも記載する書籍すべての内容が本書で反映されているわけではないが、インドとその周辺国の文化や歴史、政治経済を知る上で、特に役に立った書籍を列挙する。これらの書籍以外にも参照、閲覧した文献資料は多数存在するが、特にここに記載してある書籍はインドとその周辺国の実情を知る上で有益である。

一般書

辻直四郎『リグ・ヴェーダ讃歌』、岩波書店、1970
斎藤昭俊『インドの神々』、吉川弘文館、1986
長谷川明『インド神話入門』、新潮社、1987
トール・ヘイエルダール著、木村伸義訳『モルディブの謎』、法政大学出版局、1995
歴史教育者協議会『知っておきたいインド・南アジア』、青木書店、1997
WCG 編集室『インド：魅惑わくわく亜大陸』、トラベルジャーナル、1999
上村勝彦『インド神話ーマハーバーラタの神々』、ちくま学芸文庫、2003
大橋正明、村山真弓『バングラデシュを知るための 60 章』、明石書店、2003
重松伸司、三田昌彦『インドを知るための 50 章』、明石書店、2003
広瀬崇子、山根聡、小田尚也『パキスタンを知るための 60 章』、明石書店、2003
森本達雄『ヒンドゥー教：インドの聖と俗』、中央公論新社、2003
ポール・ランディ著、小杉泰監訳『イスラーム：この 1 冊でイスラームのすべてが見える』、ネコ・パブリッシング、2004
武藤友治『インド＝宗教の坩堝』、勉誠出版、2005
内藤雅雄、中村平治『南アジアの歴史ー複合的社会の歴史と文化』、有斐閣アルマ、2006
藤井毅『インド社会とカースト』、山川出版社、2007
中里成章『インドのヒンドゥーとムスリム』、山川出版社、2008
堀晄『古代インド文明の謎』、吉川弘文館、2008
鎧淳訳『バガヴァッド・ギーター』講談社学術文庫、2008
長谷川啓之監修、上原秀樹、川上高司、谷口洋志、辻忠博、堀井弘一郎、松金公正編『現代アジア事典』、文眞堂、2009
辛島昇、前田専学、江島惠教、応地利明、小西正捷、坂田貞二、重松伸司、清水学、成沢光、山崎元一監修『新版 南アジアを知る事典』、平凡社、2012
日本スリランカ友の会『憧れの楽園スリランカ』、アールイー、2013
山下博司『インド人の「力」』、講談社現代新書、2016
山下博司、岡光信子『新版 インドを知る事典』、東京堂出版、2016
アジア資本市場研究会『アジアのフロンティア諸国と経済・金融』、日本証券経済研究所、2017
イザベル・サン＝メザール著、ユーグ・ピオレ地図製作、太田佐絵子訳『地図で見るインドハンドブック』、原書房、2018
杉本良男編集委員長、インド文化事典編集委員会編『インド文化事典』、丸善出版、2018
田中洋二郎『新インド入門：生活と統計からのアプローチ』、白水社、2019
宮本久義、小西公大『インドを旅する 55 章』、明石書店、2021

配布資料

東京国立博物館『特別展スリランカー輝く島の美に出会う』プレスリリース、2008
インド総合研究所『週刊 座、グレート・リーダーズ通信』第 28 号、2010
明治学院大学 国際平和研究所『南を考える』13 号、2011
上智大学理工学部経営者の会（2018）『インド通信』第 2 号、2018
株式会社ジェイ・エス・エス「モディ政権下のイスラム抑圧で顕在化する国内対立（インド：大衆運動・テロ）」、『JSS 特別レポート』、2019
防衛省防衛研究所『防衛研究所紀要』第 22 巻第 2 号、2020

あとがき

筆者と本書編集人のハマザキカク氏は、2018 年 8 月の『デスメタルコリア』刊行からさほど間を置かずに、とある地域に焦点を絞った「世界過激音楽」シリーズの書籍制作を進めていた。2019 年の正月の時点で、筆者が約 100 枚の音源レビューを書き上げたところ、インドとその周辺国出身のバンドマンが移住先の国外でバンドを組んでいるケースが複数見受けられた。当時の原稿を読み直すと、ハマザキ氏は『デスメタルインディア』を絶対やる必要がある、という所見を残していた。有能な書籍編集者は、こういう時に嗅覚を働かせるのだ。筆者もかねがね、「世界過激音楽」シリーズに『デスメタルインディア』があってもよいのでは？と感じていた。こうしてハマザキ氏は当初のプランを変更し、筆者は 2019 年 2 月から本書の執筆を始めることになった。とはいえ、筆者がインドとネパールを訪れたのは略歴記載のとおり 1996 ～ 1997 年のことだ。つまり、現在のインドでトップクラスに君臨する Demonic Resurrection、Gutslit、Kryptos、それに Bloodywood やネパールの Underside などは影も形もなかった頃である。したがって、2019 年 2 月から丸 1 年間は、ひたすら各バンドの音源レビューとバイオグラフィーを書き進め、インドとその周辺国のシーンの変遷と実態の把握に努めた。

本書の 6 割方を書き上げたところで、筆者はインタビューすべきバンドと重要人物を絞り込み、2020 年 3 月から順次オファーを出した。折しも当時は新型コロナウイルス感染症の第一波の真っただ中。しかも、インタビュー対象者の半数方と前々から面識のあった『デスメタルコリア』とは異なり、本書にインタビューを掲載したバンドには飛び込み営業のような状態で打診せざるをえなかったが、各バンドはおおむね快く承諾してくれた。ただし、これは土地柄というよりも個人の気質による問題かもしれないが、インタビューの回答を書面で寄こしてくるまでに数ヶ月待たされるケースも往々にしてあった。

2021 年 4 月の時点で、Abigail の Jero<g> へのインタビューも含んだ原稿と各種データ一式を、筆者はハマザキ氏に一度入稿している。しかし一連のコロナ禍により、多くの出版社が刊行スケジュールの見直しを迫られた。ハマザキカク氏が営むパブリブも例外ではなかった。このためハマザキカク氏の状況が落ち着くまで、筆者は冒頭で述べた、とある地域に焦点を絞った「世界過激音楽」シリーズの執筆を再開したが、それから 4 ヶ月ほど経った 2021 年 8 月に病院で働く家人がデルタ株陽性となり、2021 年 10 月にはハマザキ氏が耳を負傷。さらに 2022 年初頭からは筆者が原因不明の耳鳴りに悩まされるというトリプルパンチに見舞われた。

本書の残り 4 割方を書き終えたのは 2022 年 3 月で、初校ゲラ（最初の試し刷り）が出来上がったのは 2022 年 7 月のことだが、ここで大問題が噴出した。村田恭基氏の『オールドスクール・デスメタル・ガイドブック』を境に、「世界過激音楽」シリーズは白黒からフルカラー印刷へと移行し、200 ～ 300 ページ台という手軽に読める体裁に様変わりした。しかし筆者はそのことを考慮に入れずに書き進めたため、本書は初校ゲラの段階では約 460 ページに膨れ上がっていたのだ。

2022 年 2 月のロシアによるウクライナ侵略とその後の円安で原材料価格と物価は高騰し、これがあらゆる業種・業態に影響を及ぼした。紙やインクを消費する出版業界も例外ではない。そんな状況下で、約 460 ページの大作を世に送り出すのは非現実的である。このため筆者はハマザキカク氏の強い要請を受け、2022 年 7 月から半年以上をかけて 100 ページ近くを削減（ただし掲載バンド数は減っていない）。その一方で、新譜の音源レビューを上書き更新すると共に、Bloodywood、Gutslit、Willuwandi、Rudra の 4 組のインタビューを追加で実施した。このような紆余曲折を経て、筆者にとって 5 年ぶりとなる「世界過激音楽」シリーズの本書が陽の目を見たのである。

『デスメタルコリア』と同じく、本書は徹底した少数精鋭で制作されたが、実際には大勢の人々から有形無形のサポートを得た。まずは、インタビューに応じてくれた 14 組のバンドと 3 人の重要人物に感謝したい。各種写真の使用許諾を与えてくれたアーティスト達にも御礼を申し上げたい。巻頭の「用語集」「主要人物」「主要言語・文字」「主要宗教」ならびに本文の一部は、中央大学総合政策学部准教授の井田克征氏（専門は宗教学、南アジア研究、中国哲学、インド哲学、仏教学）と、東北大学大学院文学研究科 OB でインド学仏教史の修士号を取得した竹内耕太氏に査読してもらった。2 人が忙しい合間を縫って査読してくれたおかげで、本書の正確性と信頼性は格段にアップした。厚く御礼を申し上げたい。サンスクリット語とヒンディー語の解釈については前掲の井田氏と竹内氏に教示してもらった一方で、ネパール語については筆者の母親と、その友人でネパール人の Shyam Shundar 氏に助言を仰いだ。略歴に記載されている、筆者宅に 3 ヶ月ホームステイしたネパール人青年はまさに Shyam Shundar 氏のことである。

歴代の「世界過激音楽」シリーズの著者一同にも感謝したい。特に『デスメタルインドネシア』の小笠原和生氏が、METALLIZATION.jp（BURRN!ONLINE の前身）で連載していた読み物「仰天！インドのメタルシーンの今」は、インドとその周辺国のメタルシーンを知る上で最良の基礎資料だった。アウトブレイク・ショウ氏の『ウォー・ベスチャル・ブラックメタル・ガイドブック』、脇田涼平氏の『Djent ガイドブック』、田村直昭氏の『プリミティヴ・ブラックメタル・ガイドブック』をはじめ、メタルの多様なサブジャンルに特化した「世界過激音楽」シリーズは、各ジャンルの定義を再確認する上で有益だった（Genocide Shrines、Skyharbor、Taarma の 3 組のインタビューは、「世界過激音楽」シリーズではこれら 3 冊に初掲載された。そして Abigail の Jero は、日本人アーティストの視点から有益な知見をもたらしてくれた。

さらに介護福祉士として、新型コロナウイルス感染症と医療と介護の最前線で向き合い続けた家人と愛猫達（筆者宅に住んでいるのは 1 匹だけで、残りは外猫である）、5 年もの長期間にわたって文字どおり二人三脚で付き合ってくれたハマザキ氏にもあらためて感謝したい。

水科哲哉 Tetsuya Mizushina

1996 ～ 1997 年にかけてインドのベンガルール、ネパールのカトマンズとポカラを訪問。2015 年 5 ～ 8 月には、当時 26 歳だったネパール人青年のホームステイを 3 ヶ月間にわたり受け入れた。現在は日・英・韓の 3 ヶ国語を解するライター／編集者／翻訳者として、これまでに 66 点の翻訳書の編集制作に従事。担当書籍は『プラチナ・ディスクはいかにして生まれたのか　テッド・テンプルマンの音楽人生』（シンコーミュージック）のような洋楽ロック関連本から、『ビジネスの新形態 B Corp 入門』（ニュートンプレス）のような実用書、『線を越える韓国人　線を引く日本人』（飛鳥新社）のような日韓文化比較本に至るまで多岐にわたる。英語の共訳書に『アンプ大名鑑 [Marshall 編]』（スペースシャワーネットワーク）があり、2016 年から『BURRN!』臨時増刊『METALLION』（シンコーミュージック）のガールズメタル特集号で取材、執筆に携わっている。合資会社アンフィニジャパン・プロジェクト代表社員

合資会社アンフィニジャパン・プロジェクト
http://www.infini-jp.net/

Twitter : @Tmizushina

https://www.facebook.com/tetsuya.mizushina

世界過激音楽 Vol.18

デスメタルインディア

スリランカ・ネパール・パキスタン・
バングラデシュ・ブータン・モルディヴ

2023 年 5 月 1 日　初版第 1 刷発行
著者：水科哲哉
装幀 & デザイン：合同会社パブリブ
発行人：濱崎誉史朗
発行所：合同会社パブリブ
〒 103-0004
東京都中央区東日本橋 2 丁目 28 番 4 号
日本橋 CET ビル 2 階
03-6383-1810
office@publibjp.com
印刷 & 製本：シナノ印刷株式会社